T'es branché? 2

Author
Toni Theisen

With the collaboration of
Jacques Pécheur

Contributing Writers

Stephen R. Adamson
Rogers, AR

Annie-Claude Montron
Paris, France

Caroline Busse
Pasadena, CA

Virginie Pied
Salt Lake City, UT

Nathalie E. Gaillot
Lyon, France

Emily Wentworth
Branford, CT

Lynne I. Lipkind
West Hartford, CT

Pamela M. Wesely
Iowa City, IA

Diana I. Moen
St. Paul, MN

EMC Publishing®

ST. PAUL

Editorial Director: Alejandro Vargas

Developmental Editor: Diana I. Moen

Associate Editors: Nathalie Gaillot, Patricia Teefy

Assistant Editor: Kristina Merrick

Director of Production: Deanna Quinn

Cover Designer: Leslie Anderson

Text Designers: Diane Beasley Design, Leslie Anderson

Illustrators: Marty Harris; Patti Isaacs, Parrot Graphics; Katherine Knutson; S4Carlisle

Production Specialists: Leslie Anderson (lead), Jaana Bykonich, Ryan Hamner, Julie Johnston, Valerie King, Timothy W. Larson, Jack Ross, Sara Schmidt Boldon

Copy Editor: Mayanne Wright

Proofreader: Jamie Gleich Bryant

Reviewers: Sébastien De Clerck, Ojai, CA; Nicole Fandel, Acton, MA; Mary Lindquist, Chicago, IL; Linda Mercier, Elizabethtown, PA; Gretchen Petrie, Medina, OH; Anne Marie Plante, Minneapolis, MN; Gerald Plotkin, Arden, NC; Celeste Renza-Guren, Dallas, TX; Jaya Vijayasekar, Glastonbury, CT

ISBN 978-0-82195-997-8
© 2014 by EMC Publishing, LLC
875 Montreal Way
St. Paul, MN 55102
Email: educate@emcp.com
Website: www.emcp.com

To the Student

Rebonjour! *(Hello again!)*

Knowing French is like having a passport to many locations in the world you can travel to and practice your French. In your second year of studying the French language and Francophone culture, you will learn more about places in the world where French is spoken, or **la Francophonie**. What do you remember about these places from your first year of study? See if you can match each statement to one of the photos.

1. I can explore **les souks**.
2. I can go to Mardi Gras.
3. I can visit the European Parliament.
4. I can eat **les accras de morue**.
5. I can eat at a restaurant that serves couscous.
6. I can see women wearing bright scarves that match their patterned skirts.
7. I can listen to **zouk** music.
8. I can hike or ski in **les Alpes**.
9. I can visit peanut farms.
10. I can see houses centered around a patio garden.
11. I can see the monuments of the capital from a **bateau-mouche**.
12. I can travel alongside the Saint-Lawrence River.

A. L'Amérique du Nord.

B. Les Antilles.

C. Le Maghreb.

This year you will learn many exciting things about language too, like how to talk about the parts of a car, describe a day at the amusement park, talk about professions that interest you, discuss your daily routine and household chores, and say what goes on at a farm. You will also develop more skills for traveling, like navigating a French airport, describing a painting you see at a museum, reserving a room in a hotel, and ordering breakfast.

Bonne continuation as you resume your learning about French language and Francophone cultures!

D. L'Afrique.

E. L'Europe.

Table of Contents

Unité 10

En vacances 537

Le monde francophone

Des musiciens sénégalais.

Ville de Sidi Bou Saïd, en Tunisie.

Déjeuner à Marseille.

Le canal du Luxembourg.

Un souk à Marrakech.

Le port de Labadie, à Haïti.

La Saint-Jean, à Montréal.

Au Carnaval de la Martinique.

Map of France

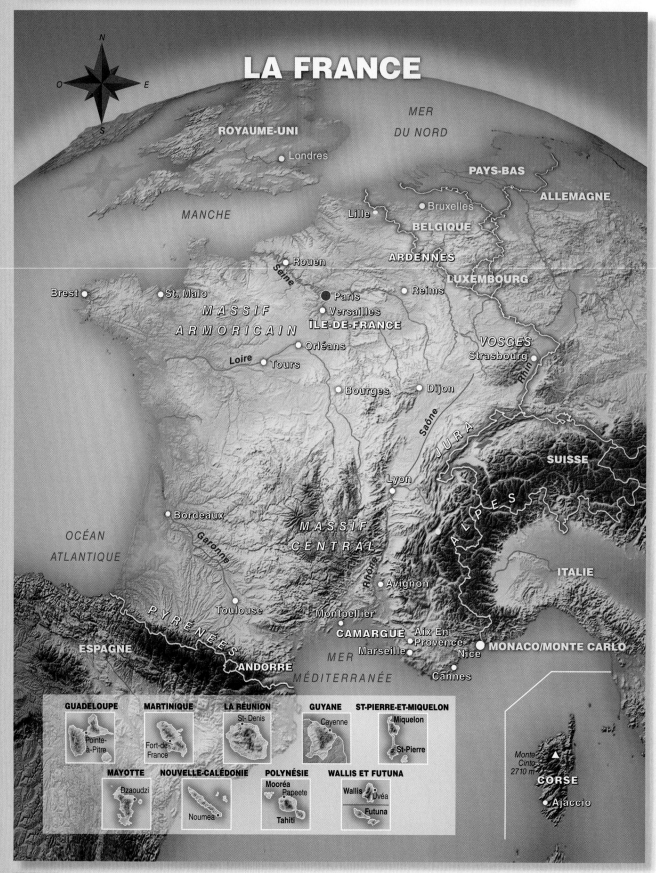

LA FRANCE

N
O E
S

ROYAUME-UNI

MER DU NORD

PAYS-BAS

• Londres

ALLEMAGNE

MANCHE

Lille • • Bruxelles

BELGIQUE

ARDENNES

LUXEMBOURG

• Rouen

Seine

Brest •

• St. Malo

• Reims

MASSIF ARMORICAIN

Paris
• Versailles

ÎLE-DE-FRANCE

VOSGES

Strasbourg •

• Orléans

Rhin

Loire

• Tours

• Bourges

• Dijon

Saône

JURA

SUISSE

Lyon

ALPES

OCÉAN ATLANTIQUE

• Bordeaux

Garonne

MASSIF CENTRAL

ITALIE

Rhône

• Avignon

PYRÉNÉES

• Toulouse

Montpellier •

CAMARGUE

Aix En Provence •

MONACO/MONTE CARLO

ESPAGNE

ANDORRE

Marseille •

Nice •

MER MÉDITERRANÉE

• Cannes

GUADELOUPE

Pointe-à-Pitre

MARTINIQUE

Fort-de-France

LA RÉUNION

St- Denis

GUYANE

Cayenne

ST-PIERRE-ET-MIQUELON

Miquelon

St-Pierre

MAYOTTE

Dzaoudzi

NOUVELLE-CALÉDONIE

Noumea

POLYNÉSIE

Mooréa
Papeete

Tahiti

WALLIS ET FUTUNA

Wallis Uvéa

Futuna

Monte Cinto 2710 m

CORSE

• Ajaccio

LE MONDE
DE LA
FRANCOPHONIE

Pays où le français
est la langue
maternelle

Pays où le français
est important

Belgique
Luxembourg
France
Suisse
Andorre
Corse
Monaco
Maroc
Tunisie
Liban
Algérie
Mauritanie
Mali
Niger
Sénégal
Burkina
Tchad
Guinée
Faso
Djibouti
Bénin
République
centrafricaine
Côte
Togo
Cameroun
OCÉAN
d'Ivoire
INDIEN
Guinée
Équatoriale
Gabon
Rép. Dém.
Rwanda
Congo
du Congo
Burundi
Comores
Mayotte
Maurice
Réunion
Madagascar

Canada
Québec
St-Pierre et Miquelon
Laos
OCÉAN
ATLANTIQUE
Vietnam
Cambodge
Guadeloupe
Haïti
Martinique
Guyane
OCÉAN
française
PACIFIQUE
Polynésie
Française
Tahiti

Map of Paris

CLICHY

LEVALLOIS-PERRET

Arche de la Défense

Avenue Charles de Gaulle

NEUILLY-SUR-SEINE

Bd G St. Cyr

17e

Boulevard Berthier

Av. de Clichy

Av. de St-Ouen

Bd Bessières

Bd Malesherbes

Bd des Batignolles

Gare Saint-Lazare

Bd Malesherbes

Bd Haussmann

Av. de la Grande Armée

Pl. Charles de Gaulle

Arc de Triomphe

8e

Av. Foch

Avenue des Champs-Élysées

Place de la Concorde

R. Royale

Bd Lannes

Av. Victor Hugo

Av. Kléber

la Seine

16e

Tour Eiffel

Av. Bosquet

Bvd St-

Bois de Boulogne

Champ de Mars

Invalides

7e

Bvd Raspail

Statue de la liberté

Bd Suchet

la Seine

Bvd de Grenelle

Bd. Garibaldi

Av. Émile Zola

Rue de la Convention

15e

Bd Pasteur

Bd du Mont

Bd Exelmans

Avenue de Versailles

Rue de Vaugirard

Gare Montparnasse

Av. du Maine

Bvd Victor

R. de Vouillé

Bd Lefèbvre

Rue

BOULOGNE-BILLANCOURT

Boulevard Brune

ISSY-LES-MOULINEAUX

VANVES

MALAKOFF

MONTROUGE

0   1 Mile

0   1 Kilometer

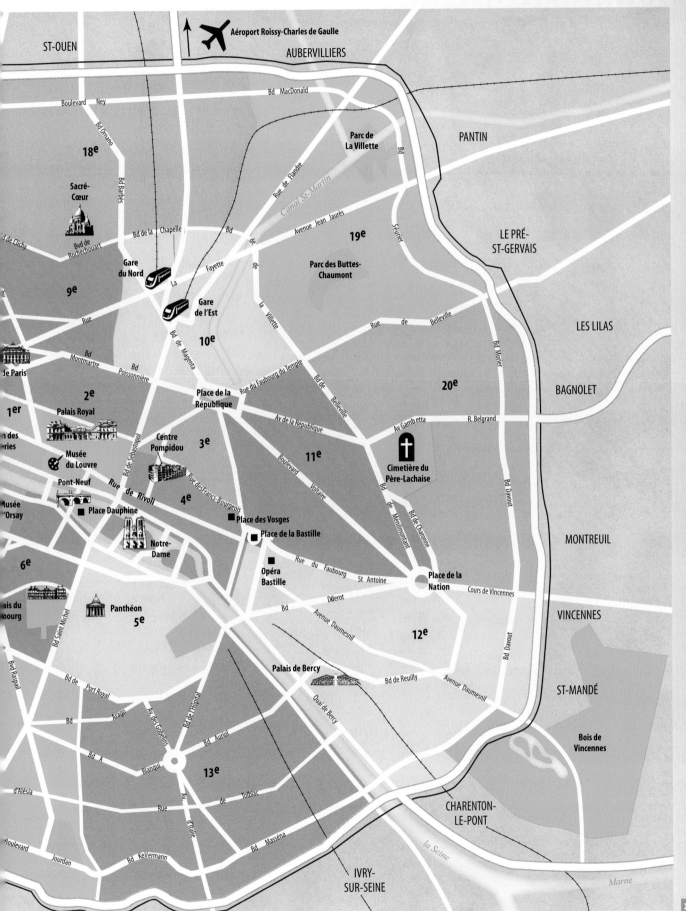

Administrative Map of France

ROYAUME-UNI

BELGIQUE

ALLEMAGNE

LUXEMBOURG

SUISSE

ITALIE

ESPAGNE

ANDORRE

Pas-de-Calais

Nord-Pas-de-Calais

Nord

Somme

Picardie

Aine

Ardennes

Moselle

Lorraine

Bas-Rhin

Strasbourg

Seine-Maritime

Haute-Normandie

Oise

Marne

Meuse

Meurthe-et-Moselle

Alsace

Manche

Calvados

Basse-Normandie

Eure

Val d'oise

Yvelines

Seine-et-Marne

Champagne-Ardennes

Vosges

Haut-Rhin

Île-de-France

Aube

Haute-Marne

Haute-Saône

Finistère

Côtes-d'Armor

Bretagne

Ille-et-Vilaine

Orne

Eure-et-Loir

Essonne

Franche-Comté

Doubs

Mayenne

Sarthe

Loir-et-cher

Centre

Loiret

Yonne

Côte-d'Or

Bourgogne

Morbihan

Pays-de-la-Loire

Maine-et-Loire

Indre-et-Loire

Nièvre

Jura

Loire-Atlantique

Cher

Saône-et-Loire

Vendée

Deux-Sèvres

Vienne

Indre

Allier

Ain

Haute-Savoie

Poitou-Charente

Haute-Vienne

Creuse

Pays-de-Drôme

Rhône

Rhône-Alpes

Savoie

Charente-Maritime

Charente

Limousin

Corrèze

Auvergne

Loire

Isère

Cantal

Haute-Loire

Dordogne

Ardèche

Drôme

Hautes-Alpes

Gironde

Lot

Lozère

Alpes-de-Haute-Provence

Alpes-Maritimes

Lot-et-Garonne

Aveyron

Aquitaine

Tarn-et-Garonne

Midi-Pyrénées

Gard

Vaucluse

Provence Alpes-Côte-d'Azur

Landes

Gers

Tarn

Hérault

Bouches-du-Rhône

Var

Toulouse

Haute-Garonne

Languedoc-Roussillon

Pyrénées Atlantiques

Hautes Pyrénées

Ariège

Aude

Pyrénées Orientales

Haute-Corse

Corse

Corse-du-Sud

la Guyane

la Guadeloupe

la Martinique

la Réunion

Mayotte

Comment je passe l'été

Rendez-vous à Nice!

Épisode 11:

Où est Chadia?

Unité 1

Comment je passe l'été

Question centrale

?

What do young people do in the summer in other cultures?

Pourquoi Charlotte va mal?
A. Elle ne sait pas où est Chadia.
B. Elle ne sait pas où est Patrick.
C. Ça va mal avec sa mère.

Comment s'appelle cette troupe de cirque québécois?

Contrat de l'élève

Leçon A I will be able to:
» ask and tell when something takes place.
» talk about the city of Quebec, its 400th anniversary, and some francophone holidays.
» use regular verbs, possessive adjectives, and negation; ask questions; and tell dates.

Leçon B I will be able to:
» ask for and give an opinion.
» talk about Luxembourg, TV in France and Luxembourg, and reality programs in France.
» use demonstrative adjectives, the irregular verbs **avoir** and **être** in the present tense, indefinite articles in negative sentences, and adjectives to describe.

Leçon C I will be able to:
» inquire about and respond to future plans.
» talk about amusement parks in France and Quebec.
» talk about where I am going and what I'm going to do there, what I am doing, and what I have just done; use the prepositions **de** and **à** with a definite article; and tell time.

Leçon A

Vocabulaire actif

emcl.com
WB 1–5
LA 1
Games

Les fêtes!

la Saint-Valentin

le Jour de l'an

la fête nationale

la Saint-Jean

l'Action de Grâce (f.)

la Toussaint

Noël

un feu de joie

des feux d'artifice (m.)

Samian est un chanteur...

autochtone

et québécois

Pour la conversation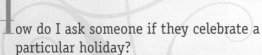

How do I ask someone if they celebrate a particular holiday?

> ❯ **Est-ce que tu fêtes** la Saint-Valentin?
>
> *Do you celebrate Valentine's Day?*

How do I ask when something takes place?

> ❯ Le concert de Samian, il **a lieu quand?**
>
> *Samian's concert takes place when?*

How do I respond?

> ❯ **Vers** minuit....
>
> *Around midnight....*
>
> ❯ **Le** 24 juin.
>
> *On June 24.*

Et si je voulais dire...?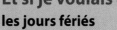

les jours fériés	*holidays*
L'Épiphanie (f.)	*Epiphany (Jan. 6)*
Mardi gras	*Mardi Gras*
Pâques	*Easter*
l'indépendance (f.)	*day many former colonies celebrate their independence*
religieux, religieuse	*religious*

1 C'est quand cette fête?

Écrivez les numéros 1–7 sur votre papier. Écoutez les dialogues. Ensuite, choisissez la lettre de la fête qui correspond à chaque description.

A. la Saint-Valentin
B. le Jour de l'an
C. la fête nationale
D. la Toussaint

E. la Saint-Jean
F. Noël
G. l'Action de grâce

Communiquez!

2 Quand est-ce que... a lieu?

Interpersonal Communication

Posez des questions à un(e) camarade de classe pour savoir quand chaque événement a lieu.

MODÈLE   ta fête d'anniversaire
A: **Quand est-ce que ton anniversaire a lieu?**
B: **Mon anniversaire a lieu le 13 août.**

1. la rentrée
2. le contrôle de maths
3. l'anniversaire de ton meilleur ami ou ta meilleure amie
4. ta fête préférée
5. la teuf de ton ami(e)
6. le contrôle d'histoire

Le contrôle de géo a lieu le 3 octobre.

3 Questions personnelles

Répondez aux questions.

1. Est-ce que tu fêtes l'Action de grâce dans ta famille?
2. Si oui, qu'est-ce que toi et ta famille, vous mangez?
3. Quelle est la date de l'Action de grâce cette année?
4. Qu'est-ce que tu offres à ton meilleur ami ou ta meilleure amie pour Noël?
5. Qu'est-ce que tu vas faire le 4 juillet?
6. Est-ce qu'il y a une fête dans ta ville? Quand?

La Saint-Jean à Québec

Nicolas skype avec Robert, son copain québécois qui habite à Québec.

Nicolas: C'est une grande fête, le 24 juin?

Robert: Oui, tu n'imagines pas l'ambiance... la nuit de la Saint-Jean... des concerts gratuits sur les Plaines d'Abraham!

Nicolas: Au fait, c'est où les Plaines d'Abraham?

Robert: À Québec, comme de raison. Pas loin du Complexe Parlementaire.

Nicolas: Qui est au programme?

Robert: J'y vais pour écouter la musique de Samian, un chanteur autochtone.

Nicolas: Et le concert de Samian, il a lieu quand?

Robert: Aux abords de minuit. Ça va être tiguidou!

Nicolas: Ça finit quand?

Robert: Très tôt ou très tard, dépendamment de ton point de vue.

Nicolas: Tu vas faire une nuit blanche, n'est-ce pas?

Robert: Effectivement. En plus des concerts, il y a des feux de joie et des feux d'artifices!

Nicolas: Avec qui est-ce que tu vas au concert?

Robert: Avec un groupe de mes chums.

Nicolas: J'attends ton skype demain, alors, et tous les détails!

Les expressions

Au Québec	En France
comme de raison	bien sûr
aux abords de	vers
tiguidou	chaud, cool
dépendamment	selon
effectivement	c'est sûr
chums	copains

Complétez les phrases.

1. Nicolas habite... France, mais Robert habite à..., au Québec.
2. Le... est la date de la Saint-Jean au Québec.
3. Robert va à des concerts... sur les Plaines d'Abraham.
4. Robert aime le chanteur Samian, un chanteur....
5. Le concert de Samian a lieu vers....
6. Robert ne va pas... cette nuit.
7. Robert va... avec Nicolas demain.

Extension   **Les fêtes francophones**

Une journaliste interviewe les passants devant un grand magasin, pendant les fêtes de Noël.

Journaliste: Vous aimez Noël?

Passant 1: Oui, c'est vraiment ma fête préférée. Regardez comme c'est beau—les lumières, l'ambiance....

Journaliste: Et pour vous Noël, c'est aussi votre fête préférée?

Passant 2: Ah non, chez nous, au Québec, c'est la Saint-Jean... des piqueniques, des concerts, des feux d'artifice!

Extension   Les passants préfèrent quelles fêtes? Pourquoi?

Ville de Québec

Québec, située sur le fleuve Saint-Laurent, est la capitale de la province de Québec. C'est l'une des plus vieilles villes de l'Amérique du Nord. Un grand port et un centre administratif, culturel, commercial, et industriel, elle a deux quartiers différents—le Vieux-Québec, fréquenté par les touristes; et le quartier moderne. Deux sites importants de la ville sont le Château Frontenac, un hôtel élégant qui ressemble à un château gothique; et les Plaines d'Abraham. C'est sur ce dernier qu'une grande bataille* entre l'armée britannique et l'armée française a eu lieu le 13 septembre 1759. Les deux généraux, Wolfe et Montcalm, sont morts, et la bataille a mis fin au régime français en Nouvelle-France. Un événement important à Québec est le Carnaval d'hiver qui a lieu en janvier et février. Il offre des spectacles et des jeux en plein air.

Situé dans le quartier du Vieux-Québec, le Château Frontenac est en face du fleuve Saint-Laurent.

🔍 **Search words: ville de québec site officiel, carnaval de québec**

---
bataille *battle*

COMPARAISONS

Quelle est la plus vieille ville des États-Unis? Faites des recherches en ligne.

Produits

Le Cirque du Soleil est une troupe artistique québécoise qui présente approximativement 21 spectacles différents dans le monde. Comme objectif, ils ont toujours "cherché à nourrir* l'imagination, stimuler les sens* et susciter* l'émotion de son public" dans des spectacles qui mélangent* les actes de cirque avec les spectacles de rue.

🔍 **Search words: cirque du soleil**

---
nourrir *nourish;* **sens** *senses;* **susciter** *arouse;* **mélangent** *mix*

Le Cirque du Soleil a commencé dans les années 1980 par une petite troupe de théâtre de Québec.

Les 400 ans de la ville de Québec

La ville de Québec date de 1608. Le 400ème anniversaire de la fondation de la ville de Québec a donc été célébré en 2008. Parmi* les nombreux événements,* Le Moulin à images,* le Potager des visionnaires,* le Louvre à Québec, les concerts de Céline Dion et de Paul McCartney sur les Plaines d'Abraham, le spectacle pyrotechnique sur le fleuve Saint-Laurent ont été les événements les plus populaires.

 Search words: le 400ᵉ anniversaire de la ville de québec

Parmi *Among*; **événements** *events*; **Moulin à images** *Image Mill*;
Potager des visionnaires *Visionaries' Garden*

Mon dico québécois

Ferme la trappe!	Be quiet!
Pantoute	Pas du tout
T'as du guts!	Tu es courageux.
Va jouer dans le trafic!	Va-t'en!

La Francophonie

✳ Les fêtes francophones

Le Québec célèbre sa fête nationale le 24 juin, jour de la Saint-Jean-Baptiste. Pendant la journée beaucoup de familles organisent des piqueniques. Sur les Plaines d'Abraham il y a beaucoup d'activités, comme des clowns, des maquillages,* et des ateliers de bricolage.* Le soir du 23 juin, il y a des concerts sur les Plaines d'Abraham et des feux d'artifice.

En France la fête nationale est le 14 juillet. On célèbre le jour en 1789 où les Parisiens ont pris la Bastille, la prison royale, et la Révolution française a commencé. Chaque année, il y a un grand défilé* à Paris et de beaux feux d'artifice.

On fête le 14 juillet avec des feux d'artifice dans toutes les villes de France.

Une autre fête importante en France est la Toussaint, le 1ᵉʳ novembre. Ce jour-là on va au cimetière et met des fleurs sur les tombes des parents* qui sont morts. Les élèves ont aussi une semaine de vacances.

 Search words: jours fériés canada
jours fériés France

---

maquillages *face paintings*; **ateliers de bricolage** *do-it-yourself workshops*; **défilé** *parade*; **parents** *relatives*

Samian

Samian (Samuel Tremblay) s'est fait connaître* au Festival Voix* d'Amériques en 2006. C'est le premier rappeur québécois à chanter en français et en algonquin, la langue de ses ancêtres autochtones. Il utilise le hip-hop pour exposer les problèmes de la société, et faire valoir* la culture québécoise et amérindienne. Sa musique rap incorpore des tambours* et des chants guerriers* traditionnels.

 Search words: vidéos samian

s'est fait connaître *became well-known;* **Voix** *Voices;* **faire valoir** *to bring attention to the importance of;* **tambours** *drums;* **chants guerriers** *war songs*

5 Activités culturelles

Faites les activités suivantes.

1. Faites un album de photos de Québec avec le Château Frontenac, les endroits du Vieux-Québec, et les Plaines d'Abraham.
2. Regardez une vidéo du Cirque du Soleil et décrivez ce que vous voyez.
3. Faites un axe chronologique des dates importantes dans l'histoire de la ville de Québec. Commencez avec ses origines jusqu'au présent.
4. Faites une liste de chansons par Samian et écoutez-en deux ou trois.

Perspectives

Marie-Chantal Perron dit à propos de la Saint-Jean: "La porte est ouverte/La table est mise pour un grand banquet/Une belle veillée." Quelle est l'ambiance au Québec quand on fête la Saint-Jean?

Le vieux Québec.

emcl.com
WB 9–12
LA 2
Games

Révision: Present Tense of Regular Verbs Ending in *-er, -ir,* and *-re*

To form the present tense of a regular **-er** verb, remove the **-er** ending from the infinitive to find the stem. Then add the ending **-e**, **-es**, **-e**, **-ons**, **-ez**, or **-ent** depending on the subject.

écouter			
j'	**écoute**	nous	**écoutons**
tu	**écoutes**	vous	**écoutez**
il/elle/on	**écoute**	ils/elles	**écoutent**

Qu'est-ce que tu **écoutes?**   *What are you listening to?*
J'**écoute** la musique de Samian.   *I'm listening to music by Samian.*

To form the present tense of a regular **-ir** verb, remove the **-ir** ending from the infinitive to find the stem. Then add the endings **-is**, **-is**, **-it**, **-issons**, **-issez**, or **-issent** depending on the subject.

choisir			
je	**choisis**	nous	**choisissons**
tu	**choisis**	vous	**choisissez**
il/elle/on	**choisit**	ils/elles	**choisissent**

Jérome écoute de la musique au magasin. Il choisit un DVD.

Vous **choisissez** un cadeau d'anniversaire?   *Are you choosing a birthday gift?*
Oui, je **choisis** un CD pour André.   *Yes, I am choosing a CD for André.*

To form the present tense of a regular **-re** verb, remove the **-re** ending from the infinitive to find the stem. Then add the ending **-s**, **-s**, **—**, **-ons**, **-ez**, or **-ent** depending on the subject.

vendre			
je	**vends**	nous	**vendons**
tu	**vends**	vous	**vendez**
il/elle/on	**vend**	ils/elles	**vendent**

COMPARAISONS

Which of these verbs is regular in English in the present tense?

- to be
- to walk
- to have

Qu'est-ce que vous **vendez?**   *What are you selling?*
Nous **vendons** notre vieille voiture.   *We're selling our old car.*

COMPARAISONS: Only the verb "to walk" is regular: I walk, You walk, She walks, We walk, They walk.

6 Un voyage scolaire

Anne note des affaires que ses camarades de classe vendent pour payer leur voyage scolaire. Dites ce qu'on vend.

1. tu

2. je

3. Gabriel et moi, nous

4. Nicole

5. Koffi et toi, vous

6. Étienne et Alexis

7. Nasser

7 La rentrée

Complétez l'histoire de Stéphanie et son amie Clara avec les formes convenables des verbes de la liste. Utilisez le présent.

| téléphoner | finir | marcher | arriver | porter | trouver | attendre |

1. Stéphanie... un nouvel ensemble.
2. Elle... son petit déjeuner dans la cuisine.
3. Elle... son sac à dos avec ses nouveaux cahiers et stylos dans sa chambre.
4. Elle... à son amie Clara.
5. Elle demande: "Nous... à l'école ensemble?"
6. Les filles... à l'école en avance.
7. Elles... leurs amis devant l'école.

Stéphanie porte son nouvel ensemble pour la rentrée.

Écrivez les numéros 1–8 sur votre papier. Écoutez chaque dialogue deux fois et choisissez la phrase qui décrit (describes) le mieux la situation.

A. Rachid écoute de la musique sur les Plaines d'Abraham.

B. On vend des drapeaux québécois devant le Complexe Parlementaire.

C. Le concert finit vers minuit.

D. Laurent va skyper avec son ami.

E. Les amis de Jean ne paient rien pour les concerts.

F. Les copains choisissent de passer une nuit blanche pour la Saint-Jean.

G. Les musiciens jouent de la musique québécoise.

H. On descend de l'autobus devant le Complexe Parlementaire.

emcl.com
WB 13–15
Games

Révision: Negation

To make a verb negative in French, put **ne (n')** before the verb and either **pas**, **personne**, **rien**, **jamais**, or **plus** after it.

Question	Negative response
Maude est à la maison?	Non, elle **n'**est **pas** là.
Elle est **toujours** bavarde? (*always*)	Non, elle **n'**est **jamais** bavarde.
Il y a **quelqu'un** avec elle? (*someone, somebody*)	Non, il **n'**y a **personne** avec elle.
Elle achète **quelque chose**? (*something*)	Non, elle **n'**achète **rien.**
Elle fait **souvent** du sport? (*often*)	Non, elle **ne** fait **jamais** de sport.
Elle est **toujours** en forme? (*still*)	Non, elle **n'**est **plus** en forme.

9 Sur la côte d'Azur

Comparez les deux dessins. Ensuite, répondez aux questions en suivant le modèle.

MODÈLE Il y a quelqu'un sur la plage?
L'après-midi il y a des gens sur la plage, mais à minuit il n'y a personne sur la plage.

à 14h00

à minuit

1. Est-ce que les enfants nagent?
2. Il y a des ados qui mangent?
3. Il y a quelqu'un qui joue au volleyball?
4. Est-ce que le vendeur de glace est là?
5. Est-ce qu'on achète quelque chose?
6. Il fait toujours beau à la plage?

10 Awa a changé.

Lisez l'e-mail qu'Awa a écrit quand elle avait 14 ans. Maintenant elle a 16 ans et tout a changé. Écrivez le paragraphe encore une fois avec des expressions négatives.

À	Chloé
Cc:	
Sujet:	Salut!

Salut, Chloé!

Je m'appelle Awa et j'ai 14 ans. Je fais souvent des promenades dans le parc et je joue au foot. Après les cours, j'aide toujours ma mère dans la cuisine. Après le dîner, je regarde souvent des drames à la télé. Le weekend, je téléphone à mes copains. Je les attends en ville et j'achète quelque chose. Ensuite, je prends quelque chose au café. Pendant la semaine, je suis toujours une très bonne élève.

Awa

Révision: Possessive Adjectives

emcl.com
WB 16–17
Games

Possessive adjectives show ownership or relationship. They agree in gender (masculine or feminine) and in number (singular or plural) with the nouns that follow them.

	Singular		Plural
	Masculine	**Feminine before a Consonant Sound**	
my	**mon**	**ma**	**mes** vacances
your	**ton**	**ta**	**tes**
his, her, one's, its	**son**	**sa**	**ses**
our	**notre**	**notre**	**nos**
your	**votre**	**votre**	**vos**
their	**leur**	**leur**	**leurs**

(programme) (fête)

Before a feminine singular word beginning with a vowel sound, **ma**, **ta**, and **sa** become **mon**, **ton**, and **son**, respectively.

    Tu as **ton** affiche?   *Do you have your poster?*

C'est notre fête nationale aujourd'hui!

11 Les objets

Formez un groupe de quatre ou cinq élèves. Chaque élève met deux objets par terre (on the ground). À tour de rôle, distribuez les objets selon le modèle.

MODÈLE   **C'est ton stylo et ta photo....**

12 **Les grandes vacances commencent!**

Dites que les personnes suivantes commencent leurs activités d'été.

Ma famille et moi, nous commençons nos vacances sur la côte d'Azur.

MODÈLE   Sylvain/les leçons de tennis
Sylvain commence ses leçons de tennis.

1. Nathalie/le shopping pour les vêtements d'été
2. Ma famille et moi, nous/les vacances sur la côte d'Azur
3. je/le nouveau livre de Stephen King
4. Simon/le cours de maths
5. Noah et toi, vous/le voyage en Afrique
6. tu/l'aventure en Suisse
7. Justine et Coralie/les jobs d'été

Révision: Forming Questions

emcl.com
WB 18–19
Games

Study the chart to review question formation.

Question Types	Examples
1. Raise your intonation at the end of a sentence.	Tu vas au concert? *You're going to the concert?*
2. Use **Est-ce que…?** without a question word. Use a specific **question word** followed by **est-ce que**, a subject, and a verb.	**Est-ce que** tu vas en ville? **Quand/Pourquoi/Comment/Où/Avec qui** **Avec qui est-ce que** tu vas au concert? When/Why/How/Where/With whom are you going to the concert?
3. Add **n'est-ce pas** to the end of a sentence.	Tu vas au concert, **n'est-ce pas**? *You're going to the concert, aren't you?*
4. Use a specific **question word** and invert the verb and its subject pronoun. (Place a **t** in between a verb ending in a vowel and **il**, **elle**, or **on**.)	**Quand/Pourquoi/Comment/Où/Avec qui** **Avec qui vas-tu** au concert? When/Why/How/Where/With whom are you going to the concert?

Usage Tip

The last question type is more formal and would also be used in writing in French.

Jeanne et Paule vont-elles voir les feux d'artifice?

Communiquez!

13 Une interview

Interpersonal Communication

À tour de rôle, demandez ce que votre partenaire préfère faire. Suivez le modèle.

MODÈLE jouer au basket/faire du ski

A: **Est-ce que tu préfères jouer au basket ou faire du ski?**
B: **Je préfère jouer au basket. Et toi, préfères-tu jouer au basket ou faire du ski?**
A: **Moi aussi, je préfère jouer au basket.**

1. faire la cuisine/manger dans un restaurant
2. télécharger des chansons/acheter des CDs
3. aller au cinéma/écouter de la musique
4. offrir une carte cadeau/faire un gâteau pour l'anniversaire d'un ami

Communiquez!

14 Qu'est-ce qu'on fait cet été?

Interpersonal Communication

À tour de rôle, demandez à votre partenaire de clarifier les situations suivantes en utilisant l'inversion. Votre partenaire va répondre en utilisant l'information entre parenthèses. Suivez le modèle.

MODÈLE Les Girard visitent les musées. (les châteaux)

A: **Les Girard, visitent-ils les musées?**
B: **Non, ils visitent les châteaux.**

1. Yasmine et sa famille voyagent en Algérie. (en Espagne)
2. Marcel passe l'été au bord de l'océan. (à la montagne)
3. Il prend le train. (la voiture)
4. Émilie et Jean-Luc font du roller. (du footing)
5. Alain travaille. (voyage)
6. Monique et Leïla vont au Québec. (en Allemagne)

Révision: Dates

To express the date in French, use **le** before the number for the day, followed by the month.

> C'est **le 14 juillet**.   It's July 14.

To say "the first" of any month, use **le premier** before the month.

> Nous sommes **le premier août**.   It's August first.

When abbreviating the date, the day comes before the month.

> le douze septembre, 12/9

Nous sommes le 14 février.

Communiquez!

15 Les concerts à Bercy

Interpretive/Interpersonal Communication

À tour de rôle, demandez à votre partenaire quand sont les concerts suivants. Votre partenaire va répondre en utilisant l'information dans l'affiche. Suivez le modèle.

MODÈLE   1/7   Black Eyed Peas
A: **C'est quand le concert des Black-Eyed Peas?**
B: **C'est le premier juillet.**

Les concerts d'été à Bercy

6/6	Rachid Taha
14/6	Snow Patrol
23/6	Corneille
1/7	Black-Eyed Peas
12/7	Youssou N'Dour
31/7	Natasha St-Pier
16/8	Beyoncé
21/8	Amadou et Mariam
29/8	John Mayer

À vous la parole

Communiquez!

16 Les fêtes nationales

Presentational Communication

Create an illustrated monthly calendar online that includes at least one holiday per month in the United States. Then, research and add another holiday that is celebrated in a francophone country. Print out your calendar and add photos or drawings. Then describe five holidays to a partner. In your presentation:

- say when the holiday takes place (date)
- tell what the origin of the holiday is (**fête religieuse**, **fête nationale**, **fête de l'indépendance**, etc.)
- describe what activities and items are associated with the holiday (parades, picnics, concerts, religious ceremonies, special foods, clothes, etc.)

 Search words: calendrier des fêtes, fêtes nationales, jours fériés dans pays francophones

Communiquez!

17 Le Carnaval de Québec

Demain matin, on va voir une course au Carnaval.

Interpretive/Interpersonal Communication

You and a friend are planning a weekend trip to the winter carnival in the city of Quebec. With your partner, explore the carnival website and read the information about the activities, competitions, and events. Then, discuss your plans for the carnival. In your conversation:

> **Vocabulaire utile**
>
> **bonhomme de neige** *snowman*
> **laissez-passer** *pass*

- decide where you will stay
- talk about the weather
- decide what you and your partner would like to do at the **Carnaval** the first night
- discuss what you plan to do the next day, including what restaurant you will eat at and what you want to eat

 Search words: carnaval de québec, bonhomme carnaval de québec, québec tourisme

Prononciation

Articulation

- In French all the syllables in a phrase or sentence are pronounced with equal emphasis, unlike in English where some syllables receive more emphasis than others.

A La télé

Repeat each group of words, making sure each syllable is pronounced equally.

1. (*3 syllables*)   un sit-com
2. (*4 syllables*)   une émission
3. (*5 syllables*)   un documentaire
4. (*6 syllables*)   un jeu télévisé
5. (*7 syllables*)   une comédie romantique

B À Québec

Write the number of syllables you hear.

1. On va au Carnaval d'hiver.
2. C'est le musée de l'Amérique française.
3. On marche au Vieux-Port.
4. On visite l'Église Notre-Dame-des-Victoires.
5. Samian chante au concert.

Notre-Dame-des-Victoires à Québec

The Vowels /y/ and /ø/

- To make the sound /y/, as in **du**, place your tongue as far forward as you can with the tip against your bottom teeth, almost as if you're whistling. Purse your lips as tightly as you can. The sound /ø/ is the vowel sound in **deux**.

C Au café

Repeat the pairs of sentences, paying attention to the sounds /y/ and /ø/.

1. Il demande **du** café. Il demande **deux** cafés.
2. Achète **du** fromage! Achète **deux** fromages!
3. Il y a **du** gâteau. Il y a **deux** gâteaux.
4. Je voudrais **du** coca. Je voudrais **deux** cocas.

D À l'épicerie

*Write /y/ if you hear the vowel sound in **du**, or /ø/ if you hear the vowel sound in **deux**.*

Vocabulaire actif

emcl.com
WB 23–27
LA 1
Games

À la télé 🎧

un guide (télévisé)

Programme TV du: mardi 10 mai

❯ **En ce moment**   ❯ **Ce soir à la télé**   ❯ **2ème partie de soirée**

M6   17:00

un dessin animé

W9   21:55

un jeu télévisé

TF1   17:55

les informations/
les infos

tmc   22:00

la météo (un bulletin
météorologique)

CANAL+   18:10

un reportage sportif

NT1   23:40

un feuilleton

3   19:15

une série/un sitcom

arte   1:50

une émission
de musique

12   20:40

une émission de télé-réalité

un présentateur   une présentatrice

une animatrice   un animateur

un spot publicitaire   une télécommande

Pour la conversation

How do I ask for an opinion?

> **À ton avis**, **est-ce que** les émissions de télé-réalité sont passionnantes?

In your opinion, are reality shows exciting?

How do I give an opinion?

> **J'ai horreur des** émissions de télé-réalité.

I can't stand reality shows.

How do I find out what someone is thinking?

> **Tu ne trouves pas que** ce sont surtout des acteurs ratés?

Don't you think they're mostly failed actors?

How do I agree or disagree?

> **Je suis tout à fait d'accord.**

I completely agree.

> **Pas tout à fait.**

Not completely.

Et si je voulais dire...?

un(e) cinéphile	*movie connoisseur*
par câble	*on cable*
par satellite	*by satellite*
un téléfilm	*made-for-TV movie*
un téléspectateur	*TV viewer*
les variétés (f.)	*music program*

1 Vendredi à la maison

Sophie a un feuilleton préféré.

Lisez le journal de Sophie. Ensuite, dites si chaque phrase est vraie ou fausse. Si la phrase est fausse, corrigez-la (correct it).

Je suis malade, et je dois passer la journée à la maison. Il est huit heures du matin, et je n'ai rien à faire. C'est bien, ma mère m'a donné du jus d'orange. Qu'est-ce que je vais faire? Hmm... Je vais lire le guide télé. Je vais regarder des dessins animés de neuf heures à dix heures, une série à dix heures et quart, et mon feuilleton préféré cet après-midi. Mais je commence avec un bon petit déjeuner!

1. Sophie est à la maison parce qu'il y a une fête aujourd'hui.
2. Sophie consulte l'Internet pour choisir des émissions.
3. Elle va regarder des dessins animés à 9h00.
4. La série commence à 10h00.
5. Sophie a un feuilleton préféré.
6. Elle commence sa journée avec un bon petit déjeuner.

2 Les émissions à la télé

Consultez le programme de TV5 pour identifier un exemple de chaque type d'émission.

- **12:00** TV5MONDE LE JOURNAL
- **12:24** L'INVITÉ
- **12:57** MONSIEUR DICTIONNAIRE
- **13:00** LES SOMMETS DE LA SCIENCE
- **13:52** MAISON, JOLIES MAISONS
- **14:00** LE JOURNAL DE LA TSR
- **14:26** UN LIVRE UN JOUR
- **14:30** FLASH
- **14:32** LES PLUS BELLES ÎLES DU LITTORAL FRANÇAIS...
- **14:51** FOOTBALL
- **16:00** FOOTBALL
- **16:52** PLUS BELLE LA VIE
- **17:16** TV5MONDE - GERONIMO STILTON
- **17:39** CHABOTTE ET FILLE `SUBT` (série)
- **18:02** LE JOURNAL DE FRANCE 2

- **18:30** LE POINT `SUBT`
- **19:30** QUESTIONS POUR UN CHAMPION
- **20:00** TV5MONDE LE JOURNAL
- **20:25** LE JOURNAL DE L'ÈCONOMIE
- **20:30** SUR LA PLANÈTE `SUBT`
- **22:30** TV5MONDE LE JOURNAL

1. un jeu télévisé
2. un dessin animé
3. un reportage sportif
4. les informations
5. un match de football
6. une émission sur l'économie
7. une émission sur les sciences

3 Qu'est-ce qu'on regarde à la télé?

*Isabelle et son amie Roxanne parlent de ce qu'elles vont regarder à la télé ce soir. Écoutez le dialogue deux fois. Écrivez **V** si les phrases sont vraies ou **F** si elles sont fausses.*

1. Roxanne veut regarder les informations.
2. Isabelle aime les informations mais elle déteste le bulletin météo.
3. Isabelle et Roxanne veulent regarder une émission de télé-réalité.
4. Isabelle aime les dessins animés.
5. Roxanne aime bien la série "Les Simpson."
6. On va regarder une émission de musique.
7. L'émission de musique est à 9h00.
8. D'abord, elles regardent un jeu télévisé.

4 Questions personnelles

Répondez aux questions.

1. Quelles émissions de télé préfères-tu?
2. De quelles émissions as-tu horreur?
3. Quelles émissions de musique est-ce que tu regardes?
4. Quels sitcoms regardes-tu?
5. Quelle émission est-ce que tu as vue récemment avec un(e) ami(e) ou des ami(e)s?

Rencontres culturelles

Une émission luxembourgeoise

Manon et Madiba cherchent une émission à regarder à la télé.

Madiba: Ah, non! On ne va pas regarder "On n'est pas couché"; c'est bon pour mes parents, mais ça ne me tente pas.

Manon: Et pourquoi pas Koh-Lanta* sur la Une? À ton avis, est-ce que les émissions de télé-réalité sont passionnantes?

Madiba: J'ai horreur des émissions de télé-réalité. Regarder des gens manger du serpent ou faire griller des insectes? Non, merci.

Manon: Moi, je ne trouve pas ça horrible. Ça m'amuse, mais bon....

Madiba: Enfin Manon, toutes les émissions de télé-réalité sont nulles!

Manon: Non, ce n'est pas mon avis. On découvre parfois de belles personnalités attachantes.

Madiba: Tu ne trouves pas que ce sont surtout des acteurs ratés?

Manon: Pas tout à fait. J'ai une idée... "Ça va se savoir"** sur RTL9, une chaîne du Luxembourg. Tu connais?

Madiba: Non....

Manon: Mince, cette télécommande ne marche plus!

Madiba: On peut regarder en ligne. L'écran de mon ordinateur portable est plus petit que l'écran de télé, mais les images sont très claires.

*la version française de "Survivor"
**une émission qui ressemble à un "talk show" américain

---

5 Une émission luxembourgeoise

Choisissez la lettre correspondant à l'expression qui complète chaque phrase.

1. Madiba et Manon cherchent une....
2. "On n'est pas couché" est meilleur....
3. "Koh-Lanta" est une émission....
4. Manon pense qu'on découvre....
5. RTL9 est une chaîne....
6. Les filles vont regarder l'émission "Ça va se savoir" en ligne parce que....

A. la télécommande ne marche plus
B. pour les parents
C. de belles personnalités attachantes dans les émissions de télé-réalité
D. luxembourgeoise
E. émission de télé à regarder ensemble
F. de télé-réalité

Extension **Une soirée sans télé**

Deux mères parlent au café.

Mme Joly:	Vous sortez beaucoup?
Mme Roussin:	Non, on se met devant la télé chaque soir.
Mme Joly:	Quelles émissions est-ce que tes enfants aiment regarder?
Mme Roussin:	Des films de Disney, des dessins animés....
Mme Joly:	Chez moi, c'est les matchs de football et les reportages sportifs.
Mme Roussin:	À mon avis, on devrait négocier une soirée sans télé.
Mme Joly:	Oh oui, bonne idée....

Extension Quelle femme a des enfants qui sont toujours très jeunes?

La Francophonie

Question centrale

?

What do young people do in the summer in other cultures?

❋ *Le Luxembourg*

Le Luxembourg est un petit pays de 500.000 habitants, situé entre la France, la Belgique, et l'Allemagne. Il est trilingue (français, allemand, luxembourgeois). C'est l'un des six pays fondateurs* de l'Union européenne. La Cour* de justice européenne a son siège* à Luxembourg. Le Luxembourg est une place financière* importante (150 banques) et le deuxième centre d'investissements* du monde après les États-Unis.

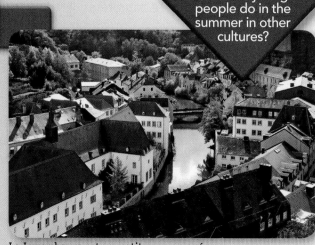

Le Luxembourg est un petit pays européen.

🔍 **Search words: luxembourg office national du tourisme**

---

fondateurs *founding;* **Cour** *Court;* **siège** *headquarters;* **place financière** *financial market;* **investissements** *investments*

La télévision française et luxembourgeoise

TF1, France Télévisions, Canal+, et M6 sont les quatre principaux groupes de chaînes de télévision. Les chaînes France 2, France 3, France 4, France 5, et Arte sont publiques. Les autres chaînes sont privées. TF1 est la chaîne la plus populaire. C'est une chaîne connue pour ses émissions de télé-réalité, ses séries populaires, et ses émissions de variétés et de sport. C'est la chaîne de l'équipe de France de football.

Le Luxembourg possède un des médias les plus populaires en Europe. Le Radio-Télé Luxembourg (RTL) diffuse* des émissions en plusieurs langues et a plus de 40 chaînes de télé et 30 réseaux de radio dans 10 pays différents.

---

diffuse *broadcasts*

Canal+ est la toute première chaîne de télévision privée en France.

Produits

Canal+ a des contrats d'exclusivité avec plusieurs studios de cinéma américains. Combien de films américains pouvez-vous trouver qui sont une coproduction avec Canal+?

Les émissions de télé-réalité en France

La télé-réalité est un genre très populaire en France. Elle fait le succès des chaînes privées comme M6 et TF1. Beaucoup de ces émissions sont basées sur le concept d'une émission américaine, telles que "La Star Academy," "Master Chef," et "Koh-Lanta." D'autres émissions qui ont eu du succès sont "Loft Story," "Perdu de vue," "Témoin n° 1," et surtout "La nuit des héros."

Luce a gagné à l'émission "La Nouvelle Star."

Produits

L'émission de télé-réalité **"La Nouvelle Star"** ressemble à l'émission américaine "American Idol."

---

6 **Activités culturelles**

Faites les activités suivantes.

1. Remplissez la fiche du Luxembourg.
   - Situation géographique
   - Nombre d'habitants
   - Langues
   - Institution européenne
   - Média

2. Recherchez les programmes d'une soirée de télévision en France à partir de 20h00 jusqu'à minuit sur: TF1, France 2, France 3, Canal+, M6, Arte, ou France 5. Comparez les programmes avec les programmes d'une chaîne de télévision américaine.

 Search words: téle 7 jours, télé loisirs

3. Trouvez un équivalent américain de ces émissions de télé-réalité françaises:
   - "Loft Story"
   - "Le Chantier"
   - "La Nouvelle Star"
   - "Master Chef"
   - "Koh-Lanta"

À discuter

De quelle manière la programmation à la télé devient-elle globalisée?

Structure de la langue

emcl.com
WB 30–32
Games

Révision: Present Tense of the Irregular Verbs *avoir* and *être*

Here are the present tense forms of the irregular verbs **avoir** (*to have*) and **être** (*to be*).

avoir			
j'	**ai**	nous	**avons**
tu	**as**	vous	**avez**
il/elle/on	**a**	ils/elles	**ont**

Tu **as** soif?   *Are you thirsty?*
Non, mais j'**ai** faim.   *No, but I'm hungry.*

être			
je	**suis**	nous	**sommes**
tu	**es**	vous	**êtes**
il/elle/on	**est**	ils/elles	**sont**

Où **êtes**-vous?   *Where are you?*
Nous **sommes** en ville.   *We're downtown.*

Les copains ont un ballon de foot. Ils sont au parc.

7   Faim ou soif?

Regardez ce que les vacanciers à Biarritz prennent au restaurant et dites si chaque personne a faim ou soif. Suivez le modèle.

MODÈLE   nous
Nous avons faim.

1. vous

2. Kofi, Élodie, et moi, nous

3. je

4. Olivier et Paul

5. on

6. tu

7. Guillaume

8. Brigitte

8 Où est tout le monde?

Marc parle avec des amis pour savoir où est tout le monde. Dites où est tout le monde selon leurs activités. Suivez le modèle.

MODÈLE Sabine écoute de la musique.
Elle est au concert.

> à Québec   à la piscine   au stade   à la gare   au centre commercial
> au concert   au bureau   au café   à la médiathèque

1. Abdoul travaille sur l'ordinateur au lycée.
2. Nous prenons le train à Tours à 8h00.
3. Des copains jouent au foot.
4. Vous cherchez un jean dans un nouveau magasin.
5. Tu vas à la fête de la Saint-Jean.
6. Je nage.
7. Vous prenez un sandwich et une eau minérale.
8. La mère de Thomas travaille.

9 Avoir ou être?

Écrivez les numéros 1–10 sur votre papier. Puis, écoutez chaque question et choisissez la réponse appropriée.

A. Non, il n'est pas disponible.
B. Nous avons 15 ans.
C. Oui, j'ai cours à 10h00.
D. Oui, Nathalie et moi, nous sommes très sportives.
E. Elles sont de France.
F. Oui, j'ai faim.
G. Elles sont très intelligentes.
H. Nous sommes sur les Plaines d'Abraham.
I. Il a la grippe.
J. Oui, nous avons soif.

Révision: Indefinite Articles in Negative Sentences

In a negative sentence, **un**, **une**, and **des** become **de** or **d'**.

Il y a **un** jeu télévisé ce soir?   Non, il n'y a pas **de** jeu
télévisé ce soir.

Vous cherchez **une** émission de sport?   Non, nous ne cherchons pas
d'émission de sport.

On vend **des** tickets pour le concert?   Non, on ne vend pas **de**
tickets dans ce magasin.

However, **un**, **une**, and **des** do not change after a form of **être** in a
negative sentence.

Non, je ne regarde pas de série à la télé.

---

10   **Qu'est-ce qu'on ne regarde pas aux État-Unis?**

*Des élèves français passent l'été aux États-Unis. Indiquez ce que
ces personnes ne regardent pas à la télé.*

> **MODÈLE**   Koffi a horreur de "Jeopardy" et "Wheel of Fortune."
> **Alors, il ne regarde pas de jeux télévisés.**

1. Marcel et moi, nous avons horreur de "Revenge" et "Parenthood."
2. Raoul et Michèle ont horreur du baseball.
3. J'ai horreur de l'émission "The Simpsons."
4. Véronique a horreur de "Survivor" et "The Amazing Race."
5. Vous avez horreur de "NCIS" et "CSI."

Communiquez!

11   **Qu'est-ce qu'on achète pour le piquenique?**

Interpersonal Communication

*C'est la Saint-Jean et les ados organisent un piquenique. La première personne dans le groupe
dit ce qu'elle achète pour le piquenique. La deuxième dit qu'elle n'achète pas cette chose et
indique quelque chose de différent, etc.*

> **MODÈLE**   A: **J'achète de l'eau minérale. Et toi?**
> B: **Non, je n'achète pas d'eau minérale. J'achète du coca. Et toi?**
> C: **Non, je n'achète pas de coca. J'achète des baguettes....**

Anderson Cooper?

J'adore ce présentateur.

Révision: Demonstrative Adjectives

Demonstrative adjectives point out specific people or things. They agree in gender and number with the nouns that follow them.

Singular			Plural
Masculine before a Consonant Sound	**Masculine before a Vowel Sound**	**Feminine**	
ce feuilleton	**cet** animateur	**cette** série	**ces** émissions

Est-ce que vous aimez **ce** jeu télévisé?   *Do you like this game show?*
Non, mais j'aime **cette** émission de musique.   *No, but I like this music program.*

Communiquez!

12   **Qu'est-ce que tu préfères à la télé?**

Interpersonal Communication

À tour de rôle, demandez à votre partenaire ce qu'il ou elle préfère. Utilisez l'adjectif démonstratif pour répondre.

Tu aimes le programme de la chaîne NT1?

Ah non, je déteste ce programme.

> **MODÈLE**   émission de musique
> A: **Tu aimes l'émission de musique,** "American Idol"?
>
> B: **Oui, j'aime cette émission.**
>   ou
> B: **Non, j'ai horreur de cette émission.**

1. jeu télévisé
2. dessin animé/sitcom
3. reportage sportif
4. informations
5. feuilleton
6. animateur
7. présentatrice

13 Qu'est-ce que j'achète?

Vous êtes en vacances à Québec et vous voulez acheter des souvenirs pour vos amis. Vous avez 100 dollars canadiens. Qu'est-ce que vous achetez? Demandez l'avis (advice) de votre partenaire. Suivez le modèle.

MODÈLE Julie aime les tee-shirts.
A: **Qu'est-ce que j'achète pour Julie?**
B: **Achète ce tee-shirt pour Julie!**

1. Solange a besoin d'un sac à dos.
2. Jean-Pierre aime les casquettes de sports.
3. Amadou aime la musique d'autres pays.
4. Martine collectionne des affiches.
5. Yasmine veut voyager au Québec.

Révision: Agreement and Position of Adjectives

emcl.com
WB 37
Games

To make many adjectives feminine, add an **e** to the masculine form.

Ce feuilleton est **américain**.   Cette série est **américaine**.

The following groups of adjectives have irregular feminine forms.

	Masculine	Feminine
no change	**rouge**	**rouge**
-eux → -euse	**paresseux**	**paresseuse**
-er → -ère	**dernier**	**dernière**
double the consonant + -e	**bon**	**bonne**

Some adjectives are the same in both the masculine and feminine forms:

orange, marron, super, sympa, bon marché

Some masculine adjectives have irregular forms in the feminine:
blanc → blanche; frais → fraîche; long → longue

The adjectives **beau**, **nouveau**, and **vieux** have irregular feminine forms and irregular masculine forms when preceding a noun that begins with a vowel sound.

Masculine	Masculine before a Vowel Sound	Feminine
beau	bel	belle
nouveau	nouvel	nouvelle
vieux	vieil	vieille

COMPARAISONS

When you have two or more adjectives in English, where are they placed in the sentence?

There's an **interesting**, **new** sitcom on TV tonight.

French adjectives usually follow the nouns they describe.

J'ai une voiture **bleue**.

Some short, common adjectives come before the nouns they describe. They express beauty, age, goodness, and size ("BAGS"): **beau**, **joli**, **nouveau**, **vieux**, **bon**, **mauvais**, **grand**, and **petit**.

Il y a un **nouveau** sitcom belge à la télé ce soir.

Ma grand-mère est une vieille dame.

14 Ils sont comment?

Utilisez deux adjectifs de la liste pour décrire chaque personne ou objet. Suivez le modèle.

MODÈLE   **C'est une petite fille sympa.**

grand, vieux, violet, intelligent, joli, fort, méchant, généreux, beau, nouveau, petit, américain, rouge, sympa

 1.

 2.

 3.

 4.

 5.

 6.

7.

COMPARAISONS: In English, double adjectives are placed before the noun and separated by a comma.

Révision: Comparative of Adjectives

emcl.com
WB 38–39
Games

To compare people and things in French, use:

plus (*more*)	+	adjective	+	**que** (*than*)
moins (*less*)	+	adjective	+	**que** (*than*)
aussi (*as*)	+	adjective	+	**que** (*than*)

The adjective agrees in gender and in number with the first noun in the comparison.

La présentatrice est **plus intéressante que** le présentateur.

Les informations sont **moins drôles que** le jeu télévisé.

15 Comparaisons

Utilisez la forme correcte d'un adjectif de la liste pour comparer ces personnes. Suivez le modèle.

bavard	vieux	énergique
passionné	intelligent	grand

MODÈLE
Mme Ming est plus vieille qu'Anne.

1.

2.

3.

4.

5.

6.

16 Deux présentatrices

Comparez les deux présentatrices en utilisant l'adjectif donné.

1. vieux
2. grand
3. beau
4. petit
5. moche

17 À ton avis

Utilisez un adjectif de la liste pour comparer les personnes et choses suivantes. Parlez de personnes et choses réelles. Suivez le modèle.

MODÈLE deux profs
Mon prof de français est moins strict que mon prof de maths.

strict	petit	énergique	beau	fort	intelligent	grand
bavard	généreux	sportif	égoïste	cher	vieux	joli
	génial	nouveau	paresseux	moche		

1. deux athlètes
2. deux magasins
3. deux acteurs
4. deux actrices
5. deux villes
6. deux voitures
7. deux sitcoms américains
8. deux fêtes

La Renault est plus chic que la Ford.

À vous la parole

Communiquez!

Question centrale

?

What do young people do in the summer in other cultures?

18 La télé au Luxembourg/en France

Interpretive/Interpersonal Communication

Imagine you are planning a **soirée télé** *(TV night) with a friend. Look at an online TV guide for France or Luxembourg. Then, use the shows you select in a conversation. In your conversation:*

Ask what is on TV tonight. ⟶ Say what program you would like to watch.

Ask what type of program it is. ⟶ Say what type of program it is.

Ask what time it starts. ⟶ Say at what time it starts.

Ask at what time it finishes. ⟶ Say when it finishes.

Say what program you would like to watch.

 Search words: télé française à luxembourg, RTL 9

Communiquez!

Communiquez!

19 La télé-réalité

Interpretive/Presentational Communication

Select one of the French reality shows mentioned in this lesson and research it online. What kind of situations or "realities" does it present? How does it compare with reality TV shows in the United States? When you've learned as much as you can about the show, work with a group of classmates to create a sketch that pokes fun at the show and present it to the class.

 Search words: koh-lanta, la nouvelle star, star academy, la ferme célébrités, loft story, télé-réalité en france

20 On déménage à Luxembourg!

Interpretive/Presentational Communication

Imagine that you and your family are moving to Luxembourg for the year. To prepare for the move, do some research to find:

• a house or apartment in the city of Luxembourg
• a public or private school for you to attend
• a local supermarket and pharmacy
• leisure activities your family would like to do

Present your findings to two other students who will react to the information as if they were your parents.

 Search words: where to live in luxembourg, luxbazar, le quotidien luxembourg, éducation au luxembourg

Stratégie communicative

Un spot publicitaire

1. Working with a partner, you will be creating a TV commercial for a real or imaginary product you wish to sell in France. First, watch several French TV commercials online and determine what technique they use to sell their product.

 Search words: spots publicitaires france, publicités france

Here are some possible techniques you might see. You can also find more online.

Facts and figures: Use statistics or objective factual information to sell your product.

Plain folks: Use popular appeal to show how the product is good for ordinary people.

Snob appeal: Use examples of glamorous lifestyles to make the consumer feel part of an elite group.

Testimonial: Use a famous personality to promote your product.

Bandwagon: Show the consumer that he or she will be a winner when using the product.

 Search words: advertising techniques

2. Create the images and text for storyboards #2 and #3 for the advertisement below. Storyboards #1 and #4 have been done for you.

Technique: Plain folks

[long shot of beach, fade to close-up of teen boy]

[traveling shot of beach scene from perspective of teen boy, fade to close-up of smiling teen boy, fadeout to boy's eyes wearing glasses]

1: À la plage, sans lunettes de soleil, Jean-Marc ne voit pas la beauté du monde en couleur.

4: Achetez "Lunettes Ambiance" et découvrez un autre point de vue. "Lunettes Ambiance" sont disponibles dans des magasins de plage et en pharmacie près de chez vous.

3. Next, decide on a product to advertise. Using an advertising technique, create a storyboard of four to six scenes with images and text. One frame should use a command. Here is an example: **Achetez "Lunettes Ambiance"!**

Leçon C

Vocabulaire actif

emcl.com
WB 40–42
LA 1
Games

Au parc d'attractions

la galerie des miroirs déformants

les autos tamponneuses (f.)

la maison hantée

Marie-Paule fait un tour de manège.

Les copains font un tour de montagnes russes.

Marc et Amina essaient les jeux d'adresse.

On fait un tour de grande roue.

On a une consultation avec la voyante.

Pour la conversation

How do I inquire about future plans?

> **C'est quoi le programme?**

What's the plan?

How do I respond?

> **On compte** faire un tour de montagnes russes et visiter la maison hantée.

We're planning on going to ride the roller coaster and visit the haunted house.

1 Viens avec nous!

Lisez le mail de Rose. Ensuite, répondez aux questions.

À : Sabrina
Cc:

Sujet: Salut!

Salut, Sabrina!

On va au parc d'attractions! Viens avec nous! Jean-Luc va être là, aussi Mohammed, Sylvie, et Zohra. C'est quoi le programme? Je sais que tu aimes les sports, donc on peut essayer les jeux d'adresse. C'est amusant aussi dans la galerie des miroirs déformants. On va bien rigoler. Nous n'avons pas besoin de faire un tour sur les montagnes russes, et on ne doit pas entrer dans la maison hantée. Je sais que tu n'aimes pas ça. Je voudrais aussi avoir une consultation avec la voyante. Tu viens avec moi? Il faut essayer la grande roue. J'adore ça. Tu vas l'aimer. Alors, que dis-tu? Départ à 14h00!

À bientôt,

Rose

1. Où vont les amis de Sabrina?
2. Qu'est-ce que les amis vont essayer?
3. Où va-t-on rigoler?
4. Qui veut avoir une consultation avec la voyante?
5. Qu'est-ce que Rose adore?
6. Les amis vont partir à quelle heure?

2 Si on aime....

Lisez chaque description et dites quelle attraction on choisit au parc d'attractions.

> **MODÈLE**   Si on aime aller très haut, on choisit....
> **Si on aime aller très haut, on choisit**
> **les montagnes russes ou la grande roue.**

1. Si on aime imaginer sa vie dans le futur,
   on choisit....
2. Si on aime aller très vite....
3. Si on aime avoir des frissons....
4. Si on aime les effets visuels....
5. Si on aime tourner en rond....
6. Si on aime les compétitions....

Moi, j'aime tourner en rond!

3 Une journée au parc d'attractions

Vous avez 20 tickets pour le parc d'attractions. Selon le nombre de tickets pour chaque attraction, écrivez un mail à un(e) ami(e), ou expliquez oralement à votre partenaire quels manèges vous allez choisir.

> **MODÈLE**   un jeu d'adresse (1)
> une consultation avec la voyante (3)
> **J'attends mes amis aux jeux d'adresse. Je vais essayer un jeu d'adresse.**
> **Mes amis et moi allons avoir une consultation avec la voyante.**

1. les autos tamponneuses (1)
   la galerie de miroirs déformants (2)
2. la grande roue (1)
   les montagnes russes (5)
3. un hamburger, des frites, un coca (1)
   la maison hantée (3)

4 | Au parc d'attractions

*Écrivez les numéros 1–7 sur votre papier.
Ensuite, écoutez Laeticia raconter le
programme pour sa journée au parc
d'attractions. Choisissez l'illustration qui
correspond à chaque description que vous
entendez.*

A.

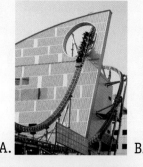

B.

C.

D.

E.

F.

G.

5 | C'est quoi le programme?

*Avec un(e) partenaire, parlez des activités que
vous allez faire.*

MODÈLE   22/9, au concert de Youssou N'Dour
   A: **C'est quoi le programme
      le 22 septembre?**
   B: **On compte aller au concert de
      Youssou N'Dour.**

1. 1/10, à la teuf d'Amélie
2. 15/10, au parc d'attractions
3. 5/11, au café
4. 9/11, au cinéma
5. 17/12, au match de basket

6 | Questions personnelles

Répondez aux questions.

1. Est-ce que tu as déjà visité
   un parc d'attractions? Si oui,
   quand?
2. Est-ce que tu préfères faire un
   tour de manège, de montagnes
   russes, ou de grande roue?
   Pourquoi?
3. Et tes ami(e)s, est-ce qu'ils ou
   elles sont d'accord avec toi, ou
   est-ce qu'ils ou elles préfèrent
   d'autres activités?
4. Tu veux essayer les jeux
   d'adresse?
5. As-tu eu une consultation
   avec une voyante? Qu'est-ce
   que tu as appris sur ta vie
   dans l'avenir (*future*)?

Rencontres culturelles

À la Fête des Loges

Rachid et Nicolas discutent de leur journée à une fête foraine.

Nicolas: La grande roue, c'était génial! Quelle vue d'en haut!

Rachid: Moi aussi, j'ai vraiment kiffé.

Nicolas: Et la galerie des miroirs déformants....

Rachid: Qu'est-ce qu'on a rigolé. Ah, toi avec ta tête de Quasimodo.... Mais on n'a pas tout fait. Bon, on y retourne quand?

Nicolas: Je suis disponible mardi prochain. Et c'est quoi le programme?

Rachid: On se réunit à 10h00.... On va faire un tour de montagnes russes; puis, on va à la maison hantée....

Nicolas: Et on emmène Manon et Madiba, Madiba qui a peur du vide!

Rachid: Frissons garantis!

Nicolas: On rend visite à Louis-Do maintenant? Madiba et Manon viennent aussi. On va parler de la rentrée.

Rachid: Désolé, je viens de téléphoner à ma mère... je fais la cuisine avec elle ce soir... du couscous avec de l'agneau. Je file!

---

7 À la Fête des Loges

Répondez aux questions.

1. Qu'est-ce que Nicolas a aimé quand il a fait un tour de grande roue?
2. Quand les garçons ont-ils rigolé?
3. Quand est-ce que les garçons vont retourner à la Fête des Loges?
4. Quel est le programme?
5. Qui va accompagner les garçons?
6. De quoi Madiba a-t-elle peur?
7. Que fait Nicolas ce soir?
8. Que fait Rachid?

Extension   **Une journée au Parc Astérix**

Monsieur et Madame Levot, leur fils Ludovic, et son ami Jean sont en route pour le Parc d'Astérix.

Monsieur Levot: Alors les garçons, vous avez apporté votre courage? Nous allons attaquer les attractions qui offrent les sensations les plus fortes!

Ludovic: Oui, Tonnerre de Zeus est la plus grande montagne russe d'Europe! C'est encore plus sensationnel que sur les spots publicitaires!

Jean: C'est vrai, et le grand 8! C'est du tonnerre à lui tout seul!

Ludovic: Jean, tu es déjà descendu sur la Trace du Hourra? Ça me donne des frissons rien qu'à y penser! Qu'en penses-tu maman?

Madame Levot: Moi, je commence à avoir peur du vide rien qu'à vous écouter. Je pense que je vais vous laisser vous amuser tous seuls.

Extension   Quels manèges intéressent le plus les garçons?

Chaque été, la Fête des Loges attire des millions de visiteurs à Saint-Germain-en-Laye.

? Question centrale

What do young people do in the summer in other cultures?

La Fête des Loges

Chaque été plus de trois millions de personnes vont à la Fête des Loges, une fête foraine. Elle a lieu à Saint-Germain-en-Laye, près de Paris et date de 1652. Certains viennent pour la nourriture qu'on peut trouver sur l'Allée des Cuisines. D'autres apprécient les 130 attractions: des manèges, des loteries, et des jeux d'adresse.

 Search words: **la fête des loges**

Les parcs de loisirs en France

Il existe de nombreux parcs de loisirs très différents en France. Il y a des parcs animaliers comme le Parc des Dombes et Thoiry en région parisienne, des parcs d'attractions comme Disneyland Paris et Futuroscope, des parcs aquatiques comme le parc aquatique d'Isis, des parcs aventures comme le Puy du Fou dans un décor de Moyen-Âge, et des parcs à thèmes comme la Cité de l'espace et le Parc Astérix. Au Parc Astérix on traverse le monde d'Astérix dans des lieux différents: Via Antiqua, L'Empire romain, La Grèce, Les Vikings, et La Gaule.*

 Search words : **parc des oiseaux villars les dombes, zoo et parc de thoiry, disneyland paris, parc du futuroscope, aquaparc isis à dole, parc d'attraction le puy du fou, cité de l'espace, parc astérix**

La Gaule *name for France before and at the time of the Roman empire*

 **Produits**

Le nom du **Parc Astérix**, et son thème, vient d'une bande dessinée qui s'appelle *Astérix* par le scénariste René Goscinny et le dessinateur Albert Uderzo. Un guerrier (*warrior*) gaulois, de l'ère (*era*) des Romains, il a beaucoup d'aventures avec son camarade Obélix.

 Search words: **astérix le site officiel**

COMPARAISONS

Quels sont les parcs de loisirs dans votre région? Comment est-ce qu'ils se comparent aux parcs français?

La Francophonie

 Parcs d'attractions

Au Québec, le plus célèbre parc d'attractions est le parc La Ronde sur l'île Sainte-Hélène à Montréal avec ses 40 attractions. On peut faire un tour de montagnes russes sur "Goliath," les plus hautes et les plus rapides montagnes russes du Canada. Il y a aussi les grands classiques comme la Grande Roue. À La Ronde on peut aussi trouver des jeux d'adresse et un spectacle de ski nautique. Le soir on peut voir un grand spectacle de feux d'artifice.

Search words: la ronde, parc d'attraction, montréal

8 Activités culturelles

La Ronde se trouve à Montréal, Québec.

Faites les activités suivantes.

1. Nommez un parc pour chaque catégorie:
   - un parc animalier
   - un parc d'attractions
   - un parc aquatique
   - un parc aventures
   - un parc à themes
2. Faites une carte et identifiez tous les parcs de loisirs dans la lecture. Indiquez aussi la ville la plus proche de chaque parc.
3. Dites quel type de parcs vous préférez et pourquoi.
4. Faites un programme pour une sortie au Parc Astérix ou à La Ronde.

À discuter

Comment est-ce que les parcs de loisirs reflètent la culture où ils sont situés?

Révision: *De* and *à* + Definite Articles

emcl.com
WB 48–49
Games

The preposition **de** (*of, from*) changes before the definite articles **le** and **les**. No change occurs with **la** and **l'**.

de + le	**= du**	Tu achètes **du** pain?
de + les	**= des**	Nous mangeons **des** pommes.
de + la	**= de la**	Tu reviens **de la** fête foraine?
de + l'	**= de l'**	Je fais du couscous avec **de l'**agneau.

The preposition **à** (*to, at, in*) also changes before the definite articles **le** and **les**. No change occurs with **la** and **l'**.

à + le	**= au**	Marseille est **au** sud de Paris.
à + les	**= aux**	Il y a un concert **aux** Plaines d'Abraham.
à + la	**= à la**	On va **à la** campagne.
à + l'	**= à l'**	Nous allons **à l'**école samedi.

COMPARAISONS

Why don't prepositions change in front of articles in English?

Are you going to *the* haunted house? She's coming from *the* roller coaster.

---

13 On revient de vacances.

C'est la fin des vacances. Dites d'où on revient.

> **MODÈLE** Ahmed et sa famille/le nord de l'Afrique
> **Ahmed et sa famille reviennent du nord de l'Afrique.**

1. les Bonnet/l'océan
2. les profs de français/les pays ouest-africains
3. Evenye et sa cousine/la campagne
4. les touristes/le sud de la France
5. les Bernard/la montagne
6. Béatrice et son frère/le lac Léman en Suisse

La famille Jacquin revient de la côte d'Azur.

COMPARAISONS: Unlike French, English nouns don't have gender, so articles and prepositions do not change.

11 Où va-t-on et qu'est-ce qu'on fait?

Complétez la première partie de la phrase avec la forme correcte du verbe **aller** et la deuxième partie de la phrase avec la forme correcte du verbe **faire**.

MODÈLE   Les Lenoir... à la montagne, où ils... du ski.
Les Lenoir vont à la montagne, où ils font du ski.

1. Jules... au stade, où il... du sport.
2. Nous... au parc, où nous... une promenade.
3. Tu... en ville, où tu... du shopping.
4. Marc et Sophie... à la médiathèque, où ils... leurs devoirs.
5. Éric et toi, vous... à la campagne, où vous... du vélo.
6. Je... à la maison, où je... la cuisine.

12 Au parc d'attractions

Dites ce que tout le monde va faire au parc d'attractions.

MODÈLE

je
Je vais circuler dans une auto tamponneuse.

1. je

2. vous

3. Julie

4. mes copains et moi, nous

5. tu

6. Les Lambert

7. nous

Structure de la langue

Révision: Present Tense of the Irregular Verbs *aller* and *faire*

Here are the present tense forms of the irregular verbs **aller** (*to go*) and **faire** (*to do, to make*).

aller			
je	**vais**	nous	**allons**
tu	**vas**	vous	**allez**
il/elle/on	**va**	ils/elles	**vont**

Nous allons au stade pour voir l'équipe de Marseille.

Où est-ce que vous **allez**? *Where are you going?*
Nous **allons** à la galerie des miroirs déformants. *We're going to the fun house.*

To express the near future, use the conjugated form of **aller** followed by an infinitive:

Marc et Jo **vont** essayer les jeux d'adresse. *Marc and Jo are going to try the games of skill.*

To make a sentence in the negative, put **ne** before the conjugated form of **aller** and **pas**, **plus**, **rien**, or **jamais** after.

Je **ne vais plus** aller au parc d'attractions. *I am not going to go to the amusement park anymore.*

COMPARAISONS

What is the English equivalent of the sentence below?

Je **fais** un tour de manège.

faire			
je	**fais**	nous	**faisons**
tu	**fais**	vous	**faites**
il/elle/on	**fait**	ils/elles	**font**

Qu'est-ce que tu **fais**? *What are you doing?*
Je **fais** mes devoirs. *I'm doing my homework.*

When used in some expressions, the verb **faire** may be translated using a verb other than "to do" or "to make."

Je **fais** la cuisine. *I'm cooking.*

COMPARAISONS: **Faire** here can have the same meaning as **prendre** or **aller**: "I'm taking a ride on the merry-go-round," or "I'm going on the carrousel."

La culture sur place

Le bilinguisme au Canada
Introduction

Qu'est-ce que ça veut dire d'habiter une nation bilingue comme le Canada? Dans l'activité suivante, vous allez réfléchir à cette question et travailler en équipes pour rechercher des réponses.

9 Investigation

Copiez cet organigramme (chart) sur une feuille de papier. Dans la première colonne, écrivez ce que vous savez déjà du bilinguisme au Canada. Dans la deuxième colonne, écrivez des questions que vous voulez savoir sur le bilinguisme au Canada. Après votre investigation, écrivez ce que vous avez appris dans la troisième colonne.

Savoir	Vouloir Savoir	Apprendre
Ex. Le Canada est un pays bilingue.	Est-ce que tous les élèves apprennent le français et l'anglais?	

10 Recherches

D'abord, écrivez votre liste de questions de la colonne "vouloir savoir" au tableau. Ensuite, discutez les thèmes les plus intéressants. Avec un groupe de camarades, choisissez un thème à explorer et organisez le travail de recherche.

Suggestions:
- Comment est-ce que le bilinguisme influence le monde du travail?
- Faut-il parler deux langues pour trouver un job au Canada?
- Si oui, pour quels jobs?

 Search words: craigslist montréal, craigslist toronto—voir "emplois"

- Comment est-ce que le bilinguisme influence l'éducation?
- Est-ce que tout le monde est bilingue ou apprend le français et l'anglais?

 Search words: immersion canada, nepean high school ottawa ontario, bodwell high school vancouver british columbia—voir "Academics" or "Graduation Requirements"

- Est-ce que les produits du gouvernement, comme les sites web, sont en français et en anglais?

 Search words public works and government services canada, passport canada, canadian tourism commission, environnement canada site officiel (Est-ce que les sites web ont une version française?)

Dites à qui on montre ses photos de vacances le jour de la rentrée.

MODÈLE André/les camarades de classe
André montre ses photos aux camarades de classe.

1. Saniyya/le prof d'EPS
2. Lamine/le proviseur
3. Sabrina/la prof d'anglais
4. Coralie/les amis de son camarade de classe
5. Gabrielle/le meilleur ami de sa sœur
6. Clément/la cousine d'Isabelle
7. Amidou/l'oncle de Yasmine

Révision: The Irregular Verb *venir*

Here is the present tense of the irregular verb **venir** (*to come*).

> Il vient de regarder une émission de télé-réalité.

venir			
je	**viens**	nous	**venons**
tu	**viens**	vous	**venez**
il/elle/on	**vient**	ils/elles	**viennent**

emcl.com
WB 50–51
LA 2
Games

Je **viens** du Maroc.   *I come from Morocco.*
Laurent **vient** à la fête.   *Laurent is coming to the party.*

To say what just happened in the past, use **venir de** (or **d'**) followed by an **infinitive**.

venir + **de** (**d'**) + infinitive

Nous **venons de** voir la maison hantée.   *We just saw the haunted house.*
Venez-vous **d'**essayer les jeux d'adresse?   *Did you just try the games of skill?*

Two verbs that have the same forms in their stem are **devenir** (*to become*) and **revenir** (*to come back*).

COMPARAISONS

How would you say this sentence in English?

Je viens de skyper.

Do English and French have the same rule?

COMPARAISONS: "I have just skyped" or "I just skyped." No, in English we don't say "I just came from skyping."

15 D'où viennent-ils?

Regardez le tableau des arrivées à l'aéroport Roissy–Charles de Gaulle, et dites d'où tout le monde vient.

MODÈLE   Sophie: 17h35
Sophie vient d'Alger.

1. Mireille/16h10
2. tu/18h05
3. Damien, Richard, et Luc/15h05
4. Marianne et toi, vous/17h00
5. Chantal et Martine/18h50
6. Moussa/17h35
7. Marcel et moi, nous/18h40
8. je/15h45

Arrivées			
New York	AIRFRANCE	15h05	>
Toronto	AIR CANADA	15h45	>
Montréal	AIR CANADA	16h10	>
Port-au-Prince	AIR CARAÏBES	17h00	>
Alger	AIRFRANCE	17h35	>
Los Angeles	AIRFRANCE	18h05	>
Bruxelles	AIRFRANCE	18h40	>
Londres	AIRFRANCE	18h50	>

16 On vient de le faire.

Dites ce que vos amis et vous venez de faire.

MODÈLE   Émilie/sortir avec Ahmed
Émilie vient de sortir avec Ahmed.

1. Sylvie/voir la tour Eiffel
2. Bertrand/marquer un but
3. Hugo et moi, nous/organiser une teuf
4. Augustin/lire tous les livres d'*Astérix*
5. Saniya et Nayah/trouver un bel ensemble pour la rentrée
6. Sarah et toi, vous/acheter un scooter

Marie vient d'avoir un petit accident.

Communiquez!

Interpersonal Communication

Dites à votre camarade deux ou trois choses que vous avez faites. Il ou elle va deviner ce que vous venez de faire. Suivez le modèle.

> **MODÈLE**
> A: **J'ai beaucoup joué et j'ai gagné un petit chien.**
> B: **Tu viens de jouer aux jeux d'adresse?**
> A: **Oui, c'est ça!**
> > ou
> A: **Non, ce n'est pas ça. Je viens de (d')...!**

Révision: Telling Time

> emcl.com
> WB 52–53
> Games

To ask what time it is in French, say **Quelle heure est-il?** To tell what time it is, say **Il est... heure(s)**.

Il est une heure.

Il est sept heures.

Il est midi.

Il est minuit.

{ Il est dix heures et quart.
{ Il est dix heures quinze.

{ Il est deux heures et demie.
{ Il est deux heures trente.

{ Il est cinq heures moins le quart.
{ Il est quatre heures quarante-cinq.

{ Il est neuf heures moins dix.
{ Il est huit heures cinquante.

18 Quelle heure est-il?

Il y a six heures de différence entre Québec et Paris.
Donnez l'heure à Québec, puis à Paris.

MODÈLE **Il est une heure à Québec.**
Il est sept heures à Paris.

1.

2.

3.

4.

5.

6.

7.

19 À quelle heure?

Écrivez les numéros 1–10 sur votre papier.
Ensuite, écrivez l'heure que vous entendez
dans chaque conversation.

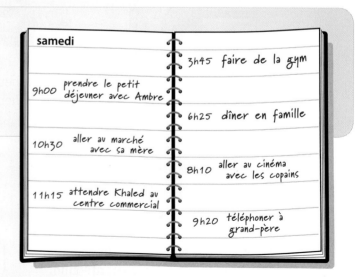

samedi

	3h45 faire de la gym
9h00 prendre le petit déjeuner avec Ambre	
	6h25 dîner en famille
10h30 aller au marché avec sa mère	
	8h10 aller au cinéma avec les copains
11h15 attendre Khaled au centre commercial	
	9h20 téléphoner à grand-père

20 L'agenda de Catherine

C'est samedi. Dites ce que Catherine
fait aux heures indiquées.

À vous la parole

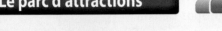

21 Le parc d'attractions

Interpersonal Communication

You are at an amusement park, and you run into a friend. Tell your friend two things that you just did, and say which one is more or less interesting. Talk about other activities at the park you like and don't like to do. Then decide on an activity to do together.

On va aux autos tamponneuses?

Oui, allons-y!

22 Les parcs d'attractions en Europe

Interpretive/Presentational Communication

Research and plan a day at an animal, water, or other leisure park in a French-speaking country in Europe. Present your plan to the group. State the name of the park and where it is located. Then tell what you are going to do each hour of the day at the park.

MODÈLE

Nous allons à Disneyland, Paris, en France. Nous allons arriver à 8h00. À 8h30, nous allons faire un tour de montagnes russes....

Search words: parcs d'attractions en europe

23 Que sais-je?

Presentational Communication

Create a word cloud online to show what you have learned in this unit. First, select 45–50 vocabulary words from the unit. Type your list of words in a document. Next, find an online word cloud source. Cut and paste the list into the word cloud template. Insert words that you consider very important more than once. Personalize your word cloud by changing the color and the font. Finally, print your word cloud and use it to explain what you know to your classmates.

Search words: wordle, word clouds

Lecture thématique

Ce soir, c'est tout le Québec que j'invite chez-nous

Rencontre avec l'auteur

Marie-Chantal Perron a écrit ce discours patriotique pour célébrer la fête nationale de Québec, qui a lieu chaque année le 24 juin. À propos de son poème, elle a dit, "Mon cheval de bataille (*war horse*), c'est la langue.... Si on peut parvenir à communiquer une fierté (*pride*) de notre langue aux plus jeunes ou aux immigrants, je pense que c'est plus fort que n'importe quelle loi (*law*)." D'après vous, Marie-Chantal Perron est-elle patriotique?

Pré-lecture

Que signifie le 4 juillet pour vous?

Stratégie de lecture

Paraphrasing

Paraphrasing is putting ideas into your own words. As you read the poem, use the graphic organizer that your teacher gives you. Match each quote from the poem in the left column with its corresponding paraphrase in the right column. An example has been done for you.

Quotes in the poem about what **le québécois** and how it is used in Quebec	Paraphrases that explain the characteristics of means **le québécois**
1. la parole nous unit $\longrightarrow$	**Le québécois** is a unifier.
2. Celle qu'on sculpte	
3. le "joual" de mon père	
4. les prières de ma mère	

Outils de lecture

Analyzing the Title

The title of a text often provides a context for the writing that follows and a glimpse into the writer's thoughts. Think about the title of the poem: "**Ce soir, c'est tout le Québec que j'invite chez-nous.**" Whom is the poet inviting to her house? Why do you think she wants them to come? What brings these people together? You will see that the title of this particular poem provides a context for examining the **québécois** language. What does language have to do with national identity?

¹ Chez-nous
   Où la parole* nous unit*
   Où nous vivons à notre façon*
   Notre langue française
⁵ La langue de chez-nous
   Celle qu'on "barouette"*
   Et qu'on "bourrasse"*
   Celle qu'on bûche*
   Qu'on casse*
¹⁰ Et qu'on exagère
   Celle qu'on sculpte
   Sans la blesser*
   Pour qu'elle nous ressemble

   Je vous invite chez-nous
¹⁵ Où le "joual"* de mon père
   Embrasse les prières* de ma mère
   Et où les grands discours*
   Côtoient les calembours*
   Et la rime

²⁰ Chez-nous
   Où nos cœurs battent au rythme
   Des chansons à répondre
   Et du moulin de la scierie*
   Où on parle en veillant sur le perron*
²⁵ Où on polit le commérage*
   Et où on discute de corde à linge*
   Et de sainte flanelle*....

   M'entendez-vous
   Vous inviter chez-nous
³⁰ Où notre voix* porte des messages d'espoir*
   Et des mots* d'amour
   Des murmures et des silences
   Dans lesquels on se raconte*
   En lettre intimes
³⁵ Comme en grandes aventures

continued

Pendant la lecture
1. Où est "chez-nous"?

Pendant la lecture
2. La langue est active ou passive?

Pendant la lecture
3. Quels sont les différents usages de la langue?

Pendant la lecture
4. La poète parle du présent ou du passé?

Pendant la lecture
5. On utilise la langue pour parler de qui et de quoi?

---

parole *speech*; **unit** *unites*; **à notre façon** *our way*; **barouette** *butcher*; **bourrasse** *bully*; **bûche** *labor over*; **casse** *break*; **blesser** *to wound*; **joual** dialecte québécois à la campagne; **prières** *prayers*; **discours** *speeches*; **Côtoient les calembours** *run alongside puns*; **moulin de la scierie** *sawmill*; **en veillant sur le perron** *watching from the doorstep*; **polit le commérage** *polish gossip*; **corde à linge** *clothesline*; **sainte flanelle** l'équipe de hockey de Montréal, les Canadiens; **voix** *voice*; **d'espoir** *of hope*; **mots** *words*; **se raconte** *tell each other*

Je vous invite chez-nous
Ne soyez pas gênés*
Entrez, entrez...
La porte est ouverte
40 La table est mise pour un grand banquet
Une belle veillée*

Dites-moi:
Avez-vous envie de danser sur des
    musiques d'ici?
45 Avez-vous envie de chanter des airs* de
    chez-nous?
Bien vous êtes à la bonne place
Vous êtes ici
Chez-vous

50 Bonne Fête nationale!

Pendant la lecture
6. Est-ce que la maison est réelle ou symbolique?

_____
gênés timides; **veillée** fête; **air** chanson

Post-lecture

Pour venir à la fête, quels attributs les visiteurs doivent-ils avoir, selon la poète?

Le monde visuel

Jean-Louis Ernest Meissonier (1815–1891) a peint (*painted*) ce tableau dans le style réaliste. Il est surtout connu (*known*) pour ses sujets militaires. Les tableaux réalistes montrent des personnes, situations, et objets quotidiens (*everyday*). Le tableau *Les blanchisseuses à Antibes* montre quels aspects de la vie de tous les jours? Comment ses femmes s'habilleraient-elles si c'était un jour férié?

Les blanchisseuses à Antibes, 1869. Jean-Louis Ernest Meissonier. Musée d'Orsay, Paris, France.

Faites les activités suivantes.

1. Utilisez l'information dans votre schéma pour expliquer les caractéristiques du québécois, selon le poète.
2. Écrivez un dialogue dans lequel vous mettez des expressions du poème et de votre livre de français.
3. Écrivez un poème dans lequel vous:
   - vous servez du titre **Le 4 juillet**
   - commencez avec un nom (*noun*) dans la première ligne
   - écrivez deux adjectifs dans la deuxième ligne
   - écrivez trois verbes dans la troisième ligne
   - écrivez comment vous sentez (*feel*) le 4 juillet dans la quatrième ligne
   - répétez la première ligne

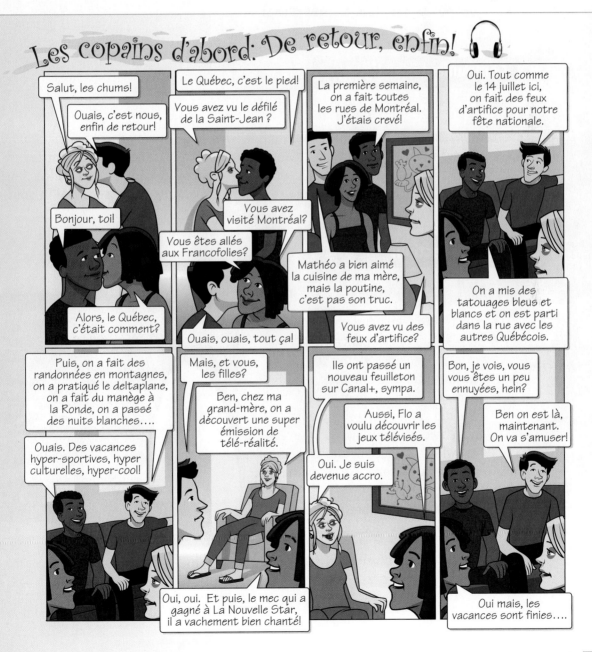

Projets finaux

A Connexions par Internet: les maths

What are some of the tallest and most famous roller coasters in the world? Research in French ten of these roller coasters and find out their location, height in meters, and speed in kilometers. Create a graph showing the height and speed of each roller coaster. Then find an online map program, and plot the cities where each is located. Present your work to a partner.

 Search words: montagnes russes

B Communautés en ligne

Festivals aux États-Unis et dans la Francophonie

Create a wikispace or find another site online where others may share information about local festivals in their area. Invite students from different francophone countries to provide information about a festival in their area and to upload pictures, videos, and descriptions of these festivals. Be sure to share information about a festival in your area.

C Passez à l'action!

Un nouveau parc

- create your own amusement park
- draw a map of the park.
- write a legend describing the rides and attractions in the park.
- create an advertisement for the park for radio, TV, or the print media.
- create two advertisements for events that will take place at the park; for example, a concert, a costume day, or a teen day.
- prepare and give a presentation about your park to the class.

D Faisons le point!

Complete a diagram like the one that follows to show your understanding of how teens spend their summer vacation in other cultures. An example has been done for you.

Question centrale

? What do young people do in the summer in other cultures?

Question	Answer
Leçon A — Vocabulaire actif: What holiday do Canadian teens celebrate?	Canadian teens living in Quebec celebrate *la Saint-Jean* and July1.
Leçon A — Rencontres culturelles: What holiday is Robert going to celebrate? How?	
Leçon A — Points de départ: Produits: What type of acts does a teen see at a Cirque du Soleil performance?	
Leçon A — Points de départ: La Francophonie: When do French teens celebrate their national holiday?	
Leçon B — Rencontres culturelles: How do Madiba and Manon spend their evening?	
Leçon B — Points de départ: Les émissions de télé-réalité: What French reality shows do teens watch?	
Leçon C — Rencontres culturelles: À la Fête des Loges: Where do Nicolas and Rachid spend their day?	
Leçon C — Points de départ: Les parcs de loisir en France: Where do French teens go with their families?	
Leçon C — Points de départ: La Francophonie: Parcs d'attractions: What amusement park do teens in Quebec go to?	

Évaluation

A Évaluation de compréhension auditive

Soyons logique!

Select the appropriate response for each conversation.

1. A. Je vais dîner en famille.
   B. C'est le premier janvier.
   C. Nous sommes le Jour de l'an.
2. A. C'est un concert de rock.
   B. C'est le 24 juin, le jour de la Saint-Jean.
   C. C'est à 8h00.
3. A. Et devant la galerie des miroirs déformants.
   B. Oui, j'adore les autos tamponneuses.
   C. Je n'aime pas les montagnes russes.
4. A. Devant le cinéma.
   B. Le film avec Bruce Willis.
   C. À 7h30.
5. A. Un reportage alors!
   B. Un film comique avec Dany Boon.
   C. Non, j'ai horreur des sitcoms.
6. A. On va à l'école!
   B. On va voir les feux d'artifice!
   C. On va filer!
7. A. Oui, il a fini à 2h00.
   B. Oui, il vient de jouer au foot.
   C. Il n'est pas fini.
8. A. Oui, et autochtone aussi.
   B. Il est moins beau qu'Alexis.
   C. C'est ma télécommande.

B Évaluation orale

Role-play a conversation between two friends planning to go to an amusement park. In your conversation:

- talk about the rides and attractions you both like and don't like.
- make a plan to go to the park on a particular date.
- decide when and where to meet.
- tell each other good-bye.

In this activity, you will compare francophone cultures with American culture. You may need to do some additional research on American culture.

1. **Les fêtes nationales**
   Compare the national holidays of Quebec and France with the 4th of July in the United States. Give dates and describe how people celebrate. Include a personal account of your own family's July 4th celebrations.

2. **Les 400 ans de la ville de Québec**
   Compare the 400th anniversary of the founding of Quebec with the American bicentennial in 1976. Do online research, or ask your grandparents what they remember. Which activities would you have liked if you had attended these celebrations?

3. **Les émissions de télé-réalité**
   Compare French reality shows to American reality shows. What types of reality shows do the French seem to like? What types do Americans seem to like? Which types of reality shows do both groups like? (You may make a Venn diagram to show your ideas rather than write a paragraph.)

4. **Les parcs d'attractions**
   Compare **La Ronde** and **Le Parc Astérix** with an amusement park you have visited or have heard of. How are they similar? How are they different? Would you rather go to **La Ronde** or **Le Parc d'Astérix**? Why?

D **Évaluation écrite**

Imagine you are on vacation in France. Send a friend in the United States an e-mail in which you:
- greet your friend.
- explain where you are and why.
- say what you plan to do while on vacation.
- say what you're going to watch on French TV tonight.
- compare the program to an American TV show, if possible.
- ask your friend how he or she is.
- say good-bye.

E **Évaluation visuelle**

Write the conversation that takes place between the two teens in the illustration. What do they decide to watch?

F **Évaluation compréhensive**

Create a storyboard with four to six frames that recounts a trip to an amusement park or a holiday celebration. Instead of writing captions, tell your story orally to a group of classmates, using the images in your storyboard to help you recall important details.

l' **agneau (m.)** lamb *C*

l' **ambiance (f.)** atmosphere *A*

amuser to amuse *B*

un **animateur, une animatrice** TV host *B*

attachant(e) likeable *B*

au: au fait by the way *A*

une **auto: auto tamponneuse** bumper car *C*

un(e) **autochtone** native *A*

avoir: avoir horreur de to hate *B*; **avoir lieu** to take place *A*; **avoir peur (de)** to be afraid (of) *C*; **avoir peur du vide** to be afraid of heights *C*

bien: bien sûr of course *A*

un **bulletin météo(rologique)** weather forecast *B*

c'est: c'est sûr that's for sure *C*

ça: ça va se savoir it will be revealed (known) *B*

une **chaîne** channel *B*

clair(e) clear *B*

un **complexe** center *A*

compter to plan to do something *C*

une **consultation** consultation *C*

couché(e) in bed *B*

découvre: on découvre one discovers *B*

un **dessin: dessin animé** cartoon *B*

un **détail** detail *A*

discuter (de) to discuss *C*

une **émission** TV show *B*; **émission de musique** music show *B*; **émission de télé-réalité** reality TV show *B*

emmener to bring (person) *C*

en: en haut at the top *C*; **en plus** in addition to *A*

enfin come on *B*

faire: faire griller to barbecue *B*; **faire un tour** to go on a ride *C*; **faire un tour de grande roue** to go on a Ferris wheel ride *C*; **faire un tour de manège** to go on a carrousel *C*; **faire un tour de montagnes russes** to go on a roller coaster ride *C*; **faire une nuit blanche** to stay up all night *A*

la **fête** holiday *A*; **fête foraine** carnival *C*; **fête nationale** national holiday *A*

fêter to celebrate *A*

un **feu: feu d'artifice** fireworks *A*; **feu de joie** bonfire *A*

un **feuilleton** TV soap opera *B*

filer to run *[inform.]* *C*

des **frissons (m.)** shakes *C*

la **galerie: galerie des miroirs déformants** fun house *C*

garanti(e) guaranteed *C*

gratuit(e) free *A*

un **groupe** group *A*

un **guide** guide *B*

horrible awful, horrible *B*

une **image** image, picture *B*

imaginer to imagine *A*

les **informations (infos) (f.)** news *B*

un **insecte** insect *B*

les **jeux (m.): jeux d'adresse** games of skill *C*; **jeu télévisé** (TV) game show *B*

kiffer to like *[inform]C*

la **maison: maison hantée** haunted house *C*

marcher to work *B*

la **météo** weather forecast *B*

mince darn, shoot *B*

nul, nulle bad *B*

un **parc: parc d'attractions** amusement park *C*

parfois sometimes *B*

parlementaire parliamentary *A*

passionnant(e) fascinating *B*

une **personnalité** celebrity *B*

une **plaine** plain *A*

un **point de vue** viewpoint *A*

un **présentateur, une présentatrice** news anchor *B*

prochain(e) next *C*

le **programme** plan *A*

raté(e) failed *B*

rendre: rendre visite à (+ person) to visit (person) *C*

la **rentrée** back to school/work after vacation *C*

un **reportage: reportage sportif** sports coverage *B*

se **réunir** to meet *C*

selon according to *A*

une **série** series *B*

un **serpent** snake *B*

un **sitcom** sitcom *B*

un **skype** skype call *A*

skyper to skype *A*

sportif, sportive athletic *B*

un **spot: spot publicitaire** commercial *B*

tard late *A*

télé: à la télé on TV *B*

la **télécommande** TV remote control *B*

tenter to tempt *B*

tôt early *A*

tout: tout à fait completely *B*

venir de (+ infinitive) to have just *C*

vers around *A*

la **version** version *B*

le, la **voyante** fortune teller *C*

y there *[pronoun]* *A*

Holidays… see p. 4

Unité

2 Dans la capitale

Rendez-vous à Nice!
Épisode 12:
Au musée

À savoir

Cette fontaine se trouve devant le Centre Pompidou, un musée dont les tuyaux (*pipes*), normalement invisibles, sont visibles à l'extérieur et identifiés par des couleurs (blanc pour l'air, bleu pour l'eau, jaune pour l'électricité, rouge pour les circulations).

Unité 2

Dans la capitale

Question centrale

?

What stories does Paris tell about art and architecture?

Que veut Jean-Charles?

A. Il veut acheter une peinture.
B. Il veut dîner avec Chadia.
C. Il veut parler à Charlotte.

Quel est le nom de ce grand musée?

Contrat de l'élève

Leçon A   I will be able to:

» describe a painting.

» talk about different museums in Paris and the types of art they showcase.

» use the past tense with **avoir** and the present with **suivre**, **mettre**, **prendre**, and **voir**.

Leçon B   I will be able to:

» say that I am lost and ask for and give directions.

» talk about famous neighborhoods of Paris.

» use the verbs **vouloir**, **pouvoir**, **devoir**, and **falloir**; use irregular past participles with the past tense of **avoir**; and give commands.

Leçon C   I will be able to:

» ask about transportation and say what means of transportation I am taking.

» talk about tourist bureaus, the **R.E.R.**, and the palace of Versailles.

» use the verbs **sortir** and **partir** in the present tense, the past tense with **être**, and the superlative of adjectives.

soixante-sept **067**

Leçon A

Vocabulaire actif

WB 1–6LA 1
Games
emcl.com

À l'exposition

un(e) artiste

un tableau (une peinture)

une sculpture

un objet d'art

un chef-d'œuvre

une scène impressionniste

un autoportrait réaliste

L'ambiance est sombre.

C'est un portrait abstrait. Le sujet a l'air sérieux.

Le peintre a dessiné une nature morte.

Le peintre met des couleurs vives.

masculin

amusant	laid
célèbre	pauvre
content	riche
dynamique	sérieux
heureux	triste
jeune	

féminin

amusante	laide
célèbre	pauvre
contente	riche
dynamique	sérieuse
heureuse	triste
jeune	

Pour la conversation

How do I describe a painting?

> **C'est une scène** impressionniste.
>
> *It's an impressionist scene.*

> **On remarque** des gens au premier plan.
>
> *We notice people in the foreground.*

Et si je voulais dire...?

les beaux-arts (m.)	*fine arts*
un cadre	*frame*
une copie	*copy*
une esquisse	*sketch*
un original	*original painting*
une salle d'exposition	*exhibition room*

1   Les musées de Paris

Lisez la description que Coralie fait de sa journée. Ensuite, répondez aux questions.

Quelle aventure à Paris! Je viens de visiter des musées où j'ai vu beaucoup d'œuvres d'art différentes. J'ai visité le Louvre ce matin, et là, j'ai vu des tableaux réalistes. Après, j'ai continué à pied au musée d'Orsay pour voir des peintures impressionnistes. Après le déjeuner, j'ai pris le métro pour aller au Centre Pompidou où j'ai regardé de l'art abstrait avec des couleurs vives. J'ai passé une journée formidable! Ce soir, je suis fatiguée, mais heureuse!

1. Qu'est-ce que Coralie a fait le matin?
2. Quelle sorte d'art est-ce qu'elle a vu le matin?
3. Où est-ce qu'elle a vu des tableaux abstraits?
4. Quel moyen de transport est-ce que Coralie a pris pour visiter le troisième musée?
5. Qu'est-ce que Coralie pense de son tour des musées?

Choisissez un adjectif logique pour compléter les phrases.

1. Une personne qui n'a pas d'argent est....
2. Une belle femme n'est pas....
3. Les vieilles personnes ne sont pas....
4. Quand on a beaucoup d'énergie, on est....
5. Ma sœur est une élève très.... Elle veut vraiment réussir aux examens.
6. Je connais Pablo Picasso. C'est un peintre très....
7. Quand on rigole, souvent, c'est parce que quelque chose est....
8. Je ne suis pas du tout triste. Je suis....

Julie n'est pas heureuse. Elle est triste.

3 **Comment est-ce?**

Décrivez les tableaux.

1.

2.

3.

4.

Écrivez les numéros 1–6 sur votre papier. Écoutez les descriptions et choisissez le tableau qui correspond à chaque description.

A.

B.

C.

D.

E.

F.

5 Questions personnelles

Répondez aux questions.

Il y a un musée d'art contemporain dans ma ville de Lyon.

1. Est-ce qu'il y a un musée d'art dans ta ville ou région? De quelle sorte?
2. As-tu déjà visité un musée d'art? Quel genre?
3. Est-ce que tu préfères les tableaux réalistes ou impressionnistes? Pourquoi?
4. Comment tu trouves l'art abstrait? Passionnant? Dynamique? Horrible?
5. Quel(le) artiste célèbre préfères-tu?

Rencontres culturelles

Un tableau impressionniste

Manon suit un cours de dessin et elle décrit pour son prof un tableau de l'artiste Claude Monet: *Terrasse à Sainte-Adresse.*

Professeur: Prends ton temps. Je peux t'aider.

Manon: Il y a une très belle lumière. Évidemment, c'est une scène impressionniste, au bord de la mer.

Professeur: Oui, la lumière baigne le tableau. Et tu as raison. Tu as remarqué la composition? Elle est remarquable.

Manon: Les groupes sont disposés comme sur une scène de théâtre.

Professeur: La scène est vue de derrière et au-dessus. Et la perspective?

Manon: On voit quatre niveaux de perspective. On remarque un couple assis au premier plan, un couple debout entre les drapeaux, un voilier derrière eux, et toutes sortes de bateaux—vieux et modernes—à l'horizon.

Professeur: Il a créé un mouvement avec des taches de couleurs vives. L'œil suit les bateaux.

Manon: Oui! Les gens regardent la mer et la mer les regarde. L'instant est magique.

Professeur: Oui, Manon. On y est, n'est-ce pas? C'est ça la beauté.

---

6 Un tableau impressionniste

Écrivez V si la phrase décrit le tableau, ou F si la phrase ne décrit pas le tableau.

1. C'est une scène réaliste.
2. Dans la scène, il y a des gens sur une terrasse, des bateaux, et des drapeaux.
3. Les couleurs sont sombres.
4. Il y a une très belle lumière.
5. La composition est bien organisée.
6. Il y a deux niveaux de perspective.
7. Les gens sont dynamiques.

Extension Une nouvelle affiche

Léo et Pierre parlent d'une affiche que Léo vient d'acheter.

Léo: Elle m'a plu tout de suite.

Pierre: L'impression est très étrange... le visage coupé, le corps entier.

Léo: C'est compliqué, mais simple en même temps avec toutes ces formes géométriques.

Pierre: Toutes ces couleurs vives....

Léo: Eh bien voilà, c'est fait. Elle a trouvé tout de suite sa place dans ma chambre.

Extension C'est un portrait réaliste, impressionniste, ou abstrait?

Le musée du Louvre

Le musée du Louvre, créé en 1793 après la Révolution, occupe l'espace de l'ancien Palais des rois* de France. Il est aujourd'hui célèbre pour sa pyramide d'entrée. Les sept départements de sa collection sont: les antiquités orientales, les antiquités égyptiennes, les antiquités grecques et romaines, les sculptures, les objets d'art, les peintures, et les "arts premiers" (des objets d'art de sociétés traditionnelles). On peut y trouver d'importants chefs-d'œuvre: le *Scribe accroupi,** la *Victoire de Samothrace*, la *Vénus de Milo*, les *Captifs** de Michel-Ange* et la *Nymphe* de Benvenuto Cellini. L'École française avec Poussin, La Tour, Watteau, et Delacroix est aussi bien représentée au Louvre.

 Search words: louvre site officiel

---

ancien Palais des rois *former royal palace;* **le Scribe accroupi** *the Seated Scribe;* **Captifs** *Slaves;* **Michel-Ange** *Michelangelo*

Le Louvre a une architecture ancienne et moderne.

La *Joconde*

Produits

La *Joconde* **(Mona Lisa)** de Léonard de Vinci est le tableau le plus célèbre du Louvre. C'est le portrait d'une femme devant un paysage (*landscape*) imaginaire. Réalisé entre 1503 et 1506, le tableau est assez petit, mais très important dans l'histoire de l'art parce qu'il marque un grand changement dans la manière de faire des portraits.

Le musée d'Orsay

Le musée d'Orsay se trouve dans une ancienne* gare. Ouvert* en 1986, il regroupe des tableaux, des sculptures, et des collections d'arts décoratifs du XIXème siècle. Il est surtout visité pour sa collection impressionniste et post-impressionniste. La collection impressionniste a des œuvres très célèbres de Monet (*La gare Saint-Lazare, Régates à Argenteuil*), Renoir (*Les baigneuses*), Degas (*L'absinthe*), et Pissaro (*Les toits rouges*). Van Gogh (*L'Arlésienne*), Cézanne (*Les joueurs de cartes*), Gauguin (*Femmes de Tahiti*), Toulouse-Lautrec (*La toilette*), et Bonnard (*Crépuscule*) ont des tableaux dans la collection post- et néo-impressionnistes.

C'est le musée d'Orsay; il a plus de soixante salles d'expositions.

 Search words: musée d'orsay site officiel

---

ancienne *former*; **Ouvert** *Opened*

Le Centre Pompidou

Le Centre Pompidou, ouvert en 1977, est célèbre pour son architecture colorée d'inspiration industrielle. Il regroupe la collection du musée national d'art moderne, rassemblant* des chefs-d'œuvre du fauvisme* (Matisse), du cubisme (Braque, Picasso), de l'abstraction (Kandinsky, Klee), du figuratif (Chagall), du surréalisme (Magritte, Dali), du nouveau réalisme (Arman, Klein), de l'art abstrait des années 1960 (Pollock, Rothko), et du pop art (Warhol), entre autres.

 Search words: centre pompidou site official, beaubourg

---

rassemblant *assembling*; **fauvisme** *genre known for its bright colors and wild brush strokes*

7 Activités culturelles

Faites les activités suivantes ou répondez aux questions.

1. Quel musée est associé à...?
   - un palais
   - une vieille gare
   - un secteur industriel
2. Dans quel musée est-ce qu'on trouve...?
   - des œuvres abstraites
   - des antiquités grecques et romaines
   - des œuvres impressionistes
   - des sculptures du 19ème siècle

continued

- l'École française
- des tableaux cubistes

3. Quels sont les mouvements d'art mentionnés dans les notes? Comment imaginez-vous les œuvres de chaque mouvement?

4. Choisissez une œuvre d'un des trois musées, et expliquez pourquoi cette œuvre vous intéresse.

5. Indiquez un mouvement d'art pour les peintres suivants:
- Matisse
- Klee
- Monet
- Van Gogh
- Braque

6. Faites des recherches et trouvez un tableau intéressant qui correspond à chacun des peintres mentionnés.

Le Centre Pompidou se distingue de la ville par son architecture industrielle et colorée.

Perspectives

Pendant la Deuxième Guerre Mondiale (*WWII*), les Français ont caché (*hid*) la plupart des trésors du Louvre pour les protéger des Nazis. Qu'est-ce que cela montre des valeurs (*values*) des Français vis-à-vis de leur art?

Du côté des médias

Lisez les informations sur le musée d'Orsay.

Orsay (Musée d')

1, 43 de la Légion d'honneur (anciennement rue de Bellechasse) (7ᵉ). RER C: Musée d'Orsay ou Mᵒ Solférino. 01.40.49.48.14. Gpes: 01.53.63.04.50. www.musee-orsay.fr. Tlj (sf Lun) de 9h30 à 18h. Jeu jsq 21h45. Vente des billets jusqu'à 17h, Jeu jusqu'à 21h. Ent: 9,50 €. TR 7 €, collections permanentes gratuites pour les -26 ans (ressortissants et résidents de longue durée de l'U.E.) et 1ᵉʳ Dim du mois. Situé dans l'ancienne gare d'Orsay réaménagée par des architectes et des designers, ce lieu est voué en majorité à l'impressionnisme et à ses courants tant précurseurs (romantisme, symbolisme, préimpressionnisme) que parallèles (nabisme, pointillisme…). Le musée dispose d'un restaurant, d'une cafétéria, et d'une librairie multimédia. Audioguides: français, anglais, allemand, espagnol, italien, japonais.

8 | Au musée d'Orsay

Complétez les phrases.

1. On prend le métro jusqu'a à la station… pour arriver au musée d'Orsay.

2. Le musée est fermé le….

3. Si vous ne voulez pas payer pour voir les collections permanentes, il faut venir le premier… du mois.

4. À part (*Besides*) l'impressionnisme, on peut voir des exemples de…, symbolisme, et de pré-impressionisme.

5. Les touristes qui parlent français, anglais, allemand, espagnol, italien, et japonais peuvent profiter d'un….

Structure de la langue

emcl.com
WB 8–9
Games

Present Tense of the Irregular Verb *suivre*

Here are the present tense forms of the irregular
verb **suivre** (*to follow*).

Vous le suivez, vous?

suivre	
je **suis**	nous **suivons**
tu **suis**	vous **suivez**
il/elle/on **suit**	ils/elles **suivent**

Suis-tu la voiture bleue?   *Are you following the blue car?*
Non, je **suis** la voiture rouge.   *No, I'm following the red car.*

The verb **suivre** means "to take" in the expression **suivre un cours** (*to take a class*).

Tu **suis** un cours de chimie?   *Are you taking a chemistry class?*

The irregular past participle of **suivre** is **suivi**, and it is used with the helping verb **avoir**.

Pourquoi a-t-il **suivi** le train?   *Why did he follow the train?*

9   On suit quels cours?

Regardez chaque affiche dans la salle de classe et dites quels cours les élèves suivent.

> **MODÈLE**   mes copains
> **Mes copains suivent un cours de musique.**

Ludwig Van Beethoven

Albert Einstein

1. tu

Vincent Van Gogh

2. vous

Marie Curie

3. Jean

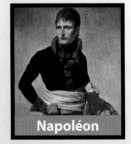

Napoléon

4. Diane et moi,
nous

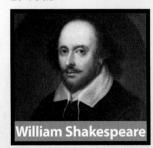

William Shakespeare

5. Mayanne et Fatima

Jacques Prévert

6. je

Dites quel guide ces personnes suivent au musée du Louvre.

	Mlle Garnier	**M. Robin**	**Mme Leroy**
toi	✔		
Jérémy		✔	
Alima			✔
Nayah	✔		
moi			✔
Mehdi		✔	

1. moi
2. Nayah
3. Jérémy et Mehdi
4. toi
5. Alima
6. Nayah et toi, vous
7. Alima et moi, nous

MUSÉE DU **LOUVRE**
www.louvre.fr
Gratuit : -18 ans, -26 ans

Palais du Louvre, Paris 1er. ✆ 01 40 20 53 17. Ⓜ Palais Royal-Musée du Louvre.
🕐 9h-18h (jusqu'à 22h le mercredi et le vendredi). Fermeture des salles
30 mn plus tôt. Fermé le mardi, le 1.01, le 1.05 et le 25.12.
Fermeture de certaines salles selon un planning hebdomadaire.

Révision: *Passé composé* with *avoir*

emcl.com
WB 10–12
LA 2
Games

To talk about completed actions in the past, the French use the **passé composé**. To form the **passé composé** for most verbs, you use the present tense of **avoir** as a helping verb and the past participle of the main verb.

To form the past participle of **-er** verbs, replace the **-er** with **-é**.

To form the past participle of **-ir** verbs, replace the **-ir** with **-i**.

Paul et Irène ont choisi un gâteau.

To form the past participle of **-re** verbs, replace the **-re** with **-u.**

Non, je n'ai pas mangé toutes les pommes!

	manger	choisir	perdre
j'	**ai mangé**	**ai choisi**	**ai perdu**
tu	**as mangé**	**as choisi**	**as perdu**
il/elle/on	**a mangé**	**a choisi**	**a perdu**
nous	**avons mangé**	**avons choisi**	**avons perdu**
vous	**avez mangé**	**avez choisi**	**avez perdu**
ils/elles	**ont mangé**	**ont choisi**	**ont perdu**

To make a sentence negative, put **n'** before the form of **avoir** and **pas** after it.

> Elle **n'**a **pas** vendu son vélo.   *She didn't sell her bike.*

For questions using inversion, put the subject pronoun after the form of **avoir.**

> **Avez**-vous **fini** les devoirs d'histoire?   *Have you finished the history homework?*

You will also need to insert the letter **t** for the **il/elle/on** forms.

> **A-t-elle** déjà **mangé**?   *Has she already eaten?*

11   Au musée du Louvre

Dites quelle œuvre tous les élèves du cours d'art de M. Morin ont copié au Louvre.

le *Scribe accroupi*

1. Charlotte

la *Victoire de Samothrace*

2. Amidou et Lucas

la *Joconde*

3. je

les *Captifs* de Michel-Ange

4. Éric et toi, vous

la *Nymphe* de Cellini

5. Juliette et Olivier

la *Vénus de Milo*

6. Marc-Antoine

Après chaque phrase il y a deux expressions. Dites dans quel ordre on ferait (would do) logiquement chaque activité. Suivez le modèle.

MODÈLE Brian a visité le musée d'Orsay.
envoyer des cartes postales à la poste/acheter des cartes postales à la boutique du musée
D'abord, il a acheté des cartes postales à la boutique du musée, puis il a envoyé les cartes postales à la poste.

1. Amber et Heather ont choisi de prendre leur déjeuner au Café de Flore.
demander des sandwichs/payer l'addition
2. Justin a trouvé une bonne pâtisserie.
manger le gâteau/choisir un gâteau
3. Kendra a visité le musée d'Orsay.
trouver les tableaux post-impressionnistes/ dessiner l'autoportrait de Van Gogh
4. Tiffany et Garrett ont dîné chez les Rousseau ce soir.
manger un bon repas/acheter des fleurs pour Mme Rousseau

John et Sarah ont visité la tour Eiffel, puis ils ont attendu leurs copains.

13 **Weekend à Paris**

Écrivez les numéros 1–6 sur votre papier. Écoutez chaque question et choisissez une réponse logique.

A. Oui, nous avons visité la tour Eiffel après la visite du musée.
B. Oui, un artiste m'a vendu un tableau dans la rue.
C. Oui, cet artiste a choisi une belle femme comme sujet.
D. Non, nous avons décidé de prendre la voiture.
E. Oui, nous avons dîné au restaurant.
F. Oui, on a regardé des portraits réalistes.

Communiquez!

Interpersonal/Presentational Communication

Posez des questions à cinq camarades de classe en utilisant les expressions dans la grille. Puis, dites à la classe combien d'élèves ont fait chaque activité.

MODÈLE   A: **Laurent, as-tu visité un musée?**
B: **Oui, j'ai visité le musée Smithsonian à Washington.**
     ou
Non, je n'ai pas visité de musée.

Jean, as-tu vendu ta sculpture?

Oui, j'ai vendu ma sculpture à Annie. N'est-ce pas, Annie?

visiter un musée
regarder une émission de télé-réalité
voyager
travailler
acheter quelque chose en ligne
choisir un cadeau d'anniversaire
perdre quelque chose
attendre quelqu'un au centre commercial
visiter un parc d'attractions

emcl.com
WB 13–215
Games

Révision: Present Tense of the Irregular Verbs *mettre*, *prendre*, and *voir*

Here are the present tense forms of the irregular verbs **mettre** (*to put, to put on, to set*), **prendre** (*to take, to have food/beverages*), and **voir** (*to see*).

mettre			
je	**mets**	nous	**mettons**
tu	**mets**	vous	**mettez**
il/elle/on	**met**	ils/elles	**mettent**

Mon frère **met** le couvert.   *My brother is setting the table.*
Marie **met** une robe le dimanche.   *Marie puts on a dress on Sundays.*

prendre			
je	**prends**	nous	**prenons**
tu	**prends**	vous	**prenez**
il/elle/on	**prend**	ils/elles	**prennent**

Qu'est-ce que vous **prenez**?
Nous **prenons** un coca.

What are you having (to eat or drink)?
We're having a cola.

voir			
je	**vois**	nous	**voyons**
tu	**vois**	vous	**voyez**
il/elle/on	**voit**	ils/elles	**voient**

Qu'est-ce que vous **voyez** dans le tableau?
Je **vois** des couleurs sombres.

What do you see in the painting?
I see dark colors.

Michel voit un gros bateau.

15 **Dans la classe de peinture**

Dites ce que tout le monde met dans ses tableaux.

MODÈLE   tu/des couleurs vives
Tu mets des couleurs vives.

1. Hélène/un petit garçon qui a l'air heureux
2. Marie-Alix et toi, vous/un artiste qui dessine un portrait réaliste
3. je/une vive lumière
4. Noémie et Cédric/une ambiance sombre
5. Emma et moi, nous/un objet d'art
6. Lamine/une belle femme triste

Tu mets plus de lumière, là?

16 À la boutique du musée

Dites quelle œuvre ces personnes prennent en carte postale à la boutique du musée d'Orsay, basé sur l'artiste qu'elles préfèrent.

	Cézanne	Degas	Gauguin	Monet	Pissarro	Renoir	Toulouse-Lautrec	Van Gogh
L'absinthe		✔						
L'Arlésienne								✔
Danse à la ville						✔		
Femmes de Tahiti			✔					
La gare Saint-Lazare				✔				
Les joueurs de cartes	✔							
Jane Avril dansant							✔	
La moisson					✔			

MODÈLE   Awa aime les tableaux de Monet.
Awa prend *La gare Saint-Lazare*.

1. Monsieur Tremblay aime les tableaux de Degas.
2. Robert et toi, vous aimez les tableaux de Pissarro.
3. Julien et Jean aiment les tableaux de Gauguin.
4. Mademoiselle Percebois aime les tableaux de Toulouse-Lautrec.
5. Mes sœurs et moi, nous aimons les tableaux de Van Gogh.
6. Chantal et Michèle aiment les tableaux de Cézanne.
7. Ma prof d'art aime les tableaux de Renoir.
8. Allez en ligne pour voir ces tableaux. Quel tableau est-ce que vous préférez?

17 Devinez!

Indiquez le genre du film que vous voulez voir ce soir. Ensuite, votre partenaire va essayer de deviner le titre du film. Puis, changez de rôles.

C'est un drame.

Est-ce que tu vois *Camille Claudel*?

> un film de science-fiction   un drame   une comédie
> un film d'horreur   une comédie romantique   un documentaire

MODÈLE   A: **C'est une comédie.**
         B: **Est-ce que tu vois *Bienvenue chez les Cht'is*?**
         A: **Oui, je vois *Bienvenue chez les Cht'is*.**
             ou
         Non, je ne vois pas *Bienvenue chez les Cht'is*.

À vous la parole

Communiquez!

18 Une exposition

Interpretive/Presentational Communication

Imagine you and several classmates work for an art museum and are organizing an exhibit of French art from the Louvre. To prepare the exhibit:

- determine the type of art you will feature (paintings, sculptures, other types of art, or a combination).
- explore the Louvre website and prepare a list of ten works of art. Include the name of both the artist and the work.
- create a poster to advertise the exhibition. Include the name of the museum and exhibit, the dates, and a photo or drawing of a piece of art from the Louvre.
- present each labeled (artist, title) piece of art to the curator (your teacher) for approval.

MODÈLE **Je propose le tableau la *Joconde* par de Vinci. C'est un tableau célèbre que tout le monde veut voir.**

 Search words: louvre site officiel

Communiquez!

19 Critique d'art

Interpersonal Communication

With a partner, role-play a conversation between an art teacher and a student in which you discuss a real or imaginary painting. The student should describe the composition and the colors in his or her painting, and the teacher should comment on the perspective, colors, composition, and ambiance (overall effect). Both the student and teacher should give their opinion of the painting. Present the conversation to the class.

Tu as mis un fleuve?

Non, j'ai mis un pont.

Prononciation

Emphasizing the Last Syllable

- In French, all syllables except for the last one generally receive the same emphasis in a phrase. For example, in the phrase **Le château de Versailles**, only the syllable-**saille** is slightly emphasized.

 A **À Versailles**

Repeat these phrases, slightly emphasizing the last syllable.

1. le R.E.R. C
2. la galerie des Glaces
3. les Fêtes Musicales
4. le Bassin d'Apollon
5. le Domaine de la Reine

B **À quelle heure?**

Repeat each question, slightly emphasizing the syllables in red.

1. Quelle heure est-il?
2. Tu arrives à quelle heure?
3. À quelle heure est ton rendez-vous?
4. Tu finis tes cours quand?

The Sounds /ø/ and /u/

- The sound /ø/ is the vowel sound in **deux**, **peux**, and **veux**. The sound /u/ is the vowel sound in **vous**, **douze**, **rouge**.

 C **Pouvoir et vouloir**

*Repeat the following sentences, paying attention to the sounds /ø/ in **veux** and **peux** and /u/ in **vous**.*

1. Je veux vous voir.
2. Je peux vous voir?
3. Je veux vous attendre.
4. Je peux vous attendre?

D **The Vowels /ø/ and /u/**

- Write **/ø/** if you hear a vowel like the one in **deux** or **/u/** if you hear a vowel like the one in **douze**.

 084 quatre-vingt-quatre | Unité 2

Vocabulaire actif

emcl.com
WB 16–19
LA 1
Games

Mon quartier

la librairie

le stand de crêpes

la fleuriste

le bureau de tabac

la brasserie

le cabinet dentaire
(chez le dentiste)

le salon de coiffure

le lycée

le kiosque à journaux

la pharmacie

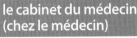

le cabinet du médecin
(chez le médecin)

l'église (f.)

le théâtre

Pour la conversation

Ⓗow do I say I'm lost?

emcl.com
WB 20–22

> **Je suis perdu(e).**

I'm lost.

Ⓗow do I tell someone not to worry?

> **Ne t'inquiète pas.**

Don't worry.

Ⓗow do I ask for directions?

> Tu peux **m'indiquer le chemin?**

Can you show me the way?

Ⓗow do I give directions?

> **Tu dois tourner** à droite, **et aller jusqu'à** la brasserie.

You should turn right and go until (you get to) the brasserie.

Et si je voulais dire...?

une bijouterie	*jewelry store*
un bistro(t)	*small restaurant*
un commissariat de police	*police station*
une galerie	*gallery*
des panneaux indicateurs (m.)	*signs*
un piéton	*pedestrian*
un salon de thé	*tea room*
une zone piétonne	*pedestrian area*

La tante de Nasser habite près de la Sorbonne.

1 Aventure à Paris

Nasser rend visite à sa tante Rachida à Paris.
Lisez son mail à son frère. Puis répondez aux questions.

Salut, Hamid!

Ça va? Je vais super bien. Tante Rachida est venue me chercher à l'aéroport et on a visité tous les grands monuments. J'ai adoré, surtout le Centre Pompidou, tous les tableaux abstraits de Picasso! Le soir, on est rentré chez elle. Elle habite un quartier sympa près de l'Université de la Sorbonne. Il y a beaucoup de petits commerçants et le kiosque à journaux vend même des journaux du Maroc! La capitale est géniale et après une semaine, je ne suis plus perdu. L'autre jour, un touriste m'a demandé où trouver à manger dans le quartier. J'ai indiqué le chemin pour trouver mon stand de crêpes préféré. C'est à droite de chez Rachida, entre l'église et la pharmacie, après la librairie. Bon, j'ai faim, alors je vais y aller maintenant. Dis bonjour à tout le monde au Maroc!

Ton frère Nasser

1. Comment est-ce que Nasser a voyagé à Paris?
2. Quelle sorte d'art est-ce que Nasser a regardé?
3. D'où vient Nasser?
4. Comment est le quartier de sa tante?
5. Qui est-ce que Nasser a aidé?
6. Où va Nasser maintenant?

2 Qu'est-ce que Caroline a fait hier?

Écrivez les numéros 1–8 sur votre papier. Écoutez ce que Caroline a fait, et choisissez la lettre de l'image qui correspond à chaque description.

A.

B.

C.

D.

E.

F.

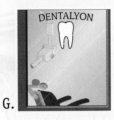
G.

H.

3 Questions personnelles

Répondez aux questions.

1. Quels petits commerçants est-ce qu'il y a dans ton quartier?
2. Est-ce que tu vas à la pharmacie ou chez le médecin quand tu es malade?
3. Qu'est-ce que tu aimes prendre au café ou à la brasserie?
4. Est-ce que tu as jamais mangé une crêpe? De quelle sorte?
5. Est-ce que tu as déjà été perdu(e)? Qu'est-ce que tu as fait?
6. Qu'est-ce que tu fais quand tu es perdu(e)?

J'ai déjà mangé une crêpe forestière... délicieuse!

Quand est-ce que tu vas à la pharmacie?

Rencontres culturelles

Perdu en ville

Le cousin de Rachid, Karim, est perdu dans le quartier de Saint-Germain-des-Prés et l'appelle pour lui demander son chemin.

Karim: Je ne comprends pas. J'ai pu demander au kiosque de m'indiquer où se trouve la rue. Il m'a informé que c'est à droite après la pharmacie et je suis... je ne sais pas où je suis. Désolé, je suis perdu. Tu peux m'indiquer le chemin?

Rachid: Mais tu as pris quelle sortie de métro?

Karim: Je ne sais pas... la sortie!

Rachid: Mais il y a plusieurs sorties dans cette station!

Karim: Et comment je fais maintenant?

Rachid: Ne t'inquiète pas! Lève la tête. Tu peux regarder le nom de la rue?

Karim: Rue du Four.

Rachid: Bon, c'est facile. Après le salon de coiffure, tu dois tourner à droite, et aller jusqu'à la brasserie.... Là tu es dans la rue... tu vas reconnaître. Il ne faut pas marcher loin.

Karim: Ah bon? C'est aussi facile que ça? Dis, je veux manger quelque chose. On se retrouve à la brasserie?

Rachid: D'accord. Disons dans dix minutes!

---

4 Perdu en ville

Donnez le nom de la personne décrite.

1. Il est perdu à Paris.
2. Il a pris le métro.
3. Il appelle son cousin pour demander le chemin.
4. Il dit (*says*), "Tu peux regarder le nom de la rue."
5. Il va arriver à la brasserie dans dix minutes.

Extension En route

Elsa et Luis sont en voyage.

Elsa: Je ne reconnais plus rien... je ne sais pas où on est.

Luis: Bon alors, sors la carte!

Elsa: Quelle carte?... C'est toi qui as les cartes.

Luis: Oui, mais celle-là, je ne l'ai pas.

Elsa: C'est vrai on connaît les lieux par cœur... mais là je ne reconnais rien!

Luis: Tu vois le clocher là-bas? Il va bien nous ramener quelque part, c'est sûr!

Extension Elsa et Luis sont-ils en ville ou à la campagne?

Question centrale

?

What stories does Paris tell about art and architecture?

Les quartiers de Paris

Paris est divisée en 20 arrondissements*, mais c'est surtout un *patchwork* de villages et de quartiers avec des caractéristiques très fortes.

L'île de la Cité est le cœur historique de Paris, le lieu* de tous les pouvoirs*: religieux avec la cathédrale Notre-Dame, politique et judiciaire avec le Palais de justice, militaire avec la Conciergerie (une ancienne prison). Aujourd'hui, c'est un lieu fréquenté par les touristes, les magistrats*, les avocats, et les religieux.

La Seine entoure (*surrounds*) l'île de la Cité.

 Search words: notre-dame de paris, la conciergerie

—————
arrondissements *districts*; **le lieu** *place*; **pouvoirs** *powers*; **magistrats** *judges*

Produits

La Sainte-Chapelle, située dans l'île de la Cité, a les plus vieux vitraux (*stained glass windows*) de Paris. Le roi (*King*) Louis IX, un homme très religieux, a fait construire (*had built*) la chapelle au XIIIème siècle.

Il y a de beaux vitraux dans la Sainte-Chapelle.

Le Quartier latin est le quartier des étudiants. C'est là où se trouvent des établissements d'enseignement* supérieur et de recherches comme la Sorbonne, le Collège de France, l'École Normale supérieure, et la Bibliothèque Sainte-Geneviève. Le quartier a beaucoup de petites rues très anciennes avec des restaurants pas chers, des cinémas d'auteurs*, et des librairies.

—————
enseignement *education*; **d'auteurs** *de metteurs en scène célèbres*

COMPARAISONS

Est-ce qu'il y a une cité universitaire dans votre ville ou région? Qu'est-ce qu'on offre aux étudiants?

Saint-Germain-des-Prés a été rendu* célèbre après la Deuxième Guerre Mondiale* par les écrivains Jean-Paul Sartre et Simone de Beauvoir et la philosophie de l'existentialisme, et par Boris Vian et les caves de jazz. C'est aussi le quartier des cafés (Le Flore, Les Deux Magots) et des brasseries (Lipp) célèbres où se retrouve le monde des arts, des lettres*, et de la politique.

————

a été rendu *was made*; **Deuxième Guerre Mondiale** *WWII*; **des lettres** *literature*

5 Activités culturelles

Faites les activités suivantes.

1. Situez sur un plan de Paris les quartiers et les lieux de chaque quartier cités dans le texte.
2. Écrivez le nom du quartier associé à sa fonction.
   - le quartier des étudiants
   - le quartier du monde littéraire
   - le quartier du pouvoir
3. Indiquez le quartier pour chaque lieu.
   - à la Sorbonne
   - au café de Flore
   - à Notre-Dame
4. Dites à quel quartier vous associez ces activités.
   - le jazz
   - la lecture (librairie)
   - le cinéma
   - le tourisme

Le café de Flore, à Saint-Germain-des-Prés.

À discuter

Qu'est-ce que le mot "quartier" évoque pour vous?

Le quartier de Saint-Germain-des-Prés.

Du côté des médias

6 Le métro parisien

Cherchez un plan de métro en ligne et faites les activités suivantes.

1. Vous prenez le métro. Vous êtes à Concorde et vous allez à Porte des Lilas. Puis, vous êtes à Châtelet-les-Halles et vous allez à Pasteur. Complétez les informations suivantes pour chaque voyage.
   - destination finale
   - nom de la ligne
   - correspondances (*transfers*)
   - nouvelle direction (nom de la nouvelle ligne)
2. Le métro et l'histoire: trouvez le nom des stations qui font référence à:
   - un scientifique
   - un homme politique
   - un artiste
   - une ville française
   - une bataille (*battle*)

 Search words: plan du métro paris, ratp

Une bouche de métro parisienne.

Structure de la langue

Révision: Present Tense of the Irregular Verbs *vouloir*, *pouvoir*, *devoir*, and *falloir*

Here are the present tense forms of the irregular verbs **vouloir** (*to want*), **pouvoir** (*to be able to, can*), and **devoir** (*to have to*).

vouloir			
je	**veux**	nous	**voulons**
tu	**veux**	vous	**voulez**
il/elle/on	**veut**	ils/elles	**veulent**

Veux-tu aller à la librairie?
Oui, je **veux** acheter des livres.

Do you want to go to the bookstore?
Yes, I want to buy some books.

Usage Tip

In French, **je voudrais** (*I would like*) instead of **je veux** is used to politely to ask for something. For example: **Je voudrais une crêpe au chocolat, s'il vous plaît.**

pouvoir			
je	**peux**	nous	**pouvons**
tu	**peux**	vous	**pouvez**
il/elle/on	**peut**	ils/elles	**peuvent**

Vous **pouvez** m'indiquer le chemin?
Oui, nous **pouvons** t'aider.

Can you show me the way?
Yes, we can help you.

> Je peux mettre un peu plus de bleu....

devoir			
je	**dois**	nous	**devons**
tu	**dois**	vous	**devez**
il/elle/on	**doit**	ils/elles	**doivent**

Où est-ce que vous **devez** aller?
Nous **devons** aller au cabinet du médecin.

Where do you have to go?
We have to go to the doctor's office.

The only present tense form of the verb **falloir** (*to be necessary, to have to*) is **il faut** (*it is necessary, one has to/must, we/you have to/must*).

falloir	
Il	**faut**

Il **faut** aller à la pharmacie.   *It's necessary to go to the pharmacy.*

7 | Mercredi après-midi

Dites ce que tout le monde veut faire pendant son temps libre.

aller en ville	faire du shopping	écouter de la musique	jouer au foot
lire	faire du roller	regarder un dessin animé	aller au cinéma

MODÈLE
je
Je veux jouer au foot.

1. tu

2. Solange et moi, nous

3. Aïcha

4. je

5. Marcel et toi, vous

6. Monique et Jérôme

7. Thomas

8 Qu'est-ce qu'on peut faire à Paris?

Dites ce que ces personnes peuvent faire selon leurs préférences.

> aller au stand de crêpes   faire une promenade au jardin des Tuileries
>
> acheter quelque chose à la boutique du musée   acheter *Pariscope* au kiosque à journaux
>
> visiter le musée d'Orsay   faire du shopping au Printemps
>
> choisir des livres à la librairie   prendre quelque chose à la brasserie

MODÈLE   Marie-Alix adore les crêpes.
Marie-Alix peut aller au stand de crêpes.

1. Toi, tu aimes l'art impressionniste.
2. Dikembe et Robert, ils aiment les livres.
3. Toi et ton ami, vous aimez marcher.
4. Sandrine aime manger.
5. Mon frère et moi, nous aimons les objets d'art.
6. Sandrine et toi, vous aimez acheter des vêtements.
7. J'aime aller au cinéma.

9 Le bulletin de notes

Dites ce que les élèves dans le cours de M. Lambert doivent ou ne doivent pas faire selon ce qu'il a écrit sur leur bulletin de notes.

MODÈLE   *Marc: Faites tous les devoirs!*
Marc doit faire tous les devoirs.

1. *Salim et Lamine: Parlez plus en classe!*
2. *je: Essayez d'écrire plus!*
3. *Chloé: Complétez votre projet culturel!*
4. *tu: Arrivez à l'heure!*
5. *Anne et moi, nous: Ne parlez pas en classe!*
6. *Luc: Finissez les devoirs!*
7. *Alice et toi, vous: Ne mangez pas en classe!*

Vous devez apprendre cela!

10 On doit? On peut? On veut?

À tour de rôle, posez des questions à votre partenaire en utilisant les éléments donnés.

MODÈLE   tu/devoir/aller au cabinet dentaire demain
A: **Est-ce que tu dois aller au cabinet dentaire demain?**
B: **Oui, je dois aller au cabinet dentaire demain. Et toi?**
A: **Non, je ne dois pas aller au cabinet dentaire demain.**

1. tes parents/devoir/acheter quelque chose à la pharmacie
2. tu/devoir/mettre le couvert le soir
3. on/pouvoir/dîner dans une brasserie samedi
4. ta mère/pouvoir/acheter *Pariscope* au kiosque à journaux
5. ton frère/vouloir/acheter un livre à la librairie
6. ta famille et toi, vous/vouloir/visiter un parc d'attractions cet été
7. tu/vouloir/regarder un reportage sportif ce soir

11 Où faut-il aller?

Lisez ce que ces personnes veulent faire et dites où il faut aller.

> au kiosque à journaux   au cabinet de médecin   au musée
> à la brasserie   à la pharmacie   au salon de coiffure   à la librairie

MODÈLE   Thomas veut voir des tableaux.
Alors, il faut aller au musée.

1. Manu veut voir un médecin.
2. Khaled veut acheter quelque chose pour sa sœur qui est malade.
3. Mayanne et Chantal veulent acheter des livres.
4. Viviane veut acheter un journal (*newspaper*).
5. Luc et moi, nous voulons prendre le déjeuner.
6. Christophe et Isabelle veulent une nouvelle coiffure (*hairstyle*).

Il faut aller au bureau de tabac pour acheter un billet de loterie.

Révision: Irregular Past Participles

emcl.com
WB 30–31
LA 2
Games

Here are the verbs you've learned that have irregular past participles in the **passé composé** formed with the verb **avoir**.

Verb	Past Particple	Passé Composé
avoir	**eu**	J'**ai eu** peur sur les montagnes russes.
devoir	**dû**	Tu **as dû** emmener ta sœur à la teuf.
être	**été**	Il **a été** malade lundi dernier.
faire	**fait**	Elle **a fait** un tour de grande roue samedi.
falloir	**fallu**	Il **a fallu** demander le chemin.
lire	**lu**	**Avez**-vous **lu** ce livre?
mettre	**mis**	L'artiste **a mis** des couleurs vives.
offrir	**offert**	Nous **avons offert** un cadeau à notre mère.
pleuvoir	**plu**	Il **a plu** toute la journée hier.
pouvoir	**pu**	Hier soir, je n'**ai** pas **pu** aller au concert.
prendre	**pris**	Elles **ont pris** le métro jusqu'à la gare.
suivre	**suivi**	**As**-tu **suivi** un guide au musée d'Orsay?
voir	**vu**	Qu'est-ce qu'il **a vu** au Louvre?
vouloir	**voulu**	Nous n'**avons** pas **voulu** regarder la télé.

Il a plu quand Diane a fait un tour en vélo.

12 Qu'as-tu fait le weekend dernier?

À tour de rôle, demandez à votre partenaire s'il ou elle a fait les choses suivantes le weekend dernier.

MODÈLE   être au concert
A: **Est-ce que tu as été au concert le weekend dernier?**
B: **Oui, j'ai été au concert le weekend dernier./Non, je n'ai pas été au concert le weekend dernier.**

1. suivre un cours de dessin
2. prendre le déjeuner à la brasserie
3. voir ton feuilleton préféré à la télé
4. être malade
5. mettre un nouvel ensemble
6. avoir peur sur les montagnes russes
7. faire un tour de ton quartier
8. devoir faire tes devoirs

Est-ce que tu as lu la leçon?

Oui.

13 Une journée à Paris

Regardez le journal d'Edwige et dites ce qu'elle a fait le premier jour de son voyage à Paris.

MODÈLE **Edwige a pris une photo du groupe à 6h00.**

> *Dimanche, le jour d'arrivée*
>
> *6h00: Je prends une photo du groupe.*
>
> *7h00: Je prends le petit déjeuner.*
>
> *8h30: Je fais un tour du quartier.*
>
> *9h45: Je veux visiter le musée du Louvre, mais je dois attendre notre prof et nos camarades de classe.*
>
> *10h00: Au musée, nous pouvons explorer l'exposition sans le prof.*
>
> *10h15: Ma copine Céline et moi, nous suivons le guide au Louvre.*
>
> *11h30: Je lis un livre sur l'art réaliste à la boutique du musée.*
>
> *12h00: Avec nos camarades, nous prenons le déjeuner dans une brasserie près du musée.*
>
> *13h30: On voit beaucoup de monuments pendant l'après-midi.*
>
> *17h00: Il faut retourner à l'hôtel. Quelle belle journée!*

14 Qu'est-ce que tu as fait?

*Xavier et Leïla parlent d'un voyage à Paris. Écrivez les numéros 1–6 sur votre papier. Ensuite, écoutez leur conversation, et dites si les phrases suivantes sont vraies (**V**) ou fausses (**F**).*

1. Leïla a fait un voyage en famille.
2. Elle a pris l'avion pour aller à Paris.
3. Leïla a pu voir des chefs-d'œuvres au Louvre.
4. Leïla et sa famille ont mangé des crêpes à midi.
5. Ils ont vu un match de foot.
6. La lumière n'a pas été bonne.

Révision: The Imperative

emcl.com
WB 32–33
Games

The imperative is used to give commands and make suggestions. Each verb has three imperative forms that are the same as the **tu**, **nous**, and **vous** forms of the present tense. Here are the imperative forms of regular **-er**, **-ir**, and **-re** verbs. Note that you drop the subject for all imperative forms and the **tu** form of **-er** verbs drops the final **s**.

écouter	finir	attendre
Écoute!	**Finis!**	**Attends!**
Écoutons!	**Finissons!**	**Attendons!**
Écoutez!	**Finissez!**	**Attendez!**

To make imperative forms negative, put **ne** (**n'**) in front of the verb and **pas** after it.

Ne suivez **pas** cette rue!   *Don't follow (take) this street!*

Faites attention, s'il vous plaît!

15   Fais quelque chose!

À tour de rôle, dites à votre partenaire de faire une chose et pas l'autre.

> **MODÈLE**   dîner dans une brasserie ou faire la cuisine?
> **A: Est-ce que je dois dîner dans une brasserie ou faire la cuisine?**
> **B: Dîne dans une brasserie! Ne fais pas la cuisine!**

1. visiter un musée ou regarder un match à la télé?
2. manger du chocolat ou finir les devoirs?
3. faire du shopping ou aider mes parents?
4. faire une promenade en ville ou jouer aux jeux vidéo?
5. aller en ville avec des amis ou rendre visite à mes grands-parents?
6. choisir d'aller au concert ou rester à la maison?
7. prendre le déjeuner à table avec ma famille ou manger devant la télé?

16 Vous pouvez m'indiquer le chemin?

Avec un partenaire, jouez les rôles d'un(e) touriste qui demande à la réceptionniste de l'hôtel comment aller à chaque site sur le plan. Les directions de la réceptionniste commencent toujours à l'hôtel (Rue Pasteur).

MODÈLE   la banque

A: **Pouvez-vous m'indiquer le chemin pour aller à la banque, s'il vous plait?**

B: **Prenez la rue Pasteur, continuez tout droit jusqu'à la rue Malbec, tournez à gauche et la banque est à votre droite.**

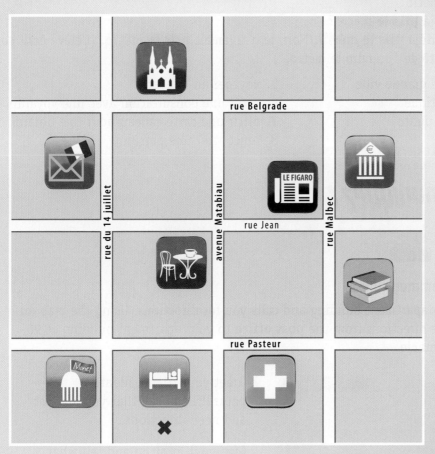

1. la brasserie
2. le musée
3. la poste
4. le kiosque à journaux
5. la librairie
6. la pharmacie
7. l'église

À vous la parole

Communiquez!

17 As-tu déjà...?

Interpersonal Communication

Interviewez vos camarades de classe pour trouver s'ils ont fait les choses suivantes. Si un(e) camarade de classe répond que oui, écrivez son nom à côté de l'activité.

> **MODÈLE** prendre le métro
> A: **As-tu déjà pris le métro?**
> B: **Oui, j'ai déjà pris le métro.**/Non, je n'ai jamais **pris le métro.** (L'élève écrit son nom à côté de "prendre le métro.")

1. être perdu(e) dans une grande ville
2. faire du patinage artistique
3. mettre un costume de pirate
4. voir la *Joconde*

5. voyager au Québec
6. avoir une consultation avec une voyante
7. offrir une carte cadeau pour une librairie
8. rencontrer une personne célèbre

Communiquez!

18 Je suis perdu(e)

Interpersonal/Interpretive Communication

A friend is trying to find your apartment building and calls you for directions. Using the map on p. 99 and the imperative, give directions from the **post office** to your apartment building at 96, rue Pasteur, behind the **pharmacie**.

Answer the phone.	Greet your friend, identify yourself, and say that you are lost and need directions.
Ask where your friend is.	Give your location and tell what shops you see.
Tell your friend that it's easy and not far, and give directions to your building, indicating several businesses and landmarks that he or she will pass on the way.	Say you are going to stop at the crêpe stand and get something to eat.
Say OK and that you'll see your friend in 15 minutes.	

Stratégie communicative

Une description d'art

A To describe a portrait:

- describe the person's physical appearance: hair and eye color, and size
- give the person's age and nationality
- describe what the person is wearing
- describe the person's personality or character using **avoir l'air** + adjective(s)
- describe the setting of the portrait if there is one

Vahine No Te Tiare, 1891. Paul Gauguin.

B To describe an outdoor scene:

- tell what season it is
- state the time of day
- describe the weather
- describe what is seen in the foreground (**au premier plan**), middle ground (**au second plan**), and background (**à l'arrière plan**).

Sur la plage, 1873. Édouard Manet.

19 Deux tableaux français

*Dites si la phrase décrit **A**) le portrait ou **B**) la scène.*

1. Elle a les cheveux longs et noirs, et les yeux noirs.
2. Au premier plan, il y a des gens sur une plage.
3. À l'arrière-plan, on voit des voiliers et d'autres bateaux à l'horizon.
4. Les couleurs jaune et orange sont très vives et prennent presque toute la place du tableau.
5. Les couleurs sont assez sombres.
6. Le sujet a l'air assez sérieux.

20 Un tableau que j'aime au Louvre

Allez au site officiel du musée du Louvre. Cliquez sur "Œuvres," puis "Collections et Départements," puis "Peintures." Trouvez un tableau que vous aimez et décrivez-le. Répondez aux questions qui suivent pour organiser votre paragraphe.

1. Est-ce un portrait ou une scène?
2. Est-ce un tableau de la Renaissance (XIVème siècle au début du XVIIème siècle), un tableau baroque (1580–1670), classique (1650–1760), rococo (1740–1800), néo-classique (1770–1830), ou romantique (1800–1880)?
3. Comment sont les couleurs?
4. Quelle est l'ambiance du tableau?
5. Comment est le sujet ou paysage (*landscape*) du tableau? Décrivez-le.

 Search words: musée du Louvre

Vocabulaire actif

emcl.com
WB 34–39
LA 1
Games

On se déplace….

en voiture

en autobus, en bus

en taxi

en bateau

en train

en métro

en R.E.R.

en avion

en scooter

à vélo

à pied

L'autobus est un moyen de transport.

Versailles

le château de Versailles

la chapelle

une reine/un roi

la galerie des Glaces

la chambre de la Reine dans les petits appartements

le hameau de la Reine

les jardins de Versailles

Pour la conversation

How do I ask about transportation?

> **Qu'est-ce qu'on fait pour aller à** Versailles?
> *How do we get to Versailles?*

How do I respond?

> **On fait une excursion** en R.E.R.
> *We are taking a trip by R.E.R.*

Et si je voulais dire...?

une aire de repos	*rest area*
l'autoroute (f.)	*highway*
avoir le mal de mer	*to be seasick*
avoir le mal des transports	*to have motion sickness*
un port	*port, harbor*
une trottinette	*scooter*

1 Quelle ambiance!

Augustine fait sa première visite de Paris. Lisez son mail à ses parents à Montréal. Ensuite, répondez aux questions.

À | Papa et Maman
Cc: |

Sujet: | Paris

Salut! C'est moi, de Paris!

J'adore Paris! Avant-hier (*two days ago*), on est allé au Louvre en métro le matin. L'après-midi, on a circulé en ville à vélo. C'est le moyen de transport le plus facile pour voir beaucoup de choses et le meilleur pour l'environnement! Hier, on a fait une excursion en R.E.R. pour visiter le château de Versailles. Pendant la visite, j'ai appris beaucoup de choses sur les reines et les rois de France. Dans la galerie des Glaces, vous ne pouvez pas imaginer la lumière. Ça crée une ambiance magique. Les jardins et le hameau de la Reine sont aussi remarquables. J'ai décidé que Paris et Versailles sont les plus jolis endroits du monde. Mais ne vous inquiètez pas, Maman et Papa. Je vais rentrer après l'excursion!

À bientôt,

Augustine

1. Quel musée Augustine a-t-elle visité à Paris?
2. Quel moyen de transport est-ce qu'elle a pris pour aller au musée?
3. Quel moyen de transport est-ce qu'Augustine a utilisé en ville?
4. Quelle est son opinion de ce moyen de transport?
5. Quel autre endroit est-ce qu'Augustine a visité pendant son voyage?
6. Quels aspects de cet endroit est-ce qu'Augustine a beaucoup aimé?
7. Comment est-ce qu'elle trouve Paris?

2 On y va comment?

Expliquez comment on se déplace.

1. Pour faire une excursion de Paris à Versailles, on peut y aller....
2. Si les ados habitent à côté du lycée, ils y vont....
3. Pour bien voir Paris de la Seine, on visite la ville....
4. Circuler... est plus rapide que circuler....
5. Aller... est bon pour l'environnement.
6. On peut voyager... pour aller à Londres.

On descend l'avenue des Champs-Élysées à pied.

3 Tu y vas comment?

Écrivez les numéros 1–7 sur votre papier. Écoutez les dialogues. Ensuite, choisissez la lettre de l'image qui correspond à chaque description.

A.

B.

C.

D.

E.

F.

G.

4 Questions personnelles

Mon frère et moi venons à l'école en bus.

Répondez aux questions.

1. Quels moyens(s) de transport(s) préfères-tu utiliser avec des ami(e)s? En famille?
2. Comment est-ce que tu viens au lycée le matin?
3. Comment vas-tu en ville ou au centre commercial?
4. À ton avis, quel est le moyen de transport le plus facile? le plus rapide? le moins cher? le plus simple?
5. La dernière fois que tu as fait quelque chose avec des ami(e)s, comment est-ce que vous avez fait pour arriver à votre destination?
6. Est-ce que tu as déjà vu un château? Si oui, où?
7. Que penses-tu du château de Versailles?

Rencontres culturelles

Une excursion à Versailles

Rachid rend visite à Madiba pour regarder le site du château de Versailles sur Internet.

Madiba: Bon, tu es venu en métro?

Rachid: En métro, puis à pied. Tu habites loin de chez moi.

Madiba: Tu es sorti avec Manon hier soir?

Rachid: Oui, on a dansé en boîte. C'était formidable!

Madiba: Bon, qu'est-ce qu'on fait pour aller à Versailles?

Rachid: Regarde! Deux possibilités: on fait une excursion en R.E.R. à Versailles rive droite ou en train à Versailles rive gauche par la gare Montparnasse.

Madiba: Le plus simple pour nous, c'est de partir en R.E.R.

Rachid: Et on visite quoi? Qu'est-ce qu'il y a à voir?

Madiba: Qu'est-ce qu'il y a à voir?! Tu te moques de moi?

Rachid: Non, pas du tout. C'est ma première visite.

Madiba: On peut faire la visite du château avec la galerie des Glaces, la chapelle, la chambre du Roi et de la Reine, les petits appartements... la totale!

Rachid: La dernière fois, tu es allée au syndicat d'initiative. On peut demander un plan des jardins? Ça t'intéresse?

Madiba: Ah! Je vois... toi, ça serait plutôt jardin? Mais j'insiste sur un tour de l'intérieur d'abord.

Rachid: Et pour moi, les bassins, les grandes eaux, les bosquets, l'Orangerie... c'est ce que Louis XIV préférait.

Madiba: Alors, si le roi Rachid XIV le dit... alors, partons!

5 Une excursion à Versailles

Mettez les événements suivants dans l'ordre chronologique.

1. On voit la galerie des Glaces et les appartements du Roi et de la Reine.
2. On demande un plan des jardins au syndicat d'initiative de Versailles.
3. Rachid danse en boîte.
4. On fait une promenade dans les jardins du château.
5. On va à Versailles en R.E.R.

Extension Un voyage en famille

Brigitte et sa cousine Méline parlent des vacances de Brigitte et sa famille.

Méline: Et vous partez quand?

Brigitte: Dans dix jours... on prend l'avion le soir du départ en vacances. On a loué à Alger et ensuite, on part en voiture vers le sud.

Méline: Tu vas voir, c'est superbe le sud. Allez jusqu'au désert. Vos parents ont préparé un itinéraire?

Brigitte: Tu les connais... c'est moi qui vais le faire!

Extension Brigitte et sa famille vont passer les vacances en Europe, aux Caraïbes, en Afrique, ou en Afrique du Nord?

Offices de tourisme

Il y a plus de 3.000 offices de tourisme en France. Ces offices de tourisme, ou syndicats d'initiative, font des promotions d'une ville ou d'une région. On peut trouver aux offices de tourisme des informations sur les hôtels, les restaurants, les espaces de loisirs*, les monuments à visiter, les promenades, et les excursions à faire. Les offices de tourisme diffusent* aussi de l'information sur les manifestations culturelles et les activités sociales.

🔍 **Search words: tourisme france office de tourisme (+ nom de ville, région)**

---

loisirs *recreation*; **diffusent** *give out*

Le R.E.R.

Le réseau* express régional d'île de France, plus connu sous le nom de R.E.R., est un moyen de transport express qui sert Paris et les banlieues* parisiennes. Partie métro, partie train, il a cinq lignes: A, B, C, D et E. Il y a 257 stations de R.E.R. dans une zone de 20 à 50 kilomètres autour de Paris. Le R.E.R. transporte environ trois millions de voyageurs par jour. Il est interconnecté à la fois au métro, aux grandes gares parisiennes (Gare de Lyon, Gare du Nord) et aux aéroports (Roissy—Charles de Gaulle et Orly).

---

réseau *network*; **banlieues** *suburbs*

Le R.E.R va plus loin et se déplace plus vite que le métro.

Versailles

Le Château de Versailles est l'un des monuments les plus visités en France et l'un des châteaux les plus grands du monde. Le château a 900 pièces, et il est entouré* par un immense parc. Les pièces les plus célèbres sont les appartements du Roi et de la Reine et la galerie des Glaces*. C'est Louis XIV qui a fait construire* le château au XVIIème siècle et l'a fait sa résidence officielle. Le château a continué à être la résidence des Rois sous Louis XV et Louis XVI jusqu'en 1789, quand la Révolution française a commencé. À part son importance comme résidence royale, le château a joué d'autres rôles dans l'histoire. C'est ici, dans la galerie des Glaces, qu'on a signé le traité de Versailles qui a mis fin à le Première Guerre Mondiale* (1919).

Dans le domaine de Versailles, on peut visiter les appartements royaux et la galerie des Glaces du grand Château, les jardins avec leurs fontaines, deux autres petits châteaux qui s'appellent le grand et le petit Trianon, le hameau de la Reine, et l'Orangerie. Le hameau est une petite ferme que Marie-Antoinette, la dernière reine de France avant la Révolution, a fait construire pour s'amuser avec ses amis.

L'emblème du Roi-Soleil, Louis XIV, se retrouve sur les portes et portails du château.

 Search words: versailles site officiel

---

entouré *surrounded;* **galerie des Glaces** *Hall of Mirrors;*
a fait construire *had built;* **Première Guerre Mondiale** *World War I*

COMPARAISONS

Faites la conversion de 715 hectares, la taille du parc de Versailles, en "acres."

---

6 Activités culturelles

Faites les activités suivantes.

1. Retrouvez dans les différents textes à quoi correspondent ces chiffres:
   - 257
   - 900
2. Dites à quels événements correspondent ces deux dates.
   - 1789
   - 1919
3. Préparez un séjour en France. Aidez-vous du site de l'office de tourisme.
4. Faites un plan de Versailles, et situez les différents édifices cités dans le texte.
5. Faites une recherche sur Internet sur la représentation (actrices, pays d'origine des films, scénario) de Marie-Antoinette au cinéma.

Au syndicat d'initiative, on trouve des informations sur toute la ville.

Versailles est connu pour ses jardins superbes.

La chapelle a été construite en 1689.

Du côté des médias

7 | **Prenons le R.E.R.!**

Trouvez un plan du R.E.R. sur le site de la RATP Puis, faites les activités suivantes.

1. Prenez le R.E.R.! Vous partez de la tour Eiffel pour aller à Disneyland-Paris.
   Indiquez votre itinéraire par le R.E.R.
2. Dites quelle ligne de R.E.R. on prend pour aller....
   - au Stade de France pour voir un match
   - au musée d'Orsay pour voir les tableaux impressionnistes
   - au quartier de la Défense pour voir l'Arche
   - à la Cité universitaire de la Sorbonne
   - au Parc de la Villette
   - à Bercy pour un concert

 Search words: plan du rer paris, ratp

La culture sur place

Visite du musée d'Orsay

Introduction

Êtes-vous un(e) passionné(e) d'arts plastiques? Visitez-vous parfois des musées d'art? Vous allez naviguer sur le site web du musée d'Orsay pour ensuite faire un programme d'une visite.

Investigation

8 **On découvre le musée d'Orsay.**

Avec un partenaire, suivez ces étapes pour découvrir le musée d'Orsay.

1. Allez sur le site officiel du musée d'Orsay. Cliquez sur "Collections" et trouvez "l'histoire du musée." Qu'est-ce que le musée a été avant?
2. Ensuite, cliquez sur "Visite." Naviguez et trouvez....
   - un plan du musée
   - des photos et des vidéos des œuvres de la collection
   - des renseignements pratiques (*practical information*)
   - la boutique

 Search words:
musée d'orsay site officiel

9 **Dites, j'ai visité le musée....**

Écrivez un mail à votre professeur de français et parlez de votre visite au musée d'Orsay. Dans votre mail, utilisez les informations sur le site web et....

- dites quel jour et à quelle heure vous avez visité le musée
- dites combien vous avez payé pour entrer dans le musée
- faites une description de votre tableau préféré
- mentionnez trois choses que vous avez achetées à la boutique et combien vous avez payé
- dites à quelle heure vous avez fini votre visite

10 **Apprécier l'art et les musées**

Répondez individuellement en anglais aux questions suivantes. Ensuite, discutez vos idées avec vos camarades de classe.

1. In your opinion, why is the **musée d'Orsay** such a popular museum? Which museums in the United States enjoy the same kind of popularity? Why?
2. What kind of stories about art and architecture does Paris tell? Is visiting a museum a good way to learn about a city, region, or country? Why, or why not?

Present Tense of the Irregular Verbs *partir* and *sortir*

Here are the present tense forms of the irregular verbs **partir** (*to leave*)
and **sortir** (*to go out*).

partir			
je	**pars**	nous	**partons**
tu	**pars**	vous	**partez**
il/elle/on	**part**	ils/elles	**partent**

À quelle heure **partez**-vous?   *At what time are you leaving?*
Je **pars** à huit heures.   *I am leaving at 8:00.*

Usage Tip

To add "from" after the verb, use the preposition **de**.

On part **de l'**église à midi.   *We're leaving church at noon.*

Vous partez **du** musée?   *Are you leaving the museum?*

Julian sort avec ses frères.

sortir			
je	**sors**	nous	**sortons**
tu	**sors**	vous	**sortez**
il/elle/on	**sort**	ils/elles	**sortent**

Elle **sort** souvent avec ses amies?   *Does she go out often with her friends?*
Mes parents ne **sortent** jamais.   *My parents never go out.*

Pierre et moi, nous sortons au restaurant ce soir.

COMPARAISONS

What Is the English equivalent
of this sentence?

On part de la librairie à midi.

COMPARAISONS: There is no need to translate **de la;**
the English equivalent is "We're leaving the bookstore at
noon." Only in French is "from" needed.

11 Comment partent-ils?

*Dites comment les personnes suivantes partent en utilisant la forme correcte du verbe **partir**.*

MODÈLE

je
Je pars en métro.

1. Julie et Valérie

2. nous

3. Marc et Annie

4. Kemajou

5. Gilberte

6. tu

7. vous

12 Avec qui est-ce qu'on sort?

C'est le weekend. Dites qui sort avec qui.

MODÈLE Ghislaine/sa cousine
Ghislaine sort avec sa cousine.

1. Christine et moi, nous/Chantal
2. je/ma sœur
3. Akim et toi, vous/votre famille
4. Étienne/sa copine
5. tu/Théo
6. Chadia et Patrick/leurs amis
7. Céline/son mari

Pierre et Fatima sortent ensemble ce soir.

Révision: *Passé composé* with *être*

You have learned that the **passé composé** is made up of the present tense form of a helping verb and the past participle of the main verb.

To form the past participle of **-er** verbs, drop the **-er** and add **-é**.
To form the past participle of most **-ir** verbs, drop the **-ir** and add **-i**.
To form the past participle of most **-re** verbs, drop the **-re** and add **-u**.

> **visiter** → visit**é**
> **partir** → part**i**
> **attendre** → attend**u**

While **avoir** is the most common helping verb, some verbs form their **passé composé** with the helping verb **être**.

Étienne **est sorti** du bus.   *Étienne got off the bus.*

(*helping verb*) (*past participle of* **sortir**)

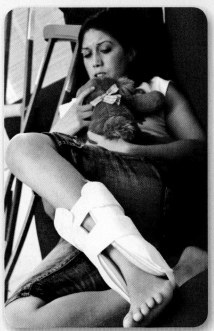

Martine est allée chez le médecin après le match de foot.

The form of **être** agrees with the subject. The past participle of the verb agrees in **gender** (masculine, feminine) and **number** (singular, plural) with the subject. An **-e** is added to the past participle if the subject is feminine. An **-s** is added if the subject is plural. For example, in **nous sommes allées**, the subject is both feminine and plural.

	aller		partir		descendre	
je (m.)	suis	allé	suis	parti	suis	descendu
je (f.)	suis	allée	suis	partie	suis	descendue
tu (m.)	es	allé	es	parti	es	descendu
tu (f.)	es	allée	es	partie	es	descendue
il	est	allé	est	parti	est	descendu
elle	est	allée	est	partie	est	descendue
on	est	allé	est	parti	est	descendu
nous (m. pl.)	sommes	allés	sommes	partis	sommes	descendus
nous (f. pl.)	sommes	allées	sommes	parties	sommes	descendues
vous (m. sing.)	êtes	allé	êtes	parti	êtes	descendu
vous (f. sing.)	êtes	allée	êtes	partie	êtes	descendue
vous (m. pl.)	êtes	allés	êtes	partis	êtes	descendus
vous (f. pl.)	êtes	allées	êtes	parties	êtes	descendues
ils	sont	allés	sont	partis	sont	descendus
elles	sont	allées	sont	parties	sont	descendues

Most verbs that use **être** in the **passé composé** express motion or movement of the subject from one place to another. Some verbs have irregular past participles.

Infinitive	Past Participle	Meaning
all**er**	all**é**	*went*
arriv**er**	arriv**é**	*arrived*
descend**re**	descend**u**	*went down, got off*
entr**er**	entr**é**	*entered*
mont**er**	mont**é**	*went up, got on, got in*
rentr**er**	rentr**é**	*came home, returned, came back*
rest**er**	rest**é**	*stayed, remained*
retourn**er**	retourn**é**	*returned*
part**ir**	part**i**	*left*
sort**ir**	sort**i**	*went out*
but: ven**ir**	ven**u**	*came*
deven**ir**	deven**u**	*became*
reven**ir**	reven**u**	*came back, returned*

To make a sentence negative in the **passé composé**, put **ne** (**n'**) before the form of **être** and **pas** after it.

> Nous **ne** sommes **pas** descendus à Châtelet.　　*We did not get off at the Chatelet station.*

To ask a question in the **passé composé** using inversion, put the subject pronoun after the form of **être**.

> **Sont**-elles **montées** à la tour Eiffel?　　*Did they go up (to the top of) the Eiffel Tower?*

13　Qu'est-ce qu'on a fait?

Complétez les phrases suivantes avec la forme correcte du participe passé du verbe entre parenthèses.

> **MODÈLE**　　Amélie est... avec un copain. (sortir)
> **Amélie est sortie avec un copain.**

1. Les amies sont... à Paris à huit heures. (arriver)
2. Robert est... pour le château de Versailles. (partir)
3. Je ne suis pas... au musée d'Orsay. (aller)
4. Mes parents ne sont pas... du hameau de la Reine. (venir)
5. Julie est-elle... hier matin? (rentrer)
6. Les copines sont... malades après le voyage. (devenir)
7. Madame, êtes-vous... à l'hôtel Muscade? (rester)

Claire est restée à la maison aujourd'hui.

14 On est allé où?

C'est la rentrée. Les élèves parlent de leurs voyages pendant les vacances. Dites comment ils sont partis et où ils sont allés.

MODÈLES

Jean
Jean est parti en métro.
Il est allé à la tour Eiffel.

1. Jamila

2. moi, je

3. Khaled et toi, vous

4. Jean-François et Karine

5. toi

6. Brigitte et moi, nous

7. Michèle et Laure

Communiquez!

15 Avec qui es-tu sorti(e)?

Interpersonal Communication

Demandez à votre partenaire ce qu'il ou elle a fait le weekend dernier. Suivez le modèle.

MODÈLE   vendredi soir

A: **Avec qui es-tu sorti(e) vendredi soir?**

B: **Vendredi soir, je suis sorti(e) avec un copain.**

A: **Où êtes-vous allé(e)(s)?**

B: **Nous sommes allé(e)s à la brasserie et au ciné.**

A: **À quelle heure êtes-vous parti(e)s du ciné?**

B: **Nous sommes parti(e)s à minuit.**

1. samedi matin
2. samedi après-midi
3. samedi soir
4. dimanche matin
5. dimanche après-midi

16 Au présent ou au passé composé?

*Écrivez les numéros 1–8 sur votre papier. Écrivez **P** si la phrase est au présent, ou **PC** si la phrase est dans le passé.*

Révision: Superlative of Adjectives

To say that someone or something is the most or the least of a certain quality, use:

> **le/la/les** + **plus/moins** + adjective

Both the definite article and the adjective agree in gender and in number with the noun they describe. If an adjective follows a noun, its superlative form also follows it. If an adjective precedes a noun, so does its superlative form.

C'est **le plus joli** tableau.   *It's the prettiest painting.*

C'est le tableau **le plus célèbre**.   *It's the most famous painting.*

Le scooter, c'est le meilleur moyen de transport!

emcl.com
WB 49–51
LA 2
Games

The superlative of **bon(s)** is **le/la/les meilleur(s)**.

Ce sont les **meilleurs** jardins.   *These are the best gardens.*

COMPARAISONS

Are the rules governing the placement of superlative adjectives the same in English as they are in French?

- The TVG is the **fastest** train in France.
- My mom bought the **most beautiful** painting!

17 Les lieux les plus....

Mettez en ordre les éléments donnés pour faire des phrases en utilisant le superlatif.

1. le château/de France/le plus/est/le château de Versailles/célèbre
2. du château/la plus/la chapelle/sombre/est/la salle
3. la chambre du Roi et la chambre de la Reine/belles/de Versailles/sont/les plus/salles
4. a été/le plus/de France/Louis XIV/le roi/riche
5. vieux/les jardins de Versailles/les plus/jardins/de France/sont
6. la galerie des Glaces/salle/de Versailles/la plus/grande/est

18 Qui est le plus ou le moins...?

À tour de rôle, demandez à votre partenaire son opinion sur les élèves et les profs de l'école.

MODÈLES   l'élève/le plus sportif
A: **Qui est l'élève le plus sportif de l'école?**
B: **Amir est l'élève le plus sportif de l'école.**

plus nouveau/le prof
A: **Qui est le plus nouveau prof?**
B: **M. Kusick est le plus nouveau prof.**

1. l'élève/la plus sérieuse
2. le garçon/le plus charmant
3. les élèves/les moins paresseux
4. plus nouvelle/la prof
5. plus grande/la fille

6. plus jeune/le prof
7. la fille/la moins bavarde
8. les élèves/les plus bavards
9. plus beau/le garçon
10. la prof/la plus sympa

COMPARAISONS: In English, the superlative always precedes the noun, but the form of the superlative may vary. Two forms exist in English: adjective + **-est** and **most** + adjective.

À vous la parole

Communiquez!

? **Question centrale**

What stories does Paris tell about art and architecture?

19 Visite guidée avec le Roi et la Reine

Vocabulaire utile

un carosse	*carriage*
le canal	*canal*

Interpersonal Communication

In groups of four, create and present a conversation in which King Louis XVI and Queen Marie-Antoinette give a tour of their home at Versailles to two royal guests. In your conversation, the King and Queen should exchange greetings with their guests and discuss their guests' trip to Versailles. Then the royal couple should ask what their guests would like to see, make some suggestions, and explain what modes of transportation they can use to get around the grounds.

🔍 **Search words: versailles site officiel**

Communiquez!

20 Mon quartier de Paris

Interpretive/Presentational Communication

Imagine you spent a month in an apartment in Paris in one of the neighborhoods you learned about. Make an album of the places you frequented and the people you met in your **quartier** and tell what you did in these places, for example, **Je suis allé(e) aux petits commerçants où j'ai acheté mon pain, mon fromage, et mon pâté.** Present your neighborhood to several classmates. To do your research, find out what **arrondissement** your **quartier** is in and do searches like those below.

🔍 **Search words: boulangerie 5ème (quartier Latin)**

Communiquez!

21 La visite illustrée

Presentational Communication

With a partner, use an online storytelling tool to describe an imaginary school trip to Versailles. Find six photos to show where you stayed and what you did on the trip. Then, write and record a voice-over narration. Share your story with the class. In your narration....

- introduce yourselves
- say at what time you left the hotel in Paris
- say what transportation you took to Versailles
- say that when you arrived in Versailles, you walked to the palace
- describe several things that you saw both inside and outside of the palace
- say that you went to the gift shop and what you bought there
- say where you went for lunch and what you ate

🔍 **Search words: free online storytelling tool, versailles**

Lecture thématique

Art

Rencontre avec l'auteur

Yasmina Reza (1959–) est l'un des auteurs dramatiques francophones les plus joués au monde. Ses pièces (*plays*) mettent en scène des personnages contemporains dont elles révèlent les défauts (*defects*) et le ridicule. Cette sélection vient de la pièce la plus célèbre de Reza, *Art* (1994), traduite en 35 langues et jouée dans le monde entier. Qu'est-ce que vous apprenez de la pièce en lisant les indications scéniques et le dialogue de cette sélection?

Pré-lecture

Qu'est-ce que vous pensez de l'art moderne?

Stratégie de lecture

Drama Basics

Play scripts include stage directions and dialogue. Stage directions are notes that give information about how to perform the play. They may describe the setting, lighting, music, sound effects, entrances and exits, props, and movement of characters. Dialogue is the conversation between two or more characters. To help you understand the key elements just listed, complete a chart like the one below as you read.

Setting:	
Characters:	
Conversation topic(s):	
Plot:	
What makes this dialogue humorous:	
Information that stage directions give:	

Outils de lecture

Finding Evidence in the Text

Readers draw conclusions about what a piece of literature means based on their personal experience and evidence in the text. In this play, the two characters have opposing ideas about the value of modern art. Which character values modern art highly? Which one doesn't value it at all? Find evidence in the stage directions and dialogue to support your conclusions. You may have to "read between the lines" to find the support you need. What does the playwright say about the nature of art?

Jeux d'été, 2005. Marc Laberge. Collection privée.

¹ *Chez Serge.*

Posée* à même le sol,* une toile* blanche, avec de fins liserés*
blancs transversaux.*

Serge regarde, réjoui,* son tableau.

⁵ *Marc regarde le tableau.*

Serge regarde Marc qui regarde le tableau.

Un long temps où tous les sentiments se traduisent* sans mot.*

Marc: Cher?

Serge: Deux cent mille.

¹⁰ Marc: Deux cent mille?...

Serge: Handington me le reprend* à vingt-deux.

Marc: Qui est-ce?

Serge: Handington?!

Marc: Connais* pas.

¹⁵ Serge: Handington! La galerie Handington!

Marc: La galerie Handington te le reprend à vingt-deux?...

Serge: Non, pas la galerie. Lui. Handington lui-même.* Pour lui.

Marc: Et pourquoi ce n'est pas Handington qui l'a acheté?*

Serge: Parce que tous ces gens ont intérêt à vendre à des

²⁰   particuliers.* Il faut que le marché circule.

Marc: Ouais*....

Serge: Alors? Tu n'es pas bien là? Regarde-le d'ici. Tu aperçois*

        les lignes?

Marc: Comment s'appelle le....

²⁵ Serge: Peintre. Antrios.

Marc: Connu?*

Serge: Très. Très!

Un temps.

Marc: Serge, tu n'as pas acheté ce tableau deux cent mille francs?*

³⁰ Serge: Mais mon vieux,* c'est le prix.* C'est un ANTRIOS!

Marc: Tu n'as pas acheté ce tableau deux cent mille francs!

Serge: J'étais* sûr que tu passerais à côté.*

Marc: Tu as acheté cette cam* deux cent mille francs?!

Serge: Comment peux-tu dire "cette cam"?

³⁵ Marc: Serge, un peu d'humour! Ris!*... Ris, vieux, c'est prodigieux

        que tu aies acheté ce tableau!

Marc rit.

Pendant la lecture
1. Que regardent Serge et Marc?

Pendant la lecture
2. Qu'est-ce que Handington offre à Serge?

Pendant la lecture
3. De quoi Handington est-il le propriétaire (*owner*)?

Pendant la lecture
4. Qu'est-ce que Serge veut que son ami apprécie?

Pendant la lecture
5. Comment s'appelle l'artiste?

Posée *Positioned*; **sol** *ground*; **une toile** *canvas*; **liserés** *raised strings of paint*; **transversaux** *criss-crossing*; **réjoui** *delighted*; **se traduisent** *are communicated*; **mot** *word*; **me le reprend** *is taking it off me*; **Connais** *know*; **lui-même** *himself*; **l'a acheté** *bought it*; **particuliers** *private individuals*; **Ouais** *oui*; **aperçois** *notice*; **Connu** *Known*; **francs** *currency in France before euro*; **mon vieux** *mon camarade*; **prix** *price*; **J'étais** *I was*; **passer à côté** *to miss (something)*; **cam** *piece of junk*; **Ris** *Laugh*

Post-lecture

Quelle évidence trouvez-vous dans la sélection que Serge et Marc sont de bons amis?

Le monde visuel

Marc Laberge (1971–), peintre québécois, fait des tableaux modernes. L'art moderne est caractérisé par une absence de personnes, d'animaux, et d'objets qui ressemblent à des photos, ou qui reflètent la vie (*life*) réelle. L'artiste a-t-il mis des scènes, des portraits, ou des taches (*patches*) de couleur et des lignes dans le tableau à la page 119?

22 Activités d'expansion

Faites les activités suivantes.

1. Utilisez l'information dans votre schéma pour écrire un paragraphe qui résume l'essentiel de la sélection.
2. Imaginez que Serge a un autre tableau d'un artiste moderne. Trouvez ce tableau et récrivez les lignes 22–27 avec ce nouveau tableau en tête.

3. Trouvez les questions qui traduisent les doutes de Marc, et expliquez l'attitude de Marc envers (*towards*) le tableau dans un petit paragraphe.
4. Qu'est-ce qu'il y a de comique dans la sélection? Pensez au tableau et aux réponses de Serge et Marc.
5. Dessinez ou trouvez un tableau que Serge aimerait (*would like*).

T'es branché?

Projets finaux

A Connexions par Internet: l'art

> **Vocabulaire utile**
>
> **est mort(e)** *died*
> **influencer** *to influence*

Paris au XXème siècle

Paris was at the center of the western art world in the early 20th century. Many American artists, writers, and performers, such as Man Ray, Ernest Hemingway, and Josephine Baker, made Paris their home between 1918 and 1939. They came to the City of Light in search of artistic inspiration and European sophistication. At the same time, many Europeans began to appreciate American ingenuity, engineering, and popular culture as a result of their exposure to American artists. With a partner, research an American artist living in Paris between 1918 and 1939, and create a timeline of key events in his or her life. Then, select a work of art that is representative of this artist and write a description of it. Present your timeline and description, as well as your opinion of this artist and his or her work, to your classmates. Include in your presentation....

- the profession of the person (**artiste**, **écrivain**, **musicien**)
- the type of art for which the artist was famous and the artistic movement(s) to which he or she belonged
- where and when the artist was born
- information about the artist's parents' professions
- when the artist went to Paris
- the names of other artists he or she influenced
- the age of the artist today, or when he or she died

B Communautés en ligne

Un sondage d'une ville francophone

With your group, create a survey to find out about the city or town in which students in a francophone country live. Include questions about the types of businesses, lodging, museums, parks, festivals, and transportation that exist in their neighborhood, and questions asking if there is anything students would do to improve the place where they live or not. With the help of your teacher, find a school in a francophone country and have those students complete your survey. Compile the data you receive in a graph, chart, pyramid, or other graphic, and share your findings with the class.

Duke Ellington a habité à Paris dans les années 1930.

 Search words: sondages pour adolescents francophones, ados free sondage

La Grand-Place de Bruxelles, en Belgique.

Le village médiéval de Sibi Bou Saïd, en Tunisie.

C | Passez à l'action!

Un dépliant de ma ville

In small groups, design a tourist brochure for your town or city for French-speaking visitors. Assign each of these tasks to a group member to create your brochure:

- Research information on the city's history, art, monuments, festivals, and transportation.
- Collect online images or take photos.
- Design the layout for the brochure.
- Research important contact information for tourists (phone numbers and websites).

When you complete your brochure, post it online on a school or francophone website.

D | Faisons le point!

Your teacher will give you a chart like the one below. Fill it in to show what you've learned about the French language and francophone cultures.

Je comprends	Je ne comprends pas encore	Mes connexions

Question centrale
?
What stories does Paris tell about art and architecture?

What did I do well to learn and use the content of this unit?	What should I do in the next unit to better learn and use the content?
How can I effectively communicate to others what I have learned?	What was the most important concept I learned in this unit?

Évaluation

A Évaluation de compréhension auditive

Perdus à Versailles!

Write the numbers 1–8 on your paper. Listen to the conversation between Sébastien and Sylvie. Then write **V**, if the sentence is *vrai*, or **F** if it is *faux*.

1. Sylvie est arrivée l'après-midi à Versailles.
2. Sylvie et ses parents n'ont pas acheté de billet pour la visite des jardins.
3. Sylvie a beaucoup aimé le château.
4. Sylvie et ses parents ont fait une promenade dans les jardins.
5. Les parents de Sylvie ont pris le petit train pour retourner au château.
6. Un guide du château a aidé Sylvie.
7. Sylvie a trouvé ses parents après deux heures.
8. Les parents de Sylvie ont pris le déjeuner au château.

B Évaluation orale

You and your partner are in an art museum looking at Renoir's *Bal du Moulin de la Galette*. Before you begin your conversation, print out a copy of the painting to look at. In your conversation:

A	B
Say it's a pretty Impressionist scene by Renoir.	Describe what you notice in the painting.
Say how the people seem.	List the colors Renoir puts in the painting.
Say you're late for an appointment at the hair salon.	Tell your friend that you have to buy a birthday present and can shop while he or she is at the hair salon.
Say you should go by taxi.	Invite your friend to go to the brasserie afterwards.
Suggest a time to meet.	Say good-bye.

C Évaluation culturelle

In this activity, you will compare francophone cultures with American culture. You may need to do some additional research on American culture.

1. **Les musées d'art**
   Compare an art museum in Paris with an art museum in your city or region. What kind of art does each museum have? Which art movements are represented? Which museum do you prefer? Why?

2. **Les quartiers intéressants**
   Compare an interesting neighborhood in your area with **l'île de la Cité**, **le Quartier latin**, or **Saint-Germain-des-Prés**. What do they offer historically and culturally?

3. **Le métro parisien et le R.E.R.**
   Using a chart or other graphic organizer, compare the Paris rail system (subways and the R.E.R.) to a public transportation system in your area. Compare the price of a ticket, a monthly pass, the area(s) served, and the number of users per month or year. Then assess which system best serves its clientele.

4. **Syndicats d'initiative**
   Consider the many ways a French tourist office promotes its city or area. Does your city, region, or state have a tourist bureau? If so, how does it attract visitors to your area? What types of accommodations, leisure activities, monuments, green spaces, and cultural events appeal to tourists in your region? If your area doesn't have a tourist bureau, how might it benefit from one? What could it promote to attract tourists?

5. **L'histoire vivante**
   Make a chart that compares Versailles with a historical building or attraction in your region. Compare: the historical period in which the structure was built, what happened there, how it affected history, and what tourists can see there today.

D Évaluation écrite

Imagine that you visited Versailles while on the school French trip to Paris. In an e-mail to a friend back home, say....

- you went to Versailles yesterday
- you took the subway and the R.E.R.
- you walked from the R.E.R. to the castle
- what you saw inside and outside at the palace
- what impressed you (use the superlative)
- when you returned to your hotel in the evening
- what there is in your hotel's neighborhood
- what you will do in Paris tomorrow
- good-bye to your friend

E Évaluation visuelle

Two different people stop and ask you for directions in your Paris neighborhood today. The first asks for directions from the church to the dentist's office. The second asks for directions from the doctor's office to the pharmacy. Write directions for both of them, referring to the map on the right.

F Évaluation compréhensive

Create a storyboard with six frames. In each frame, draw a place in or around Paris and the type of transportation you used to get there. Share the story of your excursion with a small group of students.

Vocabulaire de l'Unité 2

à: **à l'horizon** on the horizon *A*
abstrait(e) abstract *A*
l' **ambiance (f.)** ambiance *A*
amusant(e) funny *A*
appeler to call *B*
l' **art (m.)** art *A*
un(e) **artiste** artist *A*
assis(e) sitting *A*
au: **au bord de la mer** by the seaside *A;* **au premier plan** in the foreground *A*
un **autoportrait** self-portrait *A*
avoir: **avoir l'air** to look *A;* **avoir raison** to be right *A*
baigner to bathe *A*
les **bassins (m.)** fountains, ponds, pools *C*
la **beauté** beauty *A*
une **boîte** nightclub *C*
les **bosquets (m.)** groves *C*
le **bus** city bus *C*
ça: **ça serait** it would be *C*
célèbre famous *A*
un **chef-d'œuvre** masterpiece *A*
une **composition** composition *A*
content(e) happy *A*
un **couple** couple *A*
créer to create *A*
debout standing *A*
décrire to describe *A*
se **déplacer** to get around *C*
un **dessin** drawing *A*
dessiner to draw *A*
disposé(e) laid out *A*
dynamique dynamic *A*
eux them *A*
évidemment obviously *A*
une **excursion** trip *C*
une **exposition** exhibit *A*
faire: **faire une excursion** to take a trip *C*
la **fois** occasion, time *C*
formidable awesome *C*
les **grandes eaux (f.)** fountains *C*
un **hameau** hamlet *C*
heureux, heureuse happy *A*
impressionniste Impressionist *A*
indiquer to indicate, to point out/to *B*
informer to inform *B*
insister (sur) to insist (on) *C*
intéresser to interest *C*
l' **intérieur (m.)** inside *C*
jeune young *A*
laid(e) ugly *A*
lève: **Lève la tête!** Look up! *B*
une **lumière** light *A*
magique magical *A*
la **mer** sea *A*

moderne modern *A*
se **moquer (de)** to make fun (of) *C*
un **mouvement** movement *A*
un **moyen: moyen de transport** means of transportation *C*
la **nature: nature morte** still life *A*
un **niveau** level *A*
un **nom** name *B*
un **objet: objet d'art** art object *A*
l' **œuvre (f.)** work *A*
l' **orangerie (f.)** orangery *C*
par through, via *C*
pauvre poor *A*
le/la **peintre** painter *A*
une **peinture** painting *A*
la **perspective** perspective *A*
un(e) **petit(e) commerçant(e)** shopkeeper *B*
plusieurs several *B*
plutôt rather *C*
un **portrait** portrait *A*
une **possibilité** possibility *C*
préférait preferred *C*
le **quartier** area, district *B*
rapide fast *C*
réaliste realistic *A*
reconnaître to recognize *B*
une **reine** queen *C*
remarquable remarkable *A*
remarquer to notice *A*
riche rich, wealthy *A*
une **rive** river bank *C*
un **roi** king *C*
une **scène** scene *A*
une **sculpture** sculpture *A*
sérieux, sérieuse serious *A*
un **site** site *C*
sombre dark *A*
une **sorte** kind, sort *A*
une **sortie** exit *B*
une **station** station *B*
suivre to follow, to take (a class) *A*
un **sujet** subject *A*
un **syndicat: syndicat d'initiative** tourist information office *C*
t'inquiète: **ne t'inquiète pas** don't worry *B*
une **tache** spot *A*
totale: **La totale!** The whole deal! *C*
triste sad *A*
vif, vive vivid *A*
un **voilier** sailboat *A*

Places in the neighborhood… see p. 85
Transportation… see p. 102

Unité 2 Bilan cumulatif

Listening

I. You will hear a short conversation. Select the reply that would come next. You will hear the conversation twice.

1. A. Le plus simple, c'est de prendre l'avion.
   B. Prends ton temps.
   C. Et bien, va au coin et prends à gauche. Tu vas reconnaître la brasserie Léopold en face.
   D. Il ne faut pas marcher plus loin.

II. Listen to the conversation. Select the best completion to each statement that follows.

2. Renaud a....
   A. rendez-vous avec Pascale
   B. l'air malade
   C. besoin de partir
   D. beaucoup de livres d'art

3. Renaud doit....
   A. étudier pour son cours d'arts plastiques
   B. aider son amie, Pascale
   C. aller au stade après les cours
   D. lire avec Pascale à la médiathèque

4. Pascale et Renaud sont....
   A. perdus dans la médiathèque
   B. deux peintres impressionnistes
   C. malades dans la médiathèque
   D. deux élèves sérieux

Reading

III. Read Arianne's journal. Then select the best completion to each statement.

le 1er mai

Ma classe et moi, nous avons fait un voyage en France. Nous sommes partis le 1er avril de Los Angeles en avion et, après une nuit blanche, nous sommes arrivées à Paris le jour suivant. De l'aéroport, nous avons pris le train jusqu'à la ville de Versailles où nous avons passé quinze jours chez une famille française. Bien sûr, on a visité le château de Versailles. J'ai beaucoup aimé la galerie des Glaces, la chambre de la Reine, et les jardins. On a aussi fait plusieurs excursions en R.E.R. à Paris. On a fait un tour des musées—le Louvre, le musée d'Orsay, le Centre Pompidou. Je préfère les artistes impressionnistes. Mon artiste préféré, c'est Monet. J'adore ses tableaux avec la belle lumière et les taches de couleurs vives. Ça a été un voyage tout à fait génial!

1. Arianne a pris... pour aller en France.
   A. un bateau-mouche
   B. l'avion
   C. le bus
   D. une photo

2. Arianne est....
   A. perdue
   B. restée à l'hôtel
   C. restée chez une famille française
   D. allée au parc d'attractions

3. Arianne a surtout apprécié....
   A. voir le Roi et la Reine de France
   B. prendre l'avion
   C. les musées d'art
   D. visiter le château et jardins de Versailles

Writing

IV. Write appropriate words or expressions to complete the dialogue between Élodie and her mother.

La mère d'Élodie: N'oublie pas que __1__ cousine Noémie vient de Lyon demain pour passer la __2__ du 14 juillet chez nous. Le soir, nous allons à la tour Eiffel pour regarder les feux d'artifices.

Élodie: Ah, oui! Ça va être génial. Elle prend le train, n'est-ce pas? Je peux venir la chercher __3__ gare.

La mère d'Élodie: Mais, bien __4__. Après, on peut faire une __5__ dans le jardin des Tuileries. Il y a la foire pour le 14 juillet. Vous pouvez faire un tour de manège ou de __6__ roue si vous voulez.

Élodie: Bonne idée maman! J'ai __7__ du vide, mais si Noémie vient avec moi, la grande __8__, ça va. On va dîner dans le quartier?

La mère d'Élodie: Oui, il y a une __9__ brasserie à côté __10__ pharmacie. Si on y va __11__ 18h00, on va avoir assez de temps pour manger et ensuite aller à la tour Eiffel.

Élodie: On y va en voiture ou __12__ pied? Je ne veux pas prendre le métro. Il y a toujours trop de gens les jours de fête.

La mère d'Élodie: On va __13__ à vélo. Nous avons des vélos pour toute la famille et Noémie. C'est le moyen de transport le __14__ simple et rapide. Bon, on regarde la météo? Je veux voir s'il va faire __15__ demain!

V. Complete Sylvain's e-mail to his mother with the **passé composé** of the verb in parentheses.

Chère Maman,
Je __16__ chez mon copain Joël vers 9h00. Nous __17__ rendez-vous avec d'autres amis à la place Royale. Ils __18__ me montrer le Vieux-Québec. Nous __19__ une promenade au quartier Petit-Champlain à pied. Joël m' __20__ qu'on __21__ le 400ème anniversaire de Québec en 2008. Le soir, nous __22__ faim, alors nous __23__ manger de la poutine dans une bonne brasserie dans le quartier du Vieux-Québec. Après, on __24__ aux Plaines d'Abraham. Là, nous __25__ un concert de musique autochtone gratuit.

Je t'embrasse fort,
Sylvain

16. arriver; 17. prendre
18. vouloir
19. faire
20. dire; 21. fêter
22. avoir; 23. aller
24. retourner
25. voir

Composition

VI. Your Parisian host family took you to Versailles for the day to tour the palace and gardens. Write a journal entry about your excursion. Include....

• when you left your host family's house • what means of transportation you took and how long it took to get to the palace • a list of the rooms in the palace and the outdoor areas you visited and what you thought of them • where you ate and when you arrived back at your host family's home

Speaking

VII. Take turns giving directons to your partner, who will ask for directions to a place on the map on p. 99. You both start at the brasserie.

Unité

3 La vie quotidienne

Rendez-vous à Nice!

Épisode 13:
Une nouvelle journée

Citation

"Métro, boulot, dodo."

Subway, work, sleep.

— Pierre Béarn, journaliste et écrivain français

À savoir

Chaque Français dépense environ 200 euros (environ 296 dollars) par an pour les produits d'hygiène-beauté et les parfums.

Unité

3

La vie quotidienne

Question centrale

How do the routines of people in other cultures differ from mine?

Qui est cette femme?

A. une voyante
B. la voisine de Chadia
C. la mère de Thomas

C'est le drapeau de quel pays africain?

Contrat de l'élève

Leçon A **I will be able to:**

>> complain and respond to a complaint, and express frustration.

>> talk about the Republic of Cameroon and **la Francophonie**.

>> use reflexive verbs in the present tense, and irregular plural forms of nouns and adjectives.

Leçon B **I will be able to:**

>> compare what I do with what someone else does, respond to a comparison, and express injustice.

>> talk about the Ivory Coast, current issues in Africa, and immigration from Africa to France.

>> use the imperative forms of reflexive verbs and the present tense forms of **s'asseoir**.

Leçon C **I will be able to:**

>> ask if someone remembers an event and recount past events.

>> talk about Senegal, the singer Youssou N'Dour, and oral storytellers called **griots**.

>> use reflexive verbs in the past tense.

Vocabulaire actif

emcl.com
WB 1–3
LA 1
Games

Je me prépare pour la journée.

Les affaires (f.) de toilette

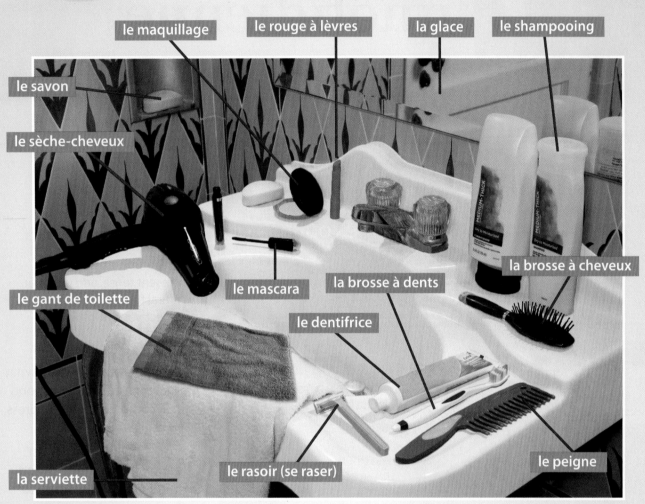

le maquillage

le rouge à lèvres

la glace

le shampooing

le savon

le sèche-cheveux

la brosse à cheveux

le mascara

la brosse à dents

le gant de toilette

le dentifrice

le rasoir (se raser)

le peigne

la serviette

Et si je voulais dire...?

se baigner	*to bathe*
se doucher	*to take a shower*
s'endormir	*to go to sleep, to fall asleep*
se sécher	*to dry (oneself)*
l'après-rasage (m.)	*after-shave*
la crème à raser	*shaving cream*
le déodorant	*deodorant*
le vernis à ongles	*nail polish*

La routine de Caro

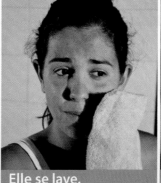

Caro se réveille à 7h00.

Elle se lève à 7h15.

Elle se lave.

Elle se brosse les dents.

Elle s'habille; elle met un jean et une veste.

Elle se regarde dans la glace.

Elle se peigne.

Elle se maquille.

Elle se repose après les cours.

Elle se déshabille.

Elle se couche à 23h00.

Pour la conversation

How do I complain?

> **Tu traînes** dans la salle de bains.

You're dawdling in the bathroom.

How do I respond to a complaint?

> **Je suis presque** prêt(e).

I'm almost ready.

How do I express frustration?

> **Tu m'agaces.**

You're getting on my nerves.

How do I respond?

> **Calme-toi!**

Calm down!

1 Les affaires de toilettes

Identifiez ce qu'il faut pour faire les choses suivantes.

MODÈLE   se maquiller
Il faut du rouge à lèvres, du mascara, et une glace pour se maquiller.

1. se brosser les cheveux
2. se raser
3. se regarder
4. se peigner
5. se laver la figure
6. se brosser les dents
7. se laver les cheveux

2 Qu'est-ce que Julie fait le matin et le soir?

Écrivez les numéros 1–8 sur votre papier. Choisissez l'illustration qui correspond à chaque description que vous entendez.

A.

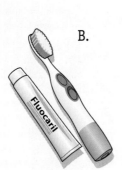

B.

C.

D.

E.

6:30

F.

G.

H.

22:00

Regardez les illustrations et racontez la routine d'André.

 1.

 2.

 3.

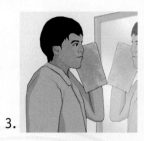 4.

 5.

 6.

 7.

 8.

 Communiquez!

4 | **Questions personnelles**

Interpersonal Communication

Répondez aux questions.

1. Avec quoi est-ce que ta mère se brosse les cheveux?
2. Est-ce que tu es généralement en avance, à l'heure, ou en retard le matin?
3. Il y a une grande glace dans ta chambre?
4. Quelle marque (*brand*) de shampooing est-ce que tu préfères? De savon? De rasoir?
5. Dans ta famille, qui se prépare vite pour la journée? Qui traîne le matin?
6. À quelle heure est-ce que ton père ou ta mère se couche? Ton frère ou ta sœur?

Je me couche à minuit le samedi soir.

Rencontres culturelles

La salle de bains

Madiba veut se servir de la salle de bains, mais sa petite sœur Babila y est entrée avant elle.

Madiba:	Tu as vu l'heure?
Babila:	Je suis presque prête.
Madiba:	Presque prête, ça veut dire quoi?
Babila:	Ça veut dire presque prête.
Madiba:	Maman, Babila traîne encore dans la salle de bains. Je vais être en retard!
Mère:	Qu'est-ce qu'elle fait?
Madiba:	Je ne sais pas! Est-ce qu'elle se brosse les dents? Est-ce qu'elle se brosse les cheveux? Est-ce qu'elle se lave? En tout cas, elle traîne, elle traîne, elle traîne, et ça m'a-ga-ce!
Mère:	Calme-toi, chérie! *(À Babila:)* Babila, ta sœur attend…. Viens prendre ton petit déjeuner. Les croissants sont frais, ton bol de chocolat t'attend.
Babila:	*(Elle ouvre la porte.)* Ça va, j'ai fini!
Madiba:	*(Elle entre dans la salle de bains.)* Regarde ce désordre! Son gant de toilette, le savon, le shampooing, la brosse à cheveux, le sèche-cheveux… il y en a partout! Et, où est mon rouge à lèvres… et mon mascara?
Babila:	Je ne sais pas!

5 La salle de bains

Répondez aux questions.

1. Qui veut entrer dans la salle de bains?
2. Qui est dans la salle de bains?
3. Qu'est-ce que la mère suggère à Babila?
4. Qu'est-ce que Madiba voit quand elle entre dans la salle de bains?
5. Qui a pris le rouge à lèvres et le mascara de Madiba?

Extension   Les pratiques quotidiennes des Français

Devant le grand magasin Le Printemps, une journaliste interiewe les passants sur les pratiques quotidiennes des Français.

Journaliste:	C'est quoi votre premier geste dans la salle de bains le matin?
Passante 1:	Je me peigne, je ne pense à rien….
Passante 2:	Je me brosse les dents… et je fais mon programme de la journée.
Passant 3:	Je me lave: la douche, tout de suite!
Passant 4:	Je ne sais pas… je ne suis pas assez réveillé.
Passante 5:	Je me maquille… ça me rassure.

Extension   Tu ressembles le plus à quel passant? Pourquoi?

Points de départ 🎧

emcl.com
WB 6–7

La Francophonie

✳ La République du Cameroun

La République du Cameroun se trouve au centre de l'Afrique. Les premiers Européens à venir au pays ont été les Portugais. Ils y ont commencé le commerce des esclaves* au XVème siècle. La colonisation de la République du Cameroun a commencé après l'abolition de l'esclavage (pendant les années 1830 dans les pays européens, et en 1863 aux États-Unis). De 1885 à 1919, La République du Cameroun a été une colonie allemande. Après, elle est devenue une colonie française. Le pays a enfin gagné son indépendance en 1960.

C'est le drapeau de la République du Cameroun.

How do the routines of people in other cultures differ from mine?

🔍 **Search words:** **cameroun encyclopédie, la france au cameroun, cameroun tourisme, venir au cameroun, conseils aux voyageurs cameroun**

___
commerce des esclaves *slave trade*

Mon dico camerounais

un bombo:	*un ami, un copain*
cadotter:	*offrir un cadeau*
djaffer:	*manger*
un kakoo:	*un vêtement*
N'damba:	*le football*
une Nga:	*une fille*

La République du Cameroun

Habitants:	19 millions
Ville principales:	Yaoundé, Douala
Ethnies:	280 +
Langues officielles:	français, anglais
Produits:	pétrole, aluminium, cacao, café

COMPARAISONS

À quelle époque ont-existé les colonies américaines? Quand est-ce que les États-Unis ont gagné leur indépendance?

Produits

Le Ngondo est une fête sacrée (*sacred*) traditionnelle des Sawa, le Peuple de l'eau, qui habitent la côte de la République du Cameroun. Cette fête a lieu en hommage aux ancêtres au bord du fleuve Wouri. Pendant la fête, il y a une course de bateaux, des danses traditionnelles, l'élection de Miss Ngondo, et des rites d'initiation pour les jeunes gens.

Leçon A | cent trente-sept **137**

La Francophonie

La plupart des anciennes colonies françaises, comme la République du Cameroun, ont des habitants qui sont membres de la francophonie (avec un petit "f"). Ces personnes parlent français comme première ou deuxième langue. Beaucoup de ces pays sont aussi membres de la Francophonie

Yaoundé, le centre-ville, a des marchands ambulants.

(avec un grand "F"), un système institutionnel francophone. Ce système est représenté par l'Organisation internationale de la Francophonie (OIF). Les objectifs de l'OIF sont: contribuer à la prévention des conflits à l'intérieur de l'espace francophone, favoriser la consolidation de la démocratie, et travailler pour la promotion des droits de l'Homme.* Elle promeut* la diversité culturelle et est au service de l'éducation, de l'économie, et du développement.

Search words: la francophonie dans le monde, jeunesse francophonie

---

droits de l'Homme *human rights*; **promeut** *promotes*

6 Activités culturelles

Faites les activités suivantes.

> Je vais cadotter ma Nga.

1. Histoire de la République du Cameroun: associez les dates et les évènements.
    - 1885
    - 1919
    - 1960
2. Situez sur une carte: le Mont Cameroun, les villes de Douala et de Yaoundé, les pays voisins (*neighboring*) de la République du Cameroun.
3. À quoi correspondent ces chiffres?
    - 19 millions
    - 280
4. Expliquez la différence entre la francophonie (avec un petit "f") et la Francophonie (avec un grand "F"), ou donnez un exemple.
5. Trouvez sur le site de l'OIF la liste des 75 pays qui sont membres de l'Organisation internationale de la Francophonie. Choisissez trois pays qu'on n'a pas étudiés. Quelle est leur situation géographique? Leur situation économique? Leur lien (*link*) avec la langue française? Quelles sont leurs traditions culturelles? Faites un schéma pour montrer ce que vous avez appris.
6. Essayez de donner l'équivalent en français de ces phrases en Camfranglais.
    - Mon bombo, il a un cool kakoo.
    - Alors, tu djaffes, ma nga?

continued

L'auteur Mongo Béti a critiqué les Français pour avoir utilisé le christianisme pour justifier la colonisation des Camerounais. Ferdinand Oyono a dénoncé les pratiques autoritaires de l'administration et de la police françaises. Pourquoi pensez-vous que, malgré leur attitude critique envers la colonisation française, les Camerounais aient choisi la langue française comme langue officielle?

 Search words: camfranglais

Du côté des médias

Regardez la publicité pour Écrans Noirs, un évènement à Yaoundé, à la République du Cameroun.

7 Écrans Noirs

Complétez les phrases.

1. L'évènement Écrans Noirs a lieu du 29 mai au....
2. Cet évènement réunit (*brings together*) les gens qui aiment le....
3. On rend hommage au metteur en scène et à l'acteur....
4. On va passer les films dans... lieux (nombre).
5. Tous ses films sont d'origine....

Structure de la langue

Reflexive Verbs

To describe daily routines, such as getting up, getting dressed, and going to bed, French speakers use reflexive verbs.

Pourquoi Romain se peigne-t-il?

Je **me lève** à 7h00 du matin.	*I get up at 7:00 in the morning.*
Thomas **s'habille** dans sa chambre.	*Thomas gets dressed in his bedroom.*
Vous **vous couchez** à 22h00.	*You go to bed at 10:00.*

Note in the sentences above that the same person performs and receives the action of the verb. In other words, the action is "reflected" back on the subject. Reflexive pronouns (**me**, **te**, **se**, **nous**, **vous**) are used with reflexive verbs and agree with the subject.

Here are the present tense forms of the reflexive verb **se préparer**, which means "to get (oneself) ready." Note the reflexive pronoun that precedes each verb form.

se préparer			
je	**me prépare**	nous	**nous préparons**
tu	**te prépares**	vous	**vous préparez**
il/elle/on	**se prépare**	ils/elles	**se préparent**

COMPARAISONS

How is the idea of a reflexive action expressed in English?

I wash **myself** with *Colombe* soap.

Tu **te prépares** maintenant?	*Are you getting ready now?*
Oui, je **me prépare**.	*Yes, I'm getting ready.*

Reflexive verbs often express the action of doing something to a part of one's own body. When this is the case, the definite article (**le**, **la**, **l'**, **les**) is used instead of the possessive adjective (**mes**, **nos**, etc.).

Je me lave **les** mains.	*I'm washing my hands.*
Alexis se lave **les** cheveux.	*Alexis is washing his hair.*

Many verbs may be reflexive or non-reflexive, depending on whether the subject performing the action is also receiving it or whether someone or something else is receiving the action. (Reflexive verbs are preceded by a **se (s')** in the dictionary, for example, **se laver**.)

Elle **se lave**.	*She's washing herself.*
Elle **lave** le chien.	*She's washing the dog.*

To make a negative sentence, put **ne** in front of the reflexive pronoun and put **pas** after the verb.

Nous **ne** nous réveillons **pas** tard le lundi.	*We don't wake up late on Mondays.*

To ask a question using inversion, put the subject pronoun after the verb and keep the reflexive pronoun in front of it.

À quelle heure **vous** levez-vous?	*What time do you get up?*

COMPARAISONS: In English, the pronouns "myself," "himself," "herself," "ourselves," and "themselves" are often used to indicate a reflexive action.

Et toi, à quelle heure est-ce que tu te réveilles?

8 La routine des Mbida

Complétez chaque phrase avec le pronom réfléchi (reflexive)
*convenable: **me, te, se, nous,** ou **vous.***

Salut! Je suis Koffi, du Cameroun. Chez moi, c'est difficile le
matin. Nous traînons et ça m'agace! Dans ma famille, il y a
six personnes. Mon père et ma mère... réveillent à 6h30. Mon
frère Ayuk et moi, nous... levons à 6h45. Je... lave dans la
salle de bains et mon frère... prépare dans notre chambre.
Ensuite, mes sœurs Marame et Fatou... réveillent à 7h00.
Elles... lavent après moi. Je... habille dans ma chambre.
Mes sœurs... maquillent avec du mascara et du rouge à lèvres. Puis elles... regardent dans la
glace. Et toi, à quelle heure est-ce que tu... réveilles? Est-ce que tes frères et sœurs et toi, vous
traînez quand vous... préparez pour l'école?

9 On part de l'Hôtel Palmier.

Vous et d'autres touristes, vous visitez Yaoundé, la capitale de la République du Cameroun. Voici
l'horaire de l'autobus qui part de l'hôtel Palmier. Lisez ce que tout le monde veut faire et dites à
quelle heure on se lève. Attention! Pour être à l'heure, il faut se lever une heure avant le départ
du bus.

> **MODÈLE** Diane veut voir les fleurs et les animaux africains.
> **Elle se lève** à **sept** heures pour **visiter le parc zoo botanique.**

1. Tu veux apprendre des détails sur l'histoire de la
   République du Cameroun.
2. Koffi et toi, vous aimez la montagne.
3. Karim veut piqueniquer et faire du footing.
4. Awa et moi, nous voulons acheter des souvenirs.
5. Denise et Rachid s'intéressent aux monuments
   nationaux.
6. Je m'intéresse aux religions du monde.

L'autobus part à... Destination:

7h00— visiter la grande mosquée
7h20— visiter le parc Kiriakides
8h00— visiter le parc zoo botanique
8h45— faire du shopping au marché
des œuvres artisinales
9h15— monter (*climb*) au sommet du
Mont Fébé
10h05— prendre des photos du
monument de la Réunification
10h25— visiter le musée national

10 Soyez logique!

Dites si on fait les activités suivantes avec l'objet de chaque photo. Soyez logique!

MODÈLES

Marie-Alix et Sophie se maquillent.
Marie-Alix et Sophie se maquillent avec du mascara.

Tu te brosses les dents.
Tu ne te brosses pas les dents avec du rouge à lèvres.

1. Je me rase.
2. Nous nous lavons.

3. Awa se lave les mains.

4. Lamine et toi, vous vous lavez les cheveux.

5. Sabine se maquille.

Communiquez !

11 Les produits les plus populaires

Interpersonal/Presentational Communication

Faites une grille comme celle de dessous. Demandez à dix camarades de classe quels produits ils utilisent pour faire les activités suivantes. Enfin, écrivez un paragraphe pour expliquer quels sont les produits les plus populaires.

MODÈLE Céline: **Avec quel produit est-ce que tu te laves la figure?**
Annick: **Je me lave la figure avec le savon *Colombe*.**

	1	2	3	4	5	6	7	8	9	10
1. se laver la figure										
2. se laver le corps										
3. se brosser les dents										
4. se raser										
5. se maquiller les yeux										
6. se maquiller les lèvres										

MODÈLE Six élèves utilisent le savon pour se laver la figure, quatre utilisent *Belle Peau*....

12 La routine de David

*Écrivez les numéros 1–10 sur votre papier. Écoutez la routine de David. Écrivez **CH** s'il est dans sa chambre, **SB** dans la salle de bains, et **C** s'il est dans la cuisine.*

Communiquez!

13 La routine de ma correspondante camerounaise

Interpersonal Communication

Utilisez une expression de chaque colonne pour demander à votre correspondante camerounaise sa routine quotidienne.

> Avec quoi est-ce que tu te maquilles le matin?

À quelle heure	se réveiller
Avec quel dentifrice	se lever
Avec quoi	prendre le petit déjeuner
Comment	se brosser les dents
	se laver la figure
	se peigner ou se brosser les cheveux
	s'habiller
	rentrer à la maison
	se coucher

MODÈLE   À quelle heure te réveilles-tu?

Irregular Plural Forms of Nouns and Adjectives

emcl.com
WB 11–12
LA 2
Games

You already know that most nouns or adjectives are made plural by adding an **s** to their singular forms.

Anne a fait des **autoportraits abstraits**.

However, some groups of nouns and adjectives have irregular plural forms. Here is a list of those nouns and adjectives.

Les musiciens sont des animaux.

Adjective endings	Singular	Plural
no change	autobus frais	autobus frais
-eau -eaux	bat**eau** b**eau** nouv**eau**	bat**eaux** b**eaux** nouv**eaux**
-eu -eux	un j**eu** un f**eu**	des j**eux** des f**eux**
-al -aux	un anim**al** un chev**al**	des anim**aux** des chev**aux**

COMPARAISONS

How are the following nouns made plural in English?

goose, knife, fox, octopus, tornado, memorandum, nanny

Singular adjectives ending in **–eux** are the same in the plural:
délicieux, **vieux**, **heureux**, **paresseux**.

Some irregular singular adjectives are the same in the plural:
orange, **marron**, **super**, **sympa**, **bon marché**.

14 Je finis mes phrases!

Utilisez la forme plurielle d'un adjectif ou d'un nom de la liste pour compléter chaque phrase.

sympa	délicieux	heureux	animal	bon marché	bateau-mouche	beau	feu

MODÈLE Mes copains n'ont pas cours mercredi après-midi. Ils sont
heureux.

1. Claire va acheter des pantalons en solde. Ils sont....
2. J'aime mes nouveaux camarades de classe. Ils sont....
3. Je vais manger une religieuse et un millefeuille de la pâtisserie. Ils sont....
4. Les touristes à Paris aiment voir la Seine. Ils prennent des....
5. Le 14 juillet il y a beaucoup de... d'artifice.
6. Nous avons un chat et un chien. J'aime beaucoup nos.....
7. Les élèves sont... parce que les vacances arrivent bientôt.
8. Ces autobus ne sont pas moches, mais....

COMPARAISONS: These irregular nouns follow different rules of pluralization: geese, knives, foxes, octopi, tornadoes, memoranda, nannies.

15 En solde!

Dites au vendeur que vous voulez deux de chaque chose dans la publicité.

 MODÈLE

le chapeau allemand

Monsieur, deux chapeaux allemands, s'il vous plaît!

1. le cadeau surprise
2. le jeu vidéo
3. le tableau impressionniste
4. le cheval espagnol
5. le manteau fashion

À vous la parole

Communiquez !

16 La routine

Interpersonal/Presentational Communication

Prepare a table like the one below. Ask about your partner's routine and log the answers. Then, share what you learned about your partner with a small group of classmates.

Activités	Heure: semaine	Heure: weekend
se réveiller		
se lever		
prendre le petit déjeuner		
faire ses devoirs		
se coucher		

MODÈLE
A: À quelle heure est-ce tu te réveilles pendant la semaine?
B: Je me réveille à six heures et demie.
A: Et pendant le weekend?
B: Le weekend, je me réveille à dix heures.

Communiquez !

17 Une enquête

Interpretive/Presentational Communication

In a group, research advertising for a shampoo used in a francophone country online and analyze it. Who is the target market (**public visé**)? What advertising techniques are being used (bandwagon, glittering generalities, celebrity endorsement, etc.)? What is the message (slogan)? Is the advertising effective? Why, or why not? Share the results of your research and analysis with the class.

Prononciation

Intonation in Declarative Sentences

- In French, intonation falls in declarative sentences. All syllables receive equal stress, but intonation drops, reaching its lowest point on the last syllable.

A **Il fait beau?**
Repeat each declarative sentence, making sure each syllable is pronounced with equal stress and the intonation falls throughout the sentence.

1. Il fait beau.
2. Il fait très beau.
3. Il fait vraiment beau.
4. Il ne fait pas vraiment beau.

5. Il ne fait pas vraiment très beau.

B **La routine de Pierre le matin**
You will hear questions with rising intonation. Respond with an affirmative sentence that uses descending intonation.

1. Est-ce que Luc se lève bientôt?
2. Est-ce qu'il s'habille d'un jean?
3. Est-ce qu'il prend le petit déjeuner?
4. Est-ce qu'il se brosse les dents?

The Vowels /y/ and /u/, and the Semi-Consonants /ɥ/ and /w/

The vowel sounds /y/ and /u/ can be found in **vu** and **vous**. The sounds of the semi-consonants /ɥ/ and /w/ can be found in **lui** and **Louis**.

C **J'entends la différence!**
*Pronounce these pairs of words that are similar, but not identical. (The past participles of **lire** and **boire**, "to drink," are **lu** and **bu**.)*

/y/ /u/

1. vu   vous
2. lu   Loulou
3. bu   bouteille

/ɥ/   /w/

4. lui   Louis
5. suit   oui
6. nuits   éblouies (*dazzling*)

D **Tu as vu Louis?**
*Write /y/ if you hear the sound as in **vu**, /u/ if you hear the sound in **vous**, or /w/ if you hear the sound as in **Louis**.*

Vocabulaire actif

emcl.com
WB 13–14
LA 1
Games

On fait le ménage.

Les affaires de ménage

un fer à repasser

une machine à laver

un sèche-linge

un lave-vaisselle

un aspirateur

une tondeuse

Pour la conversation

How can I compare?

> Je fais **beaucoup plus de** corvées à la maison **que** mes frères.

I do more chores at home than my brothers.

How do I respond?

> **C'est pareil** chez moi.

It's the same at my house.

How can I express injustice?

> **Ce n'est pas juste.**

It's not fair.

Et si je voulais dire...?

débarasser la table	*to clear the table*
essuyer la vaisselle	*to dry the dishes*
faire la poussière	*to dust*
faire le lit	*to make the bed*
laver les vitres	*to wash the windows*
nettoyer	*to clean*
organiser le bureau	*to organize the office*
salir	*to make something dirty*

Les Richard font le ménage.

Alicia range ses pulls.

Océane fait la lessive.

M. Richard fait sécher le linge.

Antoine change les draps.

Mme Richard repasse les vêtements.

La grand-mère arrose les plantes.

M. Richard fait la vaisselle.

Antoine passe l'aspirateur.

Antoine sort la poubelle.

Le grand-père tond la pelouse.

1 Les corvées

Identifiez les affaires de ménage et dites quelle activité y est associée. (**utiliser** = *to use*)

MODÈLE

On utilise une machine à laver pour faire la lessive.

 1.

 3.

 4.

 2.

 6.

5.

2 On fait le ménage chez les Roux.

Indiquez une solution possible pour chaque problème chez les Roux.

faire la vaisselle   ranger   tondre la pelouse   faire la lessive   arroser les plantes
changer les draps   passer l'aspirateur   sortir la poubelle   sécher le linge

MODÈLE   Les assiettes sont sales (*dirty*).
Alors, on doit faire la vaisselle.

1. Les plantes ont soif.
2. La pelouse est trop longue.
3. On vient d'acheter de nouveaux draps.
4. On a lavé les vêtements.
5. La maison est en désordre (*disarray*).
6. On a mangé des chips dans la chambre.
7. Il y a du chocolat sur les vêtements.
8. On a mis les choses qu'on ne veut pas dans un sac poubelle.

3 **On fait le ménage.**

Écrivez les numéros 1–8 sur votre papier. Écoutez chaque description et choisissez la lettre de l'illustration qui lui correspond.

A.　　　　　B.　　　　　C.　　　　　D.

E.　　　　　F.　　　　　G.　　　　　H.

Communiquez!

4 **Questions personnelles**

> Je préfère quand mon père me donne des corvées.

Répondez aux questions.

1. Quelles corvées est-ce que tu dois faire chez toi?
2. Quelles corvées est-ce que tu n'aimes pas faire?
3. Quel jour est-ce qu'on fait le ménage chez toi?
4. Qui fait la vaisselle chez toi?
5. Combien de fois par semaine est-ce que tu ranges ta chambre?
6. Selon toi, qui fait le plus de corvées dans une famille, les parents ou les enfants? Les pères ou les mères? Les garçons ou les filles? Est-ce que c'est juste?

Leçon B | cent cinquante et un **1 5 1**

Rencontres culturelles

Ce n'est pas juste!

Madiba et Adjoua, son amie ivoirienne, se parlent chez Adjoua, qui arrose les plantes.

Madiba: Alors, c'est sûr tu ne viens pas?

Adjoua: Non, pas aujourd'hui. Aujourd'hui c'est aspirateur. Et je dois passer l'aspirateur dans tout l'appartement.

Madiba: Et tes frères, ils ne peuvent pas le faire?

Adjoua: Mes frères, c'est: "Adjoua, je pars, tu sors la poubelle?" "Adjoua, t'es une fille, tu arroses les plantes?"

Madiba: Et ta mère, qu'est-ce qu'elle dit?

Adjoua: Ma mère, elle dit: "Adjoua, repasse! Adjoua, remplis la machine à laver! Adjoua, change les draps!"

Madiba: Mais ce n'est pas juste! Remarque, avec ma mère, c'est pareil chez moi.

Adjoua: Ce qui est sûr, c'est que je fais beaucoup plus de corvées à la maison que mes frères.

Madiba: Il ne faut pas accepter cela! Demain tu dis: "Salut, je vais au cinéma avec une copine." Je t'accompagne au ciné.

Adjoua: Imagine leur tête! Assieds-toi! Il faut trouver un bon film sur AlloCiné.

5 Ce n'est pas juste!

Complétez les phrases.

1. Aujourd'hui Adjoua....
2. Ses frères s'excusent (*excuse themselves*) des corvées quand ils disent....
3. La mère d'Adjoua dit à sa fille de....
4. Madiba pense que la situation d'Adjoua n'est pas....
5. Pour se révolter, les filles vont....
6. Madiba va trouver... sur AlloCiné.

Extension Deux fils

Deux mères parlent de leurs fils.

Mme Thomas: Non, moi, ça se passe plutôt bien, François m'aide beaucoup.

Mme Moreau: Ah oui, il fait quoi?

Mme Thomas: Ben... il sort la poubelle, il passe l'aspirateur, il fait la lessive.

Mme Moreau: Ah oui, il fait plus de choses que Julien.

Mme Thomas: Pourquoi? Julien ne t'aide pas beaucoup?

Mme Moreau: Il fait la vaisselle... de temps en temps, mais c'est tout.

Extension Quel fils aide sa mère le plus?

La Francophonie

Question centrale ?

How do the routines of people in other cultures differ from mine?

AFRIQUE

✳ La Côte-d'Ivoire

La Côte-d'Ivoire se trouve en Afrique de l'Ouest. Elle est un peu plus grande que l'état du Nouveau Mexique et a 21 millions d'habitants. Sa capitale est Yamoussoukro, mais la ville principale et capitale économique est Abidjan. L'ethnie la plus importante s'appelle les Akans (40% de la population). La Côte-d'Ivoire est une ancienne colonie française qui a gagné son indépendance en 1960. La langue officielle est toujours le français. C'est un producteur important de café, de cacao, de bananes, d'ananas, et de canne à sucre.* La Côte-d'Ivoire est aussi un gros exportateur de bois.*

Abidjan est la capitale économique de la Côte-d'Ivoire.

 Search words: **la france en côte-d'ivoire, côte-d'ivoire tourisme, venir en côte-d'ivoire, conseils aux voyageurs côte-d'ivoire**

canne à sucre *sugar cane*; **bois** *wood*

Produits

La musique zouglou est née en Côte-d'Ivoire. Ses rythmes sont accompagnés d'une philosophie basée sur la culture de l'amour vrai, de l'amitié, de la fraternité.

 Search words: **vidéo music system, vidéo oxigène**

Les artistes de la Côte-d'Ivoire

Ahmadou Kourouma	littérature
Michel Kodjo	peinture
Alpha Blondy	reggae
Magic System	musique zouglou
Aïcha Koné	musique mandingue

La musique **zouglou** reflète la fragmentation sociale et politique de la Côte-d'Ivoire.

L'Afrique actuelle

Beaucoup de pays africains ont gagné leur indépendance pendant les années 60. Cette période marque la revendication* positive des identités africaines en art et littérature. Mais, les années d'exploitation pendant la période coloniale ont eu un impact considérable sur les pays africains. Aujourd'hui, l'Afrique postcoloniale fait face à* de nombreux problèmes politiques, économiques, sociaux, environnementaux, et sanitaires*. Certaines régions de l'Afrique sont des zones d'instabilité et de guerres* civiles, ethniques, et territoriales. D'autres problèmes marquent certains pays africains: l'endettement,* la corruption, la pauvreté,* et l'immigration des jeunes diplômés parce qu'il n'y a pas de travail. Il y a aussi une surexploitation* de ses richesses minières,* des forêts, des zones de pêche, etc. Comme l'Occident, Afrique doit faire face à des problèmes comme, par exemple, la sous-nutrition, le SIDA,* la tuberculose, et la méningite.

---

revendication *reclaiming;* **fait face à** *confronts;* **sanitaires** *health;* **guerres** *wars;* **endettement** *debt;* **pauvreté** *poverty;* **surexploitation** *excessive exploitation;* **minières** *mineral;* **SIDA** *AIDS*

L'immigration africaine en France

L'immigration africaine en France est un phénomène récent. Elle a commencé pendant les années 1970. Des cinq millions d'immigrés qui vivent en France aujourd'hui, 570.000 sont des Africains. Ils forment le troisième groupe après les immigrés européens (1,7 millions) et les immigrés du Maghreb (1,5 millions). Ils viennent principalement du Sénégal, du Mali, et de la Côte-d'Ivoire. Pour lutter* contre l'immigration illégale, le gouvernement français a négocié avec certains pays africains pour mettre en place une immigration légale.

Les immigrés en France luttent (*fight*) pour obtenir des droits égalitaires (*equal rights*).

---

lutter *to fight*

COMPARAISONS

Quels sont les trois groupes principaux d'immigrants aux États-Unis? Faites des recherches en ligne.

Faites les activités suivantes.

1. Faites la carte d'identité de la Côte-d'Ivoire.
   • Nombre d'habitants
   • Majorité ethnique
   • Capitale politique
   • Capitale économique
   • Langue officielle
   • Production agricole (*agricultural*)
2. Écrivez une discographie pour Alpha Blondy ou Magic System.
3. Faites une liste des problèmes qui existent en Afrique aujourd'hui. Faites des recherches sur Internet pour trouver des associations qui luttent (*fight*) contre ces problèmes. Choisissez-en une et faites une liste des solutions qu'elle propose. Ajoutez (*Add*) vos solutions.
4. Retrouvez:
   • le nombre d'immigrés africains en France
   • les principaux pays d'origine

À discuter

Les immigrés doivent-ils abandonner ou conserver leurs habitudes traditionnelles dans le pays d'accueil (*host country*)? En groupes, faites une liste des arguments pour et contre.

Du côté des médias

Préparez un tableau (chart) ou autre graphique qui montre les saisons dans les deux zones climatiques.

Climat en Côte-d'Ivoire

La Côte-d'Ivoire peut être divisée en deux zones climatiques. Le sud a un climat équatorial marqué par une température quasi-constante la plupart de l'année (par exemple, de 27° à 32° à Abidjan) et par de fortes pluies. Bien que le sud soit régulièrement arrosé, on distingue quatre saisons:

• grande saison sèche de décembre à avril
• grande saison des pluies de mai à juillet
• petite saison sèche en août et septembre
• petite saison des pluies en octobre et novembre

Au-delà de la zone forestière, le climat du nord est plus contrasté. La température y est sensiblement plus élevé et l'amplitude thermique plus marquée (par exemple, de 22° à 35° à Bouaké), les pluies plus faibles et l'ensoleillement plus constant. On distingue deux saisons:

• La saison des pluies de mai à novembre
• La saison sèche de novembre à mai

Vers janvier-février l'harmattan, le vent du Sahara, transportant du sable et desséchant tout sur son passage. La période de novembre à mars est cependant la période la plus confortable pour voyager.

Present Tense of the Irregular Verb *s'asseoir*

Le père d'Amidou s'assied dans son fauteuil préféré.

The reflexive verb **s'asseoir** (*to sit down*) is irregular.

s'asseoir			
je	**m'assieds**	nous	**nous asseyons**
tu	**t'assieds**	vous	**vous asseyez**
il/elle/on	**s'assied**	ils/elles	**s'asseyent**

Où est-ce que tu **t'assieds**? *Where do you sit?*
Je **m'assieds** à gauche de Salim. *I sit to the left of Salim.*

7 La première

Votre classe va à la première d'un film sur les aventures d'un jeune africain en France. Regardez l'illustration et dites où les personnes suivantes s'asseyent à la première. Utilisez ces expressions: **à gauche de, à droite de, entre, devant, derrière, à côté de**.

MODÈLE Paul
Paul s'assied entre Vanessa Paradis et Dany Boon.

1. Mlle Tautou
2. Claire
3. M. Boon et Paul
4. moi, je
5. Lamine
6. Marie, Mlle Tautou, Claire, M. Merad, et Lamine
7. M. Merad
8. Mlle Fleury

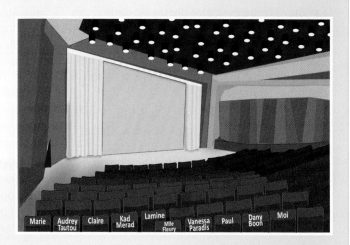

Marie | Audrey Tautou | Claire | Kad Merad | Lamine | Mlle Fleury | Vanessa Paradis | Paul | Dany Boon | Moi

Ce matin, il n'y a plus de place dans le bus alors ceux qui prennent le bus doivent rester debout. Mais ceux qui prennent la voiture sont assis. Dite qui s'assied et qui ne s'assied pas selon le modèle.

MODÈLES

Hervé
Hervé s'assied.

Jeanne et Marc
Jeanne et Marc ne s'asseyent pas.

1. vous

2. toi

3. nous

4. je

5. Leïla et Moussa

6. Serge

The Imperative of Reflexive Verbs

To form an affirmative command with a reflexive verb, drop the subject pronoun and attach the reflexive pronoun to the verb with a hyphen.

Rangez votre chambre et couchez-vous!

Asseyez-**vous**!	*Sit down!*
Lavons-**nous** les mains!	*Let's wash our hands!*

Te becomes **toi** after the verb.

Couche-**toi**!   *Go to bed!*

To form a negative command, put the reflexive pronoun in front of the verb.

Ne **vous** reposez pas!	*Don't rest!*
Ne **te** maquille pas!	*Don't put on makeup!*

COMPARAISONS

What are the rules to make these English commands negative?

Wash your face!
Let's sit down!

COMPARAISONS: Place "Don't" in front of the first command: "Don't wash your face!" Put "not" before the verb in the second example: "Let's not sit down!"

9 Une matinée de baby-sitting

Vous faites du baby-sitting pour votre cousin qui a dix ans. Dites-lui de faire les choses suivantes.

MODÈLES

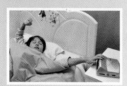 **Réveille-toi!**

1.

2.

3.

4.

5.

6.

10 Je suis le prof!

Jouez le rôle de votre professeur et dites aux élèves ce qu'ils doivent faire.

fermer la porte   se présenter   se lever   aller au tableau
offrir un crayon   s'asseoir   fermer le livre

MODÈLES

 Fermez la porte!

 Je m'appelle Ming. **Présentez-vous!**

1. *le 15 novembre*

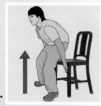
2.

3.

4.

5.

11 Les corvées de samedi matin

Lisez la liste de corvées et dites aux personnes de se reposer ou pas d'après les images. Si la personne a fait la corvée, il ou elle doit se reposer. Si non, il ou elle ne doit pas se reposer.

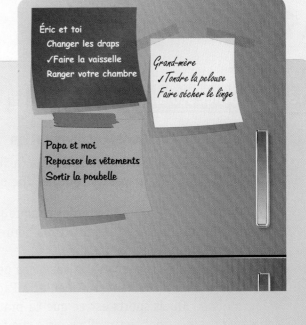

Éric et toi
  Changer les draps
  ✓Faire la vaisselle
  Ranger votre chambre

Grand-mère
  ✓Tondre la pelouse
  Faire sécher le linge

Papa et moi
Repasser les vêtements
Sortir la poubelle

MODÈLES

Grand-mère

Repose-toi!

Éric et toi, vous

Ne vous reposez pas!

1. Papa et moi, nous

2. Éric et toi, vous

3. Grand-mère

12 À qui parle-t-elle?

Écrivez les numéros 1–8 sur votre papier. Selon les illustrations, choisissez à qui Mme Linh donne des ordres ou fait des suggestions.

A.

B.

C.

À vous la parole

Communiquez!

How do the routines of people in other cultures differ from mine?

13 La journée scolaire de Moussa 🎧

Interpretive/Presentational Communication

Read the following interview with Moussa, a student from the Ivory Coast. Then, write a paragraph that describes his weekly routine. The questions that follow will help you.

Le journaliste:	Est-ce que tu étudies chaque jour?
Moussa:	Ben, oui, il le faut, trois heures par jour, minimum. C'est normal. Le soir, c'est les devoirs après le dîner.
Le journaliste:	Tu as beaucoup de vacances pendant l'année scolaire?
Moussa:	Deux semaines à Noël, et à Pâques aussi.
Le journaliste:	Quels sports est-ce que tu pratiques?
Moussa:	Le foot, naturellement, trois fois par semaine. Il y a un match samedi.
Le journaliste:	Parle-moi un peu de ton école.
Moussa:	Bon ben, je me lève à 6h15. Les cours commencent à 7h30 le matin. À 12h30 je rentre chez moi pour déjeuner. Les cours recommencent à 15h00 et finissent à 18h00.
Le journaliste:	Alors, tu n'aimes pas la cantine de l'école?
Moussa:	Si, mais on vend seulement des sandwiches et des sodas. Comme dessert ma mère prépare de l'aloko, que j'adore.
Le journaliste:	C'est quoi exactement?
Moussa:	Des bananes frites avec du sucre. C'est vraiment délicieux.
Le journaliste:	Je vois que tu portes un uniforme. C'est obligatoire?
Moussa:	Oui. Tout le monde préfère les jeans, les tee-shirts, et les tennis, mais ce n'est pas possible de les porter au lycée.

1. À quelle heure est-ce que Moussa doit se lever?
2. Comment s'habille-t-il?
3. Les cours commencent à quelle heure?
4. Où est-ce qu'il prend son déjeuner?
5. Qu'est-ce qu'il mange comme dessert?
6. Quel sport est-ce qu'il pratique trois fois par semaine?
7. Qu'est-ce qu'il fait après le dîner?
8. Comment votre vie est-elle différente ou similaire de la vie de Moussa?

Communiquez!

14 Une publicité

Presentational Communication

Use the **impératif** to write a slogan for each product. Then, make a poster for one of the products using an image and the slogan.

> **MODÈLE** LaveDoux, un shampooing
> **Lavez-vous les cheveux avec LaveDoux!**

1. Ghislaine, un rasoir pour femmes
2. Minuit, un mascara
3. PeauFraîche, un savon

4. Fort, un rasoir pour hommes
5. BrosseTourne, une brosse à dents électrique

Communiquez!

15 Une émission de talk radio

Interpersonal Communication

With a partner, play the roles of a radio talk-show host and a parent who calls to ask for parenting advice. In your conversation:

Host: Greet the caller and ask what his or her problem is.

→ Parent: Give your name, then say that your children annoy you because they don't help with the housework.

Host: Tell the parent to calm down and say you know it's not fair.

→ Parent: List four specific chores that you want your children to help with.

Host: Tell the caller to talk to his or her children, explaining how hard he or she works, and that he or she needs their help. Suggest the parent start with the most important chore.

→ Parent: Thank the host.

Telling a Story through Pictures

"Une image vaut mille mots." This saying means that a single image can communicate a very complex idea. Often, one picture may inspire an entire story or narrative. In this activity, you will tell a story about a daily routine based on a series of pictures.

16 La routine

1. Study the illustrations. Use French vocabulary, structures, and linking words that you know to create a story about what is happening in the pictures. Be sure to include reflexive verbs in the present and imperative. Then, tell your story to a partner.

2. Consider these steps when creating your story.

   A. Choose a point of view. You might tell the story in the *first person,* either as a direct participant or as an observer (real or imagined) who witnessed the events firsthand. Or, you might tell the story in the *third person,* which allows greater objectivity.

   B. Determine the sequence of events. Use transition words like **d'abord**, **ensuite**, **puis**, **alors**, or **enfin** to help present events in a logical order.

   C. Choose names for your characters. Describe physical and psychological characteristics if you think they're needed to tell the story.

   D. Add dialogue to make your story come alive!

1.

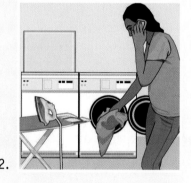
2.

3.

4.

Vocabulaire actif

emcl.com
WB 25–28
LA 1
Games

Je me souviens….

se rappeler,
se souvenir (de)

s'amuser

se remettre (à)

s'entendre

se détendre

se rendre (à)

se disputer

se dépêcher (de)

se retrouver

se rencontrer

Pour la conversation 🎧

How do I find out if someone remembers something?

> ❯ **Tu te souviens** du concert de Youssou N'Dour?

Do you remember the Youssou N'Dour concert?

How do I recount past events?

> ❯ **On s'est amusé.**

We had fun.

> ❯ **On s'est dépêché** comme des fous.

We hurried like crazy.

1 On fait quoi? 🎧

Choisissez l'illustration qui correspond à chaque description.

A.

B.

C.

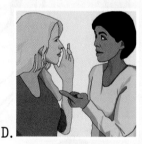
D.

E.

F.

G.

H.

2 Phrases logiques

Utilisez la forme correcte d'un verbe de la liste pour répondre aux questions.

> s'amuser   s'asseoir   se rappeler   se dépêcher   se remettre (à)
> se rencontrer à 16h20   se rendre au parc d'attractions   se détendre   se coucher

MODÈLE Est-ce que tu te souviens des pages qu'il faut lire pour le cours d'histoire?
Oui, je me rappelle ces pages!

1. Qu'est-ce que tu fais quand tu es fatigué(e)?
2. Qu'est-ce que tes amis et toi, vous faites pour vous amuser le weekend?
3. Le bus arrive et tu es en retard. Qu'est-ce que tu fais?
4. À quelle heure est-ce que tu vois tes amis après les cours?
5. Vous allez finir vos devoirs après le dîner?
6. On sort avec les copains ce soir?
7. Il est tard, tu es fatigué?
8. Tu vas regarder la télé avec moi?

Communiquez!

3 Tes activités du weekend

Interpersonal Communication

À tour de rôle, utilisez l'expression entre parenthèses pour poser une question à votre partenaire au sujet de ses activités du weekend.

> Quand est-ce que tu te détends?

> Je me détends quand je parle au téléphone.

MODÈLE se souvenir (de quoi)
A: **De quoi est-ce que tu te souviens?**
B: **Je me souviens du match.**

1. se rendre aujourd'hui (où?)
2. s'amuser (comment?)
3. s'entendre (avec qui?)
4. se retrouver (toi et Alexis?)
5. se dépêcher (quand?)
6. se remettre (à quoi?)

Écrivez les numéros 1–6 sur votre papier. Choisissez l'illustration qui correspond à chaque description que vous entendez.

MODÈLE   You hear: Mme Martin se rend au supermarché.
You write: **B**

A.

B.

C.

D.

E.

F.

5 **Questions personnelles**

Répondez aux questions.

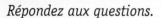

1. Comment est-ce tu t'amuses le weekend? Et ton frère et ta sœur?
2. Est-ce que tu te souviens de ton dixième anniversaire?
3. Avec qui est-ce que tu te disputes souvent?
4. Comment est-ce que tu te rends au lycée? Et tes amis, comment est-ce qu'ils se rendent au lycée?
5. Est-ce que tes amis et toi, vous vous retrouvez souvent le weekend? Où?
6. À quoi est-ce que tu te remets après le dîner?
7. Où est-ce que tu te détends?

> Je me dépêche pour aller chez mes copains.

Rencontres culturelles

Le concert de Youssou N'Dour

Nicolas et Rachid essaient de faire leurs devoirs dans la chambre de Nicolas.

Nicolas: Et là qu'est-ce qu'elle a dit, la prof?

Rachid: Il faut rendre un exposé sur la colonisation en Afrique mercredi... je n'ai rien écrit.

Nicolas: Bon, Wikipédia au secours! Tape "colonisation Afrique"; on va voir ce qu'ils disent....

Rachid: Oh! Youssou N'Dour a un nouvel album.

Nicolas: Je vois, t'es plus musique que devoirs!

Rachid: Tu te souviens du concert?

Nicolas: Je me souviens aussi qu'on était en retard!

Rachid: On s'est dépêché comme des fous!

Nicolas: Heureusement qu'on s'est rencontré devant le guichet.

Rachid: Et puis... quel spectacle!

Nicolas: Scotchés à la musique.... On s'est bien amusé. Bon, on s'y remet....

---

6 — Le concert de Youssou N'Dour

Mettez les événements dans l'ordre du dialogue.

1. On a cherché des informations sur Internet.
2. On a écouté Youssou N'Dour chanter au concert.
3. On a appris que Youssou N'Dour a un nouvel album.
4. On s'est dépêché comme des fous.
5. Rachid a parlé à la prof.
6. On s'est rencontré devant le guichet.

Extension — **Voyage aventure**

M. Muller téléphone à la responsable de l'agence de voyages pour lui parler de ses vacances dans un endroit francophone.

Responsable: Alors, vous vous êtes amusés?

M. Muller: Beaucoup. On a fait un superbe voyage.

Responsable: Rassurez-moi: vous vous êtes reposés aussi?

M. Muller: On s'est bien détendu.

Responsable: Vous avez pu faire beaucoup de choses?

M. Muller: On s'est rendu à la plage chaque jour! On a même passé une journée à la Martinique.

Responsable: Et cette fois-ci, je peux vous aider comment?

M. Muller: Un voyage pas trop cher et pas aussi loin.... Une autre aventure.... Vous avez bien ça?

Extension — Quelle était la destination de M. Muller?

La Francophonie

Question centrale
?
How do the routines of people in other cultures differ from mine?

✳ Le Sénégal

Le Sénégal se trouve en Afrique de l'Ouest. Il est un peu plus petit que l'état du Dakota du Sud et a 14 millions d'habitants. Sa capitale est Dakar et les villes principales sont Touba, Thiès, et Saint-Louis. La langue officielle du Sénégal est le français, mais la population parle six langues différentes. La principale est le wolof. Indépendant depuis 1960, le Sénégal est devenu une république démocratique sous l'influence du président-poète Léopold Sédar Senghor. Les principales ressources sont la pêche* et le tourisme. Dakar est une ville importante de la mode* et d'autres activités artistiques comme le cinéma et la musique. C'est aussi au Sénégal, sur l'île de Gorée, que l'on trouve le site le plus important du commerce des esclaves.*

🔍 **Search words: sénégal tourisme, la france au sénégal**

La pêche est une ressource importante au Sénégal.

——————
la pêche *fishing;* **la mode** *fashion;* **le commerce des esclaves** *slave trade*

Produits

Léopold Sédar Senghor (1906–2001) a été président du Sénégal, homme politique, poète, et essayiste. Il est considéré comme l'un des pères fondateurs de la Francophonie. Senghor a écrit "**Le lion rouge**," un poème qui est devenu l'hymne national sénégalais.

Exportateurs de la culture sénégalaise

Fatou Diome	écrivain
Birago Diop	poète, écrivain
Ousman Sembène	metteur en scène, acteur, écrivain
Aminata Sow Fall	écrivain
Toré Kunda	groupe de musique

Léopold Sédar Senghor

COMPARAISONS

Quelles traces de l'esclavage (*slavery*) sont toujours visibles aux États-Unis?

Les griots

À l'origine, les griots sont des conteurs* proches* des rois. Ils racontent l'histoire des royaumes* pour la transmettre de génération en génération. Ils s'accompagnent d'un instrument traditionnel: *la kora*, un instrument à cordes comme la guitare. De conteurs, ils sont devenus poètes et musiciens. Mory Kanté (*Yéké, yéké,* son disque le plus célèbre) et Salif Keïta continuent aujourd'hui cette tradition.

un conteur *storyteller*; **proche** *close*;
un royaume *kingdom*

Amy Koita, une griotte malienne, joue de sa kora.

Youssou N'Dour

Les albums *The Lion*, *7 Seconds*, *Eyes open*, *Égypte*, et *Dakar-Kingston* ont assuré la notoriété internationale du chanteur sénégalais Youssou N'Dour. Né en 1959, il vient d'une famille de griots. Il a commencé à chanter au Sénégal en 1971, et a connu ses premiers succès hors* d'Afrique en France en 1984 et aux États-Unis en 1986.

 Search words: vidéo youssou n'dour, youssou n'dour site officiel

hors *outside*

 Youssou N'Dour a popularisé un rythme wolof très complexe: **le mbalax**, une musique dansante très percussive.

Le **mbalax** mélange des instruments africains traditionnels aux instruments modernes.

Faites les activités suivantes.

1. En groupe, faites une recherche sur Internet sur le président Léopold Sédar Senghor. Choisissez un thème: l'écrivain, le président, ou le fondateur du mouvement francophone.
2. L'île de Gorée fait partie de la mémoire universelle. Retracez l'histoire de l'île et son lien avec le commerce des esclaves en Afrique.
3. Choisissez une personnalité de la vie culturelle du Sénégal et faites un petit dossier de présentation avec texte, sons, ou images.
4. Écoutez la musique de Youssou N'Dour. Choisissez un morceau qui vous plaît et présentez-le à la classe. Dites pourquoi vous l'aimez.

L'île de Gorée reste un lieu de mémoire et d'inspiration pour les écrivains noirs.

À discuter

Pour quelles raisons est-ce que beaucoup d'Africains parlent plusieurs langues?

Du côté des médias

Regardez la publicité pour cet événement sportif.

8 **Le cross féminin à Dakar**

Répondez aux questions.

1. L'événement (*event*) est pour quel sport?
2. Quelle est la date de l'évènement?
3. On commence sur la Place du Souvenir, mais où est-ce qu'on finit?
4. L'événement va aider quelles organisations?

La culture sur place

Controverse: La viande halal
Introduction et Interrogations

Dans la ville de Roubaix au nord de la France, il y a eu un conflit au sujet d'un hamburger de la chaîne fast-food Quick. Ce restaurant a remplacé (*replaced*) le porc dans le Burger Strong Bacon par de la dinde fumée (*smoked turkey*) par respect pour la clientèle musulmane dont (*whose*) la religion interdit (*forbids*) la consommation du porc et nécessite la viande *halal* (*meat prepared according to Muslim law*). Vous allez lire trois opinions sur ce changement.

9 ⬛ **Première Étape: Trois Perspectives**

Lisez les trois perspectives suivantes, et pensez à la question principale: Est-ce que les institutions doivent s'adapter pour intégrer les gens qui ne font pas partie de la majorité?

> René Vandierendonck, le maire de Roubaix: "CA VA TROP LOIN QUAND ON NE PROPOSE PLUS QUE CELA,* CELA DEVIENT DISCRIMINATOIRE"… il juge anormal que les clients n'y trouvent pas "LES MÊMES PRODUITS" que dans toute autre franchise du territoire: "OUI À LA DIVERSITÉ, NON À L'EXCLUSION," résume-t-il. "LES HAMBURGERS HALAL DE QUICK PASSENT MAL.*" -*Le Monde*
>
> **plus que cela** *only this*; **passent mal** *go down badly*

> Al-Kanz, dans un blog dédié* aux consommateurs musulmans: "C'est encore et toujours l'Islam…. Un Quick thématique avec exclusivement des menus mexicains ou chinois aurait-il eu une telle résonance médiatique*? Non assurément, non.", "Quick halal: il y a bien discrimination." -www.al-kanz.org
>
> **dédié**(e) *dedicated*; **aurait-il eu une telle résonance médiatique** *would it have had such media attention*

> Hamburger Quick: "La viande halal a rencontré une forte adhésion. Les clients étaient* satisfaits de… la variété de la carte Quick…. Les clients ne souhaitant* pas consommer de produits à base de viande halal n'ont pas montré de désaffection pour leur restaurant habituel et sont restés fidèles à l'enseigne* soit par indifférence, soit* grâce à la diversité de l'offre." -Communiqué de Presse, Hamburger Quick
>
> **étaient** *were*; **ne souhaitant pas** *not wishing to*; **fidèles à l'enseigne** *faithful to the brand*; **soit… soit** *either… or*

10 ⬛ **Faire le point**

Faites une grille qui indique si chaque opinion est de droite (conservatrice), de gauche (libérale), ou du centre (de la majorité). N'oubliez pas d'inclure votre opinion.

Structure de la langue

Passé composé of Reflexive Verbs

Comment la petite Martine s'est-elle habillée?

The **passé composé** of reflexive verbs is formed with **être**.

subject	+	reflexive pronoun	+	être	+	past participle
Marc		s'		est		habillé.

Marc got dressed.

The past participle usually agrees in gender (masculine, feminine) and in number (singular, plural) with the subject. Here is the **passé composé** of **se coucher**.

se coucher			
je	**me suis couché(e)**	nous	**nous sommes couché(e)s**
tu	**t' es couché(e)**	vous	**vous êtes couché(e)(s)**
il	**s' est couché**	ils	**se sont couchés**
elle	**s' est couchée**	elles	**se sont couchées**
on	**s' est couché**		

If a body part follows the verb, the past participle does not agree with the subject.

	Elle s'est **lavée**.	*She washed herself.*
but:	Elle s'est **lavé** les mains.	*She washed her hands.*

To make a reflexive verb in the **passé composé** negative, put **ne** in front of the reflexive pronoun and **pas** after the form of **être**.

Nous **ne** nous sommes **pas** réveillés à 8h00.   *We didn't wake up at 8:00.*

To ask a question using inversion with the **passé composé** of a reflexive verb, invert the subject pronoun with the form of **être**.

T'es-**tu** reposé après les cours?   *Did you rest after class?*

The past participle of **s'asseoir** is **assis**.

11 On s'est préparé pour l'école.

Dites ce que tout le monde a fait pour se préparer pour l'école.
Complétez les phrases suivantes avec les expressions de la liste.

> Il s'est   Elle s'est   Ils se sont   Elles se sont

1. ... levé à 7h15.
2. ... lavées avec un gant de toilette.
3. ... rasés avec un rasoir.
4. ... regardé dans la glace.
5. ... peignée avec un peigne.
6. ... maquillées dans la salle de bains.
7. ... bien habillés.
8. ... mal habillée.

Ghislaine s'est lavé la figure après le petit déjeuner.

12 Samedi soir

Lisez chaque description. Ensuite, utilisez un verbe de la liste pour dire ce que tout le monde a fait pour se préparer samedi soir.

> se raser   se dépêcher   se brosser les dents   se maquiller
>
> s'habiller   se laver les cheveux

1. Jacques a mis du dentifrice sur sa brosse à dents.
2. J'ai choisi un nouvel ensemble.
3. Caro a acheté du mascara.
4. M. Marin a pris son rasoir.
5. Les Perrin ont essayé un nouveau shampooing.
6. Élisabeth a été en retard.

13 Hier ou aujourd'hui?

*Écrivez les numéros 1–8 sur votre papier. Écoutez et écrivez **P** si les phrases sont au présent, ou*
***PC** si elles sont au passé composé.*

14 Au concert

Les gens suivants sont allés au concert de Youssou N'Dour.
Dites s'ils se sont amusés ou s'ils ne se sont pas amusés.

1. Abdoul

MODÈLES

 Evenye
Evenye ne s'est pas amusée.

2. Aïcha et moi, nous

 Karim et Romane
Karim et Romane se sont amusés.

3. Saleh et toi, vous 4. moi 5. Amina et Denise 6. toi 7. Assane

Communiquez!

15 Ce matin

Interpersonal Communication

Choisissez une phrase interrogative de la liste à gauche et un verbe de la liste à droite. À tour de rôle, posez des questions à votre partenaire. Ensuite, écrivez un paragraphe pour décrire la routine de votre partenaire.

À quelle heure	se réveiller
Quand	se lever
Pourquoi	se laver la figure
Où	se brosser les dents
Avec quoi	se peigner
Comment	s'habiller
	se regarder
	se préparer pour l'école
	se laver les cheveux
	s'asseoir pour prendre le petit déjeuner

MODÈLE A: **À quelle heure t'es-tu réveillé(e) ce matin?**
B: **Je me suis réveillé(e) à huit heures.**

À vous la parole

Communiquez!

How do the routines of people in other cultures differ from mine?

16 Un beau souvenir

Interpersonal Communication

With a partner, role-play a conversation in which you talk about an activity you did together. In your conversation:

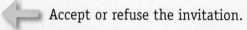

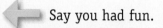

Greet each other.

Ask how each other is.

Ask if your friend remembers an experience.

Say what you remember about the experience.

Say you had fun.

Suggest an activity to do together.

Accept or refuse the invitation.

Communiquez!

Communiquez!

17 La musique africaine

Interpretive/Presentational Communication

Create a playlist of well-known Cameroonian, Ivoirian, and Senegalese singers and groups, including musicians mentioned in this unit. For each song, list the singer or group's name, the title of the song, the genre of music, and your recommendations. Post your playlist on a blog, wiki, or other Internet site. Share your playlist with another class in your school or in a different school.

 Search words: musique de l'afrique de l'ouest, musiciens célèbres du cameroun, de la côte d'ivoire, du sénégal

18 Les griots se retrouvent.

Interpersonal/Presentational Communication

Find a *griot* story, or fable. Choose ten events from the story and have each group member illustrate two events. Use the illustrations to tell the story to the class. Be sure to write any new words or expressions on the board.

 Search words: fables africaines

Lecture thématique

Le ventre de l'Atlantique

Rencontre avec l'auteur

Fatou Diome (1968–) est née au Sénégal et habite à Strasbourg, en France. Elle s'est fait connaître avec un recueil de nouvelles (*collection of short stories*), *La préférence nationale* (2001). Son premier roman (*novel*), *Le ventre de l'Atlantique,* a paru en 2003. Ses récits sont des aller-retours entre la France et l'Afrique qui traitent du présent et de la mémoire. *Le ventre de l'Atlantique* raconte avec beaucoup d'humour et de larmes (*tears*) l'histoire de Salie qui va tout faire pour que son frère Madiké, resté au pays, renonce à ses rêves (*dreams*) d'émigration. Elle, en France, sait la réalité de l'immigration. Elle a quels souvenirs du Sénégal?

Pré-lecture

Quel(le) athlète est-ce que vous admirez? Pourquoi?

Stratégie de lecture

Sensory Details

Sensory details are words and phrases that describe how things look, sound, smell, taste, or feel. The use of sensory details is a characteristic of descriptive writing. As you read, list each sensory detail in the grid under the appropriate category. An example has been done for you.

Sight	Sound	Touch	Taste	Smell
		l'ombre des cocotiers		

Outils de lecture

Making Inferences

As you read, sometimes you need to make inferences in order to fully understand what the author wishes to express. When you make an inference, you "read between the lines." That is, you draw conclusions based on hints, facts, clues, etc. in the reading. For example, when the author talks about **d'autres horizons**, she wants you to think of Africa. What can you infer from the following line from the selection? **"J'avance les pas lourds de leurs rêves, la tête remplie des miens."** What does it say about people who leave one country and immigrate to another?

Joueurs de foot, 20ème siècle. Anonyme.

Le 29 juin 2000, je regarde la Coupe d'Europe de football. L'Italie affronte les Pays-Bas en demi-finale. Mes yeux fixent la télévision, mon cœur contemple d'autres horizons. (...)

Voilà bientôt dix ans que j'ai quitté* l'ombre* des cocotiers.* Heurtant le bitume,* mes pieds emprisonnés se souviennent de leur liberté d'antan,* de la caresse du sable chaud, de la morsure* des coquillages* et de quelques piqûres d'épines* qui ne faisaient que rappeler la présence de la vie jusqu'aux extrêmes oubliés du corps. Les pieds modelés,* marqués par la terre africaine, je foule* le sol européen. (...) J'avance les pas lourds* de leurs rêves,* la tête remplie des miens. (...)

Le bruit* de la télévision me sort de ma rêverie. Chaque fois que les reporters crient le nom de Maldini,* un visage* se dessine* sur l'écran. À quelques milliers de kilomètres de mon salon, à l'autre bout* de la Terre, au Sénégal, là-bas, sur cette île à peine* assez grande pour héberger* un stade, j'imagine un jeune homme rivé devant une télévision de fortune pour suivre le même match que moi.... Nos yeux se croisent* sur les mêmes images. Battements de cœur, souffle,* gestes de joie ou de désarroi,* tous nos signes émotionnels sont synchronisés la durée d'un match, car nous courons* derrière le même homme: Paolo Maldini.

Pendant la lecture
1. Quand est-ce que cette Coupe d'Europe a eu lieu?

Pendant la lecture
2. En quelle année la narratrice a-t-elle quitté le Sénégal?

Pendant la lecture
3. Elle se rappelle des évènements (events) ou des sensations?

Pendant la lecture
4. Elle pense à une personne réelle ou imaginée?

Pendant la lecture
5. Elle imagine que le jeune Sénégalais court derrière qui, comme elle?

j'ai quitté *I left;* **l'ombre** *shade;* **cocotiers** *coconut trees;* **Heurtant le bitume** *Colliding with asphalt;* **d'antan** *of former times;* **morsure** *bite;* **coquillages** *sea shells;* **piqûres d'épines** *thorn pricks;* **modelés** *molded;* **je foule** *I tread;* **lourds** *heavy;* **rêves** *dreams;* **bruit** *noise;* **Maldini** un footballeur italien de l'AC Milan, capitaine de l'équipe nationale italienne; **un visage** une figure; **se dessine** *is drawn;* **bout** *end;* **à peine** *scarcely;* **héberger** *to house;* **se croisent** *cross;* **souffle** *breath;* **désarroi** *helplessness;* **nous courons** *we run*

Post-lecture

La narratrice habite en France. Mais de quelle(s) façon(s) est-elle toujours au Sénégal?

Le monde visuel

Les Joueurs de foot est un exemple de batik, une technique d'impression sur étoffe (*cloth*) populaire en Afrique de l'Ouest. Cet art consiste à appliquer de la cire (*wax*) chaude sur des zones de tissu où l'on ne veut pas de coloration. Ce style de batik est naïf. Souvent, les peintres naïfs font des dessins simples et ils ne montrent pas de notion de perspective. Comment décririez-vous l'usage de la couleur et des lignes de l'artiste dans cette impression?

Faites les activités suivantes.

1. Écrivez un paragraphe qui résume (*summarizes*) les détails dans la grille que vous avez préparée pour montrer comment l'écrivain évoque ses souvenirs du Sénégal.
2. Faites une deuxième grille comme celle à la page 176. Complétez les catégories avec des descriptions de la vie dans l'Ouest. Utilisez la grille pour écrire un paragraphe qui décrit la vie d'un Africain qui a émigré en Europe ou en Amérique du Nord.
3. Faites des recherches sur Paulo Maldini en ligne. Pourquoi pensez-vous que la narratrice l'admire?

T'es branché?

Projets finaux

A Connexions par Internet: L'éducation civique

Research online the symbols of the different countries presented in this online and complete a grid like the one below. Then write a report in which you compare the symbols of African countries with those of the United States. How do these symbols reflect the characteristics (geography, history, and values) of each country? Make a poster showing the symbols of one of the countries to share with the class.

Emblèmes	La République du Cameroun	La Côte-d'Ivoire	Le Sénégal	Les États-Unis
drapeau (couleurs/emblèmes)				
devise				
hymne national (titre et thème)				
arbre national				
animal national				

 Search words: emblèmes du cameroun, de la côte d'ivoire, du sénégal, des USA

B Communautés en ligne

Nos routines

Working with three classmates, create a video in French that shows the typical daily routine of an American student. Also include personal care products commonly used for the specific routines in your video. Upload your video and invite other French-speaking teens in your online francophone community to share their daily routines with you via video.

Le baobab, qui produit d'énormes fruits, les calebasses, symbolise souvent la fécondation (*fertility*) dans les contes africains.

Nous sommes des griots!

Groups of people who share a common heritage also share traditions and the same cultural history. Storytellers, such as **griots**, help preserve and pass these traditions and knowledge on to younger generations. Imagine that you are a **griot** in your community. Working with a partner or group, use an online storytelling program, such as "Storybird" or "Storyjumper," to tell a story in French about a tradition, historical event, or well-known legend pertaining to your school, city, state, or region. Share the story with your classmates and your online francophone community.

D Faisons le point!

Complete a diagram like the one that follows to show your understanding of how daily routines differ in other cultures. An example has been done for you.

Question centrale

?

How do the routines of people in other cultures differ from mine?

Leçon A **Rencontres culturelles: La salle de bains** What is the morning conflict in Madiba's home?	Madiba's sister dawdles in the bathroom.
Leçon A **À vous la parole: La routine** How does my routine differ from my partner's?	
Leçon B **Rencontres culturelles: Ce n'est pas juste!** What do Madiba and Adjoua have in common in their households?	
Leçon B **À vous la parole: La routine scolaire de Moussa** What is Moussa's school day routine?	
Leçon C **Rencontres culturelles: Le concert de Youssou N'Dour** What do Nicolas and Rachid do after school?	
Leçon C **Points de départ: Les griots** What is a griot and what does he or she do?	
Leçon C **Lecture thématique: *Le ventre de l'Atlantique*** What does the character do to relax?	

Évaluation

A Évaluation de compréhension auditive

Listen to each conversation and choose the appropriate response.

1. A. Je me couche à 9h00.
   B. Je me lève à 7h00 aussi.
   C. Je me réveille à 7h15.

2. A. Moi, je me couche à 10h00.
   B. J'aime me détendre devant la télé.
   C. Je me dépêche de rencontrer Tristan.

3. A. Je me déshabille vers 10h00.
   B. Je me lève, je me lave, et je m'habille.
   C. Je regarde la télé jusqu'à 22h00, et je me couche.

4. A. Je vais dans la salle de bains à 7h30.
   B. Je me dépêche, donc je ne prends pas le petit déjeuner.
   C. Je me maquille et ensuite, je me brosse les cheveux.

5. A. Je me suis levé(e) à 8h00.
   B. Moi? Je me suis couché(e) tôt.
   C. Je me suis beaucoup amusé(e).

6. A. Je me suis lavé(e) à Bercy.
   B. Oui, je me suis bien reposé(e).
   C. Non, je n'ai pas regardé la télé.

7. A. Il est à 8h00.
   B. Non, je ne suis pas fatigué(e).
   C. Oui, mais dépêche-toi!

8. A. Non. Je ne me suis pas maquillée, et je ne me suis même pas peignée!
   B. Je me suis réveillée tôt.
   C. Je suis allée à un concert hier soir.

Compare Sophie's daily morning routine to that of her best friend Florence.

Sophie

se lever à 6h30

se laver la figure avec le savon *Colombe*

prendre le petit déjeuner à 7h15

s'habiller; mettre un jean et un tee-shirt

Les deux

se brosser les dents après le petit déjeuner

se maquiller avec du mascara

partir à 7h45

Florence

se lever à 6h45

se laver la figure avec *Beau Visage*

prendre le petit déjeuner à 7h20

s'habiller; mettre une jupe et une chemise

In this activity, you will compare francophone cultures with American culture. You may need to do some additional research on American culture.

1. **La République du Cameroun, la Côte-d'Ivoire, le Sénégal, et les États-Unis**
Make a chart that shows the country or countries that colonized each nation mentioned in the heading and the year in which each became independent.

2. **Un dico africain et un dico américain**
Create **un dico** of expressions commonly used in **la Côte-d'Ivoire** or **le Sénégal**. Then create **un dico** for your region that highlights common words that come from non-English speakers. Consider words related to food, entertainment, sports, and music that come from other cultures, such as croissant, taco, or reggae.

3. **Les défis (*challenges*) en Afrique et dans votre région**
Research a political, economic, social, environmental, or health issue in the Republic of Cameroon, the Ivory Coast, or Senegal. Then do research to see if a similar situation exists in the United States. Compare the issue in both countries, and hypothesize why the situation is similar or different, and propose solutions.

4. **L'immigration en France et aux États-Unis**
You learned that the French government is working with some African nations to aid legal immigration to France. How many immigrants does the United States allow to enter the country each year? Which countries do most immigrants come from? Why do people have strong opinions about immigration?

5. **La musique en Côte-d'Ivoire et au Sénégal**
   Listen to the selection of **zouglou** from the Ivory Coast or **mbalax** from Senegal. Explain how it is the same or different from the type(s) of music you listen to.

6. **Les griots**
   What value do traditional storytellers have in a culture? What role do they play in keeping a people's identity alive? Who are the storytellers in your culture, family, and group of friends?

D Évaluation écrite

Damien and Inès's mother had to leave Saturday morning on a business trip, so she left a list of chores for them to do. Write a dialogue between the two siblings in which they decide who will do which household chores.

> Passez l'aspirateur!
> Faites la lessive!
> Faites sécher le linge!
> Rangez vos chambres!
> Tondez la pelouse!

E Évaluation visuelle

Write a description of Alima and Nasser's morning routine based on the **affaires de toilette** they used.

Alima	Nasser

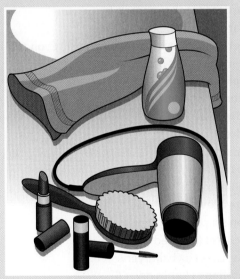 

F Évaluation compréhensive

Create a storyboard with four to six frames that tells about someone remembering an event, perhaps a vacation or doing something with a friend. Use thought bubbles to show what happened in the past, and as much vocabulary from the unit as you can, especially from **Leçon C**.

Vocabulaire de l'Unité 3

accepter to accept *B*

les affaires (f.): affaires de ménage house cleaning items *B*; **affaires de toilette** toiletries *A*

agacer to annoy *A*; **Tu m'agaces!** You're getting on my nerves! *A*

un album album *C*

s' amuser to have fun *C*

arroser to water *B*

un aspirateur vacuum cleaner *B*

s' asseoir to sit down *B*

au: au secours help *C*

avant before *A*

la brosse: brosse à cheveux hairbrush *A*; **brosse à dents** toothbrush *A*

se brosser: se brosser les cheveux to brush one's hair *A*; **se brosser les dents** to brush one's teeth *A*

ça: ça veut dire it/that means *A*

se calmer: Calme-toi! Calm down! *A*

cas: en tout cas in any case *A*

ce: ce qui what *B*

cela that, this *B*

changer to change *B*

chéri(e) honey *A*

la colonisation colonization *C*

une corvée chore *B*

se coucher to go to bed *A*

le dentifrice toothpaste *A*

se dépêcher (de) to hurry *C*

se déshabiller to get undressed *A*

le désordre disorder *A*

se détendre to relax *C*

se disputer to argue *C*

les draps (m.) sheets *B*

encore still *A*

s' entendre to get along *C*

un exposé presentation *C*

faire: faire la lessive to wash clothes *B*; **faire la vaisselle** to wash the dishes *B*; **faire le ménage** to do housework *B*; **faire sécher le linge** to dry clothes *B*

un fer à repasser (clothes) iron *B*

un fou, une folle crazy person *C*

le gant: gant de toilette washcloth *A*

s' habiller to get dressed *A*

heureusement fortunately *C*

juste fair *B*

se laver to wash (oneself) *A*

un lave-vaisselle dishwasher *B*

se lever to get up *A*

une machine: machine à laver washing machine *B*

le maquillage make-up *A*

se maquiller to put on make-up *A*

le mascara mascara *A*

pareil: c'est pareil it's the same *B*

passer: passer l'aspirateur to vacuum *B*

le peigne comb *A*

se peigner to comb one's hair *A*

la pelouse lawn *B*

une plante plant *B*

plus de (+ noun) more *B*

la poubelle garbage can *B*

se préparer to get (oneself) ready *A*

presque almost *A*

quotidien(ne) daily *A*

ranger to arrange, to pick up *B*

se rappeler to remember *C*

se raser to shave *A*

le rasoir razor *A*

se regarder to look at oneself *A*

remarque look, well *B*

se remettre (à) to start something again *C*; **on s'y remet** let's get back to it *C*

remplir to fill up *B*

se rencontrer to meet *C*

rendre to turn in *C*

se rendre to go, to show up *C*

repasser to iron *B*

se reposer to rest *A*

se réveiller to wake up *A*

le rouge à lèvres lipstick *A*

le savon soap *A*

scotché(e) (à) glued (to) *C*

le sèche-cheveux hairdryer *A*

un sèche-linge clothes dryer *B*

la serviette towel *A*

se servir (de) to use *A*

le shampooing shampoo *A*

sortir to take out *B*

se souvenir (de) to remember *C*

une tondeuse lawn mower *B*

tondre to mow *B*

traîner to dawdle *A*

vouloir: vouloir dire to mean *A*

Unité

4 Autrefois

Rendez-vous à Nice!
Épisode 14:
À la campagne

À savoir

Au 18ème siècle,
Montmartre avait
beaucoup de moulins
(*windmills*). Il y en
a seulement deux
aujourd'hui—le Moulin
de la Galette et le Moulin
Rouge.

Question centrale

?

How does the past shape us?

Que va faire Patrick?

A. quitter Charlotte
B. parler intimement
C. demander à Charlotte de se marier avec lui

Comment s'appelle ce moyen de transport?

Contrat de l'élève

Leçon A **I will be able to:**

>> reminisce and describe past events.

>> talk about French agriculture and rural life today.

>> use the imperfect tense with time expressions and the irregular verb **croire**.

Leçon B **I will be able to:**

>> describe past events, and say what usually happened.

>> talk about Montmartre and Toulouse-Lautrec.

>> use **il y a** with time expressions and the imperfect and **passé composé** tenses together.

Leçon C **I will be able to:**

>> make a suggestion.

>> talk about demonstrations in France, student protests in 1968, and two French universities.

>> use the irregular verb **dire**, and **si** clauses with the imperfect to make a suggestion or express a wish.

Vocabulaire actif

emcl.com
WB 1–3
LA 1
Games

À la ferme

emcl.com
WB 4–6

meuh

Le fermier nourrit les animaux.

La fermière trait les vaches.

hiiii–hiiii

Le grand-père nettoie la grange.

Marine fait du cheval.

Pour la conversation 🎧

How do I reminisce?

> **C'était le bon vieux temps.**
> *It was the good old days.*

How do I describe past events?

> **Autrefois, on ne prenait pas** de vacances.
> *In the past, we didn't go on vacation.*

> La vie **était** plus simple.
> *Life was more simple.*

> **Tous les soirs il fallait** traire les vaches.
> *Every night we had to milk the cows.*

Et si je voulais dire...? 🎧

la basse-cour	*barnyard*
le blé	*wheat*
l'écurie (f.)	*stable*
la moisson	*harvest*
la paille	*hay*
la récolte	*harvest*
le tracteur	*tractor*
le troupeau	*herd*

1 À la campagne

Dites quels animaux ou quelles personnes il y a dans l'illustration.

MODÈLE

Dans la maison du fermier
Dans la maison du fermier, il y a **un chat et un chien.**

5. Dans l'étang

1. Au champ

2. À la ferme

3. Au marché

4. Dans la grange

6. Devant la maison du fermier

2 Les responsabilités quotidiennes

Indiquez ce que chaque personne fait à la ferme. Utilisez un verbe ou une expression de la liste.

faire du cheval   traire   nettoyer   nourrir

1. M. Rivard

2. Cédric et Moussa

3. Amande et moi, nous

4. Ludovic

5. Martine

3 À la ferme!

Écrivez les numéros 1–8 sur votre papier. Eric décrit la vie à la ferme chez ses grands-parents. Choisissez l'illustration qui correspond à chaque description que vous entendez.

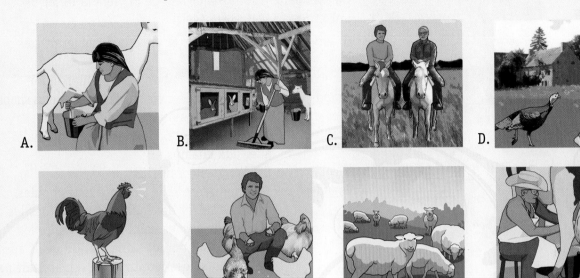

A.

B.

C.

D.

E.

F.

G.

H.

4 Questions personnelles

Répondez aux questions.

1. Est-ce que tu as déjà visité une ferme? Si oui, qu'est-ce que tu as vu à la ferme? Qu'est-ce que tu as fait?
2. Qu'est-ce que tu aimerais essayer de faire dans une ferme?
3. Tu préfères habiter en ville ou dans un village? Pourquoi?
4. Où est-ce que tu aimes faire du cheval?
5. Qu'est-ce que tu nettoies pour aider tes parents?
6. Qui nourrit tes animaux chez toi?

Rencontres culturelles

Le bon vieux temps?

Nicolas parle à son grand-père de la vie à la ferme autrefois.

Grand-père: Oui, vraiment, la vie à la ferme était très dure.

Nicolas: Ce n'était pas le bon vieux temps, quoi!

Grand-père: En un sens si. Je crois que la vie était plus simple.

Nicolas: Plus simple mais plus dure.

Grand-père: Hiver comme été, chaque matin, il fallait aller aux champs.

Nicolas: Et Mamy, elle t'aidait?

Grand-père: Ta grand-mère? Elle s'occupait des poules, des canards, et des lapins. Et puis, tous les matins et tous les soirs il fallait traire les vaches et nourrir les animaux. On avait aussi des cochons, des moutons... on n'arrêtait pas de travailler. Ton père nourrissait les animaux avant et après l'école.

Nicolas: Il y allait en bus?

Grand-père: En bus, non. C'était loin; il y allait à bicyclette. Il devait partir tôt. Et l'été, il allait aux champs.

Nicolas: Et les vacances?

Grand-père: Quoi? Je ne connaissais pas ce mot-là! Autrefois, on ne prenait pas de vacances.

---

5 Le bon vieux temps?

Donnez le nom de la personne décrite: Nicolas, son grand-père, sa grand-mère, ou son père.

Cette personne....

1. allait à l'école à vélo
2. ne prenait pas de vacances
3. croit que la vie était plus simple autrefois
4. nourrissait les animaux le matin
5. s'occupait des poules, des canards, et des lapins

Extension Une ferme en Corse

David parle à sa voisine Sandrine.

David: Tu n'as jamais vécu à la campagne, Sandrine?

Sandrine: Non, jamais... tu sais, moi, sortir de Paris... c'est déjà une aventure.

David: Moi, mes grands-parents habitaient dans une ferme à la montagne, en Corse.

Sandrine: C'était comment?

David: C'était très difficile pour eux. Ils avaient quelques moutons, ils faisaient des fromages, ils tuaient les cochons pour la charcuterie....

Extension Qui connaît mieux la vie à la ferme, Sandrine ou David?

Question centrale

?

How does the past shape us?

La France agricole

L'image de la France a longtemps été celle* d'une France rurale avec une agriculture diversifiée et adaptée à ses paysages* et à ses climats. Il en reste les vins*, les fromages, et les spécialités régionales. Les paysans* peu nombreux (450.000 agriculteurs contre 7 millions en 1946) sont devenus des entrepreneurs. Aujourd'hui l'agriculture française est devenue une agriculture industrielle, spécialisée, et destinée à l'export. Elle dépend beaucoup de l'industrie agroalimentaire*, et des marques françaises sont parmi les grands leaders dans le monde.

En France l'industrie agroalimentaire s'est modernisée.

 Search words: marques agroalimentaires, agriculture française, produits agricoles

---

celle *the one*; **paysages** *landscapes*; **vins** *wines*; **paysans** *fermiers*; **agroalimentaire** *agribusiness*

Performances de l'agriculture française

Produits	Rang mondial
Blé (*wheat*)	5
Fruits et légumes	3
Lait	3
Lin (*flax*)	1
Sucre	7
Viande bovine (bœuf)	5
Vin (*wine*)	1
Volailles (*poultry*)	1

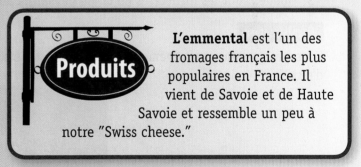

Produits

L'emmental est l'un des fromages français les plus populaires en France. Il vient de Savoie et de Haute Savoie et ressemble un peu à notre "Swiss cheese."

COMPARAISONS

Quels produits agricoles sont produits dans votre région?

La vie rurale de nos jours

En France il y a environ 350.000 fermes, et l'agriculteur est devenu entrepreneur. Mais son mode de vie dépend toujours de la vie de la ferme et l'oblige à faire de longues journées de travail par tous les temps*. Il doit être présent le weekend et souvent ne peut pas prendre de vacances. Beaucoup de jeunes hésitent à prendre la succession de leurs parents par peur d'avoir une vie trop contraignante.*

Les fermiers font la moisson (*harvest*) avec des machines modernes.

---

par tous les temps *in all kinds of weather;* **contraignante** *restrictive*

6 Activités culturelles

Faites les activités suivantes.

1. Nommez trois caractéristiques de la situation de l'agriculture en France aujourd'hui.
2. Faites une grille: "Performances de l'agriculture américaine" et comparez-la à la grille "Performances de l'agriculture française."
3. Quelles sont les difficultés de la vie paysanne aujourd'hui?

À discuter

Vous avez presque certainement des ancêtres qui étaient fermiers. Qu'est-ce que vous savez d'eux?

Des fromages vendus au marché.

Du côté des médias

emcl.com
WB 8

Regardez la carte pour voir quels produits viennent de quelles régions.

L'AGRICULTURE EN FRANCE

Picardie

Champagne

Normandie

Brie

Bretagne

Beauce

Val de Loire

Berry

I- LES RÉGIONS DE PRODUCTION

Céréaliculture et plantes industrielles

Limousin

Élevage (lait, viande, embouche etc)

Bordelais

Polyculture associée à l'élevage

Causses

Comtat

B B Betterave à sucre

Languedoc

Provence

●●● Viticulture

●●●● Arboriculture et/ou maraichage

Plaine d'Aléria

la Corse

Xavier MARTIN 2009

7 | L'agriculture en France

Répondez aux questions.

1. Qu'est-ce que... ont en commun?
   A. la Brie et la Beauce
   B. la Normandie et la Bretagne
   C. le Bordelais et la Champagne
2. Où trouve-t-on à la fois des vignobles (*vineyards*) et des arbres fruitiers?
3. Quels sont les produits du Val de Loire?
4. Quels sont les produits de la Corse?

Des vignobles (*vineyards*) en Bourgogne.

Structure de la langue

Imperfect Tense

You have already learned the most common past tense, **le passé composé**. Another important tense used to talk about the past is **l'imparfait** (*imperfect*). The imperfect tense differs from the **passé composé** in both form and meaning. Whereas **le passé composé** is formed with a helping verb and a past participle, the imperfect consists of only one word. And while the **passé composé** describes a completed action, the imperfect is used to describe what was happening or what used to happen, or to describe how people or things were.

Jeannette *faisait du cheval dans le cirque.*

Le fermier **travaillait** tous les jours.		*The farmer worked every day.*	

To form the imperfect of any verb except **être**, drop the **-ons** from the present tense **nous** form and add the appropriate ending: **-ais**, **-ais**, **-ait**, **-ions**, **-iez**, or **-aient**.

aller			
j'	**allais**	nous	**allions**
tu	**allais**	vous	**alliez**
il/elle/on	**allait**	ils/elles	**allaient**

Où est-ce que vous **alliez**? — *Where were you going?*
Nous **allions** à la grange. — *We were going to the barn.*

The only verb with an irregular stem in the imperfect is **être**. Its stem is **ét-**, but its endings are the same as those of other verbs.

Elle **était** à la ferme. — *She was on the farm.*

The imperfect tense is used to describe:

1. people or things as they were or used to be	J'**avais** treize ans. La vie **était** simple.	*I was 13 years old.* *Life was simple.*
2. conditions as they were or used to be (setting the scene)	Il **faisait** froid. Tout le monde **faisait** du cheval.	*It was cold.* *Everyone was horseback riding.*
3. past actions that took place regularly or repeatedly	Il **nettoyait** la grange. Je me **levais** tôt.	*He used to clean the barn.* *I used to get up early.*

Note the different time expressions used with the **passé composé** and the **imparfait** on the next page.

Expressions de temps

Passé composé	Imparfait
samedi, un samedi *Saturday, one Saturday*	le samedi *on Saturdays*
un matin, un soir *one morning, one evening*	le matin, le soir *in the mornings, in the evenings*
une fois *once*	d'habitude *usually*

COMPARAISONS

The **imparfait** is a simple tense; in other words it is formed by adding a set of endings to the stem of the verb. Is the imperfect in English a simple tense? Is "to be" regular?

I **used to get up** early in the winter. It **was** cold.

8 La vie de votre grand-mère à la ferme

Vous regardez un album de photos de votre grand-mère qui montre des photos de sa vie à la ferme. Utilisez un verbe de la liste pour dire ce que tout le monde faisait à la ferme.

nettoyer   nourrir   aller   se lever   donner de l'eau

1. mon père et ma mère

2. mon frère et moi, nous

3. ma sœur

4. Georges et Bernard

5. ma mère et moi, nous

COMPARAISONS: In English, the imperfect is not a simple tense. In the first example, "used to" indicates the past and is followed by an infinitive. In the second example, the irregular verb "to be" in the present changes to an irregular verb in the past.

*Écoutez Amélie qui se souvient des vacances quand elle était enfant. Ensuite, écrivez **V** si la phrase est vraie ou **F** si elle est fausse.*

1. Amélie passait l'été chez sa tante.
2. Amélie se levait à 5h30.
3. Le matin, elle s'occupait des animaux.
4. Amélie donnait à manger aux vaches.
5. Amélie et sa grand-mère servaient toujours des œufs au déjeuner.
6. L'après-midi, Amélie faisait du cheval dans les champs.
7. Le soir, Amélie se couchait tôt.
8. Amélie n'aimait pas trop la vie à la ferme.

10 Le bon vieux temps

Dites si on faisait les choses suivantes ou pas dans les années 1960.

MODÈLES   regarder la télé en noir et blanc
On regardait la télé en noir et blanc.

parler à ses amis avec un portable
On ne parlait pas à ses amis avec un portable.

1. circuler en voiture
2. télécharger des chansons
3. faire du camping
4. surfer sur Internet
5. jouer aux jeux vidéo
6. voir un film à la maison
7. envoyer des textos
8. aller à la plage
9. être plus content qu'aujourd'hui

Autrefois, on n'envoyait pas de mails à ses amis.

Communiquez!

11 Qu'est-ce que tu faisais?

Interpersonal Communication

À tour de rôle, demandez où était votre partenaire et ce qu'il ou elle faisait à certains moments pendant la semaine.

MODÈLE ce matin
A: **Où étais-tu ce matin?**
B: **J'étais dans la médiathèque.**
A: **Qu'est-ce que tu faisais?**
B: **Je surfais sur Internet.**

1. hier soir
2. samedi soir
3. hier après-midi
4. dimanche matin
5. vendredi soir

Present Tense of the Irregular Verb *croire*

emcl.com
WB 15–17
LA 2
Games

The verb **croire** (*to believe, to think*) is irregular.

croire			
je	**crois**	nous	**croyons**
tu	**crois**	vous	**croyez**
il/elle/on	**croit**	ils/elles	**croient**

Tu crois que la ferme date de 1880?

Est-ce que tu **crois** que la vie à la ferme est plus dure que la vie en ville?
Do you think life on the farm is harder than life in the city?

Oui, je **crois** que la vie à la ferme est plus dure.
I think that life on the farm is harder.

The irregular past participle of **croire** is **cru**.

Nous n'**avons** pas **cru** le reportage.   *We didn't believe the report.*

12 Un sondage sur les problèmes de la société

Les personnes suivantes ont répondu à un sondage. Dites ce qu'elles croient en faisant des comparaisons.

	(1, 2) le plus important		(3, 4) le moins important	
	L'éducation (f.)	Le crime	La pollution	L'économie (f.)
moi	2	3	4	1
toi	3	2	1	4
Raoul	1	3	2	4
Nathalie	4	1	3	2
Mohamed	2	3	3	1

MODÈLE   je/la pollution/l'éducation
Je crois que la pollution est moins importante que l'éducation.

1. je/l'économie/le crime
2. Raoul/l'éducation/l'économie
3. Mohamed et moi, nous/la pollution/ l'économie
4. Nathalie/l'éducation/le crime
5. Raoul et toi, vous/l'économie/la pollution
6. Mohamed/le crime/la pollution
7. tu/l'économie/la pollution
8. Nathalie et Mohamed/la pollution/ l'économie

Communiquez!

13 Les cours

> Mes parents et moi, nous croyons que l'informatique est un cours intéressant.

Interpersonal Communication

À tour de rôle, demandez à votre partenaire ce qu'il ou elle croit de chaque cours. Choisissez un adjectif de la liste.

intéressant   difficile   facile   passionnant   ennuyeux (*boring*)

MODÈLE   l'allemand
A: Je crois que l'allemand est un cours difficile. Et toi?
B: Je crois que l'allemand est un cours intéressant.

1. l'histoire américaine
2. l'anglais
3. l'espagnol
4. la chimie
5. la physique
6. la biologie
7. les maths
8. l'EPS

À vous la parole

Communiquez!

14 Une visite à la ferme

Presentational Communication

You are on a school trip to France and are staying with a host family. Today you visited a working farm and helped that family do chores. Tell your host parents about your experience by answering the questions that follow.

1. Comment s'appellaient le fermier et sa femme?
2. Avaient-ils des enfants? Quel âge avaient-ils?
3. Quels animaux est-ce qu'il y avait à la ferme?
4. Où était chaque animal?
5. Comment est-ce que vous avez aidé la famille?

Communiquez!

15 Des comparaisons

Presentational Communication

Writers often compare humans to animals, giving them their characteristics. Comparisons like these usually use the word **comme** (*like, as*) in French and are called similes. Write five similes, comparing people to five different animals; for example, **Antoine est rusé comme un renard.** (*Antoine is sly as a fox.*) You may need to look up some words in a French-English dictionary.

Communiquez!

16 Une maison de ferme

Interpretive/Presentational Communication

Find a photo of a French farmhouse, then describe it to your class or small group. Include information in your description that answers the questions that follow.

1. La maison est dans quelle région de France?
2. La maison est près de quel village ou de quelle ville?
3. Comment est la maison?
4. Il y a combien d'étages? de chambres?
5. Est-ce qu'il y a une piscine? des champs? des animaux?

C'est une petite ferme typique.

Prononciation 🎧

Unpronounced /ə/

- In standard French, the /ə/ is often unpronounced when it falls between two consonants.

A Le matin

*Repeat the first sentence after the speaker. Then restate it using the pronoun **on**. Pay attention to the dropped /ə/. Listen to the model.*

> **MODÈLE** **Je me réveille difficilement. On se réveille difficilement.**

1. Je me lève rapidement.   On....
2. Je me brosse les dents énergiquement.   On....
3. Je me prépare soigneusement.   On....
4. Je me dépêche tout le temps (*all the time*)!   On....

Standard, Familiar, and Relaxed Styles of Speech

- You should use standard French with your teachers and other adults. However, you may wish to use more familiar speech with people your age, and a relaxed style when you talk to a friend.

B Styles standard, familier, et relâché

Repeat the following sentences, paying attention to the different styles of speech.

Style standard	Style familier	Style relâché
1. Je ne trouve pas de peigne!	Je ne trouve pas de peigne!	Je ne trouve pas de peigne!
2. Je ne vois pas de glace!	Je ne vois pas de glace!	Je ne vois pas de glace!
3. Je ne sais pas.	Je ne sais pas.	Je ne sais pas.
4. Je ne comprends pas.	Je ne comprends pas.	Je ne comprends pas.

C Style standard, familier, ou relâché?

*Write **S** if you hear the standard style, **F** if you hear the familiar style, and **R** if you hear the relaxed style.*

Pronounced /ə/

- The /ə/ in **le** is usually pronounced.

D Tes activités
*Repeat the following questions, being sure to pronounce the /ə/ in **le**.*

1. Tu préfères le sport ou la musique?
2. Tu regardes le film ou la vidéo?
3. Tu sors le weekend ou la semaine?
4. Tu vas prendre le bus ou la voiture?
5. Tu visites le musée ou la cathédrale?

Leçon B

Vocabulaire actif

emcl.com
WB 18–20
LA 1
Games

Les professions et les métiers d'autrefois

Pour la conversation

Ow do I describe past events?

> **Montmartre était un village quand la ville de Paris l'a annexé en 1860.**

Montmartre was a village when the city of Paris annexed it in 1860.

> **D'habitude,** Toulouse-Lautrec fréquentait les music-halls le soir.

Usually, Toulouse-Lautrec frequented music halls in the evening.

Et si je voulais dire...?

un agriculteur/une agricultrice	*farmer*
le barbier	*barber*
l'éleveur/l'éleveuse	*breeder*
un glaneur/une glaneuse	*crop gatherer*
le maçon	*builder*
cultiver	*to grow/farm*
enseigner	*to teach*

1   Le bon vieux temps

*D'abord, lisez l'histoire des Desjardins. Ensuite, dites si chaque phrase est vraie (**V**) ou fausse (**F**). Corrigez les phrases qui sont fausses.*

Mme Desjardins habitait à Montmartre pendant les années 1880. Son mari travaillait pour le maire. Quand ses enfants étaient à l'école, elle faisait les courses. Elle achetait du sucre et des pots de confiture de l'épicier. Elle achetait des baguettes de la boulangère. Elle achetait du jambon du charcutier. Le tailleur faisait ses robes. Le weekend, d'habitude, les Desjardins allaient au Moulin Rouge pour écouter les chansonniers et regarder les danseurs.

1. M. Desjardins travaillait pour le tailleur.
2. Quand ses enfants étaient avec l'institutrice, Mme Desjardins faisait les courses.
3. Elle achetait de la confiture au marché.
4. Elle achetait des saucisses du boucher.
5. Au Moulin Rouge les Desjardins regardaient l'artiste Toulouse-Lautrec.

2 Les métiers du village

Identifiez les professions selon le modèle.

MODÈLE  **Je crois que c'est un charcutier.**

1.  2.

3.  4.  5.  6.

3 Les métiers d'autrefois

Écrivez les numéros 1–8 sur votre papier. Choisissez la lettre de l'illustration qui correspond à chaque description que vous entendez.

A.

B.

C.

D.  E.  F.

G.

H.

Rencontres culturelles

Montmartre et Toulouse-Lautrec

Nicolas parle à son ami québécois, Robert, dont le père travaille à Paris cette année.

Robert: Toute la légende de Montmartre est sur ses affiches: le Moulin Rouge, le Moulin de la Galette....

Nicolas: Mais Toulouse-Lautrec, il habitait à Montmartre?

Robert: Oui, bien sûr. Il a habité Montmartre pendant dix ans. D'habitude, il fréquentait les music-halls le soir.

Nicolas: Tu en sais des choses! Tu es québécois, et tu connais mieux son histoire que moi! Alors, la chanteuse, la Goulue, la danseuse Jane Avril, le chansonnier Aristide Bruant, ils étaient ses amis.

Robert: Montmartre était un village: tout le monde se connaissait.

Nicolas: Ce n'était pas un village, c'était dans Paris.

Robert: Montmartre était un village quand la ville de Paris l'a annexé en 1860; et Montmartre ressemble toujours à un village.

Nicolas: Comme dans *Amélie** ou dans *Un Américain à Paris*.

Robert: Presque... la boulangère, le charcutier, le boucher sont toujours là; mais l'épicier et le tailleur ont disparu.

Nicolas: Heureusement, il y a les expositions et les films!

*Le vrai nom du film est *Le fabuleux destin d'Amélie Poulain*.

---

4 Montmartre et Toulouse-Lautrec

Dites si la phrase décrit le Montmartre d'autrefois ou d'aujourd'hui.

1. On tourne (*films*) le film *Amélie*.
2. Montmartre est un village.
3. Il y a des tailleurs.

4. Toulouse-Lautrec fréquente les cabarets.
5. Paris annexe Montmartre.
6. Il y a des expositions de Toulouse-Lautrec.

Extension **Montmartre hier et aujourd'hui**

Arnaud et Alice sont dans la brasserie Aux Deux Moulins à Montmartre.

Arnaud: Ah! Maintenant je reconnais... je ne savais pas qu'*Amélie* avait été tourné là.

Alice: Si, le metteur en scène Jeunet habite dans le quartier... c'est un grand nostalgique.

Arnaud: Toulouse-Lautrec, Picasso, les cabarets, les photographes, le cinéma, Montmartre a tellement fait rêver....

Alice: N'oublie pas le Sacré-Cœur!

Arnaud: Mais tout ça c'est quand même du passé! Regarde la place du Tertre, c'est une horreur! Et où sont passés les petits commerces, la vie de quartier? Il n'y a plus rien.

Alice: C'est comme partout, les bistrots sans histoire, les hôtels pour touristes, les boutiques de fringues, et les horreurs en souvenirs!

Extension Comparez le Montmartre d'autrefois et d'aujourd'hui.

Montmartre

Le quartier de Montmartre est dominé par la basilique du Sacré-Cœur. Et c'est le quartier le plus haut de Paris. Avec ses rues en pente*, ses escaliers, ses moulins* (le Moulin de la Galette et le Moulin Rouge), il a souvent été peint, décrit, photographié, ou filmé (*Amélie*). Au début du XXème siècle il a été le lieu préféré des artistes (les écrivains Verlaine et Apollinaire) et surtout des peintres (Renoir et Picasso).

Aujourd'hui le village qui garde son vignoble* et son funiculaire,* mélange un côté multiculturel et un côté bourgeois-bohême. Il reste aussi un quartier aimé par les artistes et les touristes. On y trouve beaucoup de boutiques de souvenirs, boutiques ethniques, bars, sandwicheries, et restaurants.

Le funiculaire de Montmartre

 Search words: le sacré-cœur, le funiculaire de montmartre, montmartre, photos de montmartre, le fabuleux destin d'amélie poulain en streaming

---

en pente *sloping*; **moulins** *windmills*; **vignoble** *vineyard*; **funiculaire** *cable car transport*

COMPARAISONS

On filme surtout quelles villes et quels endroits de ces villes dans les films américains?

Toulouse-Lautrec

Toulouse-Lautrec (1864–1901) est un peintre très connu pour ses tableaux et ses affiches qui évoquent le monde de la nuit (cafés-concerts, théâtres, bals) et du spectacle. Peintre post-impressionniste, son nom est lié* à Montmartre, au Moulin Rouge, aux cabarets, à la vie de bohême.* Parmi* les personnes célèbres qu'il a représentées sont les chanteuses Jane Avril et Yvette Guilbert; la danseuse créatrice du "cancan," la Goulue; le poète et chansonnier Aristide Bruant. Ses tableaux, comme ses affiches, révèlent son art du geste et de l'expression. On retrouve cet art aussi dans des tableaux comme *Bal au Moulin Rouge*, *Salon rue des Moulins* ou encore *La Goulue arrivant au Moulin Rouge* mais aussi dans *La Blanchisseuse* ou *La Femme à sa toilette*.

Toulouse-Lautrec a réalisé cette affiche pour le Moulin Rouge.

 Search words: toulouse-lautrec, musée d'orsay (collections: recherche simple)

---

lié(e) *linked*; **bohême** *bohemian*; **parmi** *among*

Produits

L'art de **l'affiche** est né en France. À l'époque de Toulouse-Lautrec, on a collé (*plastered*) l'affiche au mur pour faire de la publicité pour les music-halls, théâtres, etc.

Search words: encyclopédie larousse: "affiche"

COMPARAISONS

Qu'est-ce que les affiches de concert américaines ont en commun avec les affiches de Toulouse-Lautrec?

5 Questions culturelles

Faites les activités suivantes.

1. Prenez un plan du quartier de Montmartre et trouvez ces lieux:
   • le Sacré-Cœur
   • le Moulin Rouge
   • le funiculaire
   • la place du Tertre
2. Cherchez sur Internet qui était Jane Avril, la Goulue, Yvette Guilbert, Aristide Bruant. Ensuite, trouvez une affiche de Toulouse-Lautrec de chacun.
3. Choisissez un tableau ou une affiche de Toulouse-Lautrec et présentez-le à la classe. Décrivez-le et dites pourquoi vous l'aimez ou vous ne l'aimez pas.

À discuter

Votre ville ou région est connue pour quelle époque historique ou artistique?

Une vue pittoresque de Montmartre.

Du côté des médias

emcl.com
WB 23

Lisez les informations sur le musée Toulouse-Lautrec à Albi.

ALBI LES VISITES GUIDEES	CATHÉDRALE SAINTE-CÉCILE	MUSÉE TOULOUSE-LAUTREC	VIEIL ALBI
	Les visites guidées	Les tarifs	Contact	Liens

LE MUSÉE TOULOUSE-LAUTREC

Le musée Toulouse-Lautrec est situé dans le palais de la Berbie, ancienne demeure des évêques d'Albi. La collection qu'il présente est la plus importante consacrée au peintre Henri de Toulouse-Lautrec.

Le caractère atypique de Lautrec rend la visite du musée passionnante. Les œuvres exposées permettent de suivre l'évolution du style de Toulouse-Lautrec, les événements qui ont jalonné sa vie, les milieux qu'il a fréquentés (les théâtres, les maisons closes)….

Parmi les œuvres présentées, les affiches sont les plus connues; les deux "vedettes" sont la danseuse la Goulue (Bal au Moulin Rouge) et le chansonnier Aristide Bruant. Reproduites à des centaines d'exemplaires, elles ont fait la réputation de Lautrec à partir de 1891.

Bon nombre de personnages nous accompagneront dans la visite: la mère d'Henri, la comtesse Adèle, son cousin Gabriel, l'ami d'enfance Maurice Joyant, Mireille du salon de la rue des Moulins, Yvette Guilbert, Jane Avril, Suzanne Valadon….

---

6 | Le musée Toulouse-Lautrec à Albi

Répondez aux questions.

1. Des images sur cette page web, combien sont des affiches?
2. Elles montrent quels personnages du vieux Montmartre?
3. Qu'est-ce que Toulouse-Lautrec aimait peindre à part des cabarets?
4. Qu'est-ce qu'on apprend de lui en visitant le musée?

Il y a + Time Expressions

To say how long ago something happened, use:

il y a + a time expression

Il y a deux semaines,
où était Martin?

Maman a nourri les animaux **il y a** deux heures.　*Mom fed the animals two hours ago.*

Il y a une heure, nous faisions le ménage.　*An hour ago we were doing housework.*

7　L'agenda d'Abdoulaye

C'est dimanche. Il y a combien de jours qu'Abdoulaye a fait les activités suivantes?

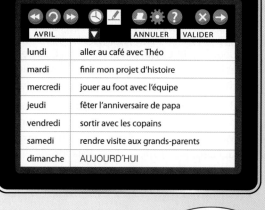

MODÈLE	Abdoulaye a fêté l'anniversaire de son père.

Abdoulaye a fêté l'anniversaire de son père il y a trois jours.

AVRIL ▼	ANNULER VALIDER
lundi	aller au café avec Théo
mardi	finir mon projet d'histoire
mercredi	jouer au foot avec l'équipe
jeudi	fêter l'anniversaire de papa
vendredi	sortir avec les copains
samedi	rendre visite aux grands-parents
dimanche	AUJOURD'HUI

1. Abdoulaye a joué au foot avec l'équipe.
2. Il est allé au café avec Théo.
3. Il est sorti avec ses copains.
4. Il a fini son projet d'histoire.
5. Il a rendu visite à ses grands-parents.

Communiquez!

8　Tu te souviens…?

Interpersonal Communication

*À tour de rôle, utilisez **il y a** et les informations données pour poser des questions à votre partenaire.*

T'écoutais la world il y a un an?

Bien sûr, j'écoutais Angélique Kidjo.

MODÈLE	où habiter/10 ans

A: **Où habitais-tu il y a dix ans?**
B: **J'habitais à Boston. Et toi, où habitais-tu il y a dix ans?**
A: **J'habitais à Santa Fe.**

1. quel sport/faire/4 ans
2. où/être/5 ans
3. à quelle école/aller/6 ans
4. quelle musique/aimer/2 ans
5. avec quels amis/sortir/un an
6. quel genre de film/voir/3 ans

The Imperfect and the *passé composé*

emcl.com
WB 26–29
Games

Although the imperfect and the **passé composé** are both past tense verb forms, they are not interchangeable. Each one gives different kinds of information and has specific uses, depending on the type of event being described.

Imperfect	Passé Composé
• "How were things?"	• "What happened?"
• repeated actions	• completed actions
• background information	• events that took place only once
• description of conditions or circumstances	• description of specific events at a certain time

Quand Heather était à Paris, qu'est-ce qu'elle a acheté?

Toulouse-Lautrec **était** un artiste français.	*Toulouse-Lautrec was a French artist.*
Il **est venu** à Montmartre.	*He came to Montmartre.*

The imperfect and the **passé composé** are sometimes used in the same sentence. This can occur when something going on in the past is "interrupted" by another action. You use the imperfect to describe the ongoing action or condition and the **passé composé** to describe the completed action that "interrupts" it.

(how things were)   (what happened)

Quand j'**étais** à Montmartre, **j'ai vu** le Moulin Rouge.	*When I was in Montmartre, I saw the Moulin Rouge.*
Je **prenais** une photo du Sacré-Cœur quand il **a commencé** à pleuvoir.	*I was taking a photo of Sacré-Cœur when it began to rain.*

Non-action verbs that describe a mental activity or state are generally in the imperfect in the past. These include: **adorer**, **aimer**, **avoir**, **croire**, **être**, **pouvoir**, **préférer**, and **vouloir**.

Marc **voulait** être danseur.	*Mark wanted to be a dancer.*

When telling a story, you use the imperfect to give background information and to describe conditions or circumstances in the past. The imperfect answers the question "What were things like?" You use the **passé composé** to talk about completed actions or events in the past. The **passé composé** answers the question "What happened?"

Montmartre **était** un village, mais en 1860 il **est devenu** un arrondissement de Paris.
Montmartre was a village, but in 1860 it became a district of Paris. Beaucoup d'artistes **habitaient** dans cet arrondissement. Un de ces artistes **s'appelait** Toulouse-Lautrec. Il **a dessiné** plusieurs affiches et tableaux célèbres.
Many artists lived in this district. The name of one of these artists was Toulouse-Lautrec. He drew several posters and famous paintings.

Notice that in the preceding paragraph, verbs in the imperfect (**être**, **habiter**, **s'appeler**) describe states of being or continuous actions in the past while the verbs in the **passé composé** (**devenir**, **dessiner**) indicate completed actions or one-time events.

COMPARAISONS

In the following paragraph decide which verbs would take the imperfect in French, and which would take the **passé composé**.

When I **was** in Paris, I **went** to Montmartre. I **visited** the Sacré-Cœur and **took** a photo of the place du Tertre where the artists **were painting** and **selling** their paintings. I **bought** a painting of the neighborhood at night.

9 Il a commencé à pleuvoir!

Dites ce que les résidents de Paris faisaient quand il a commencé à pleuvoir.

MODÈLE   M. André
M. André faisait du footing quand il a commencé à pleuvoir.

M. André

1. M. et Mme Nicolas

2. Monique

3. ta famille et toi, vous

4. je

5. toi et moi, nous

6. les enfants

Imparfait: was, were painting, were selling; **Passé composé:** went, visited, took, bought

10 Les copains d'abord: L'année dernière

Complétez les phrases avec l'imparfait et/ou le passé composé pour se souvenir des activités d'Antoine, Florence, Marie-Alix, et Mathéo.

MODÈLE Quand Antoine et Florence (prendre) le bus, ils (remarquer) Marie-Alix.
Quand Antoine et Florence prenaient le bus, ils ont remarqué Marie-Alix.

1. Quand Marie-Alix (inviter) Antoine au café, Florence (ne... pas être) d'accord.
2. Les copains (manger) à la cantine quand Antoine (déclarer) son amour pour Florence.
3. Mathéo et Florence (faire) du shopping quand Antoine (inviter) Marie-Alix au cinéma.
4. Les filles (nager) quand Mathéo (essayer) d'aider Antoine avec ses problèmes.
5. Quand Mathéo (acheter) un jean pour Florence, les copains (être) au marché aux puces.
6. Quand Marie-Alix et Antoine (aller) chez Mathéo, Antoine (être) anxieux.
7. Quand Florence (être) stressée, Antoine et Marie-Alix (donner) des pâtisseries à Florence.
8. Quand les copains (vouloir) se déplacer, ils (choisir) des vélos de Vélib'.
9. Quand les copains (avoir) envie de voyager, ils (partir) en vacances.

11 La routine de Fatimah

*Écrivez les numéros 1–8 sur votre papier. Écrivez **PC** si la phrase est au passé composé ou **IMP** si elle est à l'imparfait.*

12 Biographie de Toulouse-Lautrec

Mettez les verbes entre parenthèses à l'imparfait ou au passé composé pour compléter la biographie suivante.

L'artiste Toulouse-Lautrec (passer) son enfance à Albi, dans le sud de la France. Il (venir) d'une vieille famille aristocratique. À l'âge de 14 ans, il (avoir) un accident de cheval. Il (perdre) de sa taille (*size*) et il (rester) petit pour le reste de sa vie. En 1881, il (réussir) à son bac et il (partir) pour Paris. Il (habiter) à Montmartre. Il (suivre) des cours à l'École des Beaux-Arts. En 1884, il (aller) en Espagne parce qu'il (aimer) les tableaux d'El Greco et Diego Velazquez. Toulouse-Lautrec et ses amis (passer) des heures au Moulin-Rouge et à d'autres music-halls. En 1893, il (dessiner) *Aristide Bruant dans son Cabaret*, un exemple de ses affiches.

Communiquez!

?

How does the past shape us?

13 Un album de Montmartre

Interpretive/Presentational Communication

Find six photos of Montmartre to create an album and write a caption for each one. Or pretend you visited each location on a recent trip to Paris and tell what you saw and did at each place.

Les affiches de Toulouse-Lautrec sont très connues.

Communiquez!

14 Montmartre au 19ème siècle

Interpretive/Presentational Communication

Find a poster, painting, or lithograph by Toulouse-Lautrec of a place in Montmartre. Describe the setting and what the people are doing in the work. Or, find a poster of a famous person like Aristide Bruant, Jane Avril, or la Goulue—acquaintances of Toulouse-Lautrec—and write a short biography of him or her. Display the artwork alongside the text you wrote in your classroom.

Communiquez!

15 Pariscope

Interpretive/Presentational Communication

Pariscope is an entertainment magazine that contains information about movies and where they are showing in Paris. Create an ad about *Amélie* for the magazine that includes:

1. the real French name of the movie
2. the year it was released
3. the length of the film, for example, **2h15**
4. the genre (**comédie**, **drame**, etc.)
5. a description of the setting and plot

6. if the movie is showing in Paris, the names of a few theaters showing the movie, and the **arrondissement** where each is located, (for example, **15ème**)

 Search words: première, amélie, allociné, journaux pariscope

Stratégie communicative

Writing an Oral History

An oral history is a story about historical or biographical events based on live interviews or recordings. You will be interviewing a grand-parent or an older adult to write an oral history in French.

Interview

A. Choose a time period or event in the person's life, such as childhood; his or her college years; an important event in his or her life, such as getting married or having children; or accomplishments at work.

B. Write a list of simple open-ended questions in English (not questions that can be answered with a yes or no).

C. Interview your subject in person or over the phone. Take notes of his or her responses. Ask follow-up questions when you can to learn more detail.

D. Write a synopsis of the person's oral history by following the steps below.

Writing Your Draft

In your oral history....

- write an introduction that answers the questions: **Comment s'appelle la personne? Quel âge a-t-elle? Il/Elle a parlé de quelle partie de sa vie? Quand est-ce que l'histoire a eu lieu?**
- put the events in chronological order using these questions to help you: **Quand est-ce que l'histoire a commencé? Et après? Comment est-ce que l'histoire a termine?**
- use quotes from the person: **Qu'est-ce qu'il ou elle a dit d'intéressant?**
- find a moral in the story or describe what it proves about the person using one of these sentence starters: **La morale c'est.... Cette histoire montre que [mon grand-parent] est....**

Tip

If you don't know how to say something, try to circumlocute, as in these examples:

He lived in a rural part of Alabama.	Il habitait à la campagne dans l'Alabama.
At that time, women weren't in the police force.	Les femmes ne travaillaient pas dans la police autrefois.
The moral is that hard work pays off.	La morale est: on réussit quand on travaille beaucoup.

Editing Your Draft

Proofread for spelling, grammar, and vocabulary errors, or ask a classmate to do it for you.

Ask yourself:

- Did I use structures and vocabulary I know?
- Did I use the **passé composé** and imperfect tenses correctly?
- Did I add dates (**en 1985**) and transitions (**d'abord, ensuite, enfin**) to anchor the events?

Vocabulaire actif

emcl.com
WB 30–34
LA 1
Games

La vie de l'étudiant(e)

s'inscrire

Talia s'inscrit à l'université.

l'université (f.)

Elle va à l'Université de Lyon 2.

un étudiant, une étudiante

Talia est étudiante.

une faculté

Elle étudie à la faculté des lettres.

se spécialiser

Elle se spécialise en lettres modernes.

la cité universitaire

Elle habite à la cité universitaire.

le resto-U

Elle mange au resto-U.

Pour la conversation

How do I make a suggestion?

> **Si on regardait** ton album de photos?

How about looking at your photo album?

Et si je voulais dire...?

un(e) candidat(e)	*candidate*
une classe préparatoire	*preparatory class for an elite university*
une grande école	*an elite university*
un IUT	*institute of technology*
assister à un cours magistral	*to attend a lecture*
être reçu(e) à	*to pass an exam*
se présenter à un concours	*to take a competitive exam*

1 La vie universitaire

Complétez le paragraphe avec les mots de la liste.

cité universitaire   étudiants   se spécialiser   s'inscrire   faculté   université

Avant de commencer les études après le bac, les... doivent... dans une.... On peut... en lettres, par exemple. Quand on étudie à l'..., il est possible d'habiter près de la fac dans la....

2 Les spécialisations

Dites quel prof dans votre lycée s'est spécialisé(e) dans chaque matière suivante.

MODÈLE   français
Mme Anderson s'est spécialisée en français.

1. maths
2. histoire
3. espagnol
4. chimie
5. biologie
6. anglais
7. arts plastiques

M. Renaud s'est spécialisé en chimie.

Communiquez!

3 Je vais à l'université.

Interpersonal Communication

Imaginez que nous sommes cinq années dans l'avenir et que vous allez à l'université. Interviewez dix élèves à propos de leurs choix à l'université et complétez une grille comme celle de dessous avec leurs réponses. Présentez les résultats à la classe.

Nom	Nom de l'université	Spécialisation	Logement
1. Tiffany	Stanford	physique	la cité universitaire
2. Justin	University of Wisconsin	arts plastiques	un appartement

MODÈLE   Brittany: **Tu t'es inscrite à quelle université?**
Tiffany: **Je me suis inscrite à Stanford.**
Brittany: **En quoi te spécialises-tu?**
Tiffany: **Je me spécialise en physique.**
Brittany: **Où habites-tu?**
Tiffany: **J'habite à la cité universitaire.**

4 Des suggestions

Quelle suggestion est-ce qu'on a fait aux personnes suivantes? Choisissez la suggestion qui correspond à chaque situation.

1. Mélanie prend un coca, et Suzanne prend une omelette.
2. M. et Mme Dupont font la vaisselle.
3. Médor et Fifi mangent.
4. Audrey et Julie veulent porter de nouvelles robes.
5. Brian et Mark sont à Cambridge, dans le Massachusetts.

A. Si on nourrissait les animaux?
B. Si on visitait Harvard?
C. Si on parlait au tailleur?
D. Si on nettoyait la cuisine?
E. Si on allait au café?

5 Quel métier?

*Xavier et Adrien parlent de leurs projets d'avenir. Écoutez leur conversation deux fois. Ensuite, écrivez **V** si la phrase est vraie ou **F** si elle est fausse.*

1. Adrien s'est déjà inscrit à la fac.
2. Xavier s'est inscrit en fac de lettres.
3. Adrien et Xavier veut être avocats.
4. Adrien pense que le métier de peintre va être difficile.
5. Le grand-père d'Adrien était boulanger.
6. Les grands-parents de Xavier étaient fermiers.

> Je vais m'inscrire à l'Université Paul-Cézanne.

6 Questions personnelles

Répondez aux questions.

1. Veux-tu continuer les études après le lycée? Pourquoi, ou pourquoi pas?
2. En quoi voudrais-tu te spécialiser?
3. Tu as un frère, une sœur, ou un cousin qui va à l'université maintenant? Cette personne s'est inscrite à quelle université?
4. Où est-ce que cette personne habite?
5. Est-ce que cette personne prend ses repas au resto-U?

Rencontres culturelles

L'album de photos

Manon parle à sa grand-mère de son expérience à la Sorbonne.

Manon: Qu'est-ce que je pourrais raconter de neuf sur le sujet?

Grand-mère: Et, c'est quoi ton sujet?

Manon: Les années 1960. Je dois parler des jeunes de 1968... toujours pareil. Et si on regardait ton album de photos de ces années-là?

(La grand-mère de Manon ouvre son album de photos et lui montre une photo.)

Grand-mère: Voilà! J'étais étudiante. Je suis entrée à l'Université cette année-là.

Manon: Quel drôle de pantalon! Et ces lunettes! Tu faisais quoi?

Grand-mère: Je me suis inscrite en lettres.... J'étais en première année d'études, mais je pensais surtout à sortir avec Alain. On habitait à la cité universitaire.

Manon: Ah oui, je vois... et à nous, on nous dit de penser d'abord aux études.

Grand-mère: Nous, on pensait d'abord à l'amour et... à la révolution! À cette époque-là, le travail ne manquait pas.

Manon: Tu l'as fait, la révolution?

Grand-mère: On a occupé la fac et on allait aux manifs. Tu vois là sur cette photo, c'est moi. Et là, c'est Alain, ton grand-père.

Manon: C'est toi?! Et après, qu'est-ce que vous avez fait comme révolution?

Grand-mère: En septembre nous nous sommes mariés... et voilà, j'attendais ta mère!

Manon: Eh bien voilà, j'ai trouvé mon sujet: c'est toi, grand-mère!

7 L'album de photos

Complétez les phrases.

1. Manon doit faire un projet sur les années....
2. Sa grand-mère montre des... de son album à Manon.
3. En 1968 la grand-mère habitait à la....
4. Elle pensait d'abord à l'amour et à la....
5. En 1968 les étudiants de la Sorbonne ont... la fac et allaient aux....
6. En septembre 1968, la grand-mère... avec Alain, le grand-père de Manon.

Bernard rencontre Claude, un vieil ami, à Lyon. Bernard n'a pas vu
son ami depuis le début des années 1970.

Bernard: Claude, ça fait longtemps....
Claude: C'est incroyable! Ce sont les places qu'on occupait quand on était étudiant!
Bernard: Oui, Sophie et moi, on est parti comme coopérant en Algérie... pas pour faire fortune!
Claude: Non... pour aider la révolution algérienne.
Bernard: On a enseigné pendant deux ans et on en est revenu... et on a continué à croire à 1968,
          à la révolution, aux idéaux....
Claude: Et maintenant les révolutionnaires sont des responsables! Et toi, tu fais quoi?
Bernard: Je suis juge.
Claude: Et moi, je suis PDG.

Extension   Comment les vies de Bernard et
Claude ont-elles changé depuis
les années 1970?

La salle de lecture de la bibliothèque municipale de Lyon est
moderne.

Question centrale

?

How does the past shape us?

Les manifestations

La manifestation en France est un rituel. L'affrontement* est le mode principal de relation et d'expression. D'abord on manifeste, ensuite on négocie. C'est par une manifestation que le 6 octobre 1789, le peuple de Paris est venu à Versailles et a ramené* le roi Louis XVI à Paris. D'autres grandes manifestations dans l'histoire de la France sont celles:*

- de 1936 pour obtenir les congés payés,* la semaine de 40 heures, et les assurances sociales;*
- de 1958 en Algérie qui ramènent le Général de Gaulle au pouvoir;
- les manifestations étudiantes de mai 1968;
- de 1984 et 1994 sur l'école et la défense de l'école privée puis de l'école publique;
- de 1995 contre la réforme du système de protection sociale; et
- de 2010 contre la réforme des retraites.*

---

affrontement confrontation; **a ramené** brought back; **celles** those; **congés payés** paid vacation; **assurances sociales** equivalent to Social Security; **retraites** retirement

À Nantes, des étudiants protestent contre des mesures du gouvernement.

Produits

L'époque de révolte des années 1960 était accompagnée de **chansons révolutionnaires**, par exemple, "Chacun de vous est concerné" de Dominique Grange.

COMPARAISONS

Qu'est-ce qui s'est passé dans les universités américaines pendant les années 1960?

Mai 1968

En mai 1968, les étudiants en France commencent un mouvement qui devient révolutionnaire. Très vite les ouvriers* se montrent solidaires. Ils font une grève* de cinq semaines. Le pays est paralysé et le pouvoir* politique du président est déstabilisé.

Le 13 mai, les étudiants et les ouvriers font une immense manifestation. Les étudiants occupent la Sorbonne. Les ouvriers occupent les usines*. Il n'y a plus d'essence*. Le président s'en va. Il y a une contre-manifestation. Le président revient.

Le président de Gaulle a quitté le pouvoir peu après les manifestations de 1968.

Enfin, la stabilité revient aussi. Aujourd'hui, la génération de 1968 continue à jouer un rôle important dans la politique, l'économie, et les activités culturelles et sociales de la France.

 Search words: encyclopédie larousse: mai 1968, affiches mai 1968

---

ouvriers *workers*; **font une grève** *go on strike*; **pouvoir** *power*; **usines** *factories*; **essence** *gas*

Vincennes, université libre vis-à-vis de la Sorbonne

Un centre universitaire expérimental est né en mai 1968—l'Université libre et autonome de Vincennes. C'est le contre modèle de la Sorbonne dans le Quartier latin qui représente le conservatisme universitaire. Vincennes invente un nouveau rapport entre l'université et le monde extérieur. C'est une université ouverte aux non-bacheliers* et aux travailleurs grâce à* de nombreux cours le soir. Les étrangers* pouvaient aussi y aller. Aujourd'hui, le centre expérimental de

Aujourd'hui, les arts sont reconnus comme essentiels à la vie universitaire.

Vincennes s'appelle l'Université Paris 8. On commence à offrir de nouveaux enseignements:* cinéma, psychanalyse, arts plastiques, théâtre, urbanisme, hypermédia, ou encore intelligence artificielle.

 Search words: paris 8 université de vincennes—saint-denis

---

non-bacheliers *non-high school graduates*; **grâce à** *thanks to*; **étrangers** *foreigners*; **enseignements** *areas of study*

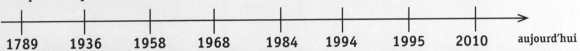

8 **Activités culturelles**

1. *Faites un axe chronologique comme celui de dessous. Écrivez des légendes* (labels) *pour décrire chaque manifestation.*

1789	1936	1958	1968	1984	1994	1995	2010	aujourd'hui

2. Trouvez une photo des étudiants de mai 1968. Décrivez-les ou expliquez ce qu'ils font sur la photo.

 Search words: mai 1968 photos

3. Faites des recherches sur la Sorbonne et l'Université de Vincennes. Ensuite, complétez une grille comme celle de dessous pour comparer les deux universités.

	Sorbonne	Vincennes
1. Arrondissement(s) de Paris		
2. Fondée en....		
3. Enseignements		

Perspectives

En 1968, la chanteuse française Dominique Grange a chanté "Même si le mois de mai/Ne vous a guère touché.../Chacun de vous est concerné (*affected*)." Selon la chanson, qui est-ce que la révolution a touché?

La Sorbonne, Paris, France.

Du côté des médias

Lisez les informations sur une balade dans le Quartier latin

Balade à Paris, Quartier latin

Cette balade vous emmènera au Quartier latin, un des quartiers historiques de Paris. Le Quartier latin s'étend de la Sorbonne au Panthéon, des bords de Seine au jardin du Luxembourg.

Pont Saint Michel

Description des points principaux de la balade. (Voir le plan)

(A) - Accès par le métro ou le R.E.R. Station Saint Michel.
(1) - La fontaine Saint Michel fut construite sur la demande du baron Haussmann, afin d'habiller un mur inélégant en face du pont St Michel.
(2) - Le Palais du Luxembourg est aujourd'hui le siège du sénat.
(3) - Le jardin du Luxembourg offre de grandes allées favorisant la promenad et la flânerie.
(4) - Le Panthéon a évolué d'une église catholique vers un temple républicain
(5) - Parcourez les petites rues: la rue de la Harpe et ses restaurants, la rue de la Huchette et ses boutiques....
(6) - La cathédrale <u>Notre Dame de Paris</u> est le site le plus visité de France avec 12,500,000 visiteurs par an.

---

9 **Balade à Paris, Quartier Latin**

*Écrivez **oui** si vous allez voir l'endroit ou le monument pendant la promenade. Si non, écrivez **non**.*

1. Notre-Dame
2. la tour Eiffel
3. le jardin du Luxembourg
4. les Champs-Élysées

5. le boulevard Saint-Michel
6. le Panthéon
7. la rue de la Huchette
8. l'arc de Triomphe

La culture sur place

Les manifestations
Introduction et interrogations

Dans cette leçon, en regardant le monde francophone et les États-Unis en particulier, nous allons rechercher et discuter des manifestations récentes. Pourquoi est-ce qu'on manifeste aujourd'hui? Est-ce que l'objectif et la cause des manifestations dans les deux pays sont similaires?

10 Première étape: trouver

Sur l'Internet, allez chercher:

1. un exemple d'une manifestation dans les cinq dernières années dans un pays francophone. Cherchez avec les mots "manifestation" et le nom d'un pays francophone, comme "France," "Tunisie," "Haïti" etc.
2. un exemple d'une manifestation dans les cinq dernières années dans un pays anglophone. Cherchez en anglais avec les mots comme "United States demonstrations."

11 Deuxième étape: décrire

Faites une liste de caractéristiques des deux manifestations en répondant à ces questions.

- Qui a manifesté?
- Pourquoi?
- Contre quoi?
- Où?
- Pour combien de temps?
- Avec quel résultat (*result*)?

12 Troisième étape: contraster

Complétez un diagramme comme celui de droite.

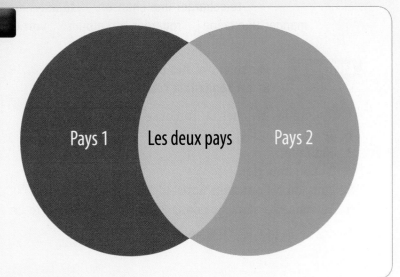

Pays 1   Les deux pays   Pays 2

Si on + Imperfect

To make a suggestion, French speakers often use the expression **Si on....** followed by a verb in the imperfect.

Dis, Jean, si on **étudiait** ensemble? *Say, John, how about studying together?*

To express a wish, French speakers also often use the imperfect.

Ah, si **j'étais** à Paris.... *If only I were in Paris....*

13 Pendant les vacances

Lisez ce que vos amis vous disent et suggérez une activité à faire ensemble.

télécharger une chanson	se détendre à la plage	prendre un taxi
manger une crêpe regarder ton album	voir une comédie	aller à l'exposition

MODÈLE Martine: J'ai des photos de vacances!
Si on regardait ton album?

1. J'adore les affiches de Toulouse-Lautrec!
2. Je suis fatiguée!
3. J'ai faim!
4. Je voudrais rigoler!
5. Youssou N'Dour a un nouvel album!
6. Le concert commence dans 20 minutes. On va être en retard!

Écrivez les numéros 1–6 sur votre papier. Choisissez l'illustration qui correspond à chaque suggestion que vous entendez.

A.

B.

C.

D.

E.

F.

15 **Si j'étais....**

Utilisez un adjectif de la liste pour exprimer un souhait (wish) pour chaque situation.

diligent(e)	célèbre	grand(e)	musical(e)	drôle	artistique

MODÈLE   Vous voulez acheter un nouveau portable, mais vous avez seulement (*only*) cinq euros.
Si j'étais riche!

1. Vous voulez entrer dans une discothèque où il y a des stars ce soir.
2. Vos amis aiment rire, mais vous n'êtes pas amusant(e).
3. Vous voulez dessiner un ensemble chic.
4. Vous ne pouvez pas bien voir les musiciens au concert.
5. Vous n'avez pas fini vos devoirs de maths.
6. Vous ne chantez pas très bien.
7. Et vous, personnellement?

Communiquez!

16 Projets de weekend

Interpersonal Communication

Faites une grille comme celle de dessous. Faites des suggestions à cinq camarades de classe et, dans les espaces blancs, écrivez **oui** *s'ils acceptent ou* **non** *s'ils n'acceptent pas.*

	1	2	3	4	5
1. étudier pour le contrôle de maths					
2. s'inscrire dans un cours de salsa					
3. aller au concert de Natasha St-Pier					
4. organiser une teuf pour samedi soir					
5. visiter l'université					
6. dîner au restaurant algérien					

MODÈLE
A: **Si on étudiait pour le contrôle de maths?**
B: **Désolé(e), je ne peux pas! Je vais au parc d'attractions avec des amis.**
ou
D'accord! C'est une bonne idée!

Present Tense of the Irregular Verb *dire*

emcl.com
WB 40–41
LA 2
Games

The verb **dire** (*to say, to tell*) is irregular.

dire			
je	**dis**	nous	**disons**
tu	**dis**	vous	**dites**
il/elle/on	**dit**	ils/elles	**disent**

Qu'est-ce que vous **dites**? *What are you saying?*
Je **dis** que je vais être en retard. *I'm saying that I'm going to be late.*

The irregular past participle of **dire** is **dit**.

Elle **a dit** qu'elle se marie en juin. *She said that she is getting married in June.*

17 Qu'est-ce que tu dis quand...?

Dites ce qu'on dit dans chaque situation.

bon appétit	mettez le couvert	attention	joyeux Noël
désolé(e)	bonne idée	bon anniversaire	

MODÈLE nous
Nous disons "Joyeux Noël!"

1. Marielle

2. toi, tu

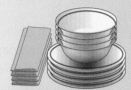

3. vous

4. M. et Mme Girard

5. nous

6. moi, je

18 À l'université

Dites en quoi tout le monde va se spécialiser quand ils vont aller à l'université.

MODÈLE Awa
Awa dit qu'elle va se spécialiser en arts plastiques.

1. toi, tu

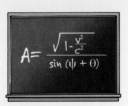

2. Nicole et Djamel

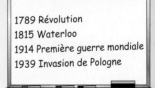

1789 Révolution
1815 Waterloo
1914 Première guerre mondiale
1939 Invasion de Pologne

3. Sandrine

4. Nicolas et Manon

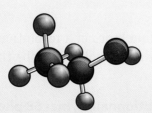

5. moi, je

6. Julien

7. Mehdi

À vous la parole

Communiquez!

How does the past shape us?

19 Je vais à l'université!

Interpersonal Communication

You just received an acceptance letter from your favorite university. Take turns asking your partner:

- which university he or she is going to
- in which department he or she is registering
- what he or she is going to major in
- where he or she is going to live
- where he or she is going to dine

Alors, tu vas te spécialiser en droit?

Oui, en relations internationales.

Communiquez!

20 Pourquoi est-ce que les Français manifestent?

Interpersonal/Presentational Communication

Read online blogs or view videos about recent French demonstrations. What key words and concepts keep coming up on these sites? Make a word cloud with these words and expressions. Give your word cloud a title, such as **Les idées de Jacques: manif 2010**, and post it in your classroom.

 Search words: blog manif 1995 protection sociale, blog manif 2010 retraités

Communiquez!

21 mai 1968

Interpretive/Presentational Communication

Find four or five photos from **mai 1968**. Then find lyrics of a revolutionary song from that time period and use them to write a caption for each photo. Describe the photo and explain the lyrics to a classmate.

 Search words: mai 68 chansons révolutionnaires, mai 68 photos

Lecture thématique

L'enfant et la rivière

Rencontre avec l'auteur

Henri Bosco (1888–1976) venait d'une famille mi-provençale, mi-italienne. Dans ses livres, la nature joue un grand rôle. Elle attire (*attracts*) et fait peur, mais elle révèle aussi l'invisible à l'homme. *L'enfant et la rivière* (1945) parle de la découverte (*discovery*) progressive du monde par un enfant. Au centre de cette découverte est la rivière, frontière entre le monde connu de la ferme et du village et le monde inconnu de la nature. Est-ce que les parents de l'enfant lui ont donné la permission de jouer près de la rivière tout seul?

Stratégie de lecture

Text Organization

Henri Bosco uses the seasons to organize this selection from his novel, *L'enfant et la rivière*. As you read the selection, fill in a chart like the one below with facts about the river in the fall, winter, spring, and summer. One example has been done for you. Then think about the ways in which the river is like a character that interacts with the family.

L'automne	L'hiver	Le printemps	L'été
		D'autres eaux sont venues des Alpes; les champs sont devenus un grand étang.	

Outils de lecture

Fact vs. Opinion

A fact is a statement that can be proven or verified. An opinion is a statement of belief or judgment that may express feelings, preferences, or biases. The author says, "**Là nous vivions en paix.** (*We lived in peace.*)" Is this statement a fact or an opinion? What might happen to challenge this assessment and make the setting less than peaceful?

Pré-lecture

Quand vous étiez petit(e), est-ce qu'on vous a interdit (*forbid*) de faire quelque chose, mais vous l'avez fait quand même? Parlez de ce souvenir.

Quand j'étais tout enfant, nous habitions à la campagne. La maison qui nous abritait* n'était qu'une petite métaierie* isolée au milieu des champs. Là nous vivions* en paix.* (...)

Autour de* nous, on ne voyait que champs, longues haies* de cyprès, petites cultures* et deux ou trois métaieries solitaires.

Ce paysage monotone m'attristait.*

Mais au-delà* coulait* une rivière.

On en parlait souvent, à la veillée,* surtout l'hiver, mais je ne l'avais jamais vue. Elle jouait un grand rôle dans la famille, à cause du bien et du mal qu'elle faisait à nos cultures. Tantôt* elle fertilisait la terre, tantôt elle la pourrissait.* Car c'était, paraît-il, une grande et puissante* rivière. En automne, au moment des pluies, ses eaux montaient.* On les entendait qui grondaient* au loin. Parfois elles passaient par-dessus les digues* de terre et inondaient* nos champs. Puis elles repartaient en laissant de la vase.*

Au printemps, quand les neiges fondaient* dans les Alpes, d'autres eaux apparaissaient.* Les digues craquaient sous leur poids* et de nouveau les prairies à perte de vue* ne formaient qu'un seul étang. Mais en été, sous la chaleur* torride, la rivière s'évaporait. Alors des îlots* de cailloux* et de sable coupaient* le courant et fumaient* au soleil. (...)

Mon père m'avait averti:*

—Amuse-toi, va où tu veux. Ce n'est pas l'espace qui te manque.* Mais je te défends* de courir du côté de la rivière. (...)

Il n'en fallait pas plus* pour me faire rêver de la rivière, nuit et jour.

Pendant la lecture
1. Où habitaient l'enfant et ses parents?

Pendant la lecture
2. Est-il jamais allé voir la rivière?

Pendant la lecture
3. En quelle saison est-ce que la rivière montait?

Pendant la lecture
4. Qu'est-ce que la rivière a fait aux champs?

Pendant la lecture
5. Qu'est-ce que le père a défendu à son enfant de faire?

---

abritait *sheltered*; **métaierie** *ferme*; **vivions** *lived*; **en paix** *in peace*; **Autour de** *Around*; **haies** *hedges*; **cultures** *lands under cultivation*; **m'attristait** *made me sad*; **au-delà** *beyond*; **coulait** *flowed*; **la veillée** *le soir*; **tantôt... tantôt** *sometimes... sometimes*; **pourrissait** *ruined*; **puissante** *powerful*; **montaient** *rose*; **grondaient** *scolded*; **digues** *dams*; **inondaient** *flooded*; **vase** *silt, mud*; **fondaient** *melted*; **apparaissaient** *appeared*; **poids** *weight*; **à perte de vue** *as far as the eye could see*; **chaleur** *heat*; **îlots** *little islands*; **cailloux** *stones*; **coupaient** *cut*; **fumaient** *steamed*; **m'avait averti** *had warned me*; **manque** *lacks*; **défends** *forbid*; **rêver** *to dream*; **Il n'en fallait pas plus** *That's all it took*

Post-lecture

Donnez votre prédiction. Qu'est-ce que l'enfant va faire?

Le monde visuel

Camille Pissarro (1830–1903) a peint *La ferme à Osny* dans un style typiquement impressionniste. Les Impressionnistes s'intéressaient au moment présent. Leur technique consistait à mettre une couleur pure à côté d'une autre pour que de loin, l'œil combine les couleurs pour en faire d'autres. À cause de leur intérêt pour l'atmosphère de leurs tableaux, les Impressionnistes aimaient peindre en plein air (*outdoors*) et pas dans un atelier (*studio*) comme leurs prédécesseurs. Dans ce tableau, qu'est-ce qui semble (*seems*) toucher l'eau, l'herbe, et les maisons?

La ferme à Osny, 1883. Camille Pissarro. Galerie Daniel Malingue, Paris, France.

---

22 | **Activités d'expansion**

Faites les activités suivantes.

1. Écrivez un paragraphe qui décrit la rivière dans chaque saison en utilisant les notes de votre grille.
2. Complétez cette comparaison de la rivière dans la sélection: **La rivière est comme un voisin qui....**
3. Imaginez la première fois que l'enfant va à la rivière. C'est quelle saison? Qu'est-ce qu'il y fait? Est-ce qu'il parle de l'expérience à son père ou est-ce qu'il la garde en secret? Écrivez un paragraphe qui décrit cette expérience.

Projets finaux

A Connexions par Internet: Le cinéma

Watch some scenes of the movie *Amélie* that your teacher selects for you, noting the sites of Montmartre. Make a list of your impressions. Then research online what Montmartre is like today. Write a poem about Montmartre based on your impressions and research that begins **À Montmartre on....** or **À Montmartre il y a....**, followed by a list of verbs or nouns.

B Communautés en ligne

Un test de goût à l'aveugle

In this unit you learned that France exports many food products. Look in your supermarket for a food product from France. Bring it to school for a taste test. Have students put on blindfolds, taste the food, and rate it on a scale of 1 to 10. Share your findings with a French-speaking audience. You may also wish to ask a francophone community you know to organize a taste test using American food products. Then you might discuss how easy or hard it is to get used to food products from another country.

C Passez à l'action!

Un zoo

Imagine that your group is going to start a petting zoo for the children in a French city who have never visited a farm before. Work with your group to plan the zoo, assigning each person one of the following tasks:

1. List the animals you would like to have at the petting zoo.
2. Draw a map of what the petting zoo will look like and where the animals will live. Then label the animals.
3. Write a letter to the mayor explaining the project and asking for his support.
4. Write a form letter to farmers in the area asking them to donate some animals.
5. Make a list of activities for children to do at the zoo. Activities should teach the children about each animal.
6. Make a brochure with text and photos to advertise your petting zoo. Don't forget to include your zoo's name.

D Faisons le point!

Your teacher will give you a chart to fill out that will help you gauge your learning in this unit.

Évaluation

A Évaluation de compréhension auditive

Listen to the conversation between Jean and his grand-father. Then, choose the letter of the phrase that completes the sentence.

1. Jean veut que son grand-père....
   A. lui parle de sa mère
   B. lui parle de son enfance
   C. regarde la télé avec lui

2. ... que le grand-père habite à la ferme.
   A. Il y a très longtemps
   B. Il y a 10 ans
   C. Il n'y a pas longtemps

3. Le père de Jean n'habite plus à la ferme parce qu'il....
   A. travaille en ville
   B. habite très loin de la ferme
   C. n'aime pas les animaux

4. Comme jeune garçon, le grand-père....
   A. allait à l'école et regardait la télé
   B. préparait le petit déjeuner
   C. aidait ses parents et étudiait

5. Le grand-père allait à l'école....
   A. à pied
   B. en bus
   C. à cheval

6. Le grand-père trouvait la vie à la ferme....
   A. sympa
   B. trop dure
   C. sérieuse

7. Le grand-père aimait... autrefois.
   A. se retrouver avec des amis de la campagne
   B. regarder la télé
   C. parler au téléphone avec des amis

8. Dans l'avenir, Jean veut travailler....
   A. à la ferme
   B. à la fac
   C. pour le gouvernement

B Évaluation orale

Role-play a conversation with your partner about what your life was like two years ago. Use expressions such as **tous les matins**, **tous les soirs**, and **d'habitude**. Conclude your conversation with one of you suggesting an activity to do together and setting a time and place to meet.

Tous les dimanches mon père et moi réparions son tracteur.

C Évaluation culturelle

In this activity, you will compare francophone cultures with American culture. You may need to do some additional research on American culture.

1. **La France agricole**
   Research and make a list of agricultural products that French farmers export to the United States and products that American farmers export to France.

2. **Montmartre**

Explain what makes Montmartre special. Comment on how Montmartre has been portrayed in art and film. Do you know of a neighborhood in the United States that has inspired artists and writers? How does it compare with Montmartre?

3. **Toulouse-Lautrec**

Describe how Toulouse-Lautrec's work connects him with a particular time and place. Compare him to an American artist or writer who is associated with a particular location or period of time. What do you like or not like about Toulouse-Lautrec's art?

4. **Les manifestations**

Identify some famous protests in France. Can you identify any past or recent protests in the United States? If so, what were they regarding? What causes would you support by protesting?

5. **Mai 1968**

What important student events took place at this time in both France and the United States? What part of 1960s culture interests you?

D Évaluation écrite

Write a paragraph about your plans for college. Say at what university you plan to register, which department you will go to for your classes, what you will major in, where you will live, and where you will take your meals. If you do not plan to go to college, describe the experience of a college student you know, or someone who has been to college, like one of your teachers.

E Évaluation visuelle

Tell a story about your day in Montmartre, based on the illustration. Use both the imperfect and the **passé composé** in your description. Give the date and say what the weather was like. Say what you saw and did.

F Évaluation compréhensive

Create a storyboard with six frames. In each frame, draw a scene showing rural or city life a century ago. Tell a group of classmates a story about a character who lived in one of these locations and what his or her life was like.

Vocabulaire de l'Unité 4

à: à bicyclette on a bicycle *A*

l' **amour (m.)** love *C*

annexer to annex *B*

attendre to expect (baby) *C*

autrefois formerly, in the past *A*

une **bicyclette** bicycle *A*

bon: le bon vieux temps the good old days *A*

un **boucher, une bouchère** butcher *B*

un **boulanger, une boulangère** baker *B*

un **canard** duck *A*

ce: ce mot-là this (very) word *A*

un **champ** field *A*

un **chansonnier, une chansonnière** cabaret singer *B*

chaque each *A*

un **charcutier, une charcutière** deli owner *B*

une **chèvre** goat *A*

une **chose** thing *B*

la **cité: cité universitaire** university dormitory *C*

un **cochon** pig *A*

connaître to know *A*

se **connaître** to know each other *B*

un **coq** rooster *A*

couturiére dress maker *B*

croire to believe, to think *A*

d'habitude usually *B*

un **danseur, une danseuse** dancer *B*

le **destin** destiny *B*

un **dindon** turkey *A*

dire to say, to tell *C*

disparaître to disappear *B*

dont whose *B*

dur(e) difficult *A*

en: en un sens in a way *A*; **Tu en sais des choses.** You sure know a lot about it. *B*

entrer: entrer à l'université to go to college *C*

un **épicier, une épicière** grocery store owner *B*

une **époque** era, period *C*

les **études (f.)** studies *C*

un(e) **étudiant(e)** student *C*

une **expérience** experience *C*

fabuleux, fabuleuse fabulous *B*

une **faculté** college *C*

faire: faire du cheval to go horseback riding *A*

fallait: il fallait we had (to do something) *A*

la **ferme** farm *A*

le **fermier, la fermière** farmer *A*

fréquenter to frequent, to hang out *B*

la **grange** barn *A*

il: il y a (+ time) (time) ago *B*

s' **inscrire** to register *C*; **s'inscrire en lettres** to declare a major in Humanities *C*

un **instituteur, une institutrice** elementary school teacher *B*

un(e) **jeune** young man/woman *C*

un **lapin** rabbit *A*

la **légende** legend *B*

les **lunettes (f.)** glasses *C*

le **maire, madame le maire** mayor *B*

Mamy grandma *A*

une **manif (manifestation)** street demonstration *C*

manquer to lack *C*

se **marier** to get married *C*

un **mouton** sheep *A*

un **music-hall** music hall *B*

nettoyer to clean *A*

neuf, neuve new *C*

nourrir to feed *A*

occuper to occupy *C*

s' **occuper (de)** to take care (of) *A*

une **poule** hen *A*

prendre: prendre des vacances to take a vacation *A*

quoi you know what I mean *A*

raconter to tell *C*

le **resto-U (restaurant universitaire)** university cafeteria *C*

la **révolution** revolution *C*

si how about, if only, what if *C*

se **spécialiser (en)** to major (in) *C*

un **tailleur** tailor *B*

tout: tous les soirs every night *A*

traire to milk *A*

l' **université (f.)** university *C*

une **vache** cow *A*

la **vie** life *A*

un **village** village *A*

Listening

I. You will hear a short conversation. Select the reply that would come next. You will hear the conversation twice.

1. A. Oui, j'ai oublié mon album photos.
   B. Oui, mais les photos peuvent me rappeler le bon vieux temps.
   C. Non, ta grand-mère était à la campagne.
   D. Non, la vie était plus simple.

II. Listen to the conversation. Then select the best completion to each statement that follows.

2. Solenne parle avec....
   A. son grand-père
   B. sa professeur
   C. les hommes et les femmes de l'époque
   D. sa grand-mère

3. Solenne s'intéresse....
   A. à la vie d'autrefois
   B. à la Révolution Française de 1789
   C. au travail de charcutiers
   D. aux lapins et canards

4. Après la révolution, les femmes....
   A. ont travaillé en ville comme les hommes
   B. sont restées à la ferme
   C. sont devenues bouchères de la ville
   D. n'ont pas aimé que les choses changent à la campagne

Reading

III. Read Yvonne's letter. Then select the best completion to each statement.

Il y a longtemps que j'ai envie de t'écrire, ma chère. Mais comme tu le sais bien, le travail à la ferme est dur et la vie y est dure aussi. Nous devons nous lever très tôt et nous occuper des animaux jours et nuits. On n'a jamais de temps pour se reposer, ou pour écrire. Je comprends pourquoi tu as choisi de t'inscrire à la fac. Ça va être plus facile d'être étudiante que fermière! Tu n'es pas la seule à partir à la ville, et pas en vacances. Beaucoup de fermiers le font aussi pour chercher du travail. C'est fini le bon vieux temps où les hommes et les femmes travaillaient ensemble à la campagne à s'occuper des animaux. Il n'y a pas beaucoup de fermes. C'est peut-être un peu triste, mais heureusement tu es à Paris maintenant. Être institutrice, c'est un bon métier. On veut tout savoir sur la vie à la cité universitaire et comment tu vas. Écris-nous vite!

Je t'embrasse bien fort,

Maman

5. Yvonne écrit à sa fille qui est partie....
   A. étudier à Paris
   B. travailler à Paris
   C. prendre des vacances à la campagne
   D. travailler à la ferme

6. Au bon vieux temps les hommes et les femmes....
   A. travaillaient ensemble à la campagne
   B. s'occupaient des animaux
   C. A et B
   D. ni A, ni B

7. Geneviève se spécialise en....
   A. lettres
   B. éducation
   C. maths
   D. sciences

Writing

IV. Complete the paragraph with appropriate words or expressions.

Jean-Luc et sa sœur Françoise n'aiment pas le samedi. Leur mère, qui est prof, offre un cours spécial 'l à __1__ et ils doivent faire le __2__ chez eux. Après chaque repas, il faut faire la __3__. Pauvre Françoise! Elle fait la lessive et fait sécher le __4__. Dans l'après-midi elle doit repasser les __5__ et ranger les chambres. Le soir, Jean-Luc passe l' __6__ et sort la __7__. En plus, au printemps et en été, il doit tondre la __8__, et sa sœur __9__ les plantes. Quel travail!

Complete André's composition about Montmartre with the **imparfait** or the infinitive of the verbs in parentheses.

Il y a cent ans, avant d'être annexé par la ville de Paris en 1860, Montmartre __10__ un village. Il y __11__ des moulins (*windmills*) et des vignobles (*vineyards*). Pour s'amuser, les gens __12__ le soir et __13__ les music-halls et cabarets. C'est là où Toulouse-Lautrec __14__ peindre les danseuses comme Jane Avril. Il __15__ des affiches célèbres du Moulin Rouge. Lui et beaucoup d'autres artistes __16__ ce quartier. Nous pouvons toujours __17__ le Moulin Rouge et __18__ des promenades dans les rues pittoresques de Montmartre.

10. (être)
11. (avoir)
12. (se rencontrer)
13. (fréquenter)
14. (aimer)
15. (faire)
16. (habiter)
17. (visiter)
18. (faire)

Composition

V. Imagine that you have just spent a leisurely Saturday morning. You slept late and had all the time in the world to get ready to meet friends later on. Write a paragraph describing everything you did this morning. Tell when you woke up, the things you did to prepare yourself for the day, and the beauty products and items you used.

Speaking

VI. Describe what life was like in the village of Bellevue a hundred years ago. Use the illustration to guide you.

Unité

5 Bon voyage et bonne route!

Rendez-vous à Nice!

Épisode 15:

Retrouvailles à l'aéroport

À savoir

L'UNESCO a inscrit le Port de la Lune à Bordeaux sur la liste du patrimoine mondial au titre d'Ensemble urbain exceptionnel.

Unité 5

Bon voyage et bonne route!

Question centrale

?

What do you need to know to travel successfully?

Que voient Charlotte et Chadia?
A. Thomas avec une autre fille
B. Patrick avec une autre fille
C. un accident d'avion

C'est quel aéroport?

Contrat de l'élève

Leçon A I will be able to:

» describe health problems and give instructions.
» talk about Air France, Paris airports, and Bordeaux.
» use the direct object pronouns **me**, **te**, **nous**, and **vous**.

Leçon B I will be able to:

» express that I'm looking forward to something.
» talk about French car companies and driving in France.
» use the direct object pronouns **le**, **la**, **l'**, and **les**; direct object pronouns in the **passé composé**; and the verb **conduire**.

Leçon C I will be able to:

» get a hotel room by talking to the receptionist.
» talk about French hotels.
» use the indirect object pronouns **lui**, **leur**, **me**, **te**, **nous**, and **vous**; the verb **boire**; and the adjective **tout**.

Vocabulaire actif

emcl.com
WB 1–2
LA 1
Games

À l'aéroport 🎧

Elle retire sa carte d'embarquement.

un(e) agent(e)

Une passagère trouve une borne libre-service.

une valise

La dame fait enregistrer ses bagages.

un comptoir

Elle s'avance vers le comptoir d'Air France.

le contrôle de sécurité

Elle passe le contrôle de sécurité.

une porte d'embarquement

Elle va attendre son vol à la porte d'embarquement.

À bord de l'avion

Un passager monte à bord.

le coffre à bagages

un steward

Un steward met sa valise dans le compartiment à bagages.

L'avion décolle.

L'avion atterrit.

une hôtesse de l'air

L'hôtesse de l'air sert une boisson.

emcl.com
WB 3–4

Pour la conversation

How do I describe a health problem?

> **Il se plaint d'avoir** toujours mal au ventre.

He complains of still having a stomach ache.

How do I give instructions?

> **Imprime** le billet!

Print the ticket!

> **Prends** ta petite valise à roulettes!

Take your little suitcase with wheels!

Et si je voulais dire...?

une correspondance	*connection*
la douane	*customs*
le douanier/la douanière	*customs officer*
une pièce d'identité	*identification document*
déclarer quelque chose à	*to declare something*
faire un séjour	*to stay somewhere*
faire (une) escale	*to have a layover*
fouiller	*to search*

*Indiquez si ces activités ont lieu à l'aéroport (**A**) ou à bord de l'avion (**B**).*

1. On fait enregistrer ses bagages.
2. On cherche la porte d'embarquement.
3. On met sa valise dans le compartiment à bagages.
4. On demande de voir votre passeport.
5. On passe au contrôle de sécurité.
6. Le steward offre une boisson.
7. On décolle.

Où est-ce qu'on vous demande votre passeport?

2 **À l'aéroport de Bordeaux-Mérignac**

Utilisez au moins deux phrases pour décrire ce qui se passe ci-dessous.

1.

4.

5.

3.

3 **M. Huvet voyage à Bordeaux.**

*Écrivez les numéros 1–8 sur votre papier. Écoutez l'aventure de Monsieur Huvet à l'aéroport d'Orly. Ensuite, écrivez **oui** s'il a fait les choses suivantes ou **non** s'il ne les a pas faites.*

1. L'avion de M. Huvet part à 6h00.
2. M. Huvet va à Paris.
3. Il enregistre ses bagages.
4. Il va directement à la porte d'embarquement.
5. Il passe le contrôle de sécurité d'abord.
6. Un agent vérifie le billet de M. Huvet à la porte d'embarquement.
7. M. Huvet a perdu sa carte d'embarquement.
8. Il monte à bord et se repose.

4 **Questions personnelles**

Répondez aux questions.

1. As-tu déjà voyagé en avion? Si oui, où est-ce que tu es allé(e)?
2. De quoi est-ce que les passagers se plaignent en général?
3. Quand tu voyages, préfères-tu une grande ou une petite valise? Pourquoi?
4. Est-ce que tu préfères voyager en train, en voiture, en bateau, ou en avion? Pourquoi?
5. Où est-ce que tu voudrais voyager un jour?

J'ai pris l'avion pour aller à Fort-de-France.

Rencontres culturelles

Un voyage à Bordeaux

Nicolas rend un service à son père, qui a besoin de faire un voyage en avion.

Père de Nicolas:	Oh, écoute, je n'y comprends rien. Ça ne marche pas. Tu m'aides?
Nicolas:	Qu'est-ce que tu as encore fait?
Père de Nicolas:	J'essaie tout simplement de réserver un vol pour Bordeaux.
Nicolas:	Tu vas à Bordeaux?
Père de Nicolas:	Oui, ton grand-père ne va pas bien.
Nicolas:	Qu'est-ce qu'il a?
Père de Nicolas:	On ne sait pas... il se plaint d'avoir toujours mal au ventre.
Nicolas:	Bon, donne-moi tes dates de départ et de retour. Ah oui, et tu veux partir et revenir à quelle heure?
Père de Nicolas:	Départ vendredi, début de matinée; retour dimanche, début de soirée.
Nicolas:	Dis donc, tu as de la chance! Il y a une promo à 39€. Donne-moi ta carte de crédit. Je te fais la réservation tout de suite.
Père de Nicolas:	Imprime le billet pendant que tu y es... ça va me faire gagner du temps.
Nicolas:	Et, prends ta petite valise à roulettes.... Comme ça tu ne dois pas faire enregistrer des bagages avec un agent. Tu la mets tout simplement dans le coffre à bagages.
Père de Nicolas:	Bien, Chef!

5 Un voyage à Bordeaux

Identifiez la personne décrite.

1. Il part à Bordeaux vendredi.
2. Il peut acheter un billet d'avion en ligne.
3. Il ne va pas bien.
4. Il devient impatient avec l'ordinateur.
5. Il a des suggestions pour comment on doit voyager.
6. Il ne veut pas demander son billet à l'aéroport.

Les passagers attendant leur vol.

Extension À Roissy–Charles de Gaulle

Dominique et Hervé partent pour leur séjour linguistique à Miami.

Agent: Vous avez des bagages?

Hervé: Une valise chacun.

Agent: Voilà vos billets... vous embarquez porte 36, après le contrôle des passeports et la sécurité tout de suite à gauche. Nous commençons l'embarquement dans une heure. Bon voyage!

Hervé: J'ai encore le temps d'aller acheter un livre.

Dominique: Moi, je vais faire un tour au *duty free*.

Hervé: Bon, rendez-vous porte 36 dans un quart d'heure....

Extension Où sont Hervé et Dominique dans l'aéroport à la fin du dialogue?

emcl.com
WB 5

Question centrale

What do you need to know to travel successfully?

Air France

La compagnie aérienne Air France fait partie d'une alliance avec la compagnie néerlandaise* KLM. Son activité principale est le transport de passagers. Elle exploite* plus de 400 avions environ et assure à peu près* 1.800 vols par jour sur tous les continents. La compagnie compte environ 74.000 employés à travers* le monde.

Le premier Airbus A-380, le plus grand avion du monde.

1933 1945 1974 1999

Air France est devenue une compagnie privée.

Son hub est devenu Roissy—Charles de Gaulle.

Air France a été nationalisée.

Air France a été créée.

 Search words: air france

néerlandais(e) *Dutch;* exploite *operates;* à peu près *about;* à travers *around*

Les aéroports de Paris

Paris compte trois aéroports: Paris—Le Bourget (LBG), Paris—Orly (ORY), et Roissy—Charles de Gaulle (CDG). Le pilote américain Charles Lindbergh a atterri au Bourget en 1927. Il a été le premier pilote à traverser l'Atlantique sans escale* en solitaire. Orly consiste en deux aérogares et Charles de Gaulle en trois aérogares avec six terminaux pour l'aérogare 2. Ensemble, ils accueillent* plus de 80 millions de passagers chaque année. Orly est surtout spécialisé dans

L'intérieur de l'aéroport de Roissy est futuristique.

le trafic national et vers le Maghreb (la Tunisie, le Maroc, l'Algérie) alors que Roissy traite le trafic européen et intercontinental. Roissy—Charles de Gaulle accueille la plupart des grandes compagnies européennes et internationales.

 Search words: aéroport le bourget, aéroports de paris

sans escale *nonstop;* accueillent *welcome*

Bordeaux

La ville de Bordeaux est située près de l'océan Atlantique dans le sud-ouest de la France. C'est une ville de 235.000 habitants (800.000 habitants si on compte les banlieues*). C'est une ville historique et son Port de la Lune a été classé en 2007 au patrimoine mondial de l'Humanité par l'UNESCO.

C'est aussi une ville industrielle avec des compagnies qui produisent des voitures, des avions, et des produits

La ville de Bordeaux est au bord du fleuve la Garonne.

pharmaceutiques. Bordeaux est un des plus importants centres de diffusion de l'art contemporain avec le CAPC (Centre d'arts plastiques contemporain). La ville a aussi produit d'importants groupes musicaux comme Noir Désir (rock) et Les Nubians (hip-hop).

 Search words: **bordeaux tourisme, bordeaux patrimoine unesco**

---

banlieues *suburbs*

Produits

Les Nubians est un groupe de hip-hop composé de deux sœurs, Hélène et Célia Faussart. Faites une discographie (une liste de leurs albums avec titres et dates).

COMPARAISONS

Quels sont les endroits américains classés au patrimoine mondial de l'Humanité par l'UNESCO? Recherchez un exemple, peut-être un endroit de votre région.

6 Activités culturelles

Faites les activités suivantes.

1. Expliquez les chiffres suivants au sujet d'Air France.
   - 1.800
   - 400
   - 74.000
2. Recherchez le symbole d'Air France et dessinez-le en couleur.

    Search words: air france

3. Dites de quel aéroport on part pour aller à....
   - Bordeaux
   - Francfort
   - New York
   - Tunis
   - Hong Kong
4. Indiquez les codes pour les aéroports Orly et Roissy—Charles de Gaulle.
   (Par exemple, le code pour Minneapolis-St. Paul est MSP.)

5. Trouvez une compagnie à Bordeaux qui produit des....
   - voitures
   - avions
   - produits pharmaceutiques
6. Recherchez pourquoi le quartier du Port de la Lune a été inscrit par l'UNESCO au patrimoine mondial de l'Humanité. Faites une présentation qui comprend un texte et des photos.

Perspectives

UNESCO pense qu'il faut saavegarder les endroits qui ont "une valeur exceptionnelle pour l'humanité." Est-ce que vous soutenez cette mission? Pourquoi, ou pourquoi pas?

Du côté des médias

Regardez la carte pour trouver des patrimoines mondiaux français de l'UNESCO.

7 Patrimoines UNESCO

Faites les activités suivantes.

1. Dites si chaque site est un site culturel ou naturel:
   - Bordeaux
   - Chartres
   - La Réunion
   - Arles
   - St-Émilion
   - Orange
2. Recherchez un site sur la carte et présentez-le à la classe.

Structure de la langue

emcl.com
WB 6–9
LA 2
Games

Direct Object Pronouns: *me, te, nous, vous*

A direct object is the person or thing that receives the action of a verb. It answers the question "who" or "what." A direct object may be a noun or a pronoun. In the sentence **Tu m'aides** the pronoun **me (m')**, meaning "me," is the direct object of the verb **aider** (*to help*). Here are four direct object pronouns:

Il m'aime!

Direct Object Pronouns			
me (m')	*me*	**nous**	*us*
te (t')	*you [fam.]*	**vous**	*you [form./pl.]*

Elle **me** regarde.	*She is watching me.*
Je **t'**aime.	*I love you.*
L'agent **nous** aide.	*The agent is helping us.*
Je **vous** invite.	*I'm inviting you.*

Note that **me** becomes **m'** and **te** becomes **t'** before a verb beginning with a vowel sound.

Tu **m'**aides?	*Will you help me?*
Je **t'**aide.	*I'll help you.*

Direct object pronouns come right before the conjugated verb or before the infinitive.

Affirmative statement	Elle **m'**aime.	*She loves **me**.*
Negative statement	Il ne **nous** invite jamais.	*He never invites **us**.*
Question	Est-ce qu'ils **te** cherchent? **M'**attends-tu?	*Are they looking for **you**?* *Are you waiting for **me**?*
With an infinitive	Elle veut **nous** rembourser.	*She wants to reimburse **us**.*

Direct object pronouns can also be used before **voici** (*here is/here are*) and **voilà** (*there is/there are*).

Me voici!	*Here I am!*
Te voilà!	*There you are!*

COMPARAISONS

A transitive verb is a verb that takes a direct object. An intransitive verb is a verb that can stand alone and does not require a direct object. Decide which verb below is transitive and which is intransitive.

Sarah is sleeping.
Tyler is writing a composition.

COMPARAISONS: The verb "to sleep" is intransitive. The verb "to write" can be transitive when it takes a direct object like "a composition."

8 Didier voyage en avion.

*Didier voyage en avion à Miami. Complétez l'e-mail qu'il écrit à son ami David avec **me, te, nous,** ou **vous**.*

... voici à l'aéroport Roissy—Charles de Gaule. Au comptoir l'agent vérifie mon billet et... aide à trouver le contrôle de sécurité. Je monte à bord et le steward... aide à mettre ma valise dans le compartiment à bagages. Je m'assieds près d'une jolie fille américaine, Heather. L'hôtesse de l'air vient. Elle dit, "Vous désirez quelque chose?" Elle... apporte un coca et une limonade. Bon, David, je vais... envoyer des photos de mon voyage! Et, je... vois tous au ciné-club dans une semaine!

9 Des dialogues

*Utilisez **me**, **te**, **nous**, ou **vous** pour compléter les conversations.*

| MODÈLE | A: **Vous <u>me</u> remboursez 20€ pour le billet?** |
| | B: **Oui, je <u>vous</u> rembourse maintenant.** |

1. –Tu... invites à la fête d'anniversaire de Joëlle?
   –Je... invite, c'est sûr!
2. –Martine et Louis, vos amis... attendent au parc?
   –Non, ils... attendent au café.
3. –Gilles et Jacques, le proviseur... cherche.
   –Mais pourquoi est-ce que le proviseur... cherche?
4. –Chloé et Simon, est-ce que votre prof... aide à mieux parler français?
   –Oui, elle... aide à mieux parler français.
5. –Ton amie... fait un gâteau d'anniversaire?
   –Non, ma mère... fait un gâteau d'anniversaire.
6. –Pierre et Sarah, votre tante va... payer pour nettoyer son garage?
   –Oui, elle va... payer pour nettoyer son garage.

10 Qu'est-ce que vous dites?

Écrivez les numéros 1–9 sur votre papier. Écoutez les phrases suivantes et dites de qui on parle.

A. tu

B. je

C. vous

D. nous

Communiquez!

Interpersonal Communication

À tour de rôle, posez des questions à votre partenaire d'après le modèle.

 MODÈLE   inviter en boîte
> A: **Tu m'invites en boîte?**
> B: **Oui, je t'invite en boîte.**
>   ou
> **Non, je ne t'invite pas en boîte.**

1. aider à faire le ménage
2. attendre devant l'école demain matin
3. voir ce weekend
4. écouter quand j'ai un problème
5. emmener au restaurant
6. préparer une omelette

Tu m'aides à finir mon projet?

D'accord, je t'aide.

C'est un texto de Caro. Elle nous invite à sa teuf.

À vous la parole

Communiquez!

Question centrale

What do you need to know to travel successfully?

12 À l'agence de voyage

Interpersonal Communication

With a partner, play the roles of a travel agent and a client who wants to go to a French-speaking country.

The travel agent:

- asks where the client would like to go.
- asks when the client would like to leave.
- states the price of the ticket.
- tells the client the flight number and to arrive early at the airport, then gives the client the ticket.

The traveler:

- states where he or she would like to go.
- tells when he or she would like to leave and return, and then asks the price of the ticket.
- asks if the travel agent can print the ticket today.
- says thank you.

Communiquez!

13 Une histoire à l'aéroport

Presentational Communication

In small groups, tell a story about someone's trip to a foreign country. Describe everything the character does at the airport, from checking in to boarding the airplane. Then tell what happens during the flight. Finally, tell what the character sees and does at his or her final destination. To make the story more interesting, you may want to introduce a crisis, such as not being able to find a ticket or boarding pass, losing a passport, or getting lost somewhere. Write the story down in either the present or past tense, then tell it to the class using only notes on index cards.

Communiquez!

14 Un bagage égaré (*lost*)

Interpersonal Communication

With a partner, role-play a conversation between a traveler whose luggage has been lost and an airline employee. The traveler explains the problem, and gives his or her flight number, departure city, and connections. The airline employee asks for the traveler's address and phone number, a description of the bag and its contents, and the value of the contents. The traveler responds. The conversation ends with the airline employee saying when the traveler's bag should arrive.

Prononciation 🎧

Linking Consonants

- You know that sometimes a word beginning with a vowel is connected to the preceding consonant. However, there are some exceptions; for example, **pas** does not have a liaison with a vowel that follows.

A **Mon voyage à Paris**

Répétez chaque phrase et faites attention aux consonnes et aux voyelles qui n'ont pas de liaison.

1. Je vais | à Bordeaux | après-demain.
2. Je prends | un avion | à | Orly.
3. Je vais | acheter | un billet.
4. Rendez-vous | à l'aéroport.

B **Les moyens de transport**

*Répétez les questions et les réponses ci-dessous. Ne faites pas de liaison entre **pas** et la voyelle qui suit.*

1. Tu | y vas | en avion?   Ah non! Pas | en avion!
2. Tu | y vas | en train?   Ah non! Pas | en train!
3. Tu | y vas | en voiture?   Ah non! Pas | en voiture!
4. Tu | y vas | à pied?   Ah non! Pas | à pied!

Closed and Open Vowels

- French contains both open and closed vowels. For example, /e/ at the end of **chanter** is a closed vowel and /ɛ/ at the end of **chantais** is an open vowel. They are pronounced differently.

C **Les verbes réfléchis**

Répétez les phrases suivantes. Faites attention à la prononciation des sons /e/ et /ɛ/.

1. Il se détendait.   –   Il s'est | détendu.
2. Il s'amusait.   –   Il s'est | amusé.
3. Il s'entraînait.   –   Il s'est | entraîné.

D **Choisissez le son correct.**

*Écrivez les numéros 1–6 sur votre papier. Puis, écrivez **F** si vous entendez la voyelle fermée /e/ ou **O** si vous entendez la voyelle ouverte /ɛ/.*

Vocabulaire actif

emcl.com
WB 10–13
LA 1
Games

Tu conduis?

Les voitures

une décapotable

un camion

une voiture de sport

un monospace

À la station-service/Au garage

le pare-brise

le capot

l'essence (f.)

le phare

l'huile (f.)

un pneu

Le conducteur vérifie l'huile.
La passagère va faire le plein.

La voiture est tombée en panne.
Le mécanicien répare la voiture.

L'intérieur (m.) de la voiture

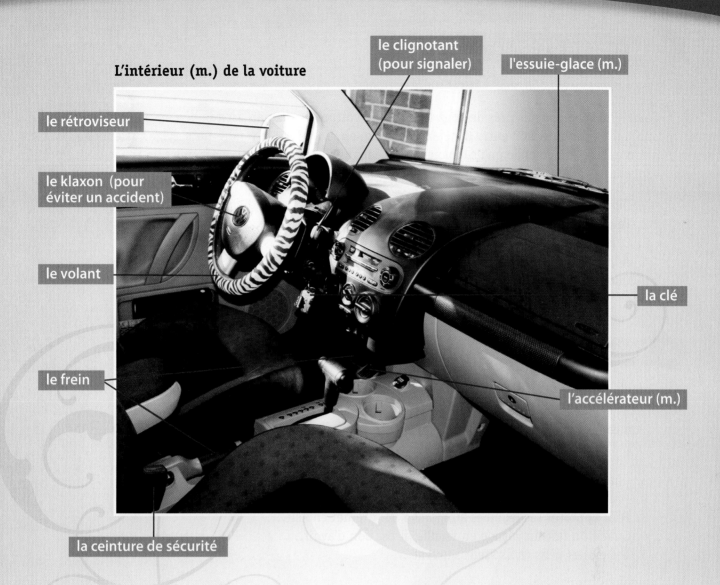

le clignotant (pour signaler)

l'essuie-glace (m.)

le rétroviseur

le klaxon (pour éviter un accident)

le volant

la clé

le frein

l'accélérateur (m.)

la ceinture de sécurité

Pour la conversation

emcl.com
WB 14

How can I express that I'm looking forward to something?

> Moi, **j'ai hâte** d'être sur place....
  Me, I can't wait to be there....

Et si je voulais dire...?

le coffre	*trunk*
la plaque d'immatriculation	*license plate*
la portière	*car door*
la vitre	*window*
accélérer	*to accelerate*
freiner	*to brake*
immatriculer	*to register*

1 Le message d'Étienne

Lisez le message qu'Étienne a laissé sur le portable de son cousin. Ensuite, répondez aux questions.

Salut, Philippe! Je suis près de chez toi, mais la voiture de maman est tombée en panne. Je suis sur l'autoroute A63 entre Canéjan et Gradignan. Tu peux me rendre un service? Téléphone à ton garage et demande qu'ils envoient une dépanneuse (*tow truck*). C'est une Clio rouge, te rappelles-tu? J'ai hâte de faire le tour de Bordeaux avec toi. Viens vite me chercher!

1. Où est Étienne?
2. Pourquoi est-ce qu'il ne peut pas aller à Bordeaux?
3. Comment est la voiture?
4. À qui est-ce qu'il va rendre visite?
5. Quels services est-ce que cette personne va rendre à Étienne?

2 Qu'est-ce qu'on choisit?

Complétez les phrases avec une véhicule de la liste.

un camion   une décapotable   un scooter   un monospace   une voiture de sport

1. Quand il fait beau, on est content d'avoir....
2. Pour rouler très vite, on choisit....
3. Pour apporter ses légumes au marché, M. Grenier choisit....
4. Quand on fait un voyage en famille, il est bon d'avoir....
5. Les jeunes gens choisissent souvent....

3 À la station-service

Complétez ces phrases qui décrivent les gens dans l'illustration.

1. M. Faure travaille comme... au garage.
2. Il met un nouveau....
3. La voiture de M. Meunier est....
4. Mme Gaumont a besoin...; elle fait le plein.
5. Paul nettoie... du minivan.
6. Mlle Dumont vérifie... de sa voiture de sport.

Identifiez l'objet ou la partie de la voiture dont on se sert dans chaque situation.

MODÈLE   Il pleut et on ne peut pas voir.
On se sert des essuie-glaces.

1. On veut aller plus vite.
2. On met deux mains sur cet objet pour tourner.
3. On signale aux autres qu'on va tourner.
4. On a besoin de regarder la voiture qui suit.
5. Il commence à faire nuit.
6. Une autre voiture circule trop près de vous.
7. On veut éviter un accident.
8. On doit ouvrir la porte de la voiture.

On se sert du frein pour arrêter la voiture.

Écrivez les numéros 1–10 sur votre papier. Puis, écrivez la lettre qui correspond à la partie de la voiture que vous entendez.

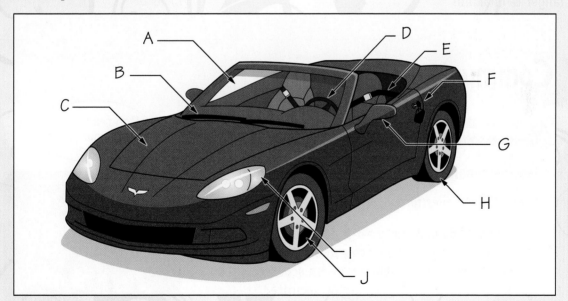

Communiquez !

6 Les vacances

Interpersonal Communication

Vous faites des projets pour ce weekend. À tour de rôle, demandez si votre partenaire a hâte de faire chaque activité.

MODÈLE
A: **Tu as hâte de faire un tour de grande roue?**
B: **Oui, j'ai hâte de faire un tour de grande roue.**
ou
Non, je n'ai pas hâte de faire un tour de grande roue.

1. faire un tour de montagnes russes
2. aller en boîte
3. aller avec ton/ta meilleur(e) ami(e) au cinéma
4. regarder ton feuilleton préféré
5. faire une excursion en bateau
6. nager
7. faire du cheval
8. ranger ta chambre

Communiquez !

7 Questions personnelles

Interpersonal Communication

Répondez aux questions.

1. Combien de voitures y a-t-il dans ta famille?
2. Est-ce que tu voudrais avoir une voiture de sport, une voiture hybride, ou un scooter?
3. Mets-tu toujours la ceinture de sécurité?
4. Qu'est-ce que tu fais quand les gens n'utilisent pas le clignotant?
5. Tu vas à quelle station-service? Pourquoi?

Mon frère a une moto, moi j'ai un scooter.

Rencontres culturelles

Un voyage d'anniversaire

Manon parle à ses parents de leur voyage d'anniversaire de mariage.

Manon:	Ben, vous êtes toujours là, devant l'écran? Pour un voyage d'anniversaire, vous n'avez pas l'air enthousiaste!
Mère de Manon:	Non, on hésite. Il va pleuvoir en Bretagne.
Manon:	Pourquoi pas la Baie de Somme? Vous avez aimé la dernière fois. C'est quoi les prévisions de la météo là-bas?
Père de Manon:	Ça a l'air bien... du soleil!
Mère de Manon:	Moi, j'ai hâte d'être sur place, de m'installer à l'hôtel, de laisser la voiture, de louer des vélos, et à nous les balades sur la plage....
Manon:	Et la Renault... tu as vérifié l'huile, Papa?
Père de Manon:	Oui, je l'ai vérifiée. Tout est en ordre, j'ai même fait le plein.
Manon:	Alors, bonne route! Conduisez prudemment!

8 Un voyage d'anniversaire

Dites si chaque phrase est vraie ou fausse. Corrigez les phrases qui sont fausses.

1. Les parents de Manon regardent la météo en ligne.
2. Il va faire du vent en Bretagne.
3. Manon suggère la Baie de Somme.
4. Il va pleuvoir là-bas.
5. Le père de Manon a hâte de faire une balade sur la plage.
6. Le père de Manon est déjà allé à la station-service.

Extension Au garage

Cyril parle avec le garagiste de sa voiture.

Cyril:	Je pars faire un raid dans le désert... alors le quatre-quatre, vous me le révisez complètement.
Garagiste:	Vous partez combien de temps?
Cyril:	Dix jours.
Garagiste:	Et vous voulez emmener quoi?
Cyril:	Un jeu d'essuie-glaces, un train de pneus, un autre pare-brise, et de l'huile en quantité....
Garagiste:	Bon ben, vous repassez dans deux jours.

Extension Pourquoi Cyril emmène-t-il un jeu d'essuie-glaces, un train de pneus, un autre pare-brise, et de l'huile en quantité? Quel type de conducteur est-il?

Peugeot-Citroën et Renault

Avec huit millions de véhicules, les deux groupes automobiles français placent la France au 6ème rang des producteurs dans le monde.

Fondé en 1810, Peugeot devient une firme automobile en 1891. C'est une entreprise familiale. Son symbole est un lion et son slogan en anglais est "*Motion & Emotion*." Pour les Français, la firme est synonyme de solidité et de fiabilité* et illustre les valeurs* conservatrices. En 1976 Peugeot a acheté

L'entreprise Peugeot a son siège à Paris.

la firme française Citroën, et depuis porte le nom Peugeot-Citroën. Récemment Peugeot a lancé* la Crossover 3008 hybride et la décapotable 207cc.

 Search words: acceuil peugeot

---

fiabilité *reliability*; **valeurs** *values*; **a lancé** *launched*

André Citroën fonde la compagnie Citroën en 1919. Elle a révolutionné plusieurs fois l'industrie automobile. Ingénieur, inventeur, mais aussi aventurier, André Citroën a utilisé ses voitures pour participer aux grandes expéditions automobiles comme la traversée* du Sahara (1922) et la fameuse "Croisière jaune*" (1932–1933). La C3 et la Révolte hybride sont deux voitures récemment lancées par Citroën.

 Search words: citroën france

---

traversée *crossing*; **Croisière jaune** *car expedition across Africa and Asia*

En 1898, Louis Renault fonde le groupe Renault. La compagnie produit toute sorte d'automobile: voiture particulière,* taxi, camion, bus, véhicules militaires. Ses modèles populaires comprennent* de petites voitures comme la 4CV, 4L, Twingo, Clio; des voitures moyennes comme la Mégane; et des voitures de luxe comme la R16 ou la Laguna. La firme produit aussi des voitures concepts comme le monospace et des voitures pas chers comme la Logan. Aujourd'hui Renault, associé à Nissan, produit plus de cinq millions de véhicules, et ses usines se trouvent dans plusieurs pays d'Europe, d'Amérique du Sud, et

La Renault Frendzy est sportive, économique, et moderne.

d'Asie. Renault est aussi connue dans le sport automobile. Ses voitures ont été championnes du monde plusieurs fois dans le Formule 1.*

 Search words: renault france

---

particulière *private*; **comprennent** *include*; **Formule 1** *famous car race*

COMPARAISONS

Quelles voitures hybrides est-ce qu'on trouve dans le marché américain?

Apprendre à conduire

emcl.com
WB 16

Le permis de conduire est créé en France en 1893. Aujourd'hui, il est européen et valable* pour toute l'Union européenne. On distingue le permis A pour les motos et scooters, et le permis B pour les voitures. Le permis de conduire est un permis à points. On commence avec 12 points. Chaque fois qu'on commet une faute, on perd des points. Les ados peuvent conduire un scooter à l'âge de 14 ans pour le modèle de scooter le plus petit, 16 ans pour les modèles plus grands. Il faut avoir 18 ans pour pouvoir passer son permis* et conduire une voiture. Le permis de conduires se prépare dans une auto-école spécialisée pendant un minimum de 20 heures et s'obtient* après deux tests: un test de connaissance du code de la route et un test de conduite.* Si on ne réussit pas, on doit le repasser. Passer le permis de conduire coûte environ 1.400 euros.

---

valable *valid;* **passer son permis** *take a driver's test;* **s'obtient** *is obtained;* **un test de conduite** *driving test*

Une auto-école à Paris.

Faites les activités suivantes.

1. Décrivez l'image principale de chacune des firmes automobiles françaises.
   - Peugeot
   - Citroën
   - Renault
2. Dites à quelle compagnie appartiennent les voitures suivantes.
   - Twingo
   - Crossover 3008 hybride
   - Révolte hybride
   - Clio
3. Recherchez les voitures mentionnées, ensuite choisissez une voiture pour vous-même, les membres de votre famille, et quelques amis. Sous une photo de chaque voiture sélectionnée, dites pourquoi vous la choisissez pour cette personne.

4. Faites des recherches sur Internet, et racontez la Croisière jaune.
5. Écrivez les informations demandées dans la liste pour décrire le permis de conduire en France.
   - Date de création
   - Types de permis
   - Âge
   - Coût

Perspectives

"J'aime la liberté qu'un scooter me permet. Il ne faut pas que mes parents m'emmènent quand je veux aller en ville ou rencontrer des amis." Pourquoi cet ado est-il heureux d'avoir un scooter?

Du côté des médias

Lisez les informations sur le permis de conduire.

10 Le permis de conduire

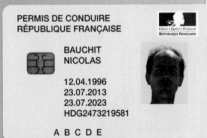

Répondez aux questions.

1. À quelle autre carte ressemble-t-il?
2. Quel symbole français trouvez-vous sur ce permis?
3. À quoi correspondent les lettres A et B?
4. Quelle date Nicolas Bauchit a-t-il eu son permis?
5. Quand faut-il le renouveler?
6. Une photo est-elle obligatoire?
7. De quelles façons le permis français est-il différent de ton permis?

Structure de la langue

Direct Object Pronouns: *le, la, l', les*

You have already learned that the direct object pronouns **me**, **te**, **nous**, and **vous** refer to people. There are three other direct object pronouns that can refer to either people or things. They are: **le** (*him, it*), **la** (*her, it*), and **les** (*them*). When **le** or **la** appears before a verb beginning with a vowel sound, it becomes **l'**.

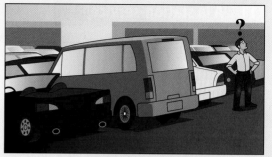

Sa décapotable noire?
Luc ne peut pas la trouver.

	Masculine	Feminine	Before a Vowel Sound
Singular	le	la	l'
Plural	les	les	les

Nous préférons le camion rouge. Vous **le** préférez aussi?	We prefer the red truck. Do you prefer **it** too?
Le conducteur? Oui, je **le** vois.	The driver? Yes, I see **him**.
Le klaxon? Oui, je **l'**entends.	The horn? Yes, I hear **it**.
L'huile? Avant un voyage, le conducteur **la** vérifie.	The oil? Before a trip, the driver checks **it**.
La passagère? On **la** cherche à la station-service.	The passenger? They are looking for **her** at the gas station.
La voiture de sport? Oui, je **l'**achète.	The sports car? Yes, I'm buying **it**.
Les monospaces? Non, mes parents ne **les** aiment pas.	Minivans? No, my parents don't like **them**.

Le, **la**, **l'**, and **les** are placed before the conjugated verb or the infinitive. They may also be used with **voici** and **voilà**.

Les décapotables? Nous ne **les** aimons pas. **Les** aimez-vous?	Convertibles? We don't like **them**. Do you like **them**?
L'huile? Tu peux **la** vérifier? Non, je ne peux pas **la** vérifier.	The oil? Can you check **it**? No, I can't check **it**.
Où sont les voitures de sport? **Les** voilà!	Where are the sports cars? There **they** are!

11 À la station-service

Dites si vous voyez les choses suivantes ou pas.

MODÈLES   la ceinture de sécurité
Je la vois.

l'accélérateur
Je ne le vois pas.

1. les clignotants
2. le rétroviseur
3. le capot
4. le mécanicien
5. le volant
6. les pneus
7. la clé
8. le frein

12 Bonne route!

Vous allez faire un voyage en voiture avec vos amis cette fois, pas un voyage en avion comme d'habitude. Dites si vous devez faire les choses suivantes ou pas.

MODÈLES   trouver la carte
Nous devons la trouver.

chercher la porte d'embarquement
Nous ne devons pas la chercher.

1. acheter les billets d'avion
2. vérifier l'huile
3. mettre les valises dans le compartiment
4. mettre les ceintures de sécurité
5. imprimer les billets d'avion
6. écouter l'hôtesse de l'air
7. apporter la clé de la voiture
8. perdre la carte de crédit

Ce pneu, nous devons le changer!

13 Le, la, l', ou les?

*Lisez chaque histoire et utilisez **le**, **la**, **l'**, ou **les** pour répondre à la question qui le suit.*

1. "Je te vois au fitness tous les jours," dit Daniel à Chloé. "Je peux avoir ton numéro de téléphone?" Daniel aime-t-il Chloé?
2. Julien joue aux jeux vidéo et surfe sur Internet quand il a le temps. Il aime aussi regarder les émissions de musique et les comédies. Julien aime-t-il les sports?
3. Martine va avoir une teuf pour son anniversaire. Elle aime Salim, Sophie, Bruno, et Claire, mais elle pense que Simon est égoïste et méchant. Martine va-t-elle inviter Simon?
4. Aïcha veut sortir ce soir, mais elle ne peut pas trouver sa clé. Elle est en retard, mais ses amis sont très patients et veulent sortir avec elle. Les amis vont-t-ils attendre Aïcha?

Communiquez!

14 Es-tu prêt(e) à étudier?

Interpersonal Communication

À tour de rôle, demandez si votre partenaire a ses fournitures scolaires. Si oui, il faut aussi les montrer.

MODÈLE	le livre de maths
	A: Tu as ton livre de maths?
	B: Oui, je l'ai. Le voici!
	ou
	Non, je ne l'ai pas.

1. ton stylo noir
2. ta trousse
3. ton taille-crayon
4. tes feuilles de papier
5. ta carte de France
6. ton dictionnaire français-anglais
7. ton sac à dos
8. tes crayons numéro deux

Tu as mon crayon?

Oui, je l'ai.

Direct Object Pronouns in the *passé composé*

La voiture de Marc? Le garage l'a réparée.

You have learned all the direct object pronouns in French: **me**, **te**, **nous**, **vous**, **le**, **la**, and **les**. When using the **passé composé**, direct object pronouns come before the helping verb **avoir**.

Quand as-tu fait le plein?	*When did you fill up the gas tank?*
Je **l'ai fait** hier.	*I filled it up yesterday.*

The past participle agrees with the direct object pronoun in gender and in number. If the direct object pronoun is masculine and singular, you add nothing to the past participle. If it is masculine and plural, you add an **-s**. If it is feminine and singular, you add an **-e**, and if it is feminine and plural, you add an **-es**.

Tu **m'as vue** dans le rétroviseur?	*Did you see me in the rearview mirror?*
Non, je ne **t'ai** pas **vue**, Denise.	*No, I didn't see you, Denise.*
Qui a aidé les passagères avec les valises?	*Who helped the female passengers with the suitcases?*
Les stewards **les** ont **aidées**.	*The flight attendants helped them.*

Past participles that end in **-s** (**mis** and **pris**) do not change in the masculine plural.

Vous avez pris nos billets?	*Did you take our tickets?*
Non, l'agent **les** a **pris**.	*No, the agent took them.*

If the past participle ends in **-s** or **-t**, you pronounce the consonant in the feminine forms.

Les ceintures de sécurités?	*The seatbelts?*
Oui, nous **les** avons **mises**.	*Yes, we put them on.*

15 Mlle Adjani fait sa valise.

Regardez l'illustration et dites si Mlle Adjani a mis les articles suivants dans sa valise.

MODÈLES   le tee-shirt
Elle l'a mis dans sa valise.

la chemise bleue
Elle ne l'a pas mise dans sa valise. Elle l'a oubliée.

1. le dentifrice
2. le sèche-cheveux
3. la brosse à cheveux
4. la brosse à dents
5. le pantalon gris
6. les chaussures
7. les tennis
8. la chemise rose

16 Tous en voiture!

Écrivez les numéros 1–7 sur votre papier. Écoutez chaque phrase et choisissez l'objet correspondant.

A. le clignotant
B. l'huile
C. les freins
D. la voiture de sport

E. le monospace
F. les essuie-glaces
G. la ceinture de sécurité

17 Une leçon de conduite

Pierre a cours à l'auto-école. Lisez la liste du moniteur et dites ce que Pierre a fait et n'a pas fait.

> **MODÈLE** vérifier l'huile
> **Pierre l'a vérifiée.**

1. éviter les mauvais conducteurs
2. regarder les voitures qui suivent
3. voir les gens dans la rue
4. nettoyer le pare-brise
5. mettre la ceinture de sécurité
6. étudier le code de la route
7. démarrer la voiture

☑ vérifier l'huile
☐ nettoyer le pare-brise
☐ étudier le code de la route
☑ mettre la ceinture de sécurité
☑ démarrer la voiture
☐ regarder les voitures qui suivent
☑ éviter les mauvais conducteurs
☐ voir les gens dans la rue

Communiquez!

18 Le weekend dernier

Interpersonal Communication

À tour de rôle, posez des questions sur ce qui s'est passé (happened) le weekend dernier.

> **MODÈLE** tes copains/t'inviter à sortir
> A: **Est-ce que tes copains t'ont invité(e) à sortir?**
> B: **Oui, ils m'ont invité(e) à sortir.**
> ou
> **Non, ils ne m'ont pas invité(e) à sortir.**

1. le proviseur/te voir au centre commercial
2. tes grands-parents/t'emmener au restaurant
3. ta mère/t'aider à ranger ta chambre
4. ton père/te laisser en ville pour faire du shopping
5. ta tante/t'attendre devant la boutique
6. ta cousine/t'invite au parc d'attractions

Le prof t'a vue dans le parking?

Oui, il m'a vue.

Present Tense of the Irregular Verb *conduire*

emcl.com
WB 24–26
Games

The verb **conduire** (*to drive*) is irregular. Here are the forms.

conduire			
je	**conduis**	nous	**conduisons**
tu	**conduis**	vous	**conduisez**
il/elle/on	**conduit**	ils/elles	**conduisent**

Hélène a bien conduit?

Qu'est-ce que vous **conduisez**?
Nous **conduisons** une Renault.

What do you drive?
We drive a Renault.

The past participle of **conduire** is **conduit**.

Salim a **conduit** à la station-service.

Salim drove to the service station.

19 Le permis de conduire

En France, on a 12 points sur le permis de conduire. On perd les points si on ne conduit pas bien. Sophie raconte à un ami qui conduit bien (9 ou plus) et qui conduit mal (moins de 9). Qu'est-ce qu'elle dit?

André	12
Rémy	10
Awa	9
Jeanne et moi	11
Djamel	6
Étienne	8
Raphäelle et Moussa	12
Éric et toi	4

MODÈLES Étienne
Étienne conduit mal.

Moussa
Moussa conduit bien.

1. moi
2. Rémy
3. Jeanne et moi
4. toi
5. Djamel et toi
6. Raphäelle et Moussa
7. Jeanne
8. Éric
9. Awa et André

Mylène conduit bien; elle met sa ceinture de sécurité.

20 Combien de kilomètres est-ce qu'ils ont conduit?

Dites combien de kilomètres ces conducteurs ont conduit pour leur voyage aller-retour. Tout le monde part de Paris. Ensuite, calculez la distance en miles (1.6 km = 1 mile).

MODÈLE   Mlle Garcia est allée à Strasbourg.
Elle a conduit 798 kilomètres.
Elle a conduit 496 miles.

1. Martine et moi, nous sommes allé(e)s à Nice.
2. Mme Cohen est allée à Bordeaux.
3. Je suis allé(e) à Nantes.
4. Mme Vasseur est allée à Perpignan.
5. Tu es allé(e) à Calais.
6. Mlle Durand est allée à Marseille.
7. M. Schmitt et toi, vous êtes allé(e)s à Orléans.
8. M. et Mme Maillard sont allés à Lille.

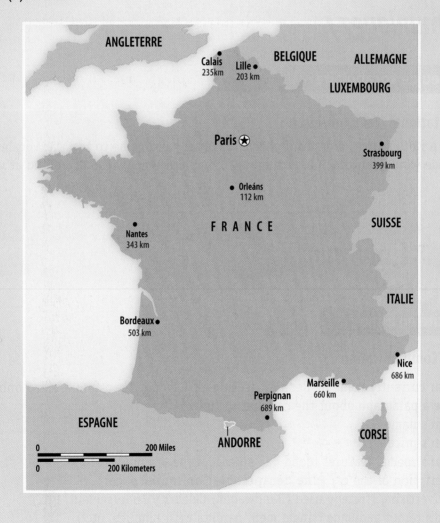

À vous la parole

Communiquez!

21 Les parties de la voiture

Presentational Communication

Print a photo of a French car that you find online. Place a piece of acetate or plastic over the photo and label all the visible parts with a marker. Then, remove the labels and quiz your partner on the car parts. Show your partner the correct answers by replacing the labels.

Question centrale

?

What do you need to know to travel successfully?

Communiquez!

22 Un jeu de vocabulaire

Presentational Communication

Design a word search, crossword puzzle, or other word game to test car vocabulary. Exchange word games with a partner, and complete them without looking at your book.

Communiquez!

23 La publicité en ligne

Interpretive Communication

Research a car currently made by Renault or Peugeot-Citroën. Then find a video online promoting the car. Write a paragraph about the car that includes:
- the car's name
- the car's price
- the car's special features (good gas mileage, type of engine, etc.)
- a description of the car (**une décapotable? un monospace?**)
- the advertising strategy used (Bandwagon, Celebrity Endorsement, etc.)
- the ad's target audience (single men, parents with families, etc.)

 Search words: renault, peugeot-citroën

Stratégie communicative

Writing Dialogue

Read the text below, paying close attention to the punctuation and spacing, especially in the dialogue.

Moussa va passer les vacances à Miami. Il parle à l'agent au comptoir d'Air France à l'aéroport Roissy—Charles de Gaulle à Paris. Il montre son billet et son passeport à l'agent. Moussa a une question.
"C'est un vol direct?" demande-t-il.
"Non," dit l'agent. "Il y a une escale à New York. Vous avez combien de valises?"
"J'ai une grande valise à faire enregistrer."
L'agent lui donne sa carte d'embarquement.
"Bon voyage!" dit-il.

After placing quotation marks around a line of dialogue, write a tag line (the words that identify the speaker), such as **dit l'agent**. Notice that the verb is inverted with the subject. Just as when using inversion with questions, you insert a **-t** if the subject is the pronoun **il** or **elle**; for example, **demande-t-il**. Verbs you might use other than **dire** are: **ajouter** (*to add*), **confirmer** (*to confirm*), **conseiller** (*to advise*), **demander** (*to ask*), and **suggérer** (*to suggest*).

24 J'écris des dialogues!

*Transformez chaque phrase en dialogue. Le nom entre parenthèses est celui (*the one*) de la personne qui dit la phrase.*

MODÈLE   Tu conduis vite! (Sébastien)
"Tu conduis vite!" dit Sébastien.

1. Je m'occupe des poules. (Marie)
2. Faisons du cheval! (Philippe)
3. Je peux voir votre billet et votre passeport? (l'agent Air France)
4. Où est la porte d'embarquement? (la passagère)
5. Tu as fait le plein? (Henri)
6. Les enfants, mettez vos ceintures de sécurité, s'il vous plaît! (Maman)

25 Une narration

Écrivez une petite histoire avec narration et dialogue. La scène a lieu à la ferme, à l'aéroport, ou à la station-service.

Vocabulaire actif

emcl.com
WB 27–32
LA 1
Games

Un repas à l'hôtel

La chambre d'hôtel

la climatisation

la télé câblée

des lits jumeaux

un grand lit

Le petit déjeuner français

un croissant

du chocolat chaud

du thé

une tartine

du Nutella

de la confiture

du café au lait

Le petit déjeuner américain

du jus de pamplemousse

du thé au citron

du sirop d'érable (m.)

du pain grillé

du pain perdu

des céréales (f.)

du bacon

des œufs brouillés

des œufs sur le plat

des saucisses (f.)

des crêpes (américaines)

Pour la conversation 🎧

What do I say at the hotel?

> **Vous avez une chambre pour** deux?
>
> *Do you have a room for two?*

> Le petit déjeuner **est compris**?
>
> *Is breakfast included?*

What does the receptionist ask?

> **Vous réglez comment?**
>
> *How will you pay?*

> **Vous voulez commander** maintenant?
>
> *Would you like to order now?*

Et si je voulais dire…? 🎧

une auberge de jeunesse	*youth hostel*
une chambre double	*double room*
une chambre simple	*single room*
un club de vacances	*vacation club*
un croissant aux amandes	*almond croissant*
un pain au chocolat	*chocolate croissant*
en demi-pension	*with breakfast and one main meal*
en pension complète	*with all meals*

1 La fiche de commande

Lisez ce que deux touristes à Paris ont commandé pour le petit déjeuner. Ensuite, répondez aux questions.

M. Martin
Chambre 204

Petit déjeuner
Jus de fruits au choix
☑ Orange
☐ Pamplemousse

Au choix
☐ Café
☐ Café au lait
☐ Thé
☑ Chocolat chaud

Pain
☐ Tartine
☑ Pain grillé
☐ Pain perdu
☑ Crêpes

Au choix
☐ Sirop d'érable
☐ Confiture
☑ Nutella

☐ Œufs sur le plat
☐ Œufs brouillés

☐ Bacon
☐ Saucisses
☐ Céréales

Mme Martin
Chambre 204

Petit déjeuner
Jus de fruits au choix
☐ Orange
☑ Pamplemousse

Au choix
☐ Café
☐ Café au lait
☑ Thé
☐ Chocolat chaud

Pain
☐ Tartine
☐ Pain grillé
☐ Pain perdu
☑ Crêpes

Au choix
☑ Sirop d'érable
☐ Confiture
☐ Nutella

☐ Œufs sur le plat
☑ Œufs brouillés

☐ Bacon
☑ Saucisses
☐ Céréales

Qui prend le petit déjeuner américain? Qui prend le petit déjeuner français?

2 Un petit déjeuner français ou américain?

Françoise et Julie prennent le petit déjeuner à l'hôtel. Dites qui prend chaque aliment selon les illustrations.

MODÈLE du pain perdu avec du sirop d'érable
Françoise prend du pain perdu avec du sirop d'érable.

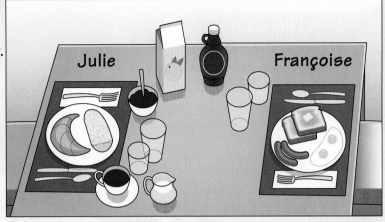

1. une tartine avec de la confiture
2. des saucisses
3. du café au lait
4. des œufs sur le plat
5. un croissant
6. du jus de pamplemousse

Communiquez!

3 Les préférences

Interpersonal Communication

Vous avez passé la nuit chez un(e) ami(e). Ses parents vous offrent le petit déjeuner. Dites poliment ce que vous préférez.

MODÈLE

A: **Tu voudrais un croissant?**
B: **Non, merci, je préfère les tartines.**

1.

2.

3.

4.

5.

Communiquez!

4 À l'Hôtel Sully

Interpersonal Communication

Avec un partenaire, jouez le rôle d'une réceptionniste et d'un client qui téléphone à l'Hôtel Sully à Paris pour faire une réservation.

La réceptionniste:

- répond au téléphone et donne le nom de l'hôtel
- demande les dates du séjour

- dit qu'il y a une jolie chambre avec une belle vue sur la Seine
- demande comment le client va régler

Le client:

- demande s'il y a une chambre pour deux avec des lits jumeaux
- dit qu'il va rester une semaine à l'hôtel et donne les dates
- dit qu'il veut prendre la chambre

- dit qu'il va régler avec sa carte de crédit

5 Qu'est-ce que tu prends le matin?

*Écrivez les numéros 1–8 sur votre papier. Écoutez les dialogues et écrivez **F** si ces personnes prennent un petit déjeuner français ou **A** s'il est américain.*

Communiquez!

6 Questions personnelles

Interpersonal Communication

Répondez aux questions.

1. Prends-tu toujours le petit déjeuner? Pourquoi, ou pourquoi pas?
2. Qu'est-ce que tu as pris aujourd'hui pour le petit déjeuner?
3. Qu'est-ce que tu prends le matin pendant le weekend?
4. Est-ce que tu préfères le jus d'orange ou le jus de pamplemousse?
5. Est-ce que tu voudrais des œufs sur le plat ou des œufs brouillés?

Je préfère un bol de céréales le matin.

Rencontres culturelles

À l'hôtel

Les parents de Manon arrivent à l'hôtel.

Mère de Manon: Tu lui as dit qu'elle pourrait inviter tous ses amis chez nous?

Père de Manon: Juste Madiba, Nicolas, et Rachid. Elle est responsable. Elle a promis de tout remettre en ordre. Ne t'inquiète pas!

(Le réceptionniste arrive au comptoir.)

Réceptionniste: Bienvenue. Vous avez réservé?

Père de Manon: Euh non... on s'est dit qu'en cette saison.... Il vous reste.... Vous avez une chambre pour deux?

Réceptionniste: Vous avez de la chance. Il me reste une chambre avec vue sur la mer, si cela vous convient....

Père de Manon: Superbe. Le petit déjeuner est compris?

Réceptionniste: Il y a un petit supplément.

Père de Manon: OK, on prend. On avait très envie de venir chez vous.

Réceptionniste: Merci. Vous réglez comment?

Père de Manon: Par carte de crédit. Tu me donnes la carte, chérie?

Mère de Manon: La voici. Et pour le petit déjeuner, on peut l'avoir dans la chambre?

Réceptionniste: Bien sûr, Madame. Vous voulez commander maintenant?

Mère de Manon: Des croissants.

Réceptionniste: Vous buvez du café?

Mère de Manon: Du thé, s'il vous plaît.

Réceptionniste: Et pour Monsieur?

Père de Manon: La même chose, avec du café au lait.

---

7 À l'hôtel

Répondez aux questions.

1. Qui a invité ses amis à la maison?
2. Pourquoi est-ce que les parents de Manon ont de la chance?
3. Quelle vue ont-ils?
4. Le petit déjeuner est compris?
5. Que commande la mère de Manon?
6. Qu'est-ce que son père va boire?

Extension **Le petit déjeuner à l'hôtel**

Nayah et Lamine descendent à la salle du petit déjeuner.

Nayah: Regarde le buffet, il y a tout ce que j'aime.

Lamine: Pour deux, s'il vous plaît.

Hôtesse: Suivez-moi... English ou continental?

Nayah: Deux petits déjeuners complets.

Hôtesse: Alors, English. Vous prendrez les œufs comment? Sur le plat? Brouillés?

Lamine: Moi, brouillés et toi, Nayah? Sur le plat, non? Un brouillé, un sur le plat.

Extension Où est-ce que Nayah et Lamine vont prendre le petit déjeuner? Est-ce qu'on trouve des œufs au buffet?

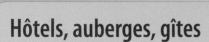

emcl.com
WB 33

Question centrale

?

What do you need to know to travel successfully?

Hôtels, auberges, gîtes

La France est la première destination touristique dans le monde. Soixante-quinze millions de touristes visitent le pays chaque année, et il y a plusieurs possibilités d'hébergement:* des hôtels de toute classe, des auberges,* et des gîtes.* Les auberges se trouvent à la campagne. Elles sont souvent proches* des lieux touristiques (monuments, bord de mer,* rivière) et proposent des séjours complets avec chambre et repas, idéales pour des séjours en famille. Les gîtes sont situés chez des personnes qui louent des chambres, un appartement, ou une petite maison sur leur propriété. Ils offrent souvent des séjours plus économiques.

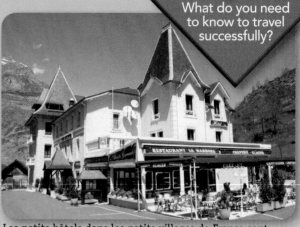

Les petits hôtels dans les petits villages de France sont économiques.

🔍 **Search words: hôtels paris, la petite auberge de roussillon, gîtes de france**

COMPARAISONS

Recherchez un gîte en France. Ressemble-t-il à un hôtel, un motel, ou *bed and breakfast* américain?

hébergement lodging; **auberges** inns; **gîtes** rural holiday houses; **proches** close; **bord de mer** seaside

Les hôtels de luxe et le cinéma

La France est réputée pour ses hôtels de luxe. Le cinéma a rendu célèbre certains palaces comme le Ritz et le Crillon à Paris, le Carlton à Cannes, le Négresco à Nice, et l'Eden Roc au Cap d'Antibes. Grâce au* cinéma, certaines idées sont aussi associées au mot "hôtel." Un "hôtel garni," par exemple, évoque la France des années 1930 et le cinéma populaire de l'époque où le manque* d'appartements obligeait les gens à vivre à l'hôtel. Un "hôtel terminus" est associé au temps des gares et des voyages en train. "Hôtel de France" est le nom d'un hôtel prestigieux dans une ville de province. Un "hôtel louche" est un hôtel mal fréquenté comme on en voit dans les films policiers des années 1950. Le cinéma a rendu célèbre aussi certains noms d'hôtels: L'auberge rouge, Hôtel du Nord, Hôtel de France, Hôtel des Amériques, et Hôtel de la Plage.

L'hôtel Negresco, à Nice, est une destination touristique de luxe.

🔍 **Search words: eden roc cap d'antibes**

Grâce au Thanks to; **manque** lack

Les hôtels Accor

Accor groupe plusieurs chaînes d'hôtel comme Ibis, Novotel, et Sofitel. Le premier groupe des hôtels européens, 37% de son chiffre d'affaires* est réalisé en France, 38% en Europe. Leur premier hôtel était un Novotel à Lille en 1967. Maintenant Accor compte* près de 4.200 hôtels et 145.000 employés dans 90 pays et cinq continents.

 Search words: accor

---

chiffre d'affaires *business;* **compte** *has*

Sofitel est une chaîne d'hôtels présente en France, en Europe, et aux États-Unis. Faites une liste de villes américaines où on peut rester, manger, ou se détendre dans un hôtel Sofitel.

Les petits hôtels parisiens sont moins chers que les grandes chaînes et les hôtels de luxe.

8 Activités culturelles

Faites les activités suivantes.

1. Expliquez ce que ces possibilités d'hébergement offrent:
   - un hôtel
   - une auberge
   - un gîte
2. Associez sur une carte la ville où est située chaque hôtel.
   - Le Négresco
   - Le Ritz
   - Le Carlton
   - L'Eden Roc
   - Le Crillon
3. Expliquez ces genres d'hôtel:
   - un hôtel garni
   - un hôtel terminus

4. Faites des recherches sur Internet et dites à quels films ces hôtels sont associés. Notez aussi le nom de l'acteur ou l'actrice principale, et la date du film.
   - L'Auberge Rouge
   - Hôtel du Nord
   - Hôtel de France
   - Hôtel des Amériques
   - Hôtel de la Plage
5. Trouvez un hôtel à Paris qui n'est pas trop cher. Indiquez la station de métro et les sites touristiques près de l'hôtel.

À discuter

Comment est-ce que vous trouveriez *(would find)* un bon hôtel à Paris? Quels sont vos critères?

Du côté des médias

Lisez la description de cet hôtel.

HOTEL DU QUARTIER ★★★
82 rue du marché 75004 Paris

Retour à la liste

Date d'arrivée Date de départ ▶ RECHERCHER

DÉTAILS

Façade flamboyante et décor élégant pour un séjour au cœur du Paris de la culture et de l'art. L'Hôtel du Quartier compte entre autres majestueux voisins le Panthéon, le Collège de France, la Sorbonne, Notre-Dame, et nous invite à flâner au gré des innombrables charmes de Saint-Germain-des-Près et du Quartier Latin. L'atmosphère chaleureuse et confortable d'une grande maison particulière se retrouve jusqu'aux chambres ponctuées de balcon fleuri, couleurs chaudes, étoffes de bon ton et mobilier de style.

Dans le 5ème arrondissement de Paris, l'Hôtel se situe dans le célèbre quartier de Saint-Germain-des-Près, à distance de marche de la Cathédrale Notre-Dame, près de tous les lieux qui évoquent l'histoire prestigieuse de Paris: Notre Dame, le musée Cluny, les rives de la Seine, le Louvre, et le Musée d'Orsay.

Les principaux centres d'intérêt de Paris, dont le Louvre et la tour Eiffel, sont facilement accessibles grâce aux nombreuses stations de métro situées à proximité de l'hôtel.

Moyen d'accès:

- Bus: lignes 21, 38, 63, 82, 84, 85 et 89 passent près de l'hôtel.
- Métro: les stations les plus proches sont Saint-Michel et Maubert-Mutualité.
- RER: Saint Michel et Luxembourg sont les stations les plus proches.

Plus de photos 1/13 ▶

Services de l'hôtel

Services d'accueil
Animaux acceptés
Bureau de change
Coffre-fort
Concierge
Consigne à bagage   Voir ▾

Parking & transport
Parking privé extérieur
Parking public couvert   Voir ▴

Accueil personnes handicapées
Accès aux chambres par le rez-de-chaussée
Accès handicapés parties communes
Accueil handicapés
Rampes d'accès   Voir ▴

Services pour familles et enfants   Voir ▾

Autres services   Voir ▾

Restauration   Voir ▾

Affaires   Voir ▾

Tarifs	voir les prix en euro ▾
Simple	178.00 € complet
Twin (2 lits)	218.00 € complet
Double	218.00 € complet
Quadruple/famille	248.00 € complet
Triple	278.00 € complet

voir ▶

▶ RESERVER

Commentaires

Petit déjeuner : 9.80 euros
Animaux acceptés
Wifi gratuit

Haut de page

Retour à la liste

FAQ | mentions légales | contact | plan du site | Conditions de vente | Politique de confidentialité | Liens

---

9   L'Hôtel du Quartier

Répondez aux questions.

1. L'hôtel est près de quels monuments et de quelle université?
2. Il a combien d'étoiles (*stars*)?
3. Quelle est la station de métro la plus proche (*nearest*)?
4. Est-ce qu'il faut payer pour le wifi?
5. Combien coûte une chambre lits twin?

La culture sur place

Un hôtel à Bordeaux

Introduction et Interrogations

Vous allez voir si les prestations (*amenities*) dont vous avez besoin sont disponibles dans les hôtels de Bordeaux.

---

10 Les prestations dont j'ai besoin

Imaginez que vous allez faire des réservations à l'hôtel. Cochez (check) la colonne qui indique vos précisions. Ensuite, cherchez un hôtel à Bordeaux qui répond à la majorité de vos besoins.

Critère	Nécessaire	Pas nécessaire	Pas de préférence
Belle vue			
Balcon			
Douche et baignoire privées			
Toilette privée			
Petit déjeuner compris			
Une télévision câblée			
Un gymnase			
Un jacuzzi			
Le wifi gratuit			
Un frigo			
D'autres critères?			

 Search words: hôtels bordeaux

---

11 Faire le point

Avec votre partenaire répondez à ces questions.

1. Quels sont vos critères pour choisir un hôtel à Bordeaux—par exemple, les prestations, l'arrondissement, la proximité des musées et des monuments?
2. Pourquoi les hôtels à Bordeaux sont-ils différents des hôtels aux États-Unis? C'est une question de culture, de l'âge du quartier, ou quelque chose d'autre?
3. Pourquoi est-il important de s'adapter quand on voyage? Qu'est-ce qu'on apprend en voyageant?

Les hôtels français ne servent pas toujours le petit déjeuner américain.

Indirect Object Pronouns: *lui, leur*

The indirect object is the person who benefits from the verb's action. The indirect object answers the question "to whom" or "for whom." In the sentence **Marc téléphone à Khaled**, **Khaled** is the indirect object of the verb **téléphone**. Notice the use of the preposition **à** before the indirect object.

Bruno? Le serveur *lui* sert un petit déjeuner français ou américain?

As in English, the indirect object may be replaced by a pronoun. The indirect object pronoun **lui** replaces **à** and one person or living thing; **leur** replaces **à** and more than one person or living thing.

Singular	lui	*to him, to her*
Plural	leur	*to them*

Vous parlez **à la réceptionniste**?
Oui, je **lui** parle de la réservation.

Are you talking to the hotel clerk?
*Yes, I'm talking **to her** about the reservation.*

Offres-tu un cadeau **à tes parents**?
Oui, je **leur** offre une carte cadeau.

Are you giving your parents a present?
*Yes, I'm giving **them** a gift card.*

The indirect object pronouns **lui** and **leur** usually come right before the verb. If the verb is followed by an infinitive, it comes before the infinitive.

Affirmative statement	Il **lui** téléphone ce soir.	*He is calling **her** tonight.*
Negative statement	Elle ne **lui** parle pas.	*She is not talking **to him**.*
Question	Quand **lui** téléphone-t-il?	*When is he calling **her**?*
With an infinitive	Elle va **lui** dire "non."	*She is going to tell **him** "no."*

In the **passé composé**, indirect object pronouns come *before* the helping verb. The past participle does not agree with **lui** and **leur**.

Manon a envoyé un texto **à ses parents**?
Non, elle ne **leur** a pas envoyé de texto.

Did Manon send a text to her parents?
No, she didn't text them.

12 Le petit déjeuner à l'Hôtel International

À l'hôtel, les garçons prennent un petit déjeuner américain. Les filles prennent un petit déjeuner français. Dites si le serveur leur sert les choses suivantes ou pas.

MODÈLES   Luc: les œufs sur le plat
Le serveur lui sert les œufs sur le plat.

Marie-Alix et Anne: les saucisses
Le serveur ne leur sert pas de saucisses.

1. Marc: une tartine avec du Nutella
2. Diane: des croissants avec du beurre et de la confiture
3. Nicole et Denise: des céréales et du jus d'orange
4. Simon et Olivier: des œufs brouillés
5. Caroline: du pain perdu avec du sirop d'érable
6. Sophie et Stéphanie: du café au lait
7. André: des œufs sur le plat et du bacon

À Ghislaine? Le serveur lui sert un café.

13 L'histoire des parents de Manon

*Complétez les dialogues avec **lui** ou **leur**.*

MODÈLE   —De quoi est-ce que Manon parle à ses parents?
—Elle **leur** parle de leur voyage d'anniversaire.

1. —Où est-ce que Manon dit à ses parents d'aller?
   —Elle... dit d'aller à la Baie de Somme.
2. —Qu'est-ce que Manon conseille à ses parents?
   —Elle... conseille de conduire prudemment.
3. —Qui dit à sa femme que Manon a invité ses amis à la maison?
   —Le père de Manon... dit que Manon organise une petite fête.
4. —Pourquoi est-ce que le père de Manon parle au réceptionniste?
   —Il... parle pour demander une chambre pour deux.
5. —Qu'est-ce que le réceptionniste offre aux parents de Manon?
   —Il... offre une chambre avec vue sur la mer.
6. —Pour le payer, que va donner le père de Manon au réceptionniste?
   —Il va... donner sa carte de crédit.

Éric organise une fête à l'Hôtel Bordeaux pour ses parents pour leur anniversaire de mariage. Il a fait une liste de choses à faire. Dites s'il a déjà fait l'activité ou qu'il va la faire.

1. ☑ téléphoner à la réceptionniste de l'hôtel
2. ☑ acheter un cadeau à mes parents
3. ☑ parler au cuisinier du repas
4. ☑ téléphoner aux invités
5. ☐ montrer le gâteau à mes parents
6. ☐ offrir le cadeau à mes parents
7. ☐ dire "merci" aux invités
8. ☐ donner de l'argent à la serveuse

MODÈLES   téléphoner aux invités
Éric leur a téléphoné.

donner de l'argent à la serveuse
Éric va lui donner de l'argent.

Indirect Object Pronouns: *me, te, nous, vous*

emcl.com
WB 38–39
Games

Écoute, ma mère m'a donné sa carte de crédit!

You have already learned that the pronouns **me**, **te**, **nous**, and **vous** can be used as direct objects. These pronouns can also be used as indirect objects. The preposition **à** (*to*) is considered part of the indirect object pronouns **me**, **te**, **nous**, and **vous**.

Indirect Object Pronouns			
me (m')	*to me*	**nous**	*to us*
te (t')	*to you*	**vous**	*to you [formal, plural]*

Denise **me** dit le numéro de téléphone.   *Denise is telling **me** the phone number.*
De quoi est-ce qu'elle **te** parle?   *What is she talking **to you** about?*
Grand-mère **nous** rend visite.   *Grandma is visiting **us**.*
Elle **vous** donne de tickets de concert.   *She's giving **you** concert tickets.*

Me, **te**, **nous**, and **vous** usually come right before the verb or the infinitive if there is one.

Affirmative statement	Maman **me** donne de l'argent.
	*Mom gives **me** money.*
Negative statement	Claire ne **m'**envoie **jamais** de textos.
	*Claire never sends **me** text messages.*
Question	**Te** téléphone-t-elle tous les jours?
	*Does she call **you** every day?*
With an infinitive	Je peux **vous** donner son numéro de portable.
	*I can give **you** her cell number.*

In the **passé composé**, the indirect objects **me**, **te**, **nous**, and **vous** come right before the helping verb.

Djamel **m'**a parlé avant les cours.   *Djamel talked **to me** before school.*

15 Des conseils

Choisissez une expression de la liste pour parler à ton ami.

> donner 10 euros   montrer la solution   présenter Sylvie   envoyer un pull
>
> rendre visite   montrer le chemin   offrir cette carte cadeau

MODÈLE   C'est mon anniversaire.
Je t'offre cette carte cadeau.

1. J'ai froid ici dans le Minnesota.
2. J'ai besoin d'argent.
3. Je suis malade à la maison.
4. Je voudrais rencontrer de nouveaux camarades de classe.
5. Je ne comprends pas ce problème de géométrie.
6. Je ne sais pas où est la poste.

Je te montre un exemple.

Je ne comprends pas les devoirs.

COMPARAISONS

In English, a verb that takes an indirect object is usually used with the preposition "to." In which sentence below is there no indirect object?

We gave a present to my sister.
Mom is helping me.
To whom are you sending the package?

Il y a un problème avec le portable d'Alain. Il n'entend pas une partie de sa conversation avec son frère. Complétez ses questions avec **me**, **te**, **nous**, *ou* **vous**.

> **MODÈLE** —Je te téléphone demain après les cours.
> —Quand est-ce que tu **me** téléphones?

1. —Maman dit que, toi et moi, il faut faire les corvées demain.
   —Qu'est-ce qu'elle... a dit de faire?
2. —Je vais te présenter à ma nouvelle copine samedi soir.
   —Qui est-ce que tu... présentes samedi soir?
3. —Papa m'offre sa voiture pour aller à la teuf.
   —Qu'est-ce qu'il... offre?
4. —Il m'a donné 25 euros pour le weekend.
   —Combien d'euros est-ce qu'il... a donné?
5. —Oncle François rend visite à maman et moi cet après-midi.
   —Qui... rend visite?
6. —Je vais te montrer le nouvel album de Youssou N'Dour.
   —Tu vas... montrer quoi?

Écrivez les numéros 1–8 sur votre papier. Choisissez la photo qui correspond à chaque phrase que vous entendez.

A.

B.

C.

D.

E.

F.

G.

H.

Present Tense of the Irregular Verb *boire*

emcl.com
WB 40
Games

Qu'est-ce que Julie et Adam boivent?

Here are the forms of the irregular verb **boire** (*to drink*).

boire			
je	**bois**	nous	**buvons**
tu	**bois**	vous	**buvez**
il/elle/on	**boit**	ils/elles	**boivent**

Vous **buvez** toujours du café?   *Do you still drink coffee?*
Non, nous ne **buvons** plus de café.   *No, we no longer drink coffee.*

The irregular past participle of **boire** is **bu**.

Khaled a **bu** du chocolat chaud.   *Khaled drank hot chocolate.*

18 Des phrases logiques

*Utilisez le verbe **boire** et un élément de chaque colonne pour former sept phrases logiques.*

A	B	C
l'athlète	du jus d'orange	au restaurant
je	du chocolat chaud	après un match
le chat	du café (au lait)	à la ferme
mon père	de l'eau (minérale)	avec des sandwichs
mon frère/ma sœur et moi	du thé (au citron)	à la cantine
les Anglais	du coca	en hiver
ta camarade de classe et toi	de la limonade	au cinéma
les ados	du lait	avec le dessert

MODÈLE   **L'athlète boit de l'eau après un match.**

Répondez aux questions.

1. Qu'est-ce que tu bois en été?
2. Qu'est-ce que tu aimes boire en hiver?
3. Qu'est-ce que toi et tes amis buvez après un match?
4. Qu'est-ce que tes parents boivent au restaurant?
5. Qu'est-ce que ton/ta meilleur(e) ami(e) boit au cinéma?

The Adjective *tout*

emcl.com
WB 41
Games

The adjective **tout** (*all, every*) has four different forms depending on the gender and number of the noun it describes. Note that a definite article (**le, la, l', les**) follows **tout**.

Est-ce que Jérôme peut manger
tous les hot-dogs?

Masculine singular	tout	Jean a bu **tout** le jus de pamplemousse.
		Jean drank all the grapefruit juice.
Feminine singular	toute	Il a mangé **toute** sa crêpe.
		He ate all his pancake.
Masculine plural	tous	Manon a fini **tous** ses devoirs.
		Manon finished all her homework.
Feminine plural	toutes	Anne a invité **toutes** ses amies.
		Anne invited all her girlfriends.

Tout is used in the common expressions **pas du tout** (*not at all*), **tout le monde** (*everybody*), and **tout le temps** (*all the time*).

The definite article after the form of **tout** may be replaced by a possessive or a demonstrative adjective.

Toute **ma** famille est à l'hôtel.   *My whole family is at the hotel.*
Tous **ces** croissants son frais.   *All these croissants are fresh.*

20 Il faut faire les courses!

Mme Rousseau est la mère de trois fils. Elle regarde dans le frigo et le placard et réalise qu'ils ont tout mangé. Jouez le rôle de Mme Rousseau.

MODÈLE

soupe
Vous avez mangé toute la soupe?

1.

2.

3.

4.

5.

6.

21 La semaine de Cécile

*Utilisez **tout**, **toute**, **tous**, ou **toutes** pour compléter l'histoire de Cécile.*

Cécile passe... la journée à l'école, excepté le mercredi après-midi quand elle joue au foot avec... ses copains. Elle a un cours d'anglais... les jours. Le samedi elle aime faire du shopping au centre commercial avec... ses amies. Elle a beaucoup d'amis parce qu'elle est heureuse... le temps. ... ses camarades de classe pensent qu'elle est géniale!

À vous la parole

Communiquez!

22 À l'hôtel

Interpersonal Communication

Imagine you have spent the day sightseeing in Bordeaux and need to find a room for the night. With a partner, play the roles of the tourist and the hotel clerk. Discuss available rooms, how much they cost, what the bathroom is like, and if breakfast is included. You might research an actual hotel in Bordeaux and use the information in your conversation.

Search words: hôtel bordeaux centre-ville

What do you need to know to travel successfully?

Communiquez!

23 Le petit déjeuner à l'hôtel

Presentational/Interpersonal Communication

Imagine you work for an international hotel in Paris. Create the hotel's breakfast menu which includes both a continental and an American breakfast. Then role-play a scene in which your partner orders room service using your menu and you take your partner's order.

Communiquez!

24 Les hotels francophones

Interpretive/Presentational Communication

Research one of the hotels from this lesson, or a hotel in another francophone country. Then give a presentation to the class or post one online in which you give the name of the hotel, its location, nearby tourist attractions, a list of its amenities, and any reviews you may find. Your class may even wish to create a website about francophone hotels for travelers.

Cet hôtel est situé à la Martinique.

Lecture thématique

Deux gnomes voyagent!

Rencontre avec l'auteur

Un blogueur anonyme décrit comment l'histoire du gnome du film
Amélie (2001) a influencé sa vie.

Pré-lecture

De quelle façon indirecte avez-vous aidé quelqu'un (*somebody*)?

Stratégie de lecture

Motif

A **motif** is a recurring object or image that reveals a theme in a work
of art. In *Amélie*, the gnome is one of several motifs in the movie. It
represents the idea of transformation. As you read, complete the chart
with information regarding this motif.

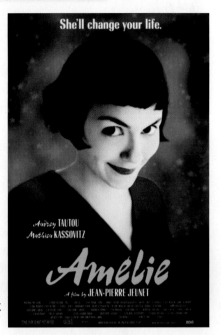

Motif	gnome
where it first appears	dans le jardin du père d'Amélie
the character linked to it	
who frees it	
to whom it is given	
where it goes	

Outils de lecture

Cause and Effect

A **cause** is an action or event that makes something happen. An **effect** is what happens as a result of
the cause. Together they create a situation of action-reaction. Writing to show cause and effect is a
way to organize a piece of writing, such as an essay or screenplay. How do Amélie's generous behind-
the-scene actions (cause) change the people around her (effect)? What is the cause of Amélie's father's
transformation? How does it manifest itself?

Bonjour amis blogueurs! Alors, le thème de cette semaine: voyager dans l'univers fantasmagorique d'Amélie, la serveuse célèbre de Montmartre, dans *Le fabuleux destin d'Amélie Poulain*; oui, le film! Amélie est une jeune femme hantée* par l'amour et la solitude. Elle voit beaucoup de gens seuls et malheureux autour d'elle. Mais plutôt que de se résigner à une vie décevante,* Amélie décide de transformer la vie des autres en faisant de bonnes actions qui les font tomber amoureux,* ou se libérer d'une situation opprimante. Elle observe, elle agit,* et elle fait leur bonheur.

L'une des personnes qu'elle touche le plus est son propre* père. Veuf,* Amélie voit son père comme un homme seul, sédentaire, presque mort.* Il est effectivement très détaché des gens et surtout d'Amélie avec qui il ne communique que par des mots brefs. Il a un gnome dans son jardin qui est là depuis* qu'Amélie est enfant, c'est une allégorie de l'enracinement* du père dans le passé et la solitude. (Son père répare le gnome, et le remet dans son jardin dans le ciment.) Alors, pour aider son père à sortir de son monde d'incarcéré, elle vole* le gnome et le donne à une amie qui est hôtesse de l'air; elle le prend en photo devant des monuments de plusieurs pays du monde. Des lettres arrivent pour son père avec les photos du gnome à New York, au Cambodge, en Thaïlande, en Russie, et en Italie. Après cela, le père décide de faire ses valises et d'aller voyager. Quelle libération! Mission accomplie!

Alors, moi aussi j'ai décidé de changer la vie des gens autour de moi, mais pas pour les mêmes raisons qu'Amélie; j'ai voulu taquiner* mon petit frère qui me joue toujours des tours* (sic). J'ai donné le gnome de notre jardin à notre tante martiniquaise. Elle nous a envoyé une photo du gnome en train de se faire bronzer* sur la plage à l'extérieur de Sainte-Luce! Puis c'est le père de mon copain Rachid qui a pris une photo du gnome dans un salon de thé* à Fès, en Algérie! Et enfin, mon amie Jo, qui travaille au Parlement Européen, à Bruxelles, elle a envoyé une photo du gnome assis dans une salle pendant une assemblée, hi-la-rant!* Je vous dis pas comme il a flippé* le petit frère!

Pendant la lecture
1. Quelle est la profession d'Amélie?

Pendant la lecture
2. Qu'est-ce qu'elle fait pour aider les autres?

Pendant la lecture
3. Comment est le père d'Amélie au début du film?

Pendant la lecture
4. Où voyage le gnome?

Pendant la lecture
5. Comment le blogueur est-il inspiré par le film?

---

hanté(e) *haunted;* **décevant(e)** *disappointing;* **tomber amoureux** *to fall in love;* **agit** *acts;* **propre** *own;* **Veuf** *Widowed;* **mort(e)** *dead;* **depuis** *since;* **enracinement** *entrenchment;* **voler** *to steal;* **taquiner** *to tease;* **joue... des tours** *plays tricks;* **se faire bronzer** *to get a tan;* **salon de thé** *tea shop;* **hilarant(e)** *drôle;* **flipper** *to freak out*

Post-lecture

Pourquoi est-ce qu'Amélie vole le gnome de son père? Qu'est-ce qu'elle désire pour lui?

Le monde visuel

Peut-être que vous avez vu les boîtes de soupe rouges et blanches d'Andy Warhol. Cette tendance artistique contemporaine s'inspire d'objets de la vie quotidienne (*daily*) et s'appelle le Pop Art. Sur cette photo vous voyez des gnomes qu'on trouve dans beaucoup de jardins dans une installation artistique. Combien de gnomes est-ce que vous voyez sur la photo? Comment est-ce que la présence des gnomes transforme le bâtiment (*building*) dans ce parc parisien? Pensez à un adjectif ou deux.

Les nains du jardin, Parc de Bagatelle, Paris, date inconnue. François Le Diascorn.

25 Activités d'expansion

Faites les activités suivantes

1. Utilisez les informations dans votre organigramme et vos réponses aux questions dans **Outils de lecture** pour écrire un paragraphe sur le motif du gnome dans le film *Le fabuleux destin d'Amélie Poulain*.
2. Regardez des scènes du film que votre prof vous montre. Ensuite, écrivez une critique qui recommande ou qui ne recommande pas le film à vos amis.
3. Dessinez une carte qui trace tous les endroits que le gnome visite dans le film. Ensuite, trouvez une photo qui représente chaque endroit et écrivez une légende (*caption*) pour la décrire.

Les copains d'abord: Que de surprises!

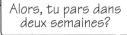

Tu montes?

Géniale... la voiture de ton père!

Oui, j'l'ai pas conduite depuis un moment.

Alors, tu pars dans deux semaines?

Oui, j'ai déjà réservé un billet d'Air-France sur le net.

Qu'en dit Mathéo?

Zut, j'ai plus d'essence!

Tiens, y'a une station, là, on peut y faire le plein.

Enfin, il se rend pas compte. J'ai plein de trucs à faire: mes valises, contacter l'école, faire une réservation à l'hôtel....

Comment ça, la famille de Mathéo ne va pas te loger là-bas?

Quel siège confortable, même le volant a l'air rembourré.

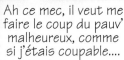
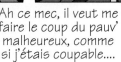

Ah ce mec, il veut me faire le coup du pauv' malheureux, comme si j'étais coupable....

Moi, je dis que t'as beaucoup de chance d'avoir un copain comme lui.

Ça tombe vraiment bien, merci mon Dieu.

Vite, ouvre le capot, faut pas qu'il nous voie!

Si, mes parents les ont contacté mais j'ai peur de ne pas avoir assez d'indépendance.

Mais tu te rends compte comme il est gentil ton mec?

Quoi???

Zut!

Quoi???

Ça alors!

Tu la connais?

Ça alors!

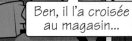

Mon rétroviseur a une marque. Bon, c'est pas grand-chose.

Regarde.

J'l'ai déjà vue à l'école, mais j'sais pas qui c'est.

Ben, il l'a croisée au magasin...

T'es branché?

Projets finaux

A Connexions par Internet: L'Auto-école

Imagine you are studying in France for a year and want to rent a car to explore the countryside, but first you have to pass the written driving test. Take one online and see how well you do. Then discuss with your partner driving rules in France, and how they are the same or different from those in the United States.

 Search words: test de code de la route gratuit

B Communautés en ligne

Notre gnome voyage.

In groups, send a garden gnome on adventures in your town or city like Amélie did for her father's gnome in the film. Take a photo or shoot a video of the gnome in front of important locations and write an explanation in French of why each location is important or memorable for you and your friends. Post your photos or videos online and have students in another French class or in an English class in a francophone country vote on which gnome had the best adventures. (If your class knows a lot of people who travel outside the country, you might even send your gnome on foreign adventures!)

C Passez à l'action!

Sites du patrimoine mondial

Bordeaux is listed as a World Heritage Site by UNESCO. Find out what other sites in France have this designation. Choose four of these sites, then in groups, make a **fiche** to describe each site. Your document should include the name of the site, where it is located, when it was built, a list or description of its special features and/or characteristics, and why your group thinks the site is worth preserving.

 Search words: unesco centre du patrimoine mondial

D Faisons le point!

Make a diagram like the one that follows and fill it in to demonstrate what you need to know to travel in other cultures. An example has been done for you.

Question centrale

?

What do you need to know to travel successfully?

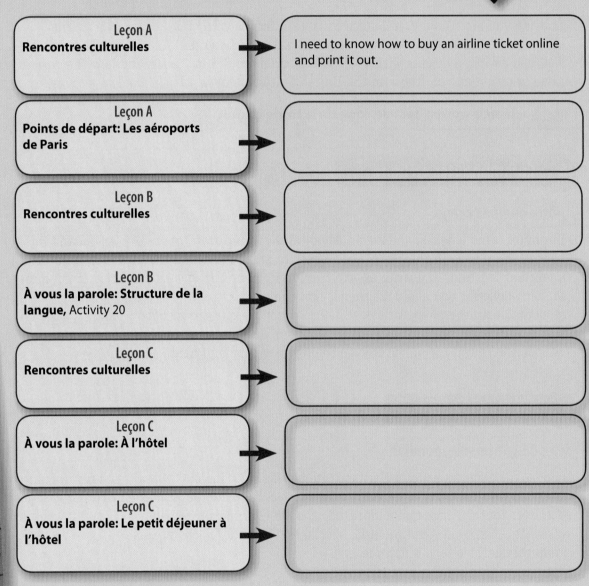

Leçon A **Rencontres culturelles**	→	I need to know how to buy an airline ticket online and print it out.
Leçon A **Points de départ: Les aéroports de Paris**	→	
Leçon B **Rencontres culturelles**	→	
Leçon B **À vous la parole: Structure de la langue,** Activity 20	→	
Leçon C **Rencontres culturelles**	→	
Leçon C **À vous la parole: À l'hôtel**	→	
Leçon C **À vous la parole: Le petit déjeuner à l'hôtel**	→	

Évaluation

A Évaluation de compréhension auditive

Comment organiser ses vacances!

Write the numbers 1–8 on your paper. Listen to the conversation between Aurélie and Stéphane. Then, write a short answer for each question you hear.

B Évaluation orale

With a partner, role-play a conversation between a receptionist at a hotel in Bordeaux and a client.

Ask if the hotel has a room for one. 	Say you have a room for one with a pretty view of the city.
Ask how much the room costs.	Give the rate.
Ask if breakfast is included. 	Say there's a small additional cost.
Say you'll take the room.	Ask if the client would like to order breakfast now.
Say what you want for breakfast.	Ask how the client would like to pay.
Say you'll pay with your credit card. 	Say you hope the client will like Bordeaux.
Say you're looking forward to seeing the museums and monuments and eating in the city's good restaurants.	Wish the client a good day.

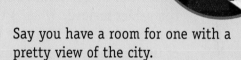

In this activity, you will compare francophone cultures with American culture. You may need to do some additional research on American culture.

1. **Les aéroports**
   How many airports does Paris have? What are their names? Which ones are regional and which are international airports? What airports are there in your region? Are they regional or international airports?

2. **L'UNESCO et le patrimoine mondial**
   You learned that **le Port de la Lune** in **Bordeaux** is classified as a World Heritage Centre. Why did it get this designation? What are five famous places in the United States that are World Heritage Sites? Are there any near you?

3. **Les musiciens**
   What famous musicians come from Bordeaux? What genres of music do they play? What musicians in your area have become famous? What music genres are they known for?

4. **L'industrie automotive**
   Which two independent French car companies merged? What is the name of the new company? What are the names of two American car companies that have merged, either with another American company or with a car company from overseas?

5. **Le permis de conduire**
   Explain how you get a driver's license in France. Is it easier or harder than in the United States?

6. **Sofitel**
   Sofitel is a French chain with hotels in the United States. In which American cities are these hotels located? How does Sofitel compare to American hotels you or your parents have stayed in?

On a vue sur la plage depuis la chambre du Sofitel à Cannes.

Write eight "do" and "don't" travel tips for a magazine article. You might interview someone you know who has traveled a lot to help you with ideas.

Imagine that your aunt, who speaks French, recently took a trip. Describe each stage of the trip as suggested by the illustrations. Also include actions that took place before and after those depicted in the illustrations.

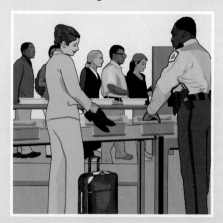

F **Évaluation compréhensive**

Create a storyboard of six frames. Tell the story of a road trip, starting with a stop at the gas station. Introduce a problem or a conflict before the person or people arrive at the hotel in the city of their destination. Tell the story to a group of your classmates using your storyboard.

Vocabulaire de l'Unité 5

	à: à bord on board *A*; **à roulettes** on wheels *A*	
l'	**accélérateur (m.)** accelerator *B*	
un	**accident** accident *B*	
un(e)	**agent(e)** agent *A*	
un	**anniversaire: anniversaire de mariage** wedding anniversary *B*	
	atterrir to land *A*	
s'	**avancer (vers)** to move (toward) *A*	
	avoir: avoir de la chance to be lucky *C*; **avoir hâte de** to be eager (to) *B*	
le	**bacon** bacon *C*	
une	**balade** ride, walk *B*	
	boire to drink *C*	
	bon: Bonne route! Have a good trip! *B*	
la	**Bretagne** Brittany region *B*	
le	**café: café au lait** coffee with milk *C*	
un	**camion** truck *B*	
le	**capot** hood [car] *B*	
une	**carte: carte de crédit** credit card *A*; **carte d'embarquement** boarding pass *A*	
la	**ceinture: ceinture de sécurité** seatbelt *B*	
une	**chambre** hotel room *C*	
	chef sir *A*	
le	**chocolat: chocolat chaud** hot chocolate *C*	
la	**clé** (ignition) key *B*	
le	**clignotant** blinker *B*	
la	**climatisation** air conditioning *C*	
	commander to order *C*	
un	**compartiment: compartiment à bagages** baggage compartment *A*	
	compris included *C*	
un	**comptoir** (ticket) counter *A*	
le	**conducteur, la conductrice** driver *B*	
	conduire to drive *B*	
le	**contrôle: contrôle de sécurité** security checkpoint *A*	
	convenir (à) to please *C*; **Si cela vous convient.** If you'd like. *C*	
la	**dame** lady *A*	
une	**date** date *A*	
le	**début** beginning *A*	
une	**décapotable** convertible *B*	
	décoller to take off (airplane) *A*	
se	**dire** to say to oneself *C*	
	dis: dis donc well *A*	
	enthousiaste enthusiastic *B*	
l'	**essence (f.)** gasoline *B*	
un	**essuie-glace** windshield wiper *B*	
	être: être sur place to be there *B*	
	éviter to avoid *B*	
	faire: faire enregistrer les bagages to check one's luggage *A*; **faire le plein** to fill up the gas tank *B*; **faire un voyage** to go on a trip *A*	
le	**frein** brake *B*	
	gagner: gagner du temps to save time *A*	
le	**garage** auto shop *B*	
	hésiter to hesitate *B*	
une	**hôtesse de l'air** female flight attendant *A*	
l'	**huile (f.)** oil [car] *B*	
s'	**installer** to get settled *B*	

	jumeau, jumelle twin *C*	
	juste only *C*	
le	**klaxon** horn *B*	
	les them *B*	
	leur to them *C*	
la	**matinée** morning *A*	
	me to me *C*	
le, la	**mécanicien(ne)** mechanic *B*	
	même even *B*	
un	**monospace** minivan *B*	
	monter: monter à bord to board *A*	
	nous to us *C*	
le	**Nutella** spread made of hazelnut and chocolate *C*	
le	**ordre: en ordre** in order *C*	
le	**panne: en panne** broken down *B*	
le	**pare-brise** windshield *B*	
un	**passager, une passagère** passenger *A*	
	passer to go through *A*	
	pendant: pendant que tu y es while you're at it *A*	
se	**plaindre** to complain *A*	
la	**plage** beach *B*	
un	**pneu** tire *B*	
une	**porte: porte d'embarquement** boarding gate *A*	
les	**prévisions (f.)** forecast *B*	
	promettre to promise *C*	
une	**promo** sale *A*	
	prudemment carefully *B*	
le, la	**réceptionniste** hotel clerk *C*	
	régler to pay *C*	
	remettre to put back *C*	
	rendre: rendre un service (à quelqu'un) to do (someone) a favor *A*	
	réparer to repair *B*	
la	**réservation** reservation *A*	
	réserver to make a reservation *A*	
	responsable responsible *C*	
	rester to be left *C*	
le	**retour** return *A*	
le	**rétroviseur** rear-view mirror *B*	
une	**saison** season *C*	
	savoir to know *A*	
	signaler to signal *B*	
	servir to serve *A*	
la	**soirée** evening *A*	
la	**station-service** gas station *B*	
un	**steward** male flight attendant *A*	
	superbe excellent *C*	
un	**supplément** additional cost *C*	
une	**tartine** bread with jam, butter *C*	
la	**télé: télé câblée** cable TV *C*	
	tomber: tomber en panne to break down *B*	
	tout(e)(s) every *C*; **tout de suite** right away *A*; **tout le monde** everybody *C*; **tout le temps** all the time *C*; **tout simplement** simply *A*	
	vérifier to check *A*	
	voice here, here is *B*	
une	**voiture: voiture de sport** sports car *B*	
un	**vol** flight *A*	
le	**volant** steering wheel *B*	

American breakfast… see p. 277

6 Les arts maghrébins

Rendez-vous à Nice!

Épisode 16:

Malentendus

Citation

"Une bibliothèque est une chambre d'amis."

A library is a room full of friends.

—Tahar Ben Jelloun, écrivain franco-marocain

À savoir

Chaque année, on célèbre les arts maghrébins—cinéma, musique, théâtre, art culinaire, arts plastiques, et mode—au festival "Maghreb Culture" dans la ville marocaine de Saïdia.

6 Les arts maghrébins

Question centrale

?

How do other cultures enrich our lives?

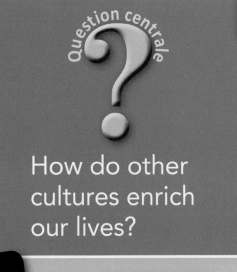

Que dit le cousin de Chadia?
A. Il est malade.
B. Il veut acheter une bague pour sa copine.
C. Il veut se marier avec Chadia.

Comment s'appelle cet instrument?

Contrat de l'élève

Leçon A I will be able to:

» say what a book is about, and recommend and borrow a book.

» talk about Morocco, francophone comics, and a popular book by Tahar Ben Jelloun.

» use the irregular verbs **lire** and **écrire**.

Leçon B I will be able to:

» ask people what instruments they play.

» talk about Algeria, **raï** music and **raï** singer Faudel, and three traditional Arab instruments.

» use **savoir** and **connaître** to express "to know."

Leçon C I will be able to:

» choose appropriate salutations to start and end a letter.

» talk about Tunisia, **souks**, and how to write a formal letter.

» use the verbs **recevoir** and **ouvrir**.

Vocabulaire actif

emcl.com
WB 1–6
LA 1
Games

Qu'est-ce que tu lis et écris?

ASTRONOMIE

Des milliards de planètes peut-être habitables dans notre galaxie

Xavier Bonfils est chercheur à l'Observatoire des sciences de l'Univers de Grenoble. Mercredi 28 mars il publie dans la revue Astronomy & Astrophysics une étude sur les planètes potentiellement habitables de notre galaxie. En effet de nombreuses planètes rocheuses gravitent autour de petites étoiles de faible luminosité, les naines rouges. Selon une étude statistique, il y aurait des dizaines de milliards de planètes potentiellement habitables, c'est-à-dire, avec de l'eau liquide à la surface.

Ce résultat se fonde sur l'observation de 102 naines rouges entre 2003 et 2009. Neuf planètes ont été détectées dans leurs orbites. Parmi ces planètes se trouve Gliese 667Cc. C'est une planète quatre fois plus massive que la Terre. Par ses caractéristiques, c'est celle qui se rapproche le plus de notre planète. Mais elle est distante de trente années-lumière, soit 300 000 milliards de kilomètres... le voyage n'est pas prévu pour demain !

La voie lactée

un article

Je lis....

Azouz **Begag** Le gone du Chaâba

un roman

Les poètes de l'aube

LE POÈME DE LA SEMAINE

La pluie

par Grégoire Almehd

Flic, flac sur la flaque
Tombent les gouttes goutte à goutte
Tel le jour au compte-gouttes
Essore sa clarté, sa lumière
Dans l'éclat de la pierre
Où éclate la perle de pluie

un poème

Au Cœur du Texte

Molière

Le Tartuffe

une pièce

Plaisir de lire

La cigale et la fourmi

Les plus belles fables

un conte

Jardiland MAGAZINE #8

C'est dans l'air
Le tour de France
des plus belles
roseraies

Rose... is beautiful
Le rose lui va si bien

Évasion
Les Chemins de la rose
à Doué-la-fontaine

Shopping déco
Tout beau
tout rose

Un été tout rose !

un magazine

Journal

un journal

une bande dessinée

J'écris....

J'spr ke ta émé mon sit

un SMS

Janine Laffont

Terminale L
Cours de Littérature
M. Jasmin
Semestre de l'hiver

Rédaction n° 3

Titre: La structure symbolique des couleurs dans Le Rouge et le Noir de Stendhal

Est-il besoin de contester à nouveau le mal social qui dérange depuis l'aspect physique de notre héros, Julien Sorel, à la juxtaposition des couleurs de l'appareil post-révolutionnaire du début du dix-neuvième siècle? Certe l'époque post-napoléonienne se déclare comme insurgence par excellence. En premier lieu, il s'agit peut-être d'interroger la période historique comme révélatrice de différends latents dans une société ressortissante de siècles d'injustice que Rousseau qualifierait d'inhérents à la condition humaine. Nous allons démontrer et contester cette vérité humaine en analysant les couleurs comme symbolisme du bien et du mal.

une rédaction

une carte postale

une lettre

Maman,
Je suis au ciné avec Claude.
Bisous,
Janine

un message

entre jeunes

Les sorties de la semaine

Salut amis blogueurs!

un blogue

Pour la conversation 🎧

How do I say what a book is about?

> **Il s'agit d'**une conversation entre le père et sa fille.

  It's about a conversation between the father and his daughter.

> **Il explique** très simplement des choses compliquées....

  It explains complicated things very simply....

How do I introduce an author or a novel?

> **Je vais te faire connaître** un écrivain/un roman que j'adore....

  I'm going to introduce you to a writer/novel that I adore....

How do I say I'll borrow something?

> **Je l'emprunte** aujourd'hui.

  I'll borrow it today.

Et si je voulais dire...?

une biographie	*biography*
un bouquin	*book [slang]*
un compte-rendu	*review, report*
un conte de fées	*fairy tale*
des mémoires (m.)	*memoir*
un récit	*account, story*
un témoignage	*testimony*
un tome	*volume*
paraître	*to publish, come out*

1 La lecture au lycée

Catherine a un blogue sur les thèmes scolaires. Lisez son commentaire pour aujourd'hui et complétez les phrases pour le résumer (summarize).

1. Catherine critique son cours....
2. Dans ce cours, il faut toujours....
3. Les profs donnent aux élèves des romans, des poèmes, des essais, et des... à lire.
4. Catherine pense que les élèves doivent lire des..., des articles, des bandes dessinées, des cartes postales, et des lettres.
5. Elle offre ses... aux profs pour les aider.

Écrire Gérer Liens Présentation Utilisateurs Options Messages Privés (0) Premium

Écrire une page

Je voudrais expliquer très simplement mes idées sur les cours d'anglais au lycée. Il faut toujours lire. Pas de problème, parce que j'aime lire. Mais dans mon cours d'anglais, on nous donne des romans, des poèmes, des essais, des pièces à lire. À mon avis, nous devons lire des contes, des articles, même des bandes dessinées. Il faut lire aussi des choses simples comme des cartes postales et des lettres. J'ai une idée pour les profs: emprunter mes livres et mes magazines!

2 Tu le lis ou tu l'écris?

Identifiez le texte et dites si d'habitude vous le lisez ou si vous l'écrivez.

MODÈLE

C'est une rédaction. Je l'écris.

Albert Boyer
Terminale S
Rédaction

La politique du Maroc

 1.

 2.

3.

4.

5.

6.

7.

8.

9.

10.

Communiquez!

3 Je vais te faire connaître....

Presentational Communication

À tour de rôle, suggérez quelque chose à votre partenaire qu'il ou elle aimerait (would like) connaître.

MODÈLE	une chanson

Je vais te faire connaître une chanson de Joe Dassin. Elle s'appelle "Aux Champs-Élysées." Il s'agit d'une description de l'avenue à Paris. Tu vas l'aimer.

1. une bande dessinée
2. un roman
3. un magazine
4. un article
5. un blogue
6. un poème
7. un conte
8. une chanson

4 Qu'est-ce qu'on lit et écrit?

Écrivez les numéros 1–8 sur votre papier. Choisissez le mot ou l'expression qui correspond à chaque phrase que vous entendez.

A. un conte
B. un journal
C. un blogue
D. une rédaction
E. une carte postale
F. un SMS
G. une pièce
H. une bande dessinée

5 Questions personnelles

Répondez aux questions.

1. À qui est-ce que tu envoies des SMS?
2. Est-ce que tu préfères lire des romans, des journaux, ou des magazines?
3. Comment s'appelle la bande dessinée que tu préfères?
4. Qu'est-ce que tu écris pour ton cours d'anglais?
5. Tu empruntes les livres ou les magazines de tes amis?

J'envoie des SMS à mon ami.

Rencontres culturelles

Passionnés de lecture

Nicolas et Rachid discutent de ce qu'ils aiment lire.

Nicolas: Tu ne lis pas beaucoup de BD toi, Rachid?

Rachid: Non, pas beaucoup... enfin comme tout le monde: un ou deux Astérix.

Nicolas: *Astérix chez les Bretons* et *Le tour de Gaule*, j'espère?

Rachid: Comment tu as deviné?

Nicolas: Parce que c'est les meilleurs! Et les Tintin?

Rachid: Oh, deux que j'ai adorés: *Le trésor de Rackham le Rouge* et *Le secret de la Licorne*... ça vaut *Les Pirates des Caraïbes*!

Nicolas: Bon eh bien... tu es prêt pour entrer dans l'univers de la BD. Je vais te faire découvrir *L'Incal* de Jodorowsky et Moebius et *Lanfeust de Troy* de Tarquin et Arleston. Le héros est un forgeron qui a de pouvoirs extraordinaires.

Rachid: Et moi, je vais te faire connaître un écrivain que j'adore: Tahar Ben Jelloun. Il écrit des poèmes, des contes, des romans, des essais....

Nicolas: Rien que ça! Et qu'est-ce que je dois lire de lui?

Rachid: *Le racisme expliqué à ma fille*, un livre très simple. Il s'agit d'une conversation entre le père et sa fille. Il explique très simplement des choses compliquées: le racisme, l'antisémitisme, les génocides, et l'apartheid.

Nicolas: Vendu! Je l'emprunte aujourd'hui.

---

6 Passionnés de lecture

Identifiez la personne ou les personnes décrite(s).

1. Qui pense qu'*Astérix chez les Bretons* et *Le tour de Gaule* sont très bons?
2. Qui adore *Le trésor de Rackham le Rouge* et *Le secret de la Licorne*?
3. Qui aime lire les bandes dessinées?
4. Qui recommande *L'Incal* de Jodorowsky et Moebius et *Lanfeust de Troy* de Tarquin et Arleston?
5. Qui va emprunter *Le racisme expliqué à ma fille*?

Extension Paul cherche un best-seller.

Paul parle au libraire de la librairie du coin.

Libraire: Au fait, vous cherchiez quoi?

Paul: Un livre que m'a conseillé un ami, mais j'ai oublié le titre et le nom de l'auteur.

Libraire: Et ça parle de quoi?

Paul: Il s'agit de l'histoire d'une civilisation perdue... l'auteur en a retrouvé la bibliothèque. C'est un best-seller.

Libraire: Je le connais. Suivez-moi!

Extension Paul veut acheter et lire un livre d'essais, un roman, ou une anthologie de pièces?

La Francophonie

✳ Le Maroc

Le Maroc est un ancien protectorat français (1912) devenu indépendant en 1956. Aujourd'hui le Maroc est une monarchie constitutionnelle. Le roi s'appelle Mohammed VI. Le Maroc fait partie de l'Organisation internationale de la Francophonie et il a des liens étroits* avec l'Union européenne. Le Maroc est la cinquième puissance économique d'Afrique.

Le Maroc longe (*follows*) l'océan Atlantique.

Le Maroc a une vie culturelle riche avec sa tradition musicale arabo-andalouse et une littérature contemporaine engagée contre le conservatisme du pouvoir;* elle est dominée par Driss Chraïbi, Abdelkebir Khatibi, et Tahar Ben Jelloun. Le Maroc a aussi une industrie cinématographique très active dominée par le talent du réalisateur Ahmed El Maanouni (*Transes, Les Cœurs brûlés*). Ses paysages, son architecture, et sa lumière font partie de l'imaginaire cinématographique: beaucoup de films ont été tournés* au Maroc.

Profil du Maroc	
Habitants	31.000.000
Religion	Islam
Langue officielle	l'arabe
Devise (*currency*)	le dirham
Villes principales	Rabat (capitale), Casablanca, Marrakech, Fès, Tanger, Agadir, Meknès
Industries principales	l'agriculture, la pêche, le tourisme
Port principal	Tanger
Films tournés au Maroc	*Lawrence d'Arabie, Gladiator, Babel, Prince of Persia*

 Search words: maroc tourisme, fiche pays maroc, conseils aux voyageurs france diplomatie

---

liens étroits *close ties;* **pouvoir** *power;* **tournés** *filmed*

Produits

Avant de se marier, les femmes marocaines se décorent le corps avec **le henné** (*henna*), un produit naturel qu'on trouve au Maroc.

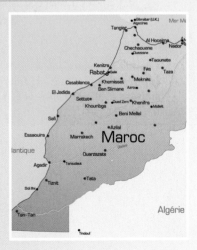

Produits

Le racisme expliqué à ma fille de Tahar Ben Jelloun, publié en 1998, est un bestseller traduit (*translated*) en une trentaine de langues. Le livre est né des questions que lui posait sa fille Mérième au sujet des raisons du racisme.

Search words: tahar ben jelloun site officiel de l'écrivain

Tahar Ben Jelloun.

Mon dico arabe

bakchich: *"bribe"*
bled: *village isolé*
charabia: *incompréhensible*
flouze: *argent*
kif kif: *pareil, semblable*
ramdam: *bruits de fête*
toubib: *médecin*

COMPARAISONS

Quels livres as-tu lus qui traitent du thème du racisme?

La bande dessinée francophone

emcl.com
WB 8–9

Aventure franco-belge, la bande dessinée francophone a donné naissance à* de nombreux héros: Tintin créé par Hergé, Spirou par Rol-Vel, Pif par Arnal, et Astérix le Gaulois créé par Uderzo et Goscinny. Tous sont nés dans des magazines qui ont connu un énorme succès: *Spirou*, *Le Journal de Tintin*, *Vaillant*, ou *Pilote*. Hergé et Goscinny sont peut-êtres les plus célèbres. Hergé est le créateur de Tintin, un reporter toujours accompagné de son chien Milou. Goscinny est le créateur d'Astérix et son compagnon Obélix, deux guerriers* gaulois, et de Lucky Luke, le cowboy qui tire* plus vite que son ombre.* Aujourd'hui les héros de la bande dessinée sont les héros du fantastique et de l'heroic fantasy: *L'Incal* de Moebius et *Lanfeust de Troy* de Tarquin et Arleston.

La bande dessinée a aussi son festival à Angoulême, fin janvier, depuis 1974. On y retrouve les artistes, les éditeurs, et les réprésentatifs des maisons d'éditions.*

 **Search words: tintin site officiel,
astérix site officiel**

---

a donné naissance á *gave birth to;* **guerriers** *warriors;* **tire** *fires (a gun);* **ombre** *shadow;* **maisons d'éditions** *publishing houses*

Astérix est l'une des bandes dessinées les plus populaires en France.

Faites les activités suivantes.

1. Situez sur une carte les grandes villes marocaines mentionnées dans le texte.
2. Choisissez une ville et faites une présentation de cette ville en vous aidant de l'Internet et des sites de ces villes.
3. Tintin ou Astérix: faites le portrait de l'un ou l'autre de ces héros de bande dessinée.
4. Écrivez six phrases qui utilisent des mots arabes, par exemple: "Ta composition, c'est du charabia!"

Perspectives

Pour Tahar Ben Jelloun, on n'est pas raciste de naissance, on le devient. Défendez ou critiquez cette position.

Du côté des médias

Regardez la carte et les photos.

1 Rabat

2 Casablanca

3 Essaouira

4 Marrakech

5 Agadir

8 Le Maroc

Faites les activités suivantes.

1. Écrivez une légende (*caption*) pour chaque photo, par exemple, **Je mange au restaurant à Marrakech**.
2. Imaginez que vous faites le tour du Maroc en voiture. Commencez par Essaouira. Ensuite, dites dans quel ordre vous allez visiter les villes de Rabat, Marrakech, Fès, et Tanger.
3. Vous voulez partir en vacances au Maroc pendant 5 jours. Choisissez une ville de la carte, puis trouvez des restaurants, des sites à visiter, et des activités à faire. Faites votre programme en utilisant le Web.

emcl.com
WB 10–11
Games

Present Tense of the Irregular Verb *lire*

Est-ce que Mohammed lit le conte
"Ali Baba et les quarante voleurs"?

Here are the present tense forms of the irregular verb **lire** (*to read*).

lire			
je	**lis**	nous	**lisons**
tu	**lis**	vous	**lisez**
il/elle/on	**lit**	ils/elles	**lisent**

Vous **lisez** le blogue de Manu?
Oui, nous le **lisons**.

Are you reading Manu's blog?
Yes, we are reading it.

The past participle of **lire** is **lu**.

Les élèves ont **lu** un conte de
Guy de Maupassant.

The students read a story by
Guy de Maupassant.

9 Qu'est-ce qu'on lit?

Dites ce que tout le monde lit.

MODÈLE

En classe, **nous lisons un poème** en ligne.

1. La prof... de Stendhal.

2. Les acteurs... de Molière.

3. Toi, tu...

4. Ton frère et toi... de votre mère.

5. Qui... de Nathalie?

6. Je... de La Fontaine.

10 À l'école primaire

Anne parle à sa mère du concours (contest) de lecture à son école. Dites qui a beaucoup lu, bien lu, ou peu lu.

MODÈLE Madison
Madison a peu lu.

X = peu
XX ou XXX = bien
XXXX ou plus = beaucoup

Tyler	XXXXXXX
Brittany	X
Heather	XX
Damian	XXXX
Justin	XXXXXXX
moi	XXXX
toi	XXXXXX
Tiffany	XXXXXX
Madison	X

1. toi, tu
2. Damian et moi
3. Brittany
4. moi, je
5. Brittany et Madison
6. Tiffany et toi
7. Tyler et Justin

Present Tense of the Irregular Verb *écrire*

Here are the present tense forms of the irregular verb **écrire** (*to write*).

écrire			
je/j'	**écris**	nous	**écrivons**
tu	**écris**	vous	**écrivez**
il/elle/on	**écrit**	ils/elles	**écrivent**

Qui a écrit le message?

Vous **écrivez** un SMS à Thomas?
Non, je ne lui **écris** pas de SMS.

Are you writing an SMS to Thomas?
No, I'm not writing to him.

The irregular past participle of **écrire** is **écrit**.

Ils m'ont **écrit** pendant les vacances.

They wrote to me while on vacation.

11 On écrit.

Dites ce que les personnes suivantes écrivent selon les illustrations.

1. mon prof

2. moi, je

3. Nathalie

4. Khaled et Nicolas

5. Maude et moi, nous

6. toi, tu

7. Noah et toi, vous

12 Les rédactions pour le cours de littérature

Selon les notes suivantes dites si les élèves ont bien, mal, ou assez bien écrit leur rédaction.

Nom	Note
Noah	6/20
moi	13/20
toi	18/20
Julien	7/20
Nasser	8/20
Sophie	19/20
Julie	14/20

1. Sophie et toi, vous
2. Noah et Nasser
3. Julie et moi, nous
4. toi, tu
5. Julien
6. Nasser et Julien
7. Sophie

MODÈLE Julie
Julie a assez bien écrit.

Salim a reçu 13/20; il a assez bien écrit.

13 Qui lit? Qui écrit?

*Écrivez les numéros 1–8 sur votre papier. Écoutez les phrases. Écrivez **L** si les personnes mentionnées lisent ou **E** si elles écrivent.*

À vous la parole

Question centrale

How do other cultures enrich our lives?

Communiquez!

14 Un profil de lecture

Interpersonal/Presentational Communication

Interview a classmate about what he or she reads. Ask your classmate **Lis-tu...?** Write down his or her answers in a chart like the one below. Ask him or her to give one or two examples. Then, make a profile of his or her reading habits for your group.

Lis-tu...?

Ce qu'il/elle lit	Oui/Non	Au sujet de.... (Exemples)
1. les BD		
2. le journal en papier		
3. le journal en ligne		
4. les magazines		
5. les romans		
6. les blogues		
7. les SMS		

Communiquez!

15 Vingt questions

Interpersonal/Presentational Communication

Write the name of a book on an index card and give the card to your teacher. The teacher selects an answerer. The answerer picks a card. The rest of the students are questioners who take turns asking up to 20 questions. The student who identifies the book becomes the next answerer. To make the game more competitive, divide the class into two teams. The team with the most points is the winner.

Communiquez!

16 La nouvelle manga

Interpretive/Presentational Communication

Japanese science fiction and fantasy mangas have become very popular in France. In fact, a new genre in which French and Belgian comic strip writers collaborate with Japanese artists has emerged: **la nouvelle manga.** Find some of these artists and read their comics online. Share what you have learned with the class about the storylines, settings, and characters.

Communiquez!

17 **La musique arabo-andalouse et la musique Gnaoua**

Interpretive/Presentational Communication

La musique arabo-andalouse and **la musique Gnaoua** are two important music genres in Morocco. Research them and answer the following questions. How does a country's music reflect its cultures and history? How are these two musical genres connected to the various ethnic groups in Morocco? How are they connected to Moroccan history? What types of instruments are used? Create a multimedia report with images, facts, charts, maps, sound, and/or video about these two forms of music. You might even collaborate with students in your school's music classes on this project.

 Search words: **la musique marocaine**
la musique arabo-andalouse
la musique gnaoua

Un groupe de musiciens à Marrakech, au Maroc.

Prononciation 🎧

Linking Consonants with Vowels

- In spoken French, when a word ending in a pronounced consonant is followed by a word beginning with a vowel sound, the consonant sound is linked to the vowel. This is called **enchaînement consonantique**.

J'arrive ⌢ à quatre ⌢ heures.

A Ce que je fais

Répétez les phrases suivantes. Faites attention à l'enchaînement consonantique.

1. J'écris un blogue ⌢ et je surfe sur Internet.
2. J'envoie ma pièce ⌢ aux éditeurs.
3. Elle lit un conte ⌢ aux enfants.
4. J'écris un message ⌢ à mon amie.
5. Tu envoies une lettre ⌢ à Jean-Paul?

B Fais ceci!

Écrivez les phrases suivantes sur une feuille de papier. Marquez l'enchaînement consonantique que vous entendez dans chaque phrase.

> **MODÈLE** Apporte ⌢ un livre!

1. Apporte un journal!
2. Emprunte un roman à la bibliothèque!
3. Mange avec nous!
4. Écoute avec attention!
5. Envoie une carte postale à Claire!

Unpronounced Consonants

- When a word ends in an unpronounced consonant, there is no linking, but rather a continuous vowel sound, or **enchaînement vocalique**.

Il écrit ⌢ une lettre.

C Enchaînement vocalique

Répétez les phrases suivantes. Faites attention à l'enchaînement vocalique.

1. J'écris ⌢ un roman.
2. Tu lis ⌢ une lettre.
3. Il a invité ⌢ Hélène.
4. Nous avons vu ⌢ Annie.

D Pratiquons!

*Est-ce que les enchaînements sont consonantiques ou vocaliques? Écrivez **EC** si vous entendez un enchaînement consonantique ou **EV** un enchaînement vocalique.*

Vocabulaire actif

emcl.com
WB 14–17
LA 1
Games

La musique

Les genres de musique et les artistes

la musique classique

Michel Dalberto
(pianiste français)
site officiel de Michel Dalberto

la musique folklorique

Mes Aïeux
(groupe québécois)
site web

la musique pop

La Casa
(groupe électro pop français)
Facebook

le rock

Johnny Hallyday
(chanteur français)
regardez un clip de "17 ans"

le jazz

Anne Ducros
(chanteuse française)
YouTube

le reggae

Daddy Nuttea
(chanteur martiniquais)
cherchez sa discographie sur Wikipédia

la techno

Air
(groupe français)
site web

le rap

Youssoupha
(chanteur français)
site web

le raï

Faudel
(chanteur français)
regardez un clip de "Je veux vivre"

Les instruments

un saxophone

une clarinette

une guitare

un piano, un violon, un violoncelle

une batterie

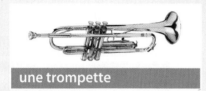
une trompette

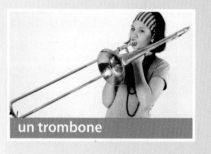
un trombone

une flûte

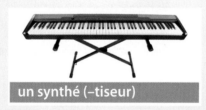
un synthé (–tiseur)

Les instruments arabes

un oud

un nay

un tambour

Pour la conversation

How do I ask if someone plays a particular instrument?

> **Tu joues d**'un instrument?

> *Do you play a musical instrument?*

How do I say what instrument I play?

> **Je joue de** la flûte.

> *I play the flute.*

Et si je voulais dire...?

une contrebasse	*bass, double bass*
un orchestre	*orchestra*
un piano à queue	*grand piano*
un son	*sound*
une tournée	*tour*
applaudir	*to applaud*
siffler	*to boo, hiss*

1 La musique dans ma famille

Lisez le paragraphe. Ensuite, associez un genre de musique à chaque membre de la famille de Léo.

MODÈLE   la tante de Léo
le jazz

J'apprécie tous les genres de musique parce que les membres de ma famille sont très forts en musique. Ma mère joue de la clarinette dans un orchestre. Mon père joue de la guitare dans un groupe de rock. Ma sœur, qui a 14 ans, joue de la batterie à l'école. Mon grand-père est membre d'un groupe folklorique qui chante des chansons traditionnelles françaises comme "Auprès de ma blonde." Ma tante joue du saxophone et chante dans un groupe de jazz. Et moi? Je joue du synthé dans un groupe techno!

1. la mère de Léo
2. le grand-père de Léo
3. le père de Léo
4. Léo
5. la sœur de Léo

Qui c'est?

À tour de rôle, demandez ce que les gens dans la vie de votre partenaire préfèrent écouter.

MODÈLE	tes grands-parents

A: **Qu'est-ce que tes grands-parents préfèrent écouter?**

B: **Mes grands-parents préfèrent écouter le rock des années 70.**

1. ta sœur ou ton frère
2. tes cousins
3. ton ou ta meilleur(e) ami(e)
4. ta tante
5. ton oncle
6. ton prof

3 **De quel instrument est-ce qu'ils jouent?**

Dites de quel instrument chaque élève joue.

1. Joséphine

2. Leïla

3. Théo

4. Stéphanie

5. Bruno

6. Karim

7. Éric

8. Martine

4 **Tu joues de quel instrument?**

Écrivez les numéros 1–8 sur votre papier. Écoutez les différents adolescents parler des instruments qu'ils jouent. Écrivez la lettre qui correspond à chaque instrument décrit.

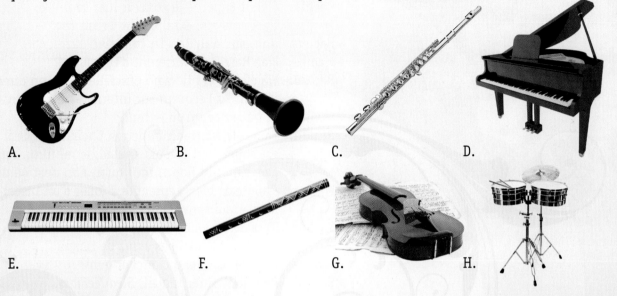

A.   B.   C.   D.

E.   F.   G.   H.

5 **Questions personnelles**

Répondez aux questions.

Je suis des cours de saxophone.

1. Est-ce que tu joues d'un instrument?
2. Est-ce que tu préfères le hip-hop ou la musique pop?
3. Quel est ton musicien ou groupe préféré?
4. Qu'est-ce que tes parents aiment écouter?
5. Quel est ton instrument préféré?

Rencontres culturelles

Le raï

Rachid et Madiba vont à la FNAC.

Rachid: C'était superbe le concert hier soir.

Madiba: Quel concert? DJ Djeb sur Urban Hit?

Rachid: Non, sur Wah'Raï. Tu connais?

Madiba: Wah'Raï? C'est différent d'Urban Hit?

Rachid: Wah'Raï, c'est la radio officielle du raï en direct d'Oran. Tu l'écoutes sur Internet, c'est incroyable.

Madiba: Et qu'est-ce qu'on entend?

Rachid: Tout—le raï traditionnel, la Cheikha Rimitti, elle est super top! Et puis Khaled, le raï funk, reggae, rap, hip-hop... tout quoi, non c'est génial.

Madiba: J'aimerais bien apprendre à jouer d'un instrument traditionnel. Toi, tu joues de quoi?

Rachid: J'essaie de jouer de l'oud, mais c'est difficile et... puis je n'ai pas assez de temps.

Madiba: Bon, on est venu chercher quoi?

Rachid: Ben, le dernier Faudel, *Bled Memory*.

Madiba: On l'écoute d'abord? Je sais qu'il est en écoute libre.

Rachid: Si tu veux.

6 Le raï

Complétez les phrases.

1. Rachid a écouté... hier soir.
2. Wah'Raï vient d'....
3. Rachid écoute toutes sortes de....
4. ... joue d'un instrument traditionnel.
5. Rachid veut acheter le nouveau CD de....
6. On peut l'... avant de l'acheter.

Extension De quel instrument aimeriez-vous jouer?

Un journaliste interviewe des gens devant la FNAC.

Journaliste: De quel instrument aimeriez-vous jouer? Et parce que nous sommes curieux: pourquoi?

Passante 1: Du violon... c'est tellement romantique.

Passante 2: Moi, je voudrais jouer du piano... parce que ma mère en jouait.

Passant 3: De la guitare... à cause des classiques des années 80. J'aime tout ce qui est rétro!

Passant 4: Sans hésiter, du saxophone... pour être Robert de Niro qui fait la cour à Liza Minnelli dans *New York, New York*.

Passante 5: De la flûte comme on en jouait dans les châteaux de la Renaissance.

Extension Qui est influencé par d'autres arts dans sa réponse à la question du journaliste? Qui a une réponse historique? Qui a une réponse personnelle?

La Francophonie

✳ L'Algérie

Colonie française de 1830 à 1962, l'Algérie est devenue indépendante après une guerre* d'indépendance qui a duré huit ans (1954–1962). Plus de 300.000 personnes sont morts* dans la guerre, et un million d'Européens appelés les "pieds-noirs" sont venus en France. Aujourd'hui l'Algérie est le plus grand pays du Maghreb. C'est un pays jeune: 70% de ses 34 millions d'habitants ont moins de 30 ans. Sa population est composée d'Arabes (83%) et de Berbères de Kabylie (17%).

Des ruines romaines sur la plage de Tipaza, en Algérie.

Même si* l'Algérie ne fait pas partie de l'Organisation internationale de la Francophonie, c'est le plus grand pays francophone après la France. Ses élites culturelles, politiques, économiques, et universitaires parlent français. Les chaînes de télévision les plus regardées sont les chaînes françaises. Le français est souvent la langue de communication dans les domaines des affaires, de l'éducation, et des arts. L'Algérie a aussi plusieurs sites d'intérêt touristique: des ruines romaines comme Timgad et Tipaza, des plages, des oasis (M'zab), et des paysages du Sahara (Tassili, Hoggar).

---

guerre *war;* **sont morts** *died;* **Même si** *Even though*

Profil de l'Algérie	
Habitants	35.700.000
Religion	Islam
Langue officielle	l'arabe
Devise (*currency*)	le dinar
Villes principales	Alger (capitale), Sétif, Oran, et Constantine
Industries principales	le pétrole, le gaz
Écrivains	Mohamed Dib, Kateb Yacine, Assia Djebar, Rachid Boudjedra, Rachid Mimouni, Leila Sebbar, Yasmina Khadra, Boualem Sansal
Metteurs en scène célèbres et leurs films	Mohammed Lakhdar-Hamina (*Le vent des Aurès, Chronique des années de braise*), Merzak Allouache (*Omar Guetlato*), Nadir Moknèche (*Viva Laldjérie*), Rachid Bouchareb (*Indigènes, Hors-la-loi*)

 Search words: **tourisme, algérie présentation de l'algérie france diplomatie, conseils aux voyageurs france diplomatie**

Produits

Indigènes est un film du metteur en scène algérien Rachid Bouchareb. Les héros sont des soldats maghrébins dans la Deuxième Guerre Mondiale (*WWII*) que l'on appelle "indigènes." Face à la désillusion dûe à la discrimination, ils trouvent néanmoins (*nevertheless*) une conscience politique et de l'espoir (*hope*).

Le raï

Le raï est la musique typique de l'Ouest algérien. Sa capitale artistique est Oran. Forme traditionnelle des années 1930, il a beaucoup évolué depuis les années 1970 avec les apports* de nouveaux instruments (batterie, guitare électrique, synthétiseur) et les influences du rock, du reggae, et du funk. Une nouvelle génération d'interprètes a largement contribué à populariser le raï: Khaled, Faudel, Rachid Taha. Ils ont renouvelé* les formes du raï et les thèmes pour créer un raï à la fois* protestataire et toujours sentimental.

 Search words: wah'raï la radio officielle du raï

---

apports *contributions;* **renouvelé** *renewed;* **à la fois** *at the same time*

COMPARAISONS

Quels genres de musique américains ont évolué depuis les années 1970?

Faudel

Faudel est appelé "le petit prince du raï." D'origine algérienne, il est né français en 1978 à Mantes la Jolie, dans la région parisienne. À 18 ans, il devient une star du raï avec "Tellement N'Brick" et reçoit le prix de "Révélation de l'année" en 1999. En 1998, il participe avec Khaled et Rachid Taha à la plus grande soirée raï jamais organisée en France: "1, 2, 3, Soleil" qui réunit 20.000 personnes au Stade de Bercy à Paris. Ses plus grands succès sont les albums *Samra*, *Un autre soleil*, et *Mundial Corrida* en 2006 avec la chanson "Mon pays." Devenu acteur, il joue au cinéma avec Audrey Tautou.

 Search words: faudel le site officiel, vidéo mon pays faudel, bercy

Faudel à la Fête de la musique.

Instruments traditionnels

L'oud est le plus vieil instrument de la musique arabe. C'est une sorte de luth* qui existe depuis le VIème siècle. Il est utilisé comme instrument d'accompagnement ou comme instrument solo. Le nay est une flûte en roseau.* Dans la tradition arabe, le style est rythmique et le son aigu.*

---

luth *lute (stringed instrument)*; **roseau** *reed*; **aigu** *sharp*

C'est un oud, un instrument traditionnel de musique raï.

7 Activités culturelles

Faites les activités suivantes.

1. L'Algérie: à quoi correspondent ces chiffres?
   - 300.000
   - 1 million
   - 34 millions
2. Comparez le Maroc et l'Algérie selon ces critères:
   - population
   - religion
   - langue officielle
   - devise (*currency*)
   - aspects culturels

3. Complétez cette carte d'identité du raï:
   - description des chansons
   - interprètes
   - influences
4. Pour Faudel, dites à quoi correspondent ces dates:
   - 1978
   - 1998
   - 1999
   - 2006
5. Dites quel instrument arabe est à cordes (*strings*).

Perspectives

Dans sa chanson "Tellement n'Brick," Faudel chante en français et en arabe. Pour quel groupe de la population française chante-t-il en arabe?

Du côté des médias

Lisez les titres des albums de Faudel.

DISCOGRAPHIE

1997 – Baïda
Télécharger

2001 – Samra
Télécharger

2004 – Un Autre Soleil
Télécharger

2006 - Mundial Corrida
Télécharger

2007 - L'essentiel Faudel
Télécharger

2009 - Bled Memory

BAÏDA MON AMOUR

Écouter des extraits du nouvel album de Faudel sur son Myspace

NEWSLETTER

S'inscrire à la newsletter

---

8 La discographie de Faudel

Répondez aux questions.

1. Cherchez la signification (*meaning*) des titres "Baïda" et "Samra." Qu'est-ce que le mot *bled* veut dire en arabe? À quoi fait allusion "Bled Memory?"
2. Quel album a les meilleurs hits de Faudel? Pourquoi?
3. Écoutez la chanson "Mon pays." Comment comprenez-vous le titre?

Mon pays

J'ai la mémoire qui flanche

Je me souviens

Tellement N'Brick

Un autre soleil

Baida

C'est la vie

Je veux vivre

Structure de la langue

Present Tense of the Irregular Verb *savoir*

Martine sait-elle bien jouer du violon?

The verb **savoir** (*to know, to know how*) is irregular.

savoir			
je	**sais**	nous	**savons**
tu	**sais**	vous	**savez**
il/elle/on	**sait**	ils/elles	**savent**

Vous **savez** jouer du violon?	*Do you know how to play the violin?*
Non, mais je **sais** jouer du piano.	*No, but I know how to play the piano.*

The past participle of **savoir** is **su**. The verb **savoir** in the **passé composé** means "to find out."

Elle a **su** trouver la poste.   *She found out how to find the post office.*

COMPARAISONS

What is included in the English sentence that does not need to be translated in the French sentence?

I *know how to* inline-skate.

Je **sais faire** du roller.

COMPARAISONS: To express how to do something in English, the word "how" is needed before the preposition "to." In French you do not need to add a preposition or "how."

9 Ils savent jouer d'un instrument.

Dites de quel instrument on sait jouer.

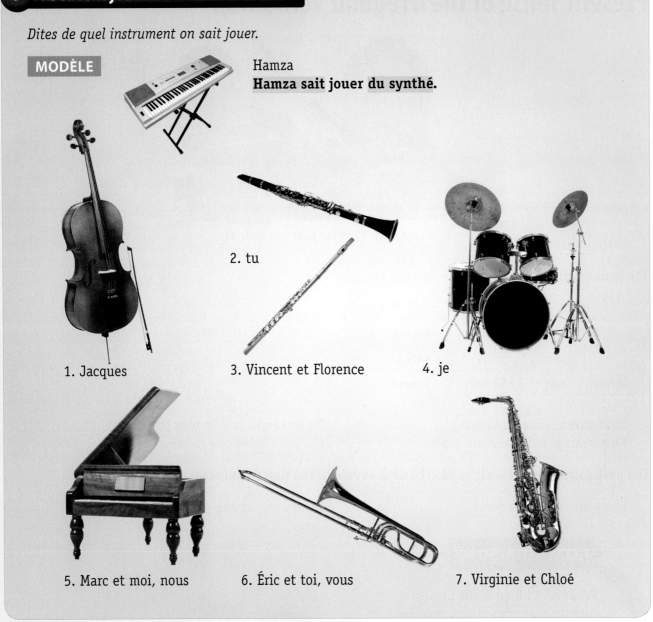

MODÈLE

Hamza
Hamza sait jouer du synthé.

1. Jacques

2. tu

3. Vincent et Florence

4. je

5. Marc et moi, nous

6. Éric et toi, vous

7. Virginie et Chloé

Les filles jouent de quels instruments?

10 **Est-ce que tu sais…?**

Trouvez quelqu'un dans la classe qui sait faire les activités suivantes.

> **MODÈLE** faire du cheval
> A: **Sais-tu faire du cheval?**
> B: **Oui, je sais faire du cheval.**
>   ou
> **Non, je ne sais pas faire du cheval.**

1. faire une omelette
2. conduire une voiture
3. expliquer un problème de maths
4. imprimer un billet d'avion
5. télécharger une chanson française
6. vérifier l'huile
7. commander le petit déjeuner dans un hôtel français
8. dessiner
9. traire les vaches
10. parler allemand

emcl.com
WB 21–22
LA 2
Games

Present Tense of the Irregular Verb *connaître*

Another verb that means "to know" is **connaître**. It is also irregular. The verbs **connaître** and **savoir** are used in different situations.

connaître			
je	**connais**	nous	**connaissons**
tu	**connais**	vous	**connaissez**
il/elle/on	**connaît**	ils/elles	**connaissent**

L'oiseau connaît cette chansîon, mais il ne l'aime pas.

Vous **connaissez** ma cousine?   *Do you know my cousin?*
Non, je ne la **connais** pas.   *No, I don't know her.*

Use **connaître** to say that you are familiar or acquainted with people, places, or things.

Est-ce que tu **connais** Lyon?   *Do you know Lyon?*
Pierre **connaît** les affiches de Toulouse-Lautrec?   *Is Pierre familiar with Toulouse-Lautrec's posters?*

The irregular past participle of **connaître** is **connu**. The verb **connaître** in the **passé composé** means "to meet."

Elle a **connu** Caro à l'école.   *She met Caro at school.*

What are the English equivalents
of the sentences below?

Je connais un bon roman.
Je sais que tu vas l'aimer.

Does English distinguish between knowing
people and things versus knowing
information or how to do something?

11 Est-ce qu'on connaît...?

Dites que tout le monde connaît les parents (relatives)
de Moussa, mais pas les parents de Jacqueline.

MODÈLES   Alexandre/le cousin de Moussa
Il le connaît.

moi, je/la grand-mère de Jacqueline.
Je ne la connais pas.

1. toi, tu/le frère de Moussa
2. Anne et Claire/la cousine de Jacqueline
3. moi, je/le père de Moussa
4. Luc et moi/la tante de Jacqueline
5. Solange et toi/le cousin de Jacqueline
6. Mireille/les parents de Moussa
7. Mélanie et Momo/la sœur de Moussa

12 Tu connais l'Algérie?

*Écrivez les numéros 1–8 sur votre papier. S'il faut utiliser **savoir**, écrivez **S**, ou s'il faut utiliser*
***connaître**, écrivez **C** pour parler de ce que vous entendez.*

13 Une rédaction

*Complétez les phrases avec la forme convenable de **savoir** ou **connaître**.*

1. Je... qu'on doit écrire une rédaction sur l'artiste Toulouse-Lautrec.
2. Je... ses affiches du Moulin-Rouge à Montmartre.
3. Mes camarades de classe et moi, nous... que Toulouse-Lautrec aimait peindre des chevaux
   aussi bien que les chanteurs et danseuses.
4. Toi, tu... le musée de Toulouse-Lautrec à Albi.
5. ...-tu si c'est un peintre réaliste ou moderne?
6. Je ne... pas où commencer ma rédaction.

COMPARAISONS: The first sentence would be "I know a good book."
The second sentence would be "I know that you're going to like it."
There is only one verb to express "to know" in English.

14 Est-ce que tu connais…?

À tour de rôle, demandez si votre partenaire connaît les personnes et choses suivantes.

poème	footballeur	artiste	chanteur	pays
quartier	musée	monument	écrivain	hôtel	château

MODÈLE

A: **Est-ce que tu connais ce footballeur?**
B: **Oui, je le connais. C'est Zinédine Zidane.**
    ou
   Non, je ne le connais pas. Est-ce que tu le connais?

Il pleure dans mon cœur comme il pleut sur la ville.

1.

2.

3.

4.

5.

6.

7.

8.

9.

10.

À vous la parole

Communiquez!

Question centrale

How do other cultures enrich our lives?

15 L'instrument le plus populaire

Interpretive/Presentational Communication

Create a grid like the one below, listing the instruments you've learned in French in the second column. Then poll your classmates to find out which instrument(s) they play now or played in the past. Record their answers in the grid. Which instrument(s) is/are the most popular? Write a paragraph that summarizes the results of your survey.

Tu joues ou jouais de quel instrument?			
Nom	**Instrument**	**Jouait**	**Joue maintenant**

MODÈLE   **Trois élèves jouent du violoncelle. Deux élèves jouent de la clarinette.**

Communiquez!

16 Une discographie

Presentational Communication

Create a list of Faudel's albums. Include the release date and the titles of the songs. Listen to some of the songs online, and put an asterisk by the names of the songs you recommend. Present your favorite song to the class. Pass out the lyrics. In your introduction, give the title, explain what it's about, and say why you like it.

Communiquez!

17 Les genres de musique

Interpersonal/Presentational Communication

Research online other francophone singers and groups to add to the list on the **Vocabulaire actif** page of this lesson. Which genre do you prefer? Present your favorite to the class. List singers and groups you found for that genre, and tell which is your favorite and why. You might begin your research by looking at websites for music festivals like "Les Eurockéennes" and concert halls, such as "Bercy." Present a singer or group that you like.

Les genres de musique: le hip-hop, le jazz, le R'n'B, la musique alternative, la musique classique, la musique folklorique, la musique pop, le raï, le reggae, le rock, la techno, la world.

Stratégie communicative

Character Sketch

Writing a character sketch is one way to introduce a real or imaginary character to your audience. A character sketch may include the following:

- a physical description
- a description of the person's personality
- what the character says
- what the character does
- what the character thinks
- what others say about the character
- what others think about the character
- what others do to the character

- the setting in which the character finds himself or herself

18 Le personnage principal dans *Le secret de Louise*

Read the selection below. Then identify the ways in which the author presents Anne, choosing from the eight choices above.

Anne est allemande: elle vient d'un petit village près de Munich, en Bavière, et elle étudie le français à l'université. Elle se trouve à Bordeaux pour une période de cinq mois grâce à une bourse d'études (*scholarship*). Elle veut améliorer (*to improve*) sa connaissance de la langue française et voyager un peu pour connaître la France. La mère d'Anne est française: voilà pourquoi elle s'intéresse à cette langue.... Anne adore aller à la plage, et dans cette région elle a la possibilité d'y aller très souvent.

19 Je connais quelqu'un qui....

In small groups, take turns describing a real person or a fictional character on TV, in film, or from a book. Begin with a description of the person's general characteristics and end with more specific details that reveal something about his or her personality. Use some of the elements of description outlined above. The members of your group will then try to guess the character's identity.

Il est sur mon i-pod, et il chante.

Choose one of the options below to write a character sketch.

1. Write a character sketch like the one about Anne.
2. Write a character sketch of someone who has a different educational and cultural background than Anne's.
3. Write a character sketch of someone who is about the same age as Anne, but who has different goals.
4. Write a character sketch of a French person Anne gets to know while studying in France.
5. Write a character sketch of Anne at the end of her stay in France that shows how she has changed.

Le secret de Louise

Vocabulaire actif

emcl.com
WB 23–26
LA 1
Games

Les accessoires (m.) et les bijoux (m.)

Les accessoires

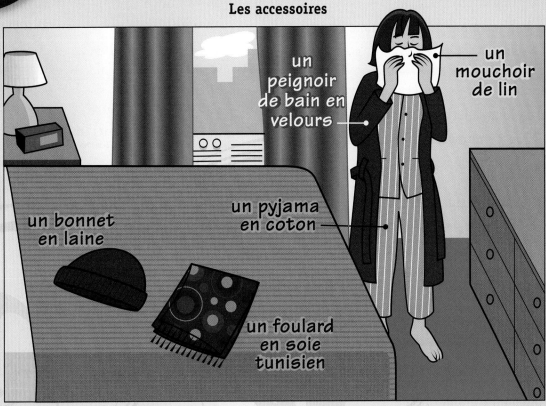

un mouchoir de lin

un peignoir de bain en velours

un bonnet en laine

un pyjama en coton

un foulard en soie tunisien

Les bijoux

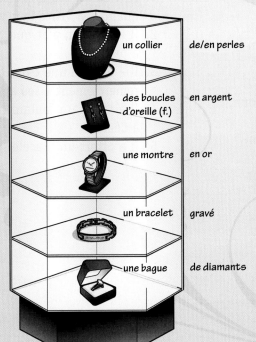

un collier — de/en perles

des boucles d'oreille (f.) — en argent

une montre — en or

un bracelet — gravé

une bague — de diamants

Les accessoires en cuir

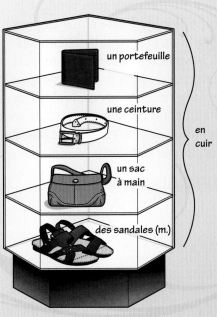

un portefeuille

une ceinture

un sac à main

des sandales (m.)

en cuir

Pour la conversation

How do I begin a letter to someone I know well?

> **Cher…. /Chère….**

Dear….

How do I end a letter to someone I know well?

> **Je t'embrasse affectueusement.**

Affectionately yours,

How do I thank someone?

> **Je vous remercie de** votre hospitalité.

Thank you for your hospitality.

Et si je voulais dire…?

une alliance	*wedding ring*
un bijou-fantaisie	*costume jewelry*
des lunettes de soleil	*sunglasses*
un parapluie	*umbrella*
un pendentif	*pendant*
une pierre précieuse	*precious stone*
des sous-vêtements (m.)	*undergarments*

---

1 Une lettre de remerciement

Lisez la lettre de Patrick. Ensuite, dites si chaque phrase qui suit est vraie ou fausse. Corrigez les phrases fausses.

Mes chers amis,

Je vous remercie de votre hospitalité. C'était gentil de m'inviter chez vous pendant la conférence. Monique, est-ce que tu peux m'envoyer ta recette pour le gâteau aux cerises? Je voudrais qu'Hélène le prépare pour mon anniversaire. Je vous offre quelques cadeaux de remerciement: un foulard en soie pour Monique, un portefeuille en cuir pour Julien, des boucles d'oreilles en argent pour Cécile, et un bracelet gravé pour Marcel.

Je vous embrasse affectueusement,

Patrick

1. Patrick est resté chez ses amis quand il a visité leur ville.
2. Il a aimé un plat que Monique a préparé.
3. Il a envoyé une carte de remerciement à ses amis.
4. Il a offert un foulard en soie à Cécile.
5. Il a offert un bracelet gravé à Monique.

Qu'est-ce qu'on porte?

Dites ce que tout le monde porte.

1. Mlle Hassan 2. M. Leclair 3. Monique 4. Rachid

3 Au grand magasin

Dites de quoi chaque article est fait et combien il coûte.

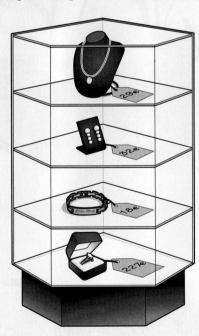

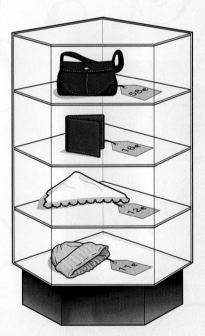

MODÈLE les boucles d'oreilles
Les boucles d'oreilles en perles coûtent 32 euros.

1. la bague   3. le bracelet   5. le sac à main   7. le portefeuille
2. le bonnet   4. le collier   6. le mouchoir

4 L'anniversaire

Écoutez la conversation entre Awa et sa copine Karine. Faites une liste en anglais des cadeaux qu'Awa a reçus.

5 Questions personnelles

Répondez aux questions.

1. Quels sont les accessoires que tu portes souvent?
2. Quels accessoires est-ce que tu portes en hiver? en été?
3. Qu'est-ce que tu portes à l'école aujourd'hui?
4. Qu'est-ce que tu portes quand tu vas à la plage? au théâtre? au restaurant?
5. À qui est-ce que tu donnes des bijoux?

Je porte un foulard et une montre tous les jours.

Je mets un collier et une veste en cuir pour aller à mon concert.

Rencontres culturelles

Du courrier de Tunisie

Nicolas et sa famille sont surpris d'avoir du courrier de Tunisie.

Nicolas: Tiens Papa, tu as vu, il y a du courrier de Tunisie.
Père: Ça doit être Samir. J'attendais une lettre de lui.
Nicolas: Oui, c'est le nom de sa société sur l'enveloppe.
Père: Et qu'est-ce qu'il dit, Samir? Ah, c'est une lettre pour toute la famille.
Nicolas: Tu nous la lis?
Père: "Chers amis,

Je suis encore tout dans le souvenir de mon séjour parisien. Quel plaisir de travailler avec Alain... mais surtout quel plaisir de vous revoir toutes et tous. La soirée passée chez vous a été merveilleuse. Merci à Isabelle pour le délicieux dîner; elle a l'art de recevoir."
Mère: C'est joliment dit.
Père: "Et puis comme Nicolas a changé: il m'a étonné par ses réflexions, son engagement, son sérieux aussi...." Là, il exagère un peu.
Nicolas: Pas du tout! Continue!
Père: "Et la petite Chloé est en train de devenir une jolie jeune fille bien charmante. Je vous remercie tous de votre hospitalité et je vous embrasse tous affectueusement."
Nicolas: On a aussi reçu un paquet, Papa. Je l'ouvre?
Père: Oui, vas-y.
Nicolas: Oh, c'est la caverne d'Ali-Baba, plutôt d'Ali-Samir! Il nous envoie des cadeaux tunisiens: des sandales pour Chloé, un portefeuille en cuir pour Papa, un foulard en soie pour Maman.
La mère: Et pour toi?
Nicolas: Je ne vous le dirai pas!

Des sandales en cuir.

Un portefeuille en cuir.

Des foulards en soie.

6 Du courrier de Tunisie

Complétez chaque phrase avec une expression de la liste.

| un portefeuille en cuir | une lettre et un paquet | de recevoir | de Tunisie | se souvient |

1. Il y a du courrier... pour Nicolas et ses parents.
2. Samir, l'ami du père de Nicolas, a envoyé....
3. Samir... de son séjour à Paris avec plaisir.
4. Selon Samir, la mère de Nicolas a l'art....
5. Le père de Nicolas a reçu... comme cadeau de Samir.

Extension   **La liste des cadeaux de Noël**

Vanessa et Romain, étudiants à l'université, vont donner des cadeaux ensemble cette année.

Vanessa: Je n'y arrive pas à faire la liste des cadeaux.

Romain: Ce n'est pourtant pas compliqué... donne-moi ça. Je résume: un peignoir de bain en velours pour Mamy, un bonnet en laine pour Papy, des mouchoirs en lin pour notre père, des boucles d'oreilles en vieil argent pour notre mère... et pour notre petite sœur?

Vanessa: J'avais pensé un bracelet, mais elle n'aime pas porter de bijoux. Rien ne va! Débrouille-toi!

Romain: Pas de problème... ils sont combien? Cinq, n'est-ce pas? Eh bien, ça fait cinq cartes cadeaux FNAC... comme ça ils peuvent acheter ce qu'ils veulent!

Extension   Qui est le plus pratique, le frère ou la sœur?

emcl.com
WB 27–29

Question centrale

How do other cultures enrich our lives?

La Francophonie

✱ *La Tunisie*

La Tunisie se trouve dans le nord de l'Afrique et fait partie du Maghreb. C'est le pays le plus proche du continent européen: 140 kilomètres (87 miles) le séparent de l'Europe. C'est ici où une des plus grandes civilisations de l'Ouest, la civilisation carthaginoise, est née (814–146 avant J.C). La Tunisie joue un rôle très important dans l'Empire romain aussi. Plus récemment, elle est un protectorat français de 1886 à 1956. Elle devient indépendante en 1956.

Chaque ville en Tunisie a au moins une mosquée.

Le Président Bourguiba (1957–1987), premier président de la République tunisienne et fondateur du mouvement francophone, modernise le pays. Il crée un *Code du statut personnel*, différent de la loi* islamique et très favorable aux femmes. Il établit* l'égalité homme-femme, abolit* la polygamie, n'autorise le mariage que par consentement des deux époux, et crée une procédure pour le divorce. Il donne aussi aux femmes le droit* de travailler, d'ouvrir des comptes bancaires, et de créer des entreprises. La loi autorise aussi le mariage civil. Les femmes tunisiennes représentent environ 60% des étudiants à l'université, 72% des pharmaciens, 42% des médecins, 31% des avocats, et 40% des professeurs d'université. Elles travaillent aussi dans l'aviation, l'armée, et la police.

Pendant ce qu'on appelle "la révolution du Jasmin" de 2011, la Tunisie est entrée dans une nouvelle phase de son histoire. C'est le pays où a commencé le mouvement de révolte dans le monde arabe. Cet épisode a commencé avec la confiscation des fruits d'un vendeur de fruits, Mohamed Bouazizi, qui s'est révolté.

 Search words: bonjour tunisie, tunisie fiche pays, conseils aux voyageurs france diplomatie

---

loi *law*; **établit** *establishes*; **abolit** *abolishes*; **droit** *right*

Produits

Près de la capitale, Tunis, on peut voir les ruines d'une ville romaine, **Carthage**. Vous pouvez prendre en photo les ruines d'un forum, d'un amphithéâtre, des villas, et des thermes (*thermal baths*).

Comment écrire une lettre formelle

Quand vous écrivez à quelqu'un que vous ne connaissez pas bien, par exemple, un homme d'affaires ou une femme politique, votre lettre doit être plus formelle que la lettre dans le dialogue de cette leçon. Lisez comment Jean-Marc salue le directeur adjoint, le remercie, et termine sa lettre.

Jean-Marc Cotillon
20, rue des Glaïeuls
69530 Brignais
jmc@yahoo.fr

À Brignais, le 12 juin 2012
SERUPA SAS
Route de Rennes
22230 Merdrignac

Objet: remerciement pour acceptation de stage*

Monsieur le directeur,

Je suis très heureux d'apprendre que vous m'avez accepté en stage dans votre compagnie, et je vous en remercie vivement.

Ce passage dans votre compagnie est une opportunité considérable pour mon avenir* et me permettra d'approfondir mes connaissances.*

Je vous assure de ma motivation et de mon désir d'apporter entière satisfaction à votre compagnie, et à mes futurs collaborateurs avec qui je vais travailler.

Je vous prie d'agréer, Monsieur le Directeur Adjoint, l'expression de mes sentiments distingués.*

Jean-Marc Cotillon

---

stage *internship*; **avenir** *future*; **permettra... connaissances** *will allow me to deepen my knowledge*; **Je... distingués** *Sincerely [formal]*

COMPARAISONS

Comment est-ce qu'on commence une lettre formelle en anglais? Comment est-ce qu'on la termine?

Les souks

Un souk est un marché généralement en plein air* où ont lieu des échanges commerciaux. Il consiste en quatre zones d'activité: les aliments*, les vêtements, l'équipement, et l'artisanat*. On y trouve tous les produits qu'on utilise tous les jours. Les gens de la campagne viennent y vendre leurs fruits, légumes, et animaux.

Un souk à Tunis.

Dans les souks, les prix ne sont pas fixes. Il est possible de marchander*. L'acheteur et le vendeur négocient jusqu'à ce qu'ils trouvent le prix qui convienne* à tous les deux. Et les marchands font tout ce qu'ils peuvent pour attirer* le client vers leur boutique. L'ambiance du souk peut être désordonnée et bruyante*, mais elle est toujours vivante et multicolore.

 Search words: souks de tunis

---

plein air *open-air*; **aliments** *food*; **artisanat** *handicrafts*; **marchander** *to haggle*; **convienne** *suits*; **attirer** *draw*; **désordonnée et bruyante** *disorganized and noisy*

7 Activités culturelles

Thé à la menthe traditionnel.

Faites les activités suivantes.

1. Comparez la femme tunisienne avec la femme américaine.
2. Faites des recherches en ligne et créez une grille qui s'appelle "Profil de la Tunisie". Notez le nombre d'habitants, la religion, la langue officielle, la devise (*currency*), les villes principales, et les industries principales.
3. Faites un graphique à secteurs (*pie chart*) qui montre le pourcentage d'étudiantes à l'université.
4. Faites une grille qui montre comment saluer, remercier, et terminer une lettre formelle (la lettre dans **Points de départ**) et informelle (la lettre dans le dialogue).
5. Dessinez les différentes zones d'activité dans un souk.
6. Vous faites du shopping dans un souk. Dites dans quelle zone vous allez pour trouver:
   - une jebbah (*shirt*) tunisienne
   - du thé à la menthe
   - une théière (*teapot*) en argent
   - une djellaba (*a traditional robe*)
   - des figues
   - un tapis tunisien

Perspectives

En 2011, un étudiant dans les rues de Tunis a dit: "Le dictateur est parti, c'est bien, mais la démocratie n'est pas encore garantie." Quel est son espoir (*hope*) pour son pays?

Du côté des médias

Lisez les instructions pour comment adresser une enveloppe.

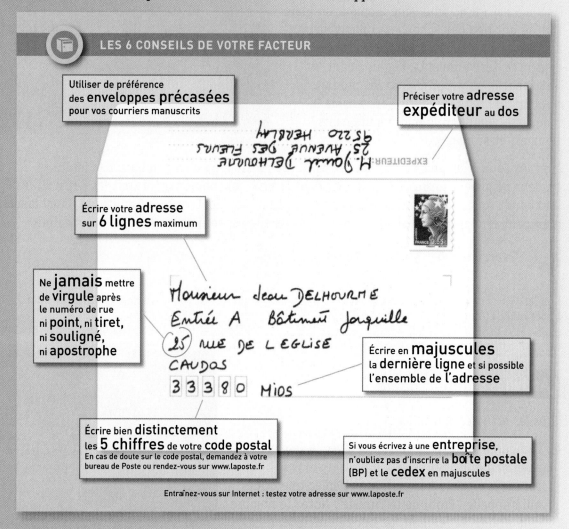

LES 6 CONSEILS DE VOTRE FACTEUR

Utiliser de préférence **des enveloppes précasées** pour vos courriers manuscrits

Préciser votre **adresse expéditeur** au dos

Écrire votre **adresse** sur **6 lignes** maximum

Ne **jamais** mettre de **virgule** après le numéro de rue ni **point**, ni **tiret**, ni **souligné**, ni **apostrophe**

Écrire en **majuscules** la **dernière ligne** et si possible l'ensemble de **l'adresse**

Écrire bien **distinctement** les **5 chiffres** de votre **code postal**
En cas de doute sur le code postal, demandez à votre bureau de Poste ou rendez-vous sur www.laposte.fr

Si vous écrivez à une **entreprise**, n'oubliez pas d'inscrire la **boîte postale** (BP) et le **cedex** en majuscules

Entraînez-vous sur Internet : testez votre adresse sur www.laposte.fr

8 | Comment adresser une enveloppe

Avec les informations de la grille, faites deux enveloppes: l'une adressée à un(e) ami(e), l'autre à un auteur. Utilisez le langage informel pour votre ami(e), et le langage formel pour l'auteur.

	Lettre informelle	Lettre formelle
Nom de famille	Lemaître	Gaillot
Prénom	Virginie	Bernard
Numéro de domicile	18	37
Rue	Victor Hugo	Richelieu
Ville	La Rochelle	Cergy-Pontoise
Code postal	17000	95027

La culture sur place

Au marché
Introduction et interrogations

Les souks tunisiens sont comme des marchés où les prix ne sont pas fixes, et marchander, on s'y attend (*it's expected*). Mais, dans d'autres cultures ou d'autres situations, marchander, c'est parfois inattendu (ou inacceptable). Quelles sont les différences culturelles qui existent quand on achète quelque chose? Quand est-ce qu'on sait qu'il est acceptable de marchander, et comment est-ce qu'on le fait?

9 Première étape: Réfléchir

Écrivez vos réponses aux questions sur une feuille de papier.

Nous aimons marchander pour acheter des vêtements.

1. Aux États-Unis, on marchande dans des situations assez spécifiques. Quelles sont ces situations? (Si vous n'avez pas de réponse, demandez à un parent ou à un adulte.)
2. Avez-vous jamais marchandé? Quand? Où? Expliquez la situation en détail.
3. Est-ce que vous aimez marchander? Pourquoi ou pourquoi pas? Partagez vos réponses et vos histoires avec des camarades de classe.

10 Deuxième étape: Réagir

Marchander n'est pas toujours facile, et les règles varient de culture en culture et de marché en marché. Considérez ces trois situations et imaginez vos réactions. Écrivez quelques phrases qui décrivent votre réaction dans chaque situation.

Situation 1: Vous vous approchez d'un vendeur, et il vous demande tout de suite ce que vous voulez. Qu'est-ce que vous répondez?

Situation 2: Une vendeuse vous donne un prix pour un objet que vous aimez mais qui est très cher à votre avis. Qu'est-ce que vous répondez?

Situation 3: Vous voulez acheter un vêtement, et vous dites au vendeur le prix que vous voulez payer. Il se fâche (*gets angry*) contre vous. Qu'est-ce que vous répondez?

11 Faire l'inventaire

Discutez des questions suivantes avec un partenaire.

1. Dans quelle situation étiez-vous le moins à l'aise (*at ease*)? Dans quelle situation étiez-vous le plus à l'aise? Qu'est-ce que vous pouvez faire pour rendre une situation plus confortable?
2. Si vous entrez dans un marché que vous ne connaissez pas très bien, comment est-ce que vous pouvez savoir si marchander est attendu?
3. Pourquoi pensez-vous que marchander est encouragé dans certaines situations et cultures, et pas dans d'autres?

Present Tense of the Irregular Verb *recevoir*

Here are the forms of the irregular verb **recevoir** (*to receive, to get*).

recevoir			
je	**reçois**	nous	**recevons**
tu	**reçois**	vous	**recevez**
il/elle/on	**reçoit**	ils/elles	**reçoivent**

Qu'est-ce que Guillaume reçoit de ses parents?

Pronunciation Tip

The three singular forms of **recevoir** all sound the same.

Qu'est-ce que vous **recevez**?　　　　*What are you getting?*
Je **reçois** une montre en or.　　　　*I'm getting a gold watch.*

The irregular past participle of **recevoir** is **reçu**.

Ma mère a **reçu** un beau collier.　　　*My mom received a beautiful necklace.*

12　Qu'est-ce qu'on reçoit?

Dites ce que tout le monde reçoit.

1. je

2. Lucie

3. mes grands-parents

4. tu

5. maman et moi, nous

6. Madeleine et toi, vous

Regardez la liste des numéros gagnants (winning numbers) *d'un concours. Dites ce que chaque personne a reçu ou dites qu'elle n'a rien reçu.*

Bijouterie Dumont
Félicitations à tous les gagnants!

4332

4308

1112

2053

3831

1538

MODÈLES Damien: 4308
Damien a reçu une montre en argent.

Christine: 5239
Christine n'a rien reçu.

1. je: 1112
2. Romain et toi, vous: 4308
3. Vanessa et Jeanne: 6150
4. Thierry: 1538
5. Thibault: 7264
6. Nicolas: 4332
7. Chantale et moi, nous: 3222
8. Abdel-Khaled: 2053
9. tu: 3831

Present Tense of the Irregular Verb *ouvrir*

emcl.com
WB 33–34
Games

Here are the present tense forms of the irregular verb **ouvrir** (*to open*).

ouvrir			
je	**ouvre**	nous	**ouvrons**
tu	**ouvres**	vous	**ouvrez**
il/elle/on	**ouvre**	ils/elles	**ouvrent**

Véro ouvre le portefeuille pour trouver une carte d'identité.

Spelling Tip

Note that in the present tense **ouvrir** has the endings of a regular **-er** verb.

Tu **ouvres** la lettre du Maroc?
Oui, je l'**ouvre**.

Are you opening the letter from Morocco?
Yes, I'm opening it.

The irregular past participle of **ouvrir** is **ouvert**.

Nous avons **ouvert** nos cahiers.

We opened our notebooks.

14 Qu'est-ce qu'on ouvre?

Dites ce qu'on ouvre dans l'autobus.

MODÈLE **Karim ouvre un paquet**.

1. Caro et Yasmine
2. Abdoul
3. Léo et toi
4. Anne
5. toi

15 Qu'est-ce qu'on envoie? Qu'est-ce qu'on reçoit?

*Écrivez les numéros 1–6 sur votre papier. Écoutez les conversations suivantes et écrivez **E** si on envoie quelque chose ou **R** si on reçoit quelque chose.*

À vous la parole

Communiquez!

Question centrale

How do other cultures enrich our lives?

16 | **Je vous remercie de....**

Interpersonal Communication

With a partner, role-play a conversation in which an exchange student (B) calls his or her host mother (A) to thank her.

A: Say hello. → B: Identify yourself and ask how things are going for your host mother.

A: Respond. → B: Say you are calling to thank her for her hospitality.

A: Say it was a pleasure and that you hope he or she will come back to visit soon. → B: Say what gifts you are sending the host family.

A: Say thank you but it's not necessary. → B: Say when the package will arrive.

A: Say you'll talk soon. → B: Say good-bye.

Communiquez!

Interpretive/Presentational Communication

What do the Roman ruins look like in Carthage? Why were these buildings built? Why did the Romans build in this part of the world? How important was Carthage during the Roman Empire? Find out as much as you can by using French language sites. Then imagine you are conducting a tour of the ruins. Make a brochure that features photos, descriptions, tour departure times, and prices.

Communiquez!

18 Actions bénévoles au Maghreb

Interpretive/Presentational Communication

Identify volunteer opportunities or volunteer vacations in the Maghreb region, such as teaching English in the Peace Corps, helping build a well or a house, providing health care, etc. Read blogs or connect with French language speakers or other volunteers who work on these projects to learn more about them and to find out what a typical day is like on a project. Summarize your findings and list resources on your class web site.

 Search words: peace corps, action contre la faim, volontaire en voyage, volontariat international, voyage bénévolat

Khaled aide une organisation à Alger.

Lecture thématique

Mon pays

Rencontre avec l'auteur

Faudel Belloua (1978–) est un chanteur et compositeur français. Un enfant d'immigrés, ses parents sont venus de l'Algérie pour chercher du travail. C'est le porte-parole (*spokesperson*) d'une génération de jeunes maghrébins qui vivent dans deux mondes: le monde d'origine de leurs parents (le Maghreb), le monde où ils sont nés (la France). Il se souvient des récits de ses parents et leurs amis dans l'HLM (*subsidized housing*) où il a grandi. Il inclue certains de ces thèmes dans les paroles de ses chansons. Quel est le thème de cette chanson?

Pré-lecture

De quelle façon (*way*) est-ce que vous avez une double-identité?

Stratégie de lecture

Images

As you read, the words will often create images or pictures in your mind. Read the lyrics of Faudel's song and note the images associated with France and Algeria in a grid like the one below.

France	Algérie
	"... ce soleil/Qui brûle les dunes sans fins"

Outils de lecture

Refrain

A refrain is a line or group of lines repeated in a poem or song. In "**Mon pays**," in which stanzas does the refrain appear?

Le désert du Sahara.

¹ Je ne connais pas ce soleil
Qui brûle* les dunes sans fins
Je ne connais pas d'autres terres*
Que celle qui m'a tendu* la main
⁵ Et si un jour je pars d'ici
Que je traverse le désert
Pour aller voir d'où vient ma vie
Dans quelle rue jouait mon père
Moi qui suis né près de Paris
¹⁰ Sous tout ce vent, toute cette pluie
Je n'oublierai*
Jamais mon pays
Jamais mon pays

Et si demain comme aujourd'hui
¹⁵ Je dois faire le tour de la terre*
Pour chanter aux mondes mes envies
Voyager des années entières
Moi qui suis né tout près d'ici
Même si je quitte mes amis
²⁰ Je n'oublierais
Jamais mon pays

Trop
De souvenirs gravés qui courent*
D'écoles et d'été
²⁵ Trop d'amours* pour oublier
Que c'est ici que je suis né
Trop
De temps abandonné
Sur les bancs de ma cité
³⁰ Trop d'amis pour oublier
Que c'est ici que je suis né
Que c'est ici que je suis né

Je ne connais pas ce parfum
De menthe et de sable brûlant
³⁵ Mais seulement les embruns*
Où les rouleaux* de l'océan
Et toi qui me trouve un peu mate*
Pour ses rues bordées de prairies
Un peu trop blanc couleur d'Euphrate*
⁴⁰ Pour ses poèmes que j'ai appris
Tu es bien le seul* que j'oublie
Telle l'étoile fidèle* à la nuit
Je n'oublierais

Pendant la lecture
1. L'écrivain parle de quels deux pays?

Pendant la lecture
2. Quel temps fait-il dans ces deux pays?

Pendant la lecture
3. Quelle est la profession de l'écrivain?

---

brûle burns; **terres** lands; **a tendu** held out; **n'oublierai jamais** never forget; **faire … terre** go around the world; **courent** run; **amours** loves; **embruns** sea spray; **rouleaux** rolls; **mate** dark-skinned; **Euphrate** Euphrates River; **le seul** the only one; **Telle l'étoile fidèle** Like the faithful star

Pendant la lecture
4. L'écrivain a appris les poèmes de quelle culture?

Post-lecture

Est-ce que la double-identité de l'écrivain enrichit sa vie, ou la rend trop compliquée ou triste?

Le monde visuel

Le photographe Peet Simard (1959–) vient du Canada, mais il habite à Paris depuis 1981. C'est un photographe publicitaire qui aime prendre des photos de Paris après le coucher du soleil (*sunset*). Sur cette photo on voit une composition basée sur deux cafés. La première est illuminée à l'intérieur et la deuxième à l'extérieur. La lumière dorée (*golden light*), reflétée dans le pavé (*pavement*), accueille le spectateur. L'emploi (*use*) de la perspective attire (*attracts*) l'œil sur quelle partie de la photographie? De quelles façons (*ways*) cette photo ressemble-t-elle à un tableau?

La place Edgar Quinet à Paris sous la pluie le soir, 2005. Peet Simard.

---

19 Activités d'expansion

Faites les activités suivantes.

1. Écrivez un paragraphe qui décrit les images de la chanson. Servez-vous de votre grille pour trouver de bons exemples.
2. Faites un collage qui montre la double-identité de l'écrivain en images. Ajoutez des mots-clés (*keywords*) à votre collage.
3. Interviewez quelqu'un dans votre école qui lui aussi a une double-identité. Est-ce qu'il ou elle se sent Américain ou étranger (*foreign*)? Écrivez les paroles d'une chanson pour bien décrire sa situation.
4. Un autre Francophone a écrit une chanson qui s'appelle "Mon pays." C'est Gilles Vigneault, un Québécois. D'abord, trouvez la chanson en ligne. Ensuite, comparez ou contrastez les deux chansons particulièrement leurs attitudes envers leurs pays.

Les copains d'abord: Ça boum et ça zique!

Alors Antoine, t'as tout préparé?

Ben tsais, donnez-moi encore une heure ou deux, pis je mail les cartes d'invitation.

C'est gentil à toi d'organiser une teuf pour fêter le départ de Florence.

T'inquiète, j'sais que t'en as gros, faut se quitter avec de la joie, pas des larmes.

Oui, elle va nous manquer à tous.

Ils savent que tu pars dimanche, tes copains?

Évidemment, ils organisent une soirée demain pour lui dire au revoir.

Oui, ils vont me manquer.

Tu sais, j'ai un peu peur de quitter Mathéo. Je sais toujours pas qui était la fille de l'autre jour....

Écoute, oublie ça; il t'adore. Ça zique demain!

Ouais, et à mon retour je serai la meilleure danseuse Africa-style.

Ouh là, le ramdam, j'ai envie de danser!

Ouais on a Bonin Ouaib, Faudel et tout un tas de rap au programme!

Je veux te donner ça pour que tu ne m'oublies pas. Je t'écrirai tous les jours, des cartes postales, des lettres, des poèmes, des romans...

Ouh là là le beau collier!

Oui, oh je suis tellement amoureuse de lui, mais au moins je peux partir tranquille.

Mais, c'est qui cette nana? Qu'est-ce qu'elle fait avec nos mecs?

Mais, c'est bizarre. Est-ce que c'est une amie d'Antoine?

Viens avec moi!

Oh, Mathéo, tu es le mec plus ultra!

Afrique, j'arrive!

Et moi qui pars ce weekend. Je ne sais plus quoi faire!

Projets finaux

A — Connexions par Internet: La littérature

Choose one of the Francophone titles below and write a couple lines explaining what the book is about, for example: ***Le comte de Monte-Cristo* est un roman français par Alexandre Dumas. Il s'agit d'un jeune homme injustement emprisonné pendant 14 ans. Il devient riche et décide de se venger.** You may need to use a dictionary to look up unknown vocabulary you would like to use.

Cendrillon—Charles Perrault (France)
Moderato cantabile—Marguerite Duras (France)
La bicyclette bleue—Régine Deforges (France)
La chatte—Colette (France)
Le château de ma mere—Marcel Pagnol (France)
Le fantôme de l'Opéra—Gaston Leroux (France)
Le tour du monde en 80 jours—Jules Verne (France)
Les Misérables—Victor Hugo (France)
La parure—Guy de Maupassant (France)
Les trois mousquetaires—Alexandre Dumas (France)
Maigret et le fantôme—Georges Simenon (Belgique)
Maria Chapdelaine—Louis Hémon (Québec)
Notre-Dame de Paris—Victor Hugo (France)

Compile the summaries and post them on your class web site for other French students to read.

B — Communautés en ligne

Festival International de la Bande Dessinée à Angoulême

Les bandes dessinées are an important part of French and Belgian culture. Each year there is an international festival in Angoulême, France celebrating the work of cartoonists from all over the world. Go to the official web site for the festival and read about the events. Look up the festival's competition winners in each category, including those for your age group. In the student participation section, read the blog entries and comment on one of them.

 Search words: festival international de la bande dessinée, la communauté bd

Un défilé de mode

As a class, organize a fashion show. Assign some students to write descriptions in French of the clothing and accessories. Include the colors and the material from which each item is made. Assign other students the roles of costumers, presenters, videographers, and models. You may wish to present your fashion show to other French classes or videotape and upload it to your class web site. Before you begin, you might want to watch a real French **défilé de mode** online.

Question centrale

?

How do other cultures enrich our lives?

D **Faisons le point!**

Je comprends	Je ne comprends pas encore	Mes connexions

What did I do well to learn and use the content of this unit?	What should I do in the next unit to better learn and use the content?
How can I effectively communicate to others what I have learned?	What was the most important concept I learned in this unit?

Sidi Bou Saïd, en Tunisie.

Évaluation

A Évaluation de compréhension auditive

Listen to the conversation between Natacha and Ahmed. Then, choose the appropriate response to each question you hear.

1. A. C'était son anniversaire.
   B. Il est allé à la fête d'anniversaire de sa cousine.
   C. Il est allé à la fête d'un ami.

2. A. Ils ont mangé des spécialités tunisiennes, et ils ont dansé.
   B. Ils ont chanté et mangé.
   C. Ils ont mangé des spécialités marocaines.

3. A. du pop et du rap
   B. du rock et du jazz
   C. de la musique maghrébine

4. A. de la guitare et de la flûte
   B. de la guitare et du nay
   C. de la guitare et de l'oud

5. A. un foulard, un pyjama, et de l'argent
   B. des bijoux, un sac à main, un CD de Faudel, et un foulard en soie
   C. des bijoux, un sac à main, des sandales, et une montre

6. A. Un sac à main, bien sûr!
   B. Un foulard en soie, bien sûr!
   C. Un CD de Faudel, bien sûr!

B Évaluation orale

Role-play a conversation with a partner in which you each recommend a book or movie, explain what it's about and what happens in it, and thank your partner for the name of the book or movie he or she recommends.

Tu devrais voir le dernier film de Rachid Bouchareb.

Il s'appelle comment?

C Évaluation culturelle

In this activity, you will compare francophone cultures with American culture. You may need to do some additional research on American culture.

1. **Le Maghreb**
   When did Tunisia, Morocco, and Algeria gain their independence? from whom? When did the United States gain its independence? from whom?

2. **La bande dessinée francophone**
   Compare a francophone comic strip to an American comic strip you like. How are they the same? How do they differ? What festivals exist in Europe and the United States for buying, selling, and learning about comics?

3. **L'Algérie**
   Compare tourist sites in Algeria with those in the United States. How are they similar? How are they different?

4. **Le raï**
   Compare **raï** to hip-hop. Compare song themes, artists, and the genre's popularity.

5. **La révolution du Jasmin**
   What was the "Arab Spring" in Tunisia about? How did young people change Tunisia? Do you think young people have the power to bring about change here in the United States? Why or why not? What kind of political influence do teens have in the United States?

6. **Les souks**
   Compare shopping at **les souks** in North Africa to how people shop at garage sales and flea markets in your area. How is it the same? How is it different?

D Évaluation écrite

Imagine that you have just returned from a homestay in France. Write a thank-you letter to the French family with whom you stayed. Tell them what gifts you are sending and for whom each one is intended.

E Évaluation visuelle

Say what instrument each student in the school orchestra is playing.

F Évaluation compréhensive

Create a storyboard with six frames that tells about a teen shopping for Christmas gifts for friends and family. Each frame should have an illustration and caption. Be sure to answer these questions in your story: Where did the teen go to shop? What did he or she buy? For whom were the gifts? Why is each item a good gift for that particular person? Tell the story to your group.

Vocabulaire de l'Unité 6

un **accessoire** accessory C
adorer to adore A
affectueusement affectionately, with warm regards C
s' **agir (de): il s'agit de** it's about A
l' **antisémitisme (m.)** anti-Semitism A
l' **apartheid (m.)** apartheid A
arabe Arab B
un **article** magazine article, newspaper A
une **bande: bande dessinée (BD)** comic strip A
des **bijoux (m.)** jewelry C
bon so A
un **bonnet** hat C
ça: ça vaut it's worth A
une **carte: carte postale** postcard A
la **caverne** cavern C
une **ceinture** belt C
cher, chère dear C
un **clip** video clip B
compliqué(e) complicated A
connaitre to be familiar with (person, place, thing), to meet B
un **conte** tale A
une **conversation** conversation A
le **courrier** mail C
de: de lin made of linen C
découvrir to discover A
deviner to guess A
différent(e) different B
une **discographie** discography B
l' **électro pop (m.)** electro pop music B
emprunter to borrow A
en: en argent made of silver C; **en coton** made of cotton C; **en cuir** made of leather C; **en direct de** live from B; **en écoute libre** audio trial B; **en laine** made of wool C; **en or** made of gold C; **en soie** made of silk C; **en velours** made of velvet C
enfin well A
l' **engagement (m.)** engagement C
entendre to hear B
l' **enveloppe (f.)** envelope C
espérer to hope A
un **essai** essay A
étonner to surprise C
exagérer to exaggerate C
expliquer to explain A
extraordinaire extraordinary A
faire: faire connaître (à) to introduce to someone A; **faire découvrir (à)** to introduce to someone A
un **forgeron** blacksmith A
le **funk** funk music B
le **génocide** genocide A
gravé(e) engraved C
un **héros, une héroïne** hero, heroine A
l' **hospitalité (f.)** hospitality C
incroyable incredible B
un **instrument** musical instrument B

le **jazz** jazz music B
joliment; joliment dit nicely said C
jouer: jouer de (+ instrument) to play (instrument) B
un **journal** newspaper A
la **lecture** reading A
une **lettre** letter A
la **licorne** unicorn A
un **magazine** magazine A
maghrébin(e) from, of the Maghreb A
marocain(e) Moroccan C
martiniquais(e) from, of Martinique B
merveilleux, merveilleuse marvellous C
un **message** message A
un **mouchoir** handkerchief C
la **musique: musique classique** classical music B; **musique folklorique** folk music B; **musique pop** pop music B
officiel, officielle official B
ouvrir to open C
parisien(ne) from, of Paris region C
un **peignoir: peignoir de bain** bathrobe C
un(e) **pianiste** pianist B
une **pièce** play A
un **pirate** pirate A
un **poème** poem A
un **portefeuille** wallet C
des **pouvoirs (m.)** powers A
un **pyjama** pajamas C
le **racisme** racism A
la **radio** radio B
le **raï** raï music B
le **rap** rap music B
recevoir to get, to host, to receive C
une **rédaction** composition A
une **réflexion** thought C
le **reggae** reggae music B
remercie: je vous remercie (de) thank you (for) [form.] C
revoir to see again C
rien: Rien que ça? Is that it? A
un **roman** novel A
un **sac: sac à main** purse C
des **sandales (f.)** sandals C
savoir to figure out, to know how B
le **secret** secret A
un **séjour** stay C
le **sérieux** seriousness C
simplement simply A
un **SMS** text message A
une **société** company C
surpris(e) surprised C
tiens here C
la **techno** techno music B
traditionnel, traditionnelle traditional B
le **trésor** treasure A
la **Tunisie** Tunisia C
tunisien(ne) Tunisian C
l' **univers (m.)** universe A

Instruments… see p. 324
Jewelry… see p. 341

Unité 6 Bilan cumulatif

Listening

I. You will hear a short conversation twice. Select the reply that would come next.

1. A. Je voudrais découvrir d'autres écrivains comme Tahar Ben Jelloun.
   B. J'aimerais porter plus souvent mon foulard et ma montre en or.
   C. Pour te remercier de ton hospitalité.
   D. Et bien, je ne sais pas jouer d'un instrument de musique, et j'aimerais bien apprendre et en choisir un.

II. Listen to the conversation. Select the best completion to each statement that follows.

2. Julie est surprise de voir Mohamed....
   A. être en train de lire
   B. chercher des essais sur le voyage
   C. écouter parler un écrivain marocain dans la librairie
   D. organiser un voyage au Maroc

3. Avant de connaître cet écrivain, Mohamed....
   A. n'aimait pas voyager
   B. détestait les livres et les librairies
   C. ne lisait que des poèmes
   D. aimait surfer le net et lire des blogues sur le Maroc

4. Julie veut....
   A. découvrir pourquoi Mohamed est passionné de cet écrivain marocain
   B. écrire un blogue comme son ami, Mohamed
   C. partir en voyage avec Mohamed et Abdellatif
   D. apprendre à lire et à écrire

Reading

III. Read this conversation between Malika, a young musician, and a club owner. Then select the best completion to each statement.

- Bonjour, mademoiselle! Bienvenue au Club World.
- Merci, Monsieur. J'ai vu dans le journal que vous cherchez des musiciens pour les soirées que vous organisez. J'adore votre programme en général, alors je suis très enthousiaste que vous m'avez appelée.
- C'est ça. Alors, dites-moi ce que vous savez et préférez faire?
- Et bien, j'adorais chanter en arabe et français, mais maintenant je préfère jouer de la musique. Je sais jouer de plusieurs instruments.
- Excellent, de quels instruments savez-vous jouer?
- Quand j'habitais au Maroc, j'ai appris à jouer de l'oud et du nay, deux instruments traditionnels. J'aime jouer surtout le raï. Le connaissez-vous?
- Oui, bien sûr! J'ai beaucoup de CDs de raï. Un ami m'a fait découvrir Khaled et Faudel. Leurs chansons sont comme des poèmes.

5. Malika est....
   A. une musicienne
   B. une guitariste traditionnelle
   C. l'amie du chanteur Faudel
   D. une écrivaine qui aime écrire des poèmes

6. Malika veut....
   A. découvrir le raï parce qu'elle aime le chanter
   B. tout savoir sur la musique traditionelle de la Tunisie
   C. travailler avec ses artistes préférés
   D. jouer des instruments traditionnels

7. Malika connaît....
   A. bien Khaled et Faudel; elle est leur amie depuis longtemps
   B. bien les danses traditionnelles arabes
   C. les chansons de deux chanteurs du raï
   D. bien la musique maghgrébine

Writing

IV. Complete the paragraph with the appropriate vocabulary words.

Pierre cherche des souvenirs pour sa famille au __1__ de Tunis. Il a envie de prendre une ceinture en __2__ et un portefeuille ou même une montre en or pour son frère, et des __3__ pour sa sœur. Il est heureux de négocier un bon __4__ pour une djellaba en coton pour son père. Pierre en veut un __5__ lui aussi. Il pense prendre un collier ou un bracelet en __6__ pour sa mère. Sa mère a déjà acheté une bague en diamant et des __7__ d'oreille. Il faut dire qu'elle aime vraiment des __8__. Il veut aussi trouver un __9__ d'instruments arabes pour acheter un oud. Il adore le __10__, une sorte de musique du Maghreb.

V. Complete the paragraph with the correct tense and form of the verbs in parentheses.

Un rendez-vous demain à Cannes? Pour Hervé, pas de problème! Il __11__ qu'il peut tout réserver en ligne. Et pour l'hôtel? Le Carlton, parce qu'il le __12__ bien. Hier il __13__ tout et __14__ avec sa carte de crédit. Il __15__ son billet chez lui. Le lendemain à l'aéroport, il a de la chance de __16__ le contrôle de sécurité rapidement. Dans l'avion il __17__ dans son siège confortable et __18__ que le vol __19__ à l'heure. Ensuite: des œufs brouillés avec du pain perdu pour le petit déjeuner. Hervé n' __20__ pas! Tout va si bien qu'il n'est pas étonné quand le vol __21__ en avance. C' __22__ un voyage merveilleux! Son collègue l'attend sur la Croisette. Hervé n'a pas besoin de __23__!

11. (savoir)
12. (connaître)
13. (vérifier)
14. (régler)
15. (imprimer)
16. (passer)
17. (s'installer)
18. (espérer)
19. (décoller)
20. (hésiter)
21. (atterrir)
22. (être)
23. (se plaindre)

Composition

VI. While on vacation in France, your parents rented a car to tour the region of Bordeaux. Write an e-mail home to your best friend describing your experience. Include vocabulary and structures (object pronouns, the **passé composé**, the **imparfait**, etc.) that you know and....

- opening and closing salutations for the letter
- a detailed description of the car your parents rented
- three things your parents checked at the gas station when you stopped there
- information about your hotel stay (hotel room, the breakfast served, how your parents paid, etc.)

Speaking

VII. Philippe plays in a jazz band and is unfamiliar with the music of the Maghreb. Momo loves the music of the Maghreb, especially Algerian raï. With a partner, role-play a conversation in which Philippe and Momo compare their musical tastes and discuss what CDs to buy. Use the image for ideas about what to include in your conversation.

Unité 7
En province

Rendez-vous à Nice!

Épisode 17:

*On s'aime? À la folie?
Pas du tout?*

À savoir

Les provinces de France ont existé jusqu'en 1790, quand on a commencé une organisation avec des départements.

Question centrale

?

How do smaller communities enrich a country's culture?

Que va faire Thomas?
A. se mettre en colère
B. rire
C. pleurer

Ces maisons au bord de l'eau se trouvent dans quelle ville française?

Contrat de l'élève

Leçon A I will be able to:

>> compliment a host or hostess, politely refuse food, and offer to clear the table.

>> talk about the French region of Alsace, including its capital, and a region of Algeria.

>> use the relative pronouns **qui** and **que**, the partitive, and the pronoun **en**.

Leçon B I will be able to:

>> ask for news, find out someone's associations with a place, and say I like a suggestion.

>> talk about Normandy, including its famous sons and daughters, and the city Rouen.

>> use interrogative pronouns.

Leçon C I will be able to:

>> ask if someone has decided what to order and order food.

>> talk about Brittany, the city of Saint-Malo, and youth hostels in France.

>> use stress pronouns like **moi** and **toi**.

Vocabulaire actif

Un repas français

Restaurant Le Voilier

— L'entrée —

les escargots (m.)   le potage   les crudités (f.)   la terrine de saumon

—Le plat principal—

la choucroute garnie   le coq au vin   le bœuf bourguignon

—La salade avec de la vinaigrette—

—Le plateau de fromages—   —Les desserts (m.)—

la crème caramel

la mousse au chocolat

Pour la conversation 🎧

How do I compliment the host or hostess?

> Les escargots **que tu prépares sont toujours délicieux.**
>
> *The snails that you make are always delicious.*

How do I politely refuse more food?

> **Je ne peux plus manger, merci.**
>
> *I can't eat any more, thanks.*

How do I offer help?

> **Laisse-moi** débarrasser la table.
>
> *Let me clear the table.*

Et si je voulais dire...? 🎧

le kougelhopf	*Alsatian dessert*
le pain d'épice	*gingerbread*
la tarte flambée	*pizza with bacon and onions*
J'ai assez mangé.	*I've eaten enough.*
Puis-je vous aider?	*May I help you?*

---

1 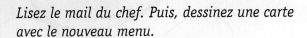 **Le chef propose un nouveau menu.** 🎧

Lisez le mail du chef. Puis, dessinez une carte avec le nouveau menu.

Chers collègues,

Pour attirer (*attract*) plus de clients, je propose un nouveau menu pour le weekend. En entrée, je propose une terrine de saumon ou du potage. Ensuite, comme plat principal, les clients peuvent choisir entre le coq au vin et le bœuf bourguignon. Après, on leur offre une salade avec de la vinaigrette et du camembert ou du brie comme fromage. Comme dessert, je propose une crème caramel ou une mousse au chocolat. Ce menu fixe va coûter 27€. Pas mal, non?

Émile

2 Qu'est-ce qu'on aime?

Dites ce qu'on aime manger au restaurant.

MODÈLE

M. Duhamel
M. Duhamel aime les escargots et le coq au vin.

1. Mme Dugarde

2. Isabelle

3. Mlle Dupont

4. M. Adjani

5. Justin

6. Mme Deneuve

3 Au buffet

Dites ce qu'il y a et ce qu'il n'y a pas au buffet du restaurant.

MODÈLES une terrine de saumon
Il y a une terrine de saumon.

de la choucroute garnie
Il n'y a pas de choucroute garnie.

1. une crème caramel
2. des escargots
3. des crudités
4. du bœuf bourguignon
5. de la salade
6. du porc
7. du gâteau
8. du potage
9. du coq au vin
10. du pain

4 Qui commande quoi?

Écrivez le nom des plats suivants sur votre papier. Ensuite, écoutez la conversation de quatre amis au restaurant et indiquez qui prend chaque plat.

la choucroute garnie	la crème caramel	les escargots
la terrine de saumon	le potage	les crudités
la mousse au chocolat	le bœuf bourguignon	

5 Questions personnelles

Répondez aux questions.

1. Est-ce que tu manges souvent au restaurant avec ta famille?
2. Est-ce que tu aimes les plats français?
3. As-tu essayé une salade avec de la vinaigrette? C'était bon?
4. Préfères-tu la crème caramel ou la mousse au chocolat comme dessert?
5. Est-ce que les plats que tes parents préparent sont toujours délicieux?
6. Qu'est-ce que tu aimes préparer? Quelle est ta spécialité?
7. Débarrasses-tu la table après les repas?

Mon frère et moi, nous débarassons la table à tour de rôle!

Rencontres culturelles

Le dîner en famille

Manon dîne avec ses parents et ses grands-parents de Strasbourg.

Mère de Manon:	Tout le monde a aimé les escargots, j'espère. Encore?
Manon:	Sauf Mamy qui ne les a pas touchés....
Mère de Manon:	Je ne peux pas imaginer une Alsacienne qui n'aime pas les escargots!
Grand-père:	Lucie a raison, moi non plus. Ma chérie, les escargots que tu prépares sont toujours délicieux. Mais, je ne peux plus manger.
Grand-mère:	Je ne peux pas en manger, c'est tout. Merci, ma chérie, d'en avoir fait pour Papy.
Mère de Manon:	Ah! La solidarité des femmes....
Manon:	Rassure-toi, Mamy, il y a encore la choucroute garnie et la mousse au chocolat.
Mère de Manon:	Manon, ça ne se fait pas d'annoncer les plats; ça doit rester une surprise.
Manon:	Tu parles d'une surprise! Ça sent la choucroute dans toute la maison depuis deux jours!
Mère de Manon:	Tu voudrais débarrasser la table, s'il te plaît?
Manon:	Ça, c'est la sanction!

6 Le dîner en famille

Faites un dessin qui montre ce qu'on mange.

Extension Au restaurant

Deux couples discutent de ce qu'ils vont commander au restaurant.

François:	Bon, moi, j'ai faim. Qu'est-ce qu'on commande? Léger pour moi: un coq au vin et une crème caramel. Et toi, Larissa?
Larissa:	Potage et crudités.
Benoît:	Moi aussi, je vais prendre quelque chose de léger mais comme François: un coq au vin et une mousse au chocolat comme dessert. Et toi, Fatou? Léger aussi?
Fatou:	Un potage simplement, mais j'espère qu'il n'y a pas d'oignons. Je suis allergique.

Extension Qui va commander le repas le plus léger (*light*)?

L'Alsace

L'Alsace est la région qui fait frontière* avec l'Allemagne. Elle a été annexée deux fois par l'Allemagne (1870–1918 et 1939–1945), et a donc une forte identité. Sa langue, l'alsacien, est proche de l'allemand. Elle est parlée à la télévision et à la radio, et il y a des journaux et une littérature écrits en alsacien.

Les industries importantes de la région sont l'automobile (Peugeot), les biotechnologies, l'électronique, et le tourisme. Les principales villes sont Strasbourg, Colmar, et Mulhouse. Mulhouse est une ville industrielle (industrie automobile) et Colmar, une ville touristique avec des maisons de la Renaissance, des canaux* (la Petite Venise), et des musées.

 Search words: **tourisme alsace, mots alsaciens, office de tourisme de colmar, tourisme mulhouse**

---

fait frontière *borders;* **canaux** *canals*

FRANCE

Strasbourg
ALSACE

COMPARAISONS

À part l'anglais, quelles langues parle-t-on aux États-Unis? Dans quelles régions? Quelles langues parle-t-on dans votre ville?

Comment sont les maisons et les rues en Alsace?

Strasbourg

Strasbourg est la capitale de l'Alsace et la capitale symbolique de l'Europe. C'est le siège* du Conseil de l'Europe et du Parlement européen. La ville est célèbre pour sa cathédrale qui domine la ville et ses belles maisons à colombages.* C'est une grande métropole intellectuelle et culturelle avec ses musées;* son théâtre, le Théâtre national de Strasbourg (TNS); son opéra; et ses universités. C'est aussi une ville très touristique et gastronomique: son marché de Noël, son quartier de "La Petite France," sa choucroute, et son kougelhopf (un gâteau) sont tous très célèbres.

C'est dans la Petite-France, à Strasbourg.

 Search words: ot strasbourg, visiter strasbourg, noël à Strasbourg

le siège *headquarters*; maisons à colombages *half-timbered houses*

Produits

La choucroute garnie est un plat alsacien fait avec du chou* blanc finement émincé,* salé,* et fermenté. Elle est accompagnée de pommes de terre et d'un assortiment de viande (de porc, de charcuteries salées ou fumées*).

chou *cabbage;* émincé *chopped;* salé *salted;* charcuteries salées ou fumées *cured or smoked deli meats*

COMPARAISONS

Dans quelles villes est-ce que le Congrès des États-Unis et le Parlement du Canada se trouvent? Dans quels bâtiments travaillent les députés et sénateurs de ces deux pays?

emcl.com
WB 6

La Francophonie: Une autre province

✹ *La Kabylie*

La Kabylie est une région dans le nord de l'Algérie, à l'est d'Alger. La population est issue de Kabyles, ou "gens des tribus" connus aujourd'hui sous le nom de berbères, ou nomades. Son économie dépend des olives, des figues, de la poterie, des bijoux, des tapis, et du tourisme. Pour certains touristes, la Kabylie est un éden oublié avec de belles montagnes. La majestueuse chaîne du Djurdjura a des sites pour faire du ski et de l'alpinisme.* Tigzirt est une ville balnéaire* qui conserve la présence de la civilisation romaine.

Vue des montagnes de Kabylie.

 Search words: kabylie photos, blog kabylie

alpinisme *hiking;* ville balnéaire *beach resort*

7 Activités culturelles

Faites les activités suivantes.

1. Faites une carte de la France et indiquez l'Alsace et ses villes principales.
2. Retrouvez les évènements qui correspondent aux dates suivantes:
   - 1870–1918
   - 1939–1945
3. Choisissez une ville—Colmar ou Mulhouse—et faites un album de photos qui représentent la ville.
4. Choisissez un lieu de Strasbourg et décrivez son rôle.

Du côté des médias

Lisez les informations suivantes sur Strasbourg.

Strasbourg.eu
& COMMUNAUTÉ URBAINE

Capitale européenne

LE PARLEMENT EUROPÉEN EST L'INSTITUTIONLÉGISLATIVE DE L'UNION EUROPÉENNE. IL REPRÉSENTE LES 500 MILLIONS D'HABITANTS DE L'UNION EUROPÉENNE. C'EST LA SEULE INSTITUTION À ÊTRE DIRECTEMENT ÉLUE PAR LES CITOYENS EUROPÉENS. STRASBOURG EST LE SIÈGEOFFICIEL DE L'INSTITUTION OÙ SE RÉUNISSENT LES DÉPUTÉS EUROPÉENS POUR ADOPTER LES TEXTES COMMUNAUTAIRES LORS DESSESSIONS PLÉNIÈRES.

Des organisations à vocation européenne sont présentes à Strasbourg, un peu en marge du quartier européen, telles la Commission centrale pour la navigation du Rhin, la Fondation européenne de la Science, l'Assemblée des Régions d'Europe ou encore l'Eurocorps. Mais n'omettez pas de faire un tour à **la Cathédrale de Strasbourg** pour admirer le vitrail européen.

8 Strasbourg, ville européenne

Associez une institution aux fonctions suivantes.

- fonction politique
- fonction religieuse
- fonction navale
- fonction scientifique

Le parlement européen à Strasbourg.

The Relative Pronouns *qui* and *que*

The relative pronouns **qui** and **que** are used to combine two shorter sentences into one longer sentence. They are called "relative" pronouns because they "relate" or connect these sentences to one another. Note how the following pairs of sentences are combined using **qui** or **que**.

C'est moi qui débarrasse la table!

Julie mange la crème caramel.
Julie is eating the caramel custard.

La crème caramel est délicieuse.
The caramel custard is delicious.

Julie mange la crème caramel **qui** est délicieuse.
Julie is eating the caramel custard that is delicious.

Pierre mange le gâteau.
Pierre is eating the cake.

J'ai fait le gâteau.
I made the cake.

Pierre mange le gâteau **que** j'ai fait.
Pierre is eating the cake that I made.

Both **qui** and **que** mean "that" in the above combined sentences. The relative pronoun **qui** is used when it functions as the *subject* of the phrase that follows it: **qui est délicieuse**. The relative pronoun **que** is used when it functions as the *direct object* of the phrase: **que j'ai fait**.

COMPARAISONS

What is the difference between *that* and *who* in English? What word can you leave out in an English sentence but must always use in a French sentence?

Le livre que je lis est passionnant.
The book I'm reading is exciting.

Relative Pronoun	Meaning	Refers to	Examples
qui	*who*	person	Manon achète des escargots pour son papy **qui** a faim. *Manon is buying escargots for her grandpa who is hungry.*
	that, which	thing	Je mange le potage **qui** est une spécialité. *I'm eating the soup which is a specialty.*
que (qu')	*that*	person	Le serveur **que** Marc a rencontré est très sympa. *The waiter that Marc met is very nice.*
	that, which	thing	Je voudrais le plat **que** tu as choisi. *I would like the dish that you chose.*

Remember that the past participle of a verb in the **passé composé** agrees in gender and in number with a preceding direct object pronoun. Since **que** is used as a direct object, a past participle

COMPARAISONS: Generally, *that* is used to link to a noun object and *who* to a person. The relative pronoun has been left out of the model sentence. The word *that* is not always needed in English. In French, relative pronouns (**que** or **qui**) must always be used.

following it must agree in gender and in number with the word to which it refers.

Les entrées **qu'**ils ont choisi**es** au restaurant étaient très chères.
The appetizers that they chose at the restaurant were very expensive.

9 On a faim à Strasbourg!

Dites si les touristes suivants ont choisi un restaurant qui se trouve près de la cathédrale de Strasbourg ou d'un autre endroit.

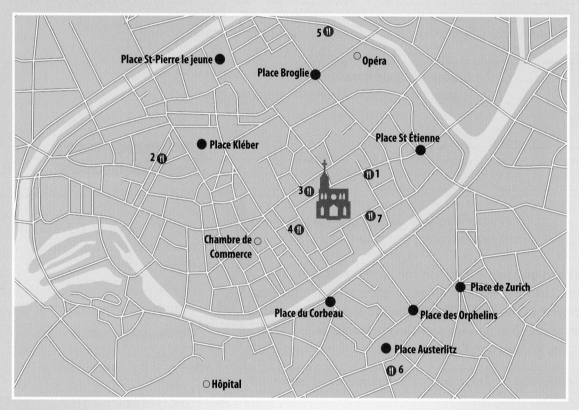

MODÈLES Michèle (1)

Michèle a choisi un restaurant qui est situé près de la place Austerlitz.

1. Martine (4)
2. Christine (2)
3. Paul (7)
4. M. Andersen (5)
5. Mme Kraft (3)
6. Mlle Zicarelli (1)
7. Abdel (6)

10 Que choisir?

Vous êtes dans un restaurant parisien avec des copains. Dites-leur de choisir ce que le serveur leur a conseillé.

 MODÈLE

Jeannette
Choisis les escargots que le serveur t'a conseillés!

1. Hugues

2. Awa

3. Marc

4. Marame

5. Fatou

6. Thomas

11 Résumons le dialogue!

*Complétez les phrases suivantes avec **qui** ou **que (qu')** pour résumer le dialogue de Rencontres culturelles à la page 377.*

1. Manon et ses parents ont quitté leur appartement... est à Paris.
2. Manon rend visite à ses grands-parents... habitent à Strasbourg.
3. Mamy n'aime pas les escargots... sa fille, Lucie, a préparés.
4. Papy pense que les escargots... il a mangés sont délicieux.
5. Le deuxième plat... on va servir est la choucroute garnie.
6. La personne... va débarrasser la table est Manon.

12 Qui et que

*Écrivez les numéros 1–8 sur votre papier. Ensuite, écoutez le dialogue et écrivez une expression qui indique ce qu'on a pris. Par exemple, **une glace italienne**.*

Révision: The Partitive Article

emcl.com
WB 12
Games

Pourquoi Sonia ne veut pas de hamburger?

The partitive article is used to express "some" or "any." It is formed by combining **de** with a definite article (**le, la, l'**). Here are the forms of the partitive article.

Masculine before a Consonant Sound	Feminine before a Consonant Sound	Masculine or Feminine before a Consonant Sound
de + le	de + la	de + l'
du Nutella	**de la** salade	**de l'**eau

The word **des**, the plural of the indefinite article **un(e)**, is used to express "some" or "any."

Prends **des** spaghetti. *Have some spaghetti.*

Use partitive articles after these verbs and expressions to indicate a quantity you can't necessarily count: **acheter, avoir, désirer, donner, manger, prendre, vouloir, voici, voilà**, and **il y a**. But when referring to whole items, use definite articles after these verbs and expressions.

Il y a **du** gâteau comme dessert. *There's cake for dessert.*
         but
Je vais prendre **la** crème caramel. *I'm going to have the caramel custard.*

In negative sentences, the partitive article changes to **de** or **d'**.

Il n'y a pas **de** choucroute. *There isn't any sauerkraut.*
Maurice ne boit pas **d'**eau. *Maurice isn't drinking any water.*

Usage Tip

When referring to things in general, use definite articles after these verbs: **aimer, adorer**, and **préférer**. Example: **Je préfère les plats italiens.** The definite article does not change in negative sentences: **Je n'aime pas les escargots.**

Dites ce que le critique culinaire (food critic), M. Laurent, a mangé cette semaine dans six restaurants différents. Puis, racontez ce qu'il a dit dans son magazine.

> **MODÈLE**   **Lundi M. Laurent a mangé des crudités et du coq au vin.**
> **Il a dit: "J'ai aimé les crudités, mais pas le coq au vin."**

lundi   mardi   mercredi

jeudi   vendredi   samedi

14 **On fait sa valise pour un voyage en Alsace.**

Dessinez une valise ouverte avec dix choses que vous allez apporter. À tour de rôle, demandez si votre partenaire a chaque chose. Si c'est dans votre valise, répondez affirmativement. Si non, répondez négativement.

> **MODÈLE**   le shampooing/le savon
> A: **Tu as du shampooing?**
> B: **Oui, j'ai du shampooing. Tu as du savon?**
> A: **Non, je n'ai pas de savon.**

1. le dentifrice/les pullovers
2. les chaussettes/les tennis
3. le chocolat/les jeans
4. les ceintures/l'eau minérale
5. l'argent américain et français/les photos de ta famille

The Pronoun *en*

emcl.com
WB 13–14
LA 2
Games

The pronoun **en** means "some," "any," "of it/them," "about it/them," or "from it/them" and refers to part of something previously mentioned. **En** replaces an expression containing **de** and comes right before the conjugated verb or infinitive in a sentence or question.

The pronoun *en* replaces:		
form of *de* + noun	Tu voudrais du potage? Elle fait de la gym? *Does she do gymnastics?* Elle va faire du vélo? *Is she going to go biking?*	Oui, j'**en** voudrais. *Yes, I'd like some.* Non, elle n'**en** fait pas. *No, she doesn't.* Oui, elle va **en** faire. *Yes, she's going to do it.*
de + infinitive	Tu as envie de voyager à Strasbourg? *Do you want to travel to Strasbourg?*	Oui, j'**en** ai envie! *Yes, I'd like to!*
de + noun after expressions of quantity (ex. *assez, beaucoup, combien, (un) peu, trop*)	Tu as bu trop de café? *Did you drink too much coffee?*	J'**en** ai bu huit tasses. *I drank eight cups of it.*
noun with a number	Combien d'escargots as-tu mangé? *How many snails did you eat?*	J'**en** ai mangé huit. *I ate eight of them.*

Note that when used with an expression of quantity or a number, the expression or number is not replaced and remains in the sentence.

In affirmative commands, **en** follows the verb and is attached with a hyphen. In the **tu** form of **-er** verbs, the affirmative imperative adds an -**s** before the pronoun **en**. In negative commands, **en** precedes the verb.

Manges-**en**!   *Eat some (of them)!*
N'**en** mange pas beaucoup!   *Don't eat a lot (of them)!*

15 Surfons sur Internet!

*Djamel a reçu beaucoup de commentaires sur son site social. Utilisez **en** pour répondre affirmativement aux questions de ses amis.*

MODÈLE

Jérôme

Il va faire beau. Tu voudrais faire du foot jeudi soir?

Djamel

Oui, je voudrais en faire.

1. Simone: Nous mangeons des pâtes ce soir. Je t'invite! Tu veux manger des pâtes avec nous?
2. René: Tu veux faire du roller demain après-midi?
3. Benjamin: Tu as envie d'étudier ensemble pour le contrôle ce weekend?
4. Stéphanie: Qu'est-ce que je dois faire? J'achète des billets pour le concert de Youssou N'Dour ou Rachid Taha?
5. Pamela: Je ne peux pas trouver de melons au marché. Tu as des melons chez toi?
6. Koffi: Salut! Ça va? J'achète des cadeaux de la Côte-d'Ivoire pour tes frères et tes sœurs. Combien de frères et sœurs as-tu?

16 En vacances

*Regardez les choses dans la chambre d'hôtel de Noah à Paris. Répondez aux questions en utilisant **en** dans des phrases affirmatives ou négatives.*

1. Noah a visité des musées?
2. Il avait besoin de parler français?
3. Il a écrit des cartes postales?
4. Il a pris des photos des monuments?
5. Il avait envie de prendre le métro?
6. Il a acheté des souvenirs?
7. Il a trouvé des cadeaux pour ses amis?

À vous la parole

Communiquez!

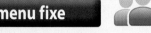

Question centrale ? How do smaller communities enrich a country's culture?

17 Un menu fixe

Interpersonal/Presentational Communication

Create a fixed-price menu for a restaurant in France. List at least two items for each course based on the listed categories; for example, list two entrées, two main dishes, etc. Exchange menus with a partner to correct. Then use one of your menus to role-play a scene between a customer and waitperson for the class. In your scene, the waitperson greets the client, takes the order, and brings the food and bill. The client greets the server, orders one item for each course and a beverage, and comments on the food.

> **Menu fixe**
> ◆ Entrée
> ◆ Plat principal
> ◆ Salade
> ◆ Plateau de fromages
> ◆ Dessert
> ◆ Boissons

Communiquez!

18 On mange chez moi.

Presentational Communication

You have invited three French friends over for dinner. Decide on an entrée, main course, and dessert to serve. Look up a recipe (**recette**) for each dish and write a grocery list for the things you need.

 Search words: recette (+ *name of dish*)

Ce restaurant alsacien est à Ribeauvillé, au sud de Strasbourg.

Communiquez!

19 Un restaurant à Strasbourg

Interpretive/Presentational Communication

Find a restaurant in Strasbourg where you would like to eat. Read its menu online and write down what you would order for an appetizer, main course, dessert, and beverage. Then use your imagination to write a blog reviewing the restaurant.

MODÈLE **Restaurant de la cathédrale ★ ★**
Hier soir je suis allé(e) au Restaurant de la Cathédrale. Il se trouve dans la rue.... Le dessert que j'ai pris, un gâteau au chocolat, était délicieux.... Je recommande ce restaurant. Justin

 Search words: restaurant strasbourg

Prononciation 🎧

Nasal Vowels

- Vowels followed by an **n** or an **m** are nasal in French, unless the **n** or **m** is followed by another vowel. Two common nasal vowel sounds are /ɛ̃/ as in **faim**, **cinq**, and **demain**, and /ã/ as in **cent**, **chante**, and **dans**.

A **Répétez!**

Répétez les expressions et phrases suivantes. Faites attention aux voyelles nasales.

1. un plat principal
2. Tu as faim, Martin?
3. vingt-cinq petits pains
4. commander et manger une entrée
5. Encore ce restaurant!
6. Prends le croissant blanc!

B **Au restaurant**

*Écrivez **E** si vous entendez le son /ɛ̃/ comme dans le mot **faim**, ou **A** si vous entendez le son/ã/ comme dans le mot **cent**.*

The Nasal Sound /õ/

- The **o** in **bon**, pronounced /õ/, is nasal; but in some cases, if it is followed by a word that begins with a vowel it is no longer nasal. Other words generally remain nasal.

| bon copain | vs. | bon ⁀ami |
| ton père | vs. | ton ⁀ami |

C **Répétez!**

Répétez les mots et expressions suivants. Faites attention à la voyelle nasale.

1. mon — mon livre
2. mon — mon album
3. bon — un bon café
4. bon — un bon artiste
5. son — son frère
6. son — son affiche

D **Récapitulons!**

Écoutez le menu. Ensuite, choisissez la catégorie qui correspond au son nasal que vous entendez.

A. **le son /ɛ̃/ comme "demain"**   B. **le son /ã/ comme "cent"**   C. **le son /õ/ comme "bon"**

Vocabulaire actif

emcl.com
WB 15–17
LA 1
Games

Les régions françaises

un océan **breton**,
une côte **bretonne**

un paysage **normand**,
une falaise **normande**

un fleuve **parisien**,
une tour **parisienne**

un bateau **alsacien**,
une maison **alsacienne**

un château **tourangeau**,
une région **tourangelle**

un immeuble **lyonnais**,
une cathédrale **lyonnaise**

Rouen
Giverny
LA NORMANDIE
Paris
RÉGION PARISIENNE
Strasbourg
L'ALSACE (f.)
Saint-Malo
LA BRETAGNE
Quimper
LA TOURAINE
Tours
FRANCE
LE LYONNAIS
Lyon
LA GASCOGNE
Pau
LA PROVENCE
Marseille

un champ **gascon**,
une route **gasconne**

un port **provençal**,
une ville **provençale**

Pour la conversation

Ⅱow do I ask a friend what's new?

> **Quoi de neuf?**

What's new?

Ⅱow do I find out someone's associations with a place?

> **Si je te dis** Normandie, **tu penses à quoi?**

If I say Normandy, what do you think of?

Ⅱow do I say I like a suggestion?

> Un weekend prolongé **me conviendra parfaitement**!

An extended weekend will suit me perfectly!

Et si je voulais dire...?

la Lorraine	*Lorraine (the region)*
lorrain(e)	*from, of Lorraine*
la Guadeloupe	*Guadeloupe*
guadeloupéen(ne)	*from, of Guadeloupe*
la Martinique	*Martinique*
martiniquais(e)	*from, of Martinique*
le Pays basque	*Basque country*
basque	*Basque*

---

1 En province

Lisez le paragraphe. Ensuite, utilisez les éléments donnés pour écrire des phrases qui associent des produits à leur région.

Chaque région de la France est associée à certains produits et plats de cuisine. L'Alsace est connue pour son architecture et ses plats qui sont influencés par l'Allemagne. Les Alsaciens aiment manger de la choucroute garnie et des escargots. La Normandie est souvent associée aux pommes et aux produits qu'on fait avec comme le cidre et le jus de pomme. Les Normands font aussi beaucoup de produits laitiers comme le camembert. La Bretagne est aussi connue pour ses produits laitiers, mais le plat le plus associé aux Bretons est la crêpe. La Provence est souvent associée aux légumes et aux fruits de soleil. Beaucoup de Provençaux mangent la ratatouille et la bouillabaisse, un potage célèbre. Lyon est connu pour ses bons restaurants, comme le restaurant Georges Blanc où on sert le poulet Mère Blanc. Une autre spécialité que les Lyonnais apprécient est la salade avec des lardons, qui sont comme de petits cubes de bacon.

> **MODÈLE**   le poulet Mère Blanc/une spécialité
> **Le poulet Mère Blanc est une spécialité lyonnaise.**

1. le jus de pomme/une boisson
2. les escargots/une entrée
3. les crêpes/un dessert
4. la bouillabaisse/un potage
5. le camembert/un fromage
6. la ratatouille/un plat

2 Dans quelle région?

Indiquez dans quelle région chaque ville
se trouve.

MODÈLE Marseille
Marseille est en Provence.

1. Pau
2. Strasbourg
3. Quimper
4. Tours
5. Rouen

3 On est...?

Dites où chaque élève habite et quelle est son
affiliation régionale.

MODÈLE Leïla
**Leïla habite à Pau. Elle est
gasconne.**

1. Jean-Luc
2. Momo
3. Simone
4. Karine
5. Mamadou
6. Lucie
7. Marc

4 Des suggestions

Dites si chaque suggestion te conviendra ou pas.

MODÈLES   Si on passe un weekend prolongé en Alsace?
Ça me conviendra.

Si on prend de la choucroute garnie?
Ça ne me conviendra pas.

1. Si on joue du piano?
2. Si on a une consultation avec une voyante?
3. Si on prend des escargots?
4. Si on voyage en Normandie?
5. Si on regarde une émission de télé-réalité?

On s'fait une p'tite visite en Bretagne?

Ouais, ça me conviendra!

5 De quelle région sont-ils?

Écrivez les numéros 1–8 sur votre papier. Choisissez le nom de la région de la personne mentionnée dans chaque phrase que vous entendez.

A. l'Alsace   B. la Normandie   C. la Bretagne   D. la Région parisienne
E. la Provence   F. la Touraine   G. la Région lyonnaise H. la Gasgogne

6 Questions personnelles

Répondez aux questions.

1. Quoi de neuf?
2. Est-ce que tu as déjà visité la France? Si oui, es-tu resté(e) en Région parisienne ou as-tu visité des provinces?
3. Quelles provinces de France voudrais-tu visiter? Pourquoi?
4. Pourquoi est-ce que les touristes viennent visiter la région où tu habites?
5. Qu'est-ce que tu aimes faire quand tu as un weekend prolongé?

Moi, je suis allée à Pau, en Gascogne.

Rencontres culturelles

Si on allait en Normandie?

Robert téléphone à Nicolas.

Robert: Quoi de neuf?

Nicolas: Alors, c'est quoi la surprise?

Robert: Je suis en province avec mes parents. Si je te dis Normandie, tu penses à quoi?

Nicolas: Rouen, le D Day, le camembert, Jeanne d'Arc.... Je te propose un itinéraire Monet en Normandie.

Robert: Super! Alors, laisse-moi deviner— Rouen, la cathédrale bien sûr; Giverny, la maison, le pont japonais....

Nicolas: Et quoi d'autre encore? Si je te dis au bord de la mer....

Robert: Euh....

Nicolas: Étretat, les falaises! Regarde sur ton portable.

Robert: Je suis en train de regarder, je n'en crois déjà pas mes yeux.... Un weekend prolongé avec toi me conviendra parfaitement!

7 **Si on allait en Normandie?**

Répondez aux questions.

1. Qui est Robert?
2. Où est-il?
3. Qu'est que Nicolas propose de voir?
4. Qu'est-ce qu'on peut voir au bord de la mer en Normandie?
5. Qu'est-ce que Robert regarde sur son portable?

Extension **Souvenirs de la guerre**

John et Cédric viennent de voir le Mémorial à Caen, en Normandie et sont maintenant sur la plage.

John: Ah, ces plages normandes sont magnifiques. L'eau est calme. Regarde les enfants qui jouent! Étrange de penser qu'il y a quelques années....

Cédric: ... les forces alliées se battaient juste-là, des millions de soldats—français, britanniques, américains, polonais....

John: La fameuse Bataille de Normandie, le 6 juin 1944... je me rappelle mes cours d'histoire. Ça a été la plus grande invasion par une force militaire dans l'histoire de l'humanité.

Cédric: Moi, ce sont surtout les histoires de mon arrière-grand-père dont je me souviens. Il m'a dit qu'après le D Day, les troupes étaient convaincues d'avoir gagné la guerre, mais les soldats avaient peur de mourir avant la victoire.

John: Le mien m'a raconté qu'il est devenu ami avec un Français qui l'a aidé à échapper à une attaque des Allemands. Il s'était fait blesser et le Français l'a ramené au camp.

Cédric: Je me demande si nos arrière-grands-pères se sont connus....

Extension Quels souvenirs de la guerre les arrière-grands-pères de John et Cédric ont-ils partagés?

? Question centrale

How do smaller communities enrich a country's culture?

La Normandie

La Normandie se trouve dans le nord-ouest de la France. Elle est marquée par de beaux paysages. À l'intérieur, on y trouve des champs et des forêts. Mais ce sont ses côtes qui sont fabuleuses: les falaises d'Étretat, les plages de Deauville et Cabourg, les petits ports pittoresques de Honfleur et Trouville. C'est une région connue par son histoire. C'est ici qu'est né Guillaume le Conquérant* qui a envahi* l'Angleterre à la bataille de Hastings en 1066 pour devenir son roi. C'est aussi en Normandie que Jeanne d'Arc a rassemblé les armées françaises pour repousser* les Anglais hors de* France. Et c'est sur ses plages qu'une bataille* décisive de la Deuxième Guerre mondiale* a eu lieu. L'endroit le plus fréquenté par les touristes est le Mont Saint-Michel, une petite île rocheuse où se trouve l'abbaye dédiée* à Saint Michel.

La Normandie est aussi une région connue pour ses artistes: ses peintres impressionnistes, avec Claude Monet à Giverny; ses auteurs, avec Flaubert à Rouen; et ses musiciens, avec Érik Satie, né à Honfleur.

Le Mont Saint-Michel fait 80 mètres de haut.

L'agriculture, l'industrie agroalimentaire*, et les activités portuaires forment la base de l'économie normande. La Normandie est le pays du camembert et du cidre. Le Havre, Rouen, et Caen, qui sont les trois grandes villes de la région, sont aussi de grands ports.

 Search words: office du tourisme de deauville, ville de cabourg, office du tourisme de honfleur, office de tourisme de trouville

---

Guillaume le Conquérant *William the Conqueror (considered the first King of England);* **a envahi** *invaded;* **repousser** *to push (out);* **hors de** *out of;* **bataille** *battle;* **Deuxième Guerre mondiale** *Second World War;* **dédiée** *dedicated;* **agroalimentaire** *agribusiness*

Le quai de Honfleur.

Produits

L'influence du français sur l'anglais a commencé en 1066. Le français a donné à l'anglais des centaines de mots, par exemple, *parliament* de "parlement," *chamber* de "chambre," et *merchant* de "marchand."

 Search words: influence du français sur l'anglais

Produits

La tapisserie de Bayeux, longue de 70 mètres (la tapisserie la plus longue au monde), a été réalisée au XIème siècle. Elle célèbre la conquête de l'Angleterre par Guillaume le Conquérant. Elle montre les vêtements, les chevaux, et les armes des deux adversaires.

 Search words: tapisserie bayeux

Produits

La Normandie est célèbre pour sa production de **pommes à cidre**. Il existe plus de 400 variétés de pommes à cidre en Normandie. Plus de 60% de la production de cidre en France vient de Normandie.

On peut passer sous le Gros Horloge.

Rouen

Rouen, qui a 380.000 habitants, est une grande ville commerciale et industrielle. La ville est aussi une destination touristique importante et une capitale gastronomique. Les sites qu'on aime visiter sont: la cathédrale (souvent peinte par Monet), la Place du Vieux-Marché, le Gros Horloge, et le Palais de justice.

Guillaume le Conquérant, Jeanne d'Arc, Corneille, et Flaubert font partie des souvenirs historiques et artistiques de Rouen: Guillaume le Conquérant est parti de Rouen conquérir* l'Angleterre; Jeanne d'Arc a organisé la résistance contre l'envahisseur* anglais avant de devenir prisonnière des Anglais et brûlée* sur la célèbre Place du Vieux-Marché; Corneille est peut-être le plus grand auteur français de théâtre politique, connu pour sa pièce le *Cid*. Flaubert est considéré l'inventeur du roman moderne. Il a écrit *Madame Bovary* et *L'éducation sentimentale*.

 Search words: office de tourisme de rouen, visiter rouen

conquérir *to conquer*; **envahisseur** *invader*; **brûlée** *burned*

Produits

Au village de **Giverny** on peut visiter la maison et le jardin de l'artiste impressionniste Claude Monet. Il y a un étang et un pont japonais où il a peint des nénuphars (*water lilies*).

🔍 **Search words: maison et jardin de monet à giverny**

La maison de Monet à Giverny, une ville normande.

COMPARAISONS

Jeanne d'Arc est une héroïne de l'histoire de France. Est-ce que vous pouvez nommer une héroïne américaine? Elle vivait pendant quel siècle? Qu'est-ce qu'elle a fait?

Peinture sur vitrail de Jeanne d'Arc devant la porte de France.

8 | **Activités culturelles**

Faites les activités suivantes.

1. Ajoutez la Normandie, ses villes, et les plages du débarquement à la carte de France que vous avez faite dans la Leçon A à la page 380.
2. Faites un axe chronologique (*timeline*) sur la vie de Jeanne d'Arc.
3. Faites une liste de mots anglais qui viennent du français.
4. Trouvez un tableau impressionniste peint en Normandie et décrivez-le.
5. Résumez l'intrigue du *Cid* dans un petit paragraphe.

À discuter

Selon vous, quels sont les attributs d'un héros ou d'une héroïne?

Du côté des médias

Lisez les descriptions suivantes des salles d'exposition de ce mémorial en Normandie.

QUELQUES SALLES D'EXPOSITIONS

**Exposition sur la Deuxième Guerre Mondiale
Salle "photos de la guerre"**

La gare de Radegast, point de déportation des victimes du régime nazi, les centres de mise à mort, les violences de l'armée, la propagande de Joseph Goebbels et la Waffen SS.... C'est un climat de violence sur toute l'Europe, mais aussi en Asie-Pacifique entre 1937-1945 retracé en photos.

**Exposition sur la Deuxième Guerre Mondiale
Salle "objets insolites"**

Dans cette salle vous pourrez voir de vos propres yeux de vieux tanks et véhicules civils ravagés, des uniformes de soldats de l'armée française, des armes et objets de torture, de la monnaie et beaucoup d'autres objets mémorables qui racontent l'histoire perturbante de cette guerre mémorable.

**Exposition sur la Deuxième Guerre Mondiale
Salle "monuments historiques"**

Dans cette salle, vous verrez des reconstitutions de monuments de la guerre, tels des meurtrières, ces petites fenêtres par lesquelles les soldats se cachaient pour lutter contre leurs ennemis. Se trouve aussi une reconstitution de la statue de Bayeux du général Eisenhower.

**Exposition sur la Deuxième Guerre Mondiale
Salle "clandestine"**

L'on entre ici dans les couches secrètes de la Résistance, les opérations militaires contre les troupes d'occupation, les Alliés, les forces de libération françaises, les services secrets britanniques et américains, la presse clandestine, les mouvements populaires antifascistes, et le long chemin à la reconstruction et le coût de la Guerre.

9 Exposition du Mémorial en Normandie

Associez chaque chose à l'exposition où vous pouvez la voir.

1. la statue du général Eisenhower
2. des informations sur une société secrète: la Résistance en France
3. des informations sur le rôle des Alliés en libérant l'Europe
4. l'histoire de Joseph Goebbels, chef de la propogande nazie
5. l'uniforme d'un soldat

Structure de la langue

Interrogative Pronouns

To ask "who" or "what" in French, you use an interrogative pronoun. The one you use depends on whether it is the subject, direct object, or the object of a preposition and whether it refers to a person or thing.

	People (who?)	Things (what?)
Subject	qui qui est-ce qui	qu'est-ce qui
Direct Object	qui qui est-ce que	que qu'est-ce que
Object of Preposition	qui	quoi

COMPARAISONS

Below is one thought expressed in French and English. Why is "whom" needed in the English version?

Qui est-ce que tu connais dans ton immeuble?
Whom do you know in your apartment building?

- Use **qui** or **qui est-ce qui** to ask "who" when it is the subject of the verb. (**Qui** is more commonly used than **qui est-ce qui**.)

    Qui est tourangeau? *Who is from Touraine?*
    Qui est-ce qui est alsacien? *Who is from Alsace?*

- Use **qu'est-ce qui** to ask "what" when it is the subject of the verb.

    Qu'est-ce qui t'agace? *What gets on your nerves?*

- Use **qui** with inversion or **qui est-ce que** to ask "who" when it is the direct object of the verb.

    Qui connaissez-vous? *Whom do you know?*
    Qui est-ce que vous connaissez?

- Use **que** with inversion or **qu'est-ce que** to ask "what" when it is the direct object of the verb.

    Que savent-ils? *What do they know?*
    Qu'est-ce qu'ils savent?

To ask for the object of a preposition, use **qui** with inversion to ask "who" and **quoi** to ask "what." To avoid inversion, use **qui est-ce que** or **quoi est-ce que** after the preposition.

    À qui parle-t-il? *To whom is he talking?*
    De quoi est-ce qu'ils parlent? *What are they talking about?*

COMPARAISONS: In French, a different interrogative pronoun is needed depending on whether it is a subject or an object. In English, "who" indicates a subject, and "whom" an object, but this distinction is made less and less these days.

10 Que sais-je?

*Posez des questions avec **qui** ou **qu'est-ce que** pour confirmer l'information en italique.*

MODÈLES   *Jeanne d'Arc* est une heroïne française.
Qui est une heroïne française?

La musique que beaucoup de Maghrébins écoutent est *le raï*.
Qu'est-ce que beaucoup de Maghrébins écoutent?

1. *Samian* donne un concert à Québec pour la Saint-Jean.
2. Les Québécois fréquentent *le parc d'attractions La Ronde*.
3. *Monet* a peint le tableau *La terrace à Sainte-Adresse*.
4. *Youssou N'Dour* est un chanteur sénégalais.
5. Toulouse-Lautrec a fait *des affiches de Montmartre*.
6. *Les étudiants de Paris* ont manifesté en 1968.
7. Ben Jelloun a écrit *Le racisme expliqué à ma fille*.

Qu'est-ce qu'on met dans la choucroute?

Beaucoup de saucisses!

11 Qui ou qu'est-ce qui?

*Si le sujet de la phrase est une personne, posez une question avec **qui**. Si le sujet de la phrase est une chose, posez une question avec **qu'est-ce qui**.*

MODÈLES   *Robert* habite à Quebec.
Qui habite à Québec?

La Normandie est une province au nord de la France.
Qu'est-ce qui est une province au nord de la France?

1. *Un weekend prolongé* est la surprise de Robert.
2. *Nicolas* propose un itinéraire Monet en Normandie.
3. *Les plages de Normandie* sont célèbres.
4. *Le camembert* est un produit normand.
5. *Les falaises normandes* sont au bord de la mer.
6. *Léo* sort son portable pour prendre des photos des falaises.

À tour de rôle, posez des questions à votre partenaire. Si l'objet de votre phrase est une personne, utilisez **qui est-ce que**. *Si l'objet de votre phrase est une chose, utilisez* **qu'est-ce que**.

MODÈLES   inviter au cinéma
> A: **Qui est-ce que tu invites au cinéma?**
> B: **J'invite Catherine au cinéma.**

prendre à la cantine
> A: **Qu'est-ce que tu prends à la cantine?**
> B: **Je prends de la pizza et de la salade.**

1. choisir à la boutique
2. aider avec ses devoirs
3. boire
4. rassurer souvent
5. appeler chaque jour
6. aimer lire
7. attendre après les cours
8. écouter la radio

Qu'est-ce que tu fais après les cours?

Je vais à la plage.

13 *Rendez-vous à Nice!*

Choisissez **qui**, **qui est-ce que**, **qu'est-ce qui**, **que**, **qu'est-ce que**, *ou* **quoi** *pour compléter les questions. Ensuite, répondez aux questions d'après la vidéo* Rendez-vous à Nice!

1. ... Charlotte et Chadia ne connaissent pas à l'école le jour de la rentrée?
2. ... elles trouvent dans le café?
3. ... aide Patrick avec son anglais?
4. ... informe Chadia à la cantine que Thomas voudrait la voir?
5. Charlotte, ... veut-elle faire comme passe-temps?
6. En... Patrick est-il fort?
7. ... n'accepte pas que Chadia sort avec un garçon?
8. ... est toujours avec Thomas?

14 **Découverte de la Normandie**

Écrivez les numéros 1–5 sur votre papier. Ensuite, écoutez la conversation et écrivez **V** *si la phrase que vous entendez est vraie ou* **F** *si elle est fausse.*

Communiquez!

15 **J'augmente mon vocabulaire.**

Interpretive/Presentational Communication

In this lesson you learned that many English words come from French. Organize each of the following loan words according to a category, such as diplomacy and foreign policy, food and dining, art, fashion, etc. Then write ten sentences or a narration that shows you understand the meaning of each word.

à la mode, à votre santé, adieu, art nouveau, au pair, au gratin, avant garde, beaux arts, bon appétit, bourgeois, carte blanche, concierge, connoisseur, debutante, dénouement, détente, décolletage, entente cordiale, gourmand, je ne sais quoi, laissez-faire, nocturne, objet d'art, papier maché, pointillisme, rapprochement, RSVP, salon

 Search words: mots français en anglais

Communiquez!

16 **Je vois....**

Interpretive/Interpersonal Communication

Find 12 photos online with a scene or object from each of the provinces you learned about in this lesson. With a partner, take turns asking each other questions using provincial adjectives. For example, you show your partner a picture of a church and your partner tries to identify where it is from.

MODÈLE	A: **C'est une église alsacienne?**
	B: **Non, je n'ai pas d'église alsacienne.**
	C'est une église bretonne.

 Search words: provinces françaises et images

Bayonne est une ville gasconne.

Stratégie communicative

Combining Sentences

In **Leçon A** you learned how to combine sentences using **qui** and **que**. By using these relative pronouns to combine sentences, you can create more elegant and complex sentences.

17   Madiba, Manon, Rachid, et Nicolas

Combine the following sentences about the dialogue characters using **qui** or **que**.

1. Madiba est une fille camerounaise. Elle a une sœur, Babila.
2. Elle regarde une émission avec Manon. L'émission vient du Luxembourg.
3. Nicolas a un copain. Son copain habite à Québec.
4. Il préfère un chanteur africain. Le chanteur s'appelle Youssou N'Dour.
5. Manon décrit un tableau. Monet a peint le tableau.
6. Quand ses parents sont partis, Manon a invité des amis. Ses parents connaissent ses amis.
7. Rachid préfère le raï. Le raï est un genre de musique.
8. Ce sont des B.D. francophones. Rachid aime ces B.D.

18   La salle de séjour

Write a paragraph with sentences that use the relative pronouns **qui** and **que** to describe this family scene.

Leçon C

Vocabulaire actif

emcl.com
WB 24–27
LA 1
Games

Un séjour en Bretagne

À la crêperie

du jus de pomme

une galette jambon-fromage

un diabolo menthe

une galette forestière

une crêpe au chocolat

une crêpe au sucre

Comment faire une crêpe.

À l'auberge de jeunesse

les auberges (f.) internationales

la FUAJ

la réception

Un dortoir

des lits (m.) superposés

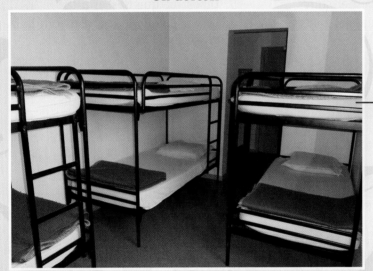

Pour la conversation

What will the server ask?

> **Vous avez fait votre choix?**

Have you made a choice?

How do I order?

> **Pour commencer...** une crêpe à la confiture.

For starters... a crêpe with jam.

Et si je voulais dire...?	
les palets (m.) bretons	*butter cookies*
le réfectoire	*canteen*
la salle commune	*community room*
la vie communautaire	*community life*
partager sa chambre	*to share a room*

Lisez le journal de Raphaël et répondez aux questions.

le 12 février

Je passe un super séjour en Bretagne! Hier soir, mes copains et moi, on est allé à la crêperie pour un dîner bon marché. Quand le serveur m'a demandé, "Vous avez fait votre choix?", le choix était facile. J'ai choisi leur galette forestière. Je l'aime beaucoup. J'ai pris aussi un diabolo menthe. C'est la boisson que je prends d'habitude chez moi. Pour Michel, la décision était plus difficile. Il hésitait entre une galette et une crêpe. Alors pour commencer, il a pris une galette jambon-fromage et comme dessert une crêpe à la confiture! Nasser ne mange jamais la même chose, alors on ne sait jamais ce qu'il va commander comme crêpe. Hier, il a pris une galette forestière comme moi, et il a bu un jus de pomme comme d'habitude. Ah! C'est génial, la Bretagne! Après notre bon dîner, à l'auberge de jeunesse, on a parlé avec des Normands, des Gascons, des Parisiens, et des Alsaciens.

1. Où est Raphaël?

2. Où est-il allé avec ses amis hier soir?

3. Qu'est-ce que Raphaël a mangé? Qu'est-ce qu'il a bu?

4. Qu'est-ce que Michel a pris?

5. Qu'est-ce que Nasser a bu?

6. Qu'est-ce que les garçons ont fait après?

2 **Un séjour en province**

Décrivez un voyage en Bretagne en vous basant sur les illustrations.

1. Nous sommes en....

2. On passe la nuit dans....

3. Nous avons une carte de... pour payer moins cher.

4. Le réceptionniste nous indique ... au deuxième étage.

5. On y trouve....

6. On va à une... pour le dîner.

3 Au restaurant

Dites ce que vous prenez pour commencer votre repas.

> **MODÈLE**   une galette aux champignons/une crêpe au sucre
> **Pour commencer je prends une galette aux champignons, s'il vous plaît.**

1. une crêpe à la confiture/une galette jambon-fromage
2. de la choucroute garnie/des escargots
3. une galette forestière/une crêpe au sucre
4. une terrine de saumon/du coq au vin
5. un bœuf bourguignon/du potage
6. un steak-frites/des crudités

4 La crêperie ou l'auberge de jeunesse?

*Écrivez les numéros 1–6 sur votre papier. Ensuite, indiquez l'endroit associé à chaque phrase que vous entendez: **A** (auberge de jeunesse) ou **R** (restaurant).*

5 Questions personnelles

Répondez aux questions.

1. Qu'est que tu demandes à la serveuse d'une crêperie pour commander?
2. Qu'est-ce que tu bois d'habitude au restaurant?
3. Voudrais-tu rester dans une auberge de jeunesse? Pourquoi, ou pourquoi pas?
4. As-tu des lits superposés dans ta chambre?
5. As-tu jamais dormi dans un dortoir? Si oui, où et quand?

J'aime dormir dans un lit superposé.

Rencontres culturelles

Un repas breton

Nicolas et Robert continuent leur weekend prolongé avec un dîner dans une crêperie bretonne.

Nicolas:	Choisis: sucrée, salée, au Nutella, à la confiture, au jambon, ou au fromage.
Robert:	Je vais enfin goûter les crêpes bretonnes.
Nicolas:	Depuis le temps....
Serveuse:	Alors vous avez fait votre choix? Qu'est-ce que vous désirez?
Nicolas:	Beurre salé.
Robert:	Pour commencer... une crêpe à la confiture.
Serveuse:	Et comme boisson?
Robert:	Du jus de pomme, bien sûr!
Serveuse:	Vous, vous avez un accent qui me rappelle le Québec.
Robert:	Vous connaissez?
Serveuse:	La Belle Province... j'ai travaillé là-bas deux ans: super souvenir! Et vous, vous êtes en vacances?
Robert:	Oui. Hier on était à Saint-Malo—super journée et surtout super soirée à l'auberge de jeunesse.
Nicolas:	Il y avait des Anglais, des Danois, des Allemands—chaude ambiance!
Robert:	On a chanté, on a dansé, on a bien discuté avec eux.

6 | Un repas breton

Identifiez la personne décrite. Deux noms sont parfois possibles.

1. Cette personne demande ce qu'on va boire.
2. Cette personne commande une crêpe avec du beurre salé.
3. Cette personne va boire du jus de pomme.
4. Cette personne a habité au Québec pendant deux ans.
5. Cette personne a dormi dans une auberge de jeunesse hier soir.

Extension | Au resto autoroute

Deux amis s'arrêtent au restaurant autoroute.

Julie:	Bon, il arrive.... Dis, tu vas me prendre en photo sous le Gros Horloge?
Sébastien:	Certainement.
Serveur:	Vous avez choisi?
Sébastien:	Un steak tartare, des frites géantes, et pour mademoiselle, le truc vég.
Serveur:	Oui, la salade... et comme boisson?
Julie:	De l'eau minérale pour moi et un coca pour monsieur qui doit encore faire 300 kilomètres!

Extension | Qui conduit? Quelle est la destination de Julie et Sébastien?

emcl.com
WB 29

Question centrale

? How do smaller communities enrich a country's culture?

La Bretagne

La Bretagne, la région la plus à l'ouest de la France, se trouve à la pointe extrême de l'Europe continentale. Région longtemps isolée, la culture bretonne a gardé ses influences celtiques et fait un effort pour les préserver. On peut apprendre le breton, la langue de la région, dans les écoles, participer aux *fest noz* (fêtes de nuit), ou écouter de la musique bretonne à plusieurs festivals. Par exemple, le Festival interceltique de Lorient accueille* chaque été des musiciens venus de Bretagne, d'Irlande, de Galles,* d'Écosse,* des Cornouailles,* de Galice* pour célébrer la musique celtique qui aujourd'hui est un mélange de musique traditionnelle et d'influences rock, jazz, symphoniques, et autres.

La Bretagne est une région de légendes et de mystères avec Merlin l'Enchanteur;* la célèbre forêt de Brocéliande,* ses saints guérisseurs* et protecteurs; et ses pardons, monuments religieux placés aux carrefours* des routes.

Mais la Bretagne est aussi une région moderne où l'agriculture, les télécommunications, et la recherche océanographique jouent un rôle important dans l'économie. Rennes, avec ses 250.000 habitants, est sa capitale économique, universitaire, et administrative.

La ville de Rennes, capitale de la Bretagne.

 Search words: fest noz, cycle d'Arthur, cycle breton, cycle de la table ronde, visiter rennes

---

accueille *welcomes;* **Galles** *Wales;* **Écosse** *Scotland;* **Cornouailles** *Cornwall;* **Galice** *Galicia;* **l'Enchanteur** *the Wizard;* **Brocéliande** *forest associated with King Arthur;* **guérisseurs** *healing;* **carrefours** *intersections*

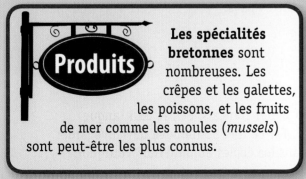

Produits

Les spécialités bretonnes sont nombreuses. Les crêpes et les galettes, les poissons, et les fruits de mer comme les moules (*mussels*) sont peut-être les plus connus.

On pêche des moules sur les côtes bretonnes.

Saint-Malo

Saint-Malo est un port situé sur la Manche.* C'est un port de commerce actif, et le deuxième port de commerce de Bretagne. Saint-Malo est connue aussi pour ses courses* nautiques. L'histoire de la ville remonte* à l'antiquité celtique. Beaucoup de touristes viennent à Saint-Malo pour profiter de la mer et de voir sa ville close* pittoresque. Le festival Folklores du monde a lieu en été et accueille de nombreux groupes de musique venus des cinq continents.

 Search words: saint-malo tourisme, saint-malo site officiel, le festival folklores du monde saint-malo

---

la Manche *the English Channel*; **courses** *races*; **remonte** *dates back to*; **ville close** *walled city*

COMPARAISONS

Faites des recherches sur Arthur dans les contes bretons. Est-ce qu'il y a des différences entre ces contes et les contes d'Angleterre que vous connaissez peut-être? Quelles sont-elles?

 **Search words:
cycle d'Arthur, cycle breton, cycle de la table ronde**

Vue de Saint-Malo.

emcl.com
WB 28, 30

Les auberges de jeunesse

Dans les auberges de jeunesse on peut faire la connaissance de jeunes gens du monde entier, et c'est bon marché. Si on a une carte de la Fédération unie des auberges de jeunesse (FUAJ), on paie une somme assez réduite. En général, on dort dans un dortoir dans des lits superposés. On peut y acheter aussi le petit déjeuner et souvent le dîner. Il y a des auberges de jeunesse dans toute la France et dans beaucoup d'autres pays.

Mon dico breton

bihan:	*petit*
braz:	*grand*
dour:	*eau*
ker:	*village*
mor:	*mer*
porz:	*port*

 Search words: fuaj

À discuter

Dans le passé, les professeurs forçaient les élèves à parler français, et pas leur langue maternelle, par exemple, le breton ou le provençal. Est-ce une bonne idée de sauvegarder (*save*) ces langues? Faut-il les enseigner (*teach*) dans les écoles aujourd'hui? Pourquoi?

Faites les activités suivantes.

1. Ajoutez la Bretagne et ses villes à la carte de France que vous avez faite dans les Leçons A et B.
2. Cherchez la recette d'une crêpe que vous aimeriez préparer ou goûter.
3. Écoutez de la musique celtique sur Internet et choisissez un morceau qui vous plaît (*pleases*). Faites-le écouter en classe et dites pourquoi vous l'aimez.
4. Imaginez que vous planifiez un voyage en Europe. Faites une liste de vos destinations et des auberges de jeunesse où vous allez rester.

Du côté des médias

Lisez le menu de cette crêperie en Bretagne.

Menu Crêperie de Bréhat

Uniquement le midi du lundi au vendredi. Hors jours fériés.

Menu étudiant: **8,50 €**

1 galette complète
(œuf, jambon, emmental)
1 crêpe chocolat, caramel, ou beurre sucré
1 jus de pomme ou diabolo menthe

Menu touriste: **9,90 €**

1 galette pomme de terre, emmental, crème, poitrine fumée
1 crêpe poire chocolat ou pomme caramel
1 jus de pomme ou diabolo menthe

8 **À la Crêperie de Bréhat**

1. Choisissez un menu pour votre déjeuner.
2. Faites un menu en anglais pour les touristes.

La culture sur place

How do smaller communities enrich a country's culture?

Les régions

Vous avez beaucoup appris sur les provinces et les traditions régionales en France. Dans cette *Culture sur place*, vous allez comparer les régions des États-Unis. Quelles similarités et différences notez-vous entre régions?

9 Première Étape: Réfléchir

Mettez-vous en groupes de trois étudiants. Votre professeur va vous donner deux régions américaines à comparer. Donnez vos impressions des différences et des similarités entre ces deux régions des États-Unis.

- The South and the North
- The East Coast and the West Coast
- Hawaii and the Midwest
- The Pacific Northwest and the Southwest
- Hawaii and Alaska

10 Deuxième Étape: Examiner

Avec vos partenaires, répondez aux questions suivantes.

1. Comment est-ce que vous avez identifié les différences? Par exemple, est-ce que vous avez voyagé ou vécu dans une des deux régions? Si non, d'où viennent vos impressions de ces différences (par exemple, de la télé, des films, de votre famille...)?
2. Trouvez un autre groupe avec les mêmes régions, et comparez vos réponses. Est-ce que vous partagez les mêmes opinions? Pourquoi, ou pourquoi pas?
3. Est-ce que vous pensez que vos impressions sont correctes? Est-ce que ce sont des généralisations ou des stéréotypes? Quelles expériences vous aideraient à changer vos généralisations ou stéréotypes?

11 Faire l'inventaire

Avec vos camarades de classe, répondez à ces questions.

1. Pourquoi pensez-vous que vous avez ces impressions des régions des États-Unis? Avez-vous des idées qu'il faut changer parce que ce sont des généralisations ou des stéréotypes?
2. Pourquoi pensez-vous que les identités régionales existent dans un pays?
3. Est-ce que la diversité peut exister même dans une région? Quelle sorte de diversité?
4. Quand vous visitez des villes et des régions de France, comment pouvez-vous faire des généralisations sans faire de stéréotypes? Qu'est-ce que vous allez remarquer?

Structure de la langue

Stress Pronouns

To emphasize a word in English, you stress it with your voice. In French you use a "stress pronoun" to show emphasis. Here are the stress pronouns in French with their corresponding subject pronouns.

Singular		Plural	
moi	*je*	**nous**	*nous*
toi	*tu*	**vous**	*vous*
lui	*il*	**eux**	*ils*
elle	*elle*	**elles**	*elles*

Use stress pronouns:

• to emphasize the subject pronoun	**Moi**, je suis parisien. Tu veux du jus, **toi**?	*I am Parisian.* *You want some juice?*
• in short phrases with no verb	Non, pas **vous**! Qui a mangé la crêpe? **Elle**?	*No, not you!* *Who ate the crêpe? Her?*
• after **c'est** or **ce sont**	C'est **lui**? Non, ce sont **eux**.	*It's him?* *No, it's them.*
• in a compound subject	Ils veulent une galette au fromage. **Lui** et **elle**?	*They want a cheese crêpe.* *Him and her?*
• after a preposition	Raoul dîne chez **elles**.	*Raoul is having dinner at their house.*
• after **que** in a comparison	Ton frère est plus timide que **toi**.	*Your brother is more shy than you.*

12 C'est qui?

Vous regardez la télé avec Juliette. Elle a perdu ses lunettes, et elle ne voit pas bien. Confirmez pour elle les personnages de l'émission.

> **MODÈLE** La chanteuse, c'est Natasha St-Pier?
> **Oui, c'est elle.**

1. L'acteur, c'est Johnny Depp?
2. L'actrice, c'est Audrey Tautou?
3. Les chanteurs, ce sont Amadou et Mariam?
4. Les footballeuses, ce sont Gaétane Thiney et Sarah Bouhaddi?
5. Le metteur en scène, c'est Cédric Klapisch?
6. L'animatrice, c'est Mélissa Theuriau?

13 Et toi?

Écrivez les numéros 1–8 sur votre papier. Écoutez les petites conversations. Ensuite, identifiez la personne ou les personnes mentionnées.

A. Christophe
B. Natasha St-Pierre
C. Amadou et Nasser
D. Chloé et Anne-Marie
E. Béatrice et moi
F. Jean-Claude et toi

14 Me voici en Bretagne!

*Écrivez **moi, toi, lui, elle, nous, vous, eux,** ou **elles** pour compléter le mail d'Étienne.*

Saint-Malo la nuit.

À:	Kristine
Cc:	
Sujet:	Mon séjour en Bretagne

Salut!

…, j'adore la Bretagne! Il y a beaucoup de choses à voir ici. Hier, Jonathan et…, nous sommes allés à une crêperie. J'ai mangé une galette forestière mais …, il a choisi une crêpe au sucre. C'était délicieux! Après ça, nous avons rencontré deux jeunes Bretons, Noah et Lise. Ils nous ont invités chez…. Ils habitent une petite maison à Saint-Malo près de la mer, ou comme les Bretons disent, "la mor." C'est une belle maison dans une belle ville! Leur mère et leur tante nous ont offert d'autres crêpes délicieuses. …, elles sont super sympa! Après, Noah et Lise, ils nous ont montré la ville et puis nous les avons invité chez…, c'est à dire (*that is to say*) à l'auberge de jeunesse. Qu'est-ce que Raphaëlle et… faites pour vous amuser pendant les vacances? …, vous allez au stade pour voir les matchs de football? Tu sors toujours avec Chloé ? …, elle travaille toujours au supermarché? Quoi de neuf? Ciao!

Étienne

P.S. Je t'envoie une photo de mon smartphone.

À vous la parole

Communiquez!

15 À la crêperie

Presentational/Interpersonal Communication

Find several menus from **crêperies** in France and print them out. Choose **galettes** and **crêpes** from these menus to create your own and use it to role-play a scene between a customer and waitperson. The waitperson should ask the customer what he or she would like to order. The customer should order a **galette**, a dessert **crêpe**, and a beverage. The waitperson will take the order, bring the food, and later the bill.

🔍 **Search words: crêperie bretonne en france, galette, crêpes**

Communiquez!

16 Je descends dans les auberges de jeunesse.

Interpretive/Presentational Communication

Choose five cities from the French provinces you learned about in this unit to create a travel itinerary. Then find a youth hostel in each city online. Write the name and address for each youth hostel in which you decide to stay and a sentence about it in French. Share your itinerary with your classmates.

🔍 **Search words: auberges de jeunesses en france**

Une auberge de jeunesse à Paris.

Lecture thématique

Le verger

Rencontre avec l'auteur

Rémy de Gourmont (1858–1915) était un écrivain, poète, et critique littéraire français. Il a travaillé à la Bibliothèque nationale et il a été co-fondateur de la revue littéraire *Mercure de France*. Simone est un personnage de plusieurs de ses poèmes. En lisant, essayez de répondre à cette question: De quoi est-elle la femme idéale?

Pré-lecture

Avez-vous passé du temps dans un verger de pommiers (*apple orchard*)? Décrivez votre expérience ou imaginez la saison des pommes ce que vous faites, ce que vous voyez, ce que vous sentez (*smell*).

Stratégie de lecture

Refrain and Tone

A **refrain** is a line or group of lines repeated in a poem or song; the refrain can be anywhere in a stanza but is most frequently found at the end or in a separate stanza. **Tone** is the emotional attitude toward the reader or the subject in a literary work. Examples of the different tones that a work may have include familiar, ironic, playful, sarcastic, serious, insistent, and sincere. As you read, summarize each stanza in a graphic organizer. Then identify the refrain and its tone, which are linked.

	Summary of the Stanza
Stanza 1	Le narrateur propose à Simone d'aller au verger avec un panier d'osier et de dire aux pommiers: "Voici la saison des pommes."
Stanza 2	

Refrain	**Tone**

Outils de lecture

Anticipating Vocabulary

This poem is about an apple orchard. What type of vocabulary do you anticipate? Think of the type of tree, the fruit of the tree, the insects that feed off the fruit. Make a cluster diagram to show the French words you expect to appear in the poem.

¹ Simone, allons au verger*
Avec un panier d'osier.*
Nous dirons* à nos pommiers,*
En entrant dans le verger:
⁵ Voici la saison des pommes.
Allons au verger, Simone,
Allons au verger.

Les pommiers sont pleins de guêpes,*
Car les pommes sont très mures:
¹⁰ Il se fait un grand murmure
Autour du vieux doux-aux-vêpes.*
Les pommiers sont pleins de* pommes,
Allons au verger, Simone,
Allons au verger.

¹⁵ Nous cueillerons* la calville,
Le pigeonnet, et la reinette,*
Et aussi les pommes à cidre
Dont la chair* est un peu doucette.*
Voici la saison des pommes,
²⁰ Allons au verger, Simone,
Allons au verger.

Tu auras* l'odeur des pommes
Sur ta robe et sur tes mains,
Et tes cheveux seront pleins
²⁵ Du parfum doux de l'automne.
Les pommiers sont pleins de pommes,
Allons au verger, Simone,
Allons au verger.

Simone, tu seras* mon verger
³⁰ Et mon pommier de doux-aux-vêpes;
Simone, écarte* les guêpes
De ton cœur et de mon verger.
Voici la saison des guêpes,
Allons au verger, Simone,
³⁵ Allons au verger.

Pendant la lecture
1. Quelle activité est suggérée?

Pendant la lecture
2. Les pommiers sont pleins de quelles choses (il y en a deux)?

Pendant la lecture
3. Quelles sortes de pommes est-ce qu'on va cueillir?

Pendant la lecture
4. Quels parfums sont mentionnés (il y en a deux)?

Pendant la lecture
5. Est-ce que Simone aime le narrateur, ou est-ce qu'elle lui résiste?

---

verger *orchard*; **osier** *wicker*; **dirons** *will say*; **pommier** *apple tree*; **guêpe** *wasp*; **doux-aux-vêpes** *sweet apple* (dialecte normand); **plein de** *full of*; **cueillerons** *we will pick*; **le calville, le pigeonnet, et la reinette** types de pommes; **chair** *flesh*; **doucette** *sweet*; **auras** *will have*; **seras** *will be*; **écarte** *push away*

Post-lecture

De quelle façon ce poème est-il une chanson d'amour?

Le monde visuel

Paul Cézanne (1839–1906) aimait peindre des paysages (*landscapes*) et des natures mortes. Une nature morte est une peinture d'objets inanimés, naturels, ou fabriqués par l'homme (*man-made*), mais ils sont posés d'une manière artistique. Cézanne s'intéressait aux formes géométriques. Avec les natures mortes, il a pu expérimenter avec la forme, la couleur, et la lumière. Dans cette peinture, comment les couleurs des objets naturels contrastent-elles avec les couleurs des objets fabriqués par l'homme? Quelles formes ont ces objets?

Nature morte avec pommes, 1893–94. Paul Cézanne. Collection privée.

17 Activités d'expansion

Faites les activités suivantes.

1. Écrivez un paragraphe qui analyse ce poème. Qui parle? Qu'est-ce qui se passe dans le poème? Quel est le refrain? Le ton? Comment est-ce que le refrain est lié au ton du poème? Servez-vous de votre grille pour écrire votre paragraphe.
2. Pensez à un autre lieu pour un homme ou un garçon pour déclarer son amour pour une jeune fille. Écrivez un refrain pour ce poème.
3. Faites une liste de pommes connues en France et aux États-Unis. Quelles sont les pommes que les deux pays produisent? Faites un diagramme Venn avec vos résultats.

Les copains d'abord: Week-end à Saint-Malo

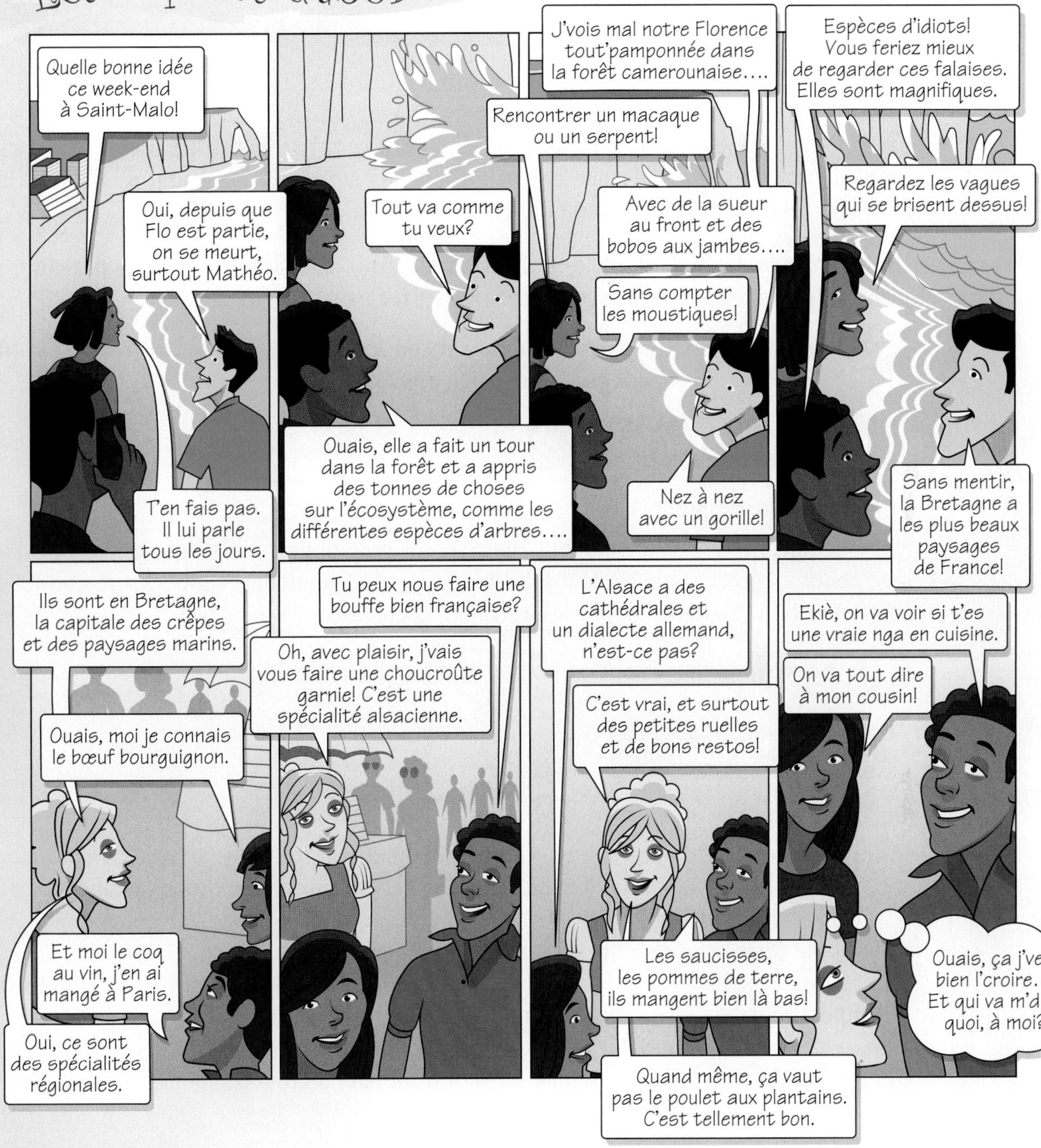

Projets finaux

A Connexions par Internet: La linguistique

In this unit you learned about loan words in English from French. But what about loan words in French from English? Many of these English words, particularly business and technology terms, have recently found their way into French usage. Find the approved French equivalent of the anglicisms below and use five of them in sentences to show you understand their meanings.

chatter, un délai, digital, un e-mail, le marketing, une opportunité, le parking, profitable, réaliser, un smartphone, tester, un tweet

 Search words: anglicismes courants en français, mots empruntés de l'anglais, académie française dictionnaire

B Communautés en ligne

Interview d'un blogueur

Many travelers to France blog about their trip or post photos with commentary. Find a blog about a French province and ask the blogger two questions about the region he or she traveled in. Share what you learned with the class.

 Search words: blogue (+ *name of region*)**, photos** (+ *name of region*)

C Passez à l'action!

Voyageons en province!

Work with several classmates. One group will plan a trip to Alsace, another to Normandy, and the third to Brittany. Assign the following tasks to different group members:
- decide which cities to visit
- decide what activities the group will do in each city
- research the best time of year to go, the weather, and determine what clothes to pack
- find affordable airline tickets, train passes, and hotels
- research good, affordable restaurants in each city

When all the research is complete, your group should create a complete itinerary for your trip and present it to the class. Consider using a form like the one below to prepare your presentation.

Jour	Où?	Quand?	Commentaires?
le 12 juin (day 1)	Voyage à Paris	19h30	N'oubliez pas votre passeport
le 13 juin (day 2)	Voyage en train à Saint-Malo	1h15	Ne perdez pas votre billet de train

Fill in a chart like the one below to demonstrate your understanding of what provincial locations have to offer in other cultures. An example has been done for you.

Question centrale

?

How do smaller communities enrich a country's culture?

Leçon A **Rencontres culturelles: Le dîner en famille**: How many generations of Manon's family are present at this dinner? What do they enjoy doing together? →	Three generations are present; families **en province** enjoy long dinners, sometimes with three generations present.
Leçon A **Mon dico alsacien**: What dialect is spoken in Alsace? →	
Leçon B **Rencontres culturelles: Si on allait en Normandie?** What can you see on the coast? →	
Leçon B **Points de départ: La Normandie**. What picturesque views does Normandy have to offer? →	
Leçon B **Points de départ: Produits (tapisserie)** What story does the Bayeux tapestry tell? →	
Leçon B **Points de départ: Rouen** In which French heroine's footsteps can you walk in Rouen? →	
Leçon B **Points de départ: Produits (Giverny)** What kind of painting did Monet do at Giverny? →	
Leçon B **Du côté des médias: Mémorial à Caen** What historical event took place on the beaches of Normandy? →	

Évaluation

A Évaluation de compréhension auditive

Write the numbers 1–8 on your paper. Listen to this conversation between three friends about their favorite vacations. If the sentence you hear is **vrai**, write **V** or if it is **faux**, write **F**.

B Évaluation orale

A French teen has invited an American exchange student to her house for dinner. Role-play a conversation between the French teen's mother and the American student. In your conversation: the French mother passes the main dish to the American, who says the dish was delicious. The French mother presses the American to have more, but the student politely refuses. When dinner is over, the American student offers to help clear the table.

C Évaluation culturelle

In this activity, you will compare francophone cultures with American culture. You may need to do some additional research on American culture.

1. **L'Alsace**
   How do Alsatian food and language reflect the region's geographical proximity to Germany? What influences from Mexico and Canada are there in border states like Texas, California, New Hampshire, and Vermont?

2. **Strasbourg**
   In what ways is Strasbourg a European city? Where can you find similar cultural activities in your region? Have you ever participated in any of those activities? If so, which ones, and what were your impressions?

3. **La Normandie**
   Write a poem about Normandy that begins **En Normandie il y a....** or **En Normandie on voit....** Then write a similar poem about your state.

4. **L'influence des pays voisins sur l'anglais**
   How many English words can you think of that came from French? What kinds of words are they—legal, medical, business? How would you categorize them? What Spanish words are now a part of American English? Make a list of these Spanish words now used in English and categorize them.

5. **La Bretagne**
   Compare Brittany to either Alsace or Normandy. On what did you base your comparison? Now compare your state to another state. On what did you base your comparison?

6. **L'économie des provinces**
   Make a map of France with the provinces **Alsace**, **Normandie**, and **Bretagne** highlighted. Draw symbols inside each province indicating their products. For what products is your state or region known? Make a similar map for your state.
7. **Les auberges de jeunesse**
   What are the advantages and disadvantages of staying in a youth hostel? Where is the closest youth hostel to your town or city? Give its name, address, and cost per night to stay there.

D   Évaluation écrite

Write a postcard from Alsace, Brittany, or Normandy to a classmate. Begin by writing the date and greeting your friend. Ask your friend what comes to mind when you mention the province you've chosen. Then describe your impressions and tell your friend what you have already seen and done. Say what you plan to do next, and then write an appropriate closing.

E   Évaluation visuelle

With a partner, role-play a conversation between a waitperson and customer in a **crêperie**. The waitperson begins the conversation by asking if the customer has made a choice. The customer orders a **crêpe salée**, a **crêpe sucrée**, and a beverage from the menu below. The waitperson takes the order, brings the food and, later, the bill.

F   Évaluation compréhensive

Create a storyboard with five to six frames. Write speech bubbles in each frame, showing interactions between you and one or two French people you meet at an **auberge de jeunesse** in **Normandie**. You learn from each person what part of France they're from. They suggest an activity to do together, and you say if it will suit you. If not, suggest something else to do together.

Vocabulaire de l'Unité 7

un	**accent** accent *C*	
l'	**Alsace (f.)** Alsace region *B*	
	alsacien(ne) from, of Alsace region *A*	
	annoncer to announce *A*	
	au: au chocolat with chocolate *C*; **au sucre** with sugar *C*	
l'	**auberge de jeunesse (f.)** youth hostel *C*	
le	**bœuf: bœuf bourguignon** beef burgundy *A*	
la	**Bretagne** Brittany region *B*	
	breton(ne) from, of Brittany region *B*	
	ça: ça ne se fait pas you shouldn't do that *A*	
	chaud: chaude ambiance, exciting night, fun *C*	
le	**choix** choice *C*	
la	**choucroute: choucroute garnie** sauerkraut with smoked pork, sausages, potatoes *A*	
	conviendra: me conviendra suits me *B*	
le	**coq: coq au vin** chicken cooked in wine *A*	
une	**côte** coast *B*	
la	**crème: crème caramel** caramel custard *A*	
une	**crêperie** crêpe restaurant *C*	
les	**crudités (f.)** raw vegetables *A*	
un(e)	**danois(e)** from, of Denmark *C*	
	débarrasser la table to clear the table *A*	
	depuis since *A*; **Depuis le temps!** At last! *C*	
	des any *A*	
un	**diabolo menthe** lemon-lime soda with mint syrup *C*	
un	**dortoir** dormitory *C*	
	du any *A*	
	en any, some, about it/them, from it/them, of it/them *A*; **en famille** with family *A*	
	encore more *A*	
l'	**entrée (f.)** appetizer *A*	
les	**escargots (m.)** snails *A*	
	euh um *B*	
une	**falaise** cliff *B*	
	forestier, forestière with mushrooms *C*	
une	**galette** buckwheat crêpe *C*	
la	**Gascogne** Gascony region *B*	
	gascon(ne) from, of Gascony region *B*	
	goûter to taste *C*	

un	**itinéraire** itinerary *B*	
	japonais(e) Japanese *B*	
le	**jus: jus de pomme** apple juice *C*	
des	**lits (m.): lits superposés** bunk beds *C*	
le	**Lyonnais** Lyon region *B*	
	lyonnais(e) from, of Lyon region *B*	
la	**mousse au chocolat** chocolate mousse *A*	
	non: non plus neither *A*	
	normand(e) from, of Normandy region *B*	
la	**Normandie** Normandy region *B*	
un	**océan** ocean *B*	
	papy grandpa *A*	
	parfaitement perfectly *B*	
	parles: tu parles yeah right *A*	
un	**paysage** landscape *B*	
le	**plat** dish *A*; **plat principal** main dish *A*	
le	**plateau** platter *A*	
un	**port** port *B*	
le	**potage** soup *A*	
	pour: pour commencer for starters *C*	
	prolongé(e) extended *B*	
	proposer to suggest *B*	
la	**Provence** Provence region *B*	
	que which *A*	
	qui which *A*	
	quoi: Quoi de neuf? What's new? *B*	
se	**rassurer: rassure-toi** don't worry *A*	
	la réception reception desk *B*	
la	**région** region *B*	
	salé(e) salty, savory *C*	
la	**sanction** punishment *A*	
	sauf except *A*	
la	**solidarité** solidarity *A*	
	sucré(e) sweet *C*	
une	**surprise** surprise *A*	
la	**terrine de saumon** salmon loaf *A*	
	toucher to touch *A*	
une	**tour** tower *B*	
la	**Touraine** Touraine region *B*	
	tourangeau, tourangelle from, of Touraine region *B*	
la	**vinaigrette** salad dressing *A*	

Interrogative pronouns… see p. 399

Stress pronouns… see p. 413

Unité

8 Les Antilles

Rendez-vous à Nice!

Épisode 18:

À la folie!

Citation

"Je ne suis pas antifrançais, je suis d'abord martiniquais."

I am not anti-French, I'm first and foremost from Martinique.

—Aimé Césaire, poète martiniquais

À savoir

En 1763, la France a cédé le Canada à l'Angleterre en échange pour les Antilles.

Unité

8

Les Antilles

Question centrale

?

What are the benefits of encountering other cultures?

Qu'est-ce qui se passe?

A. Le père de Chadia est arrivé.
B. Un homme veut de l'argent.
C. Thomas va devenir une star.

Comment s'appelle ce volcan antillais?

Contrat de l'élève

Leçon A I will be able to:

>> ask and talk about preferences.

>> talk about Guadeloupe, **le Parc national de la Guadeloupe**, and green tourism.

>> use the verb **vivre** and the pronoun **y**.

Leçon B I will be able to:

>> make an observation.

>> talk about Martinique and its carnival.

>> use double object pronouns.

Leçon C I will be able to:

>> say what I'm in charge of and express appreciation.

>> talk about Haiti, its struggle for independence, and Haitian cuisine.

>> use **depuis** with the present tense.

Vocabulaire actif

emcl.com
WB 1–5
LA 1
Games

Nature et activités en Guadeloupe

La faune

un colibri

un ramier

une mangouste

une grive

une chauve-souris

un papillon

un raton laveur

un anoli

La flore

un ananas montagne

un balisier

une tortue marine

une orchidée

un hibiscus

On fait le touriste!

observer les oiseaux avec des jumelles (f.)

faire une randonnée à pied

faire de la plongée sous-marine

prendre les chutes d'eau (f.) en photo

faire du scooter des mers

piqueniquer

faire du kayak dans une mangrove

pêcher des poissons

Pour la conversation

How do I ask what someone prefers?

> **Dites-moi ce que vous préférez:** bord de mer ou montagne?

Tell me what you prefer: the seaside or the mountains?

How do I state ambivalence?

> **Ça m'est égal.**

It's all the same to me.

> **Je n'arrive pas à** choisir.

I can't decide.

Et si je voulais dire...?	
un gilet de sauvetage	*life vest*
faire de la planche à voile	*to windsurf*
faire de la voile	*to sail*
faire du cyclotourisme	*to go bike touring*
faire du kite-surf	*to kitesurf*
faire du parapente	*to paraglide*

1 La flore et la faune en Guadeloupe

Dites ce qu'il y a comme flore et faune sur l'illustration.

MODÈLE Il y a un raton laveur, des....

2 Qu'est-ce que tu as pris en photo?

Dites ce que vous avez pris en photo pendant votre voyage en Guadeloupe.

MODÈLE  **J'ai pris une orchidée en photo.**

1.

2.

3.

4.

5.

6.

7.

Lisez le blog de Mélanie sur sa journée à la Guadeloupe. Ensuite, complétez les phrases.

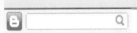

Tout le monde aimerait vivre en Guadeloupe. Quel paradis! Venez avec moi pour une petite excursion. Hier, j'ai fait de la plongée sous-marine dans un parc national. J'ai beaucoup apprécié les poissons multicolores et les tortues marines qui nageaient avec moi. Hier soir, j'ai pris une chute d'eau en photo et puis, j'ai vu des chauves-souris. Je n'ai même pas eu peur! Ce matin j'ai pris un anoli, deux ramiers, et plusieurs colibris en photo pendant une randonnée parmi des orchidées. Plus tard, je vais piqueniquer dans une mangrove avant de faire une belle randonnée à pied pour chercher des fleurs dans la flore—des hibiscus, des balisiers, des ananas montagne....

1. Mélanie a fait... dans la mer.
2. Elle nageait avec des poissons multicolores et des....
3. Elle a pris... en photo hier soir.
4. Le soir elle a vu des... et elle n'a pas eu peur.
5. Ce matin elle a fait... parmi des orchidées.
6. Elle va... dans une mangrove.
7. Elle va chercher des fleurs dans la..., par exemple, des ananas montagnes et des hibiscus.

Communiquez!

4 **Dis-moi ce que tu préfères!**

Interpersonal Communication

À tour de rôle, demandez ce que votre partenaire préfère faire. S'il ou elle choisit une activité, fixez un rendez-vous. Si non, dites ce que vous voulez faire.

MODÈLE   observer les oiseaux avec des jumelles/pêcher

A: **Dis-moi ce que tu préfères: observer les oiseaux avec des jumelles ou pêcher?**

B: **Je préfère pêcher. (ou) Ça m'est égal. (ou) Je n'arrive pas à choisir.**
   (Si "B" choisit une activité, fixez un rendez-vous. Si non, "A" dit ce qu'il ou elle va faire.)

1. prendre des ananas montagnes rouges en photo/observer les papillons avec des jumelles
2. faire une randonnée à pied/faire du kayak dans une mangrove
3. pêcher/faire une randonnée à vélo
4. prendre les chutes en photo/faire de la plongée sous-marine
5. piqueniquer/nager avec des tortues marines
6. chercher des orchidées/se reposer au bord de mer

5 À la découverte de la Guadeloupe!

Écrivez les numéros 1–8 sur votre papier. Écoutez les phrases. Ensuite, faites correspondre la description avec l'illustration.

A.

B.

C.

D.

E.

F.

G.

H.

6 Questions personnelles

Répondez aux questions.

1. As-tu déjà visité une île tropicale? Si oui, où es-tu allé(e)?
2. Préfères-tu prendre la flore et la faune en photo ou faire une randonnée à pied? Pourquoi?
3. Est-ce que tu sais les noms de la flore et la faune dans ta région?
4. Où aimes-tu piqueniquer? Avec qui?
5. Quelles activités dans la nature est-ce que tu voudrais faire? Et tes ami(e)s? Et ta famille?

Je sais reconnaître les balisiers et les ananas montagne.

Rencontres culturelles

Un voyage en Guadeloupe

Manon et ses parents préparent un voyage en Guadeloupe.

Mère de Manon:	Tout semble être beau en Guadeloupe: la faune, la flore, les petits colibris, les orchidées suspendues.
Manon:	Toi, tu as bien lu le guide.
Père de Manon:	Dites-moi au moins ce que vous préférez: bord de mer ou montagne?
Mère de Manon:	Ça m'est égal.
Manon:	Bon alors, bord de mer!
Père de Manon:	Ah! Il y a une très belle randonnée à pied: la Trace des contrebandiers.
Manon:	La quoi?
Père de Manon:	La trace, c'est comme ça qu'on appelle les "sentiers" en Guadeloupe. Là, c'est un sentier au-dessus de la mer. Superbe! Ils disent que le sentier fait cinq kilomètres et qu'on en a pour trois heures et demie. Ce n'est pas très haut... 500 mètres.
Mère de Manon:	On piqueniquera en route!
Manon:	Et... on pourra faire de la plongée?
Père de Manon:	Ah non, on sera trop haut, mais tu pourras prendre les paysages en photo.

---

7 Un voyage en Guadeloupe 🎧

Dites si chaque phrase est vraie ou fausse. Corrigez les phrases fausses.

1. Le colibri est un insecte en Guadeloupe.
2. Il n'y a pas de montagnes en Guadeloupe.
3. On peut nager dans la mer en Guadeloupe.
4. Le père de Manon recommande un sentier au-dessus d'un lac.
5. Manon peut prendre le sentier en photo.
6. On peut marcher sur la Trace des contrebandiers.
7. La mère de Manon préfère le bord de la mer à la montagne.

Extension **Une journée en Guadeloupe**

À l'Hôtel Guadeloupe, Patrice et sa sœur font le programme de leur journée.

Patrice:	Il faut qu'on se décide!
Françoise:	Je ne sais pas... j'ai envie des deux: faire du footing sur la plage et....
Patrice:	... et faire le marché! Moi aussi j'ai envie des deux, mais on n'a pas le temps.
Françoise:	Allons au marché! J'ai envie de saveurs et de couleurs.
Patrice:	Oui, et on ira manger des crabes et des crevettes sur le port.
Françoise:	Et on achètera des melons pour la balade de demain.

Extension Pourquoi Patrice et sa sœur choisissent-ils le marché et pas le footing sur la plage?

La Francophonie

✳ La Guadeloupe

La Guadeloupe est un département français situé dans les Petites Antilles. C'est une région tropicale. Elle comprend deux îles, Grande-Terre et Basse-Terre. Grande-Terre forme un plateau peu élevé. Basse-Terre est une île volcanique avec un important volcan en activité: La Soufrière. Les deux villes principales sont Pointe-à-Pitre, la capitale, et Port-Louis.

Ce volcan de 1.467 mètres s'appelle la Soufrière.

La population de la Guadeloupe (425.000 habitants) est très métissée.* Elle comprend principalement des amérindiens, des descendants d'esclaves* noirs, d'anciens colons,* et des Français de l'Hexagone.* L'économie est dominée par l'agriculture. La canne à sucre, les bananes, et les melons sont parmi les principales exportations de la Guadeloupe. Mais ce pays doit importer la majorité des produits alimentaires,* industriels et énergétiques dont il a besoin. La Guadeloupe est donc dans une situation de grande dépendance par rapport à la France métropolitaine. Le tourisme est aussi une source importante de revenus. C'est surtout un tourisme intérieur puisque 92% des touristes viennent de France.

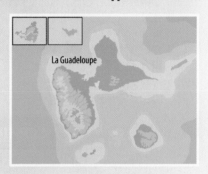

La Guadeloupe

Depuis la départementalisation, de nombreux auteurs, artistes, et champions sportifs guadeloupéens enrichissent la culture française, tels Thierry Henry et Liliam Thuram (footballeurs), Maryse Condé (femme écrivain), Jacques Canneval (journaliste), et N'jie (chanteuse).

 Search words: visite des îles de la guadeloupe, visiter la guadeloupe

---

métissée *of mixed ethnicities;* **esclaves** *slaves;* **anciens colons** *former colonists;* **l'Hexagone** *la France;* **alimentaires** *food related*

Produits

"Prière d'un petit enfant nègre" est un poème célèbre par Guy Tirolien, un poète guadeloupéen qui faisait partie du mouvement de la négritude. Dans le poème, le jeune garçon ne veut plus aller à l'école. Mais pourquoi? Cherchez le poème en ligne pour trouver la réponse.

Le Parc national de la Guadeloupe

Le Parc national de la Guadeloupe a été créé en 1989. L'UNESCO l'a désigné Réserve de Biosphère en 1992. Le Parc protège la forêt tropicale (17.300 hectares*) et surtout la mangrove (3.700 hectares) et les fonds marins.* Le Parc protège aussi de nombreuses espèces de mammifères* (ratons laveurs, chauve-souris, mangoustes), d'oiseaux (colibris, ramiers, pélicans), reptiles (iguanes, tortues marines), crustacés (crevettes, crabes), et bien sûr la forêt avec ses grands arbres (gommiers*) et ses plantes suspendues (orchidées). De nombreuses actions de développement durable* sont entreprises à la périphérie du parc.

 Search words: parc national de la guadeloupe

un hectare *approximately 2.5 acres*; **fonds marins** *seabeds*; **espèces de mammifères** *species of mammals*; **gommiers** *rubber trees*; **durable** *sustainable*

COMPARAISONS

Es-tu jamais allé(e) à un parc national? Si oui, dans quel état?

Les chutes du Carbet, Parc National de la Guadeloupe, sont les plus impressionnantes des Antilles.

Le tourisme vert

Le tourisme vert désigne le tourisme bio et l'écotourisme. Le tourisme bio est un tourisme où les gens recherchent le naturel, mais surtout un rapprochement* avec la nature et la consommation d'aliments bio.* L'écotourisme offre un nouveau mode de vie, de vacances, de séjours (camp de yourte, tipi) et protège l'environnement. L'écotourisme sous-entend* une dépendance mutuelle entre producteurs et fournisseurs* de matériel dans les lieux touristiques.

 Search words: tourisme vert guadeloupe, écotourisme guadeloupe

rapprochement *getting back to*; **aliments bios** *organic foods*; **sous-entend** *implies*; **fournisseurs** *suppliers*

Faites les activités suivantes.

1. Faites le profil de la Guadeloupe. Indiquez son/sa/ses....
   - climat
   - capitale
   - autre ville principale
   - population
   - produits principaux

On appelle les habitants de Pointe-à-Pitre les Pointois et Pointoises.

2. Faites un graphique ou une affiche qui montre les produits de la Guadeloupe, y compris (*including*) le tourisme.
3. Présentez un athlète guadeloupéen à la classe. Quel est son sport? Qu'a-t-il ou elle fait aux Jeux Olympiques? Pourquoi l'avez-vous choisi(e)?
4. Faites une brochure pour le Parc national de la Guadeloupe. Indiquez les activités que vous pouvez y faire et ce que vous pouvez y voir dans la flore et parmi la faune.

 Search words: parc national de la guadeloupe

5. Écrivez une annonce publicitaire pour un site réel ou imaginaire où on peut trouver le tourisme bio ou l'écotourisme.

À discuter

Quels sont les avantages d'une journée passée dans la nature?

Du côté des médias

Lisez les informations sur la discipline de chaque athlète guadeloupéen qui a participé aux Jeux Olympiques d'Atlanta en 1996. Faites un dico sportif des disciplines des Jeux Olympiques mentionnées.

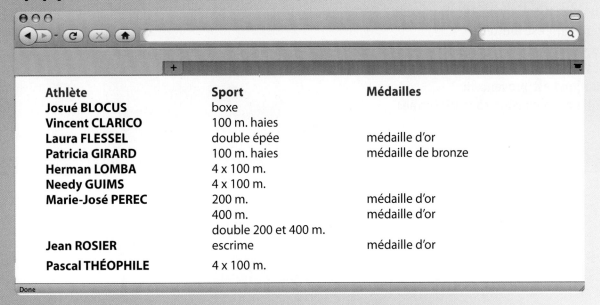

Athlète	Sport	Médailles
Josué BLOCUS	boxe	
Vincent CLARICO	100 m. haies	
Laura FLESSEL	double épée	médaille d'or
Patricia GIRARD	100 m. haies	médaille de bronze
Herman LOMBA	4 x 100 m.	
Needy GUIMS	4 x 100 m.	
Marie-José PEREC	200 m.	médaille d'or
	400 m.	médaille d'or
	double 200 et 400 m.	
Jean ROSIER	escrime	médaille d'or
Pascal THÉOPHILE	4 x 100 m.	

Present Tense of the Irregular Verb *vivre*

The verb **vivre** (*to live*) is irregular.

vivre			
je	**vis**	nous	**vivons**
tu	**vis**	vous	**vivez**
il/elle/on	**vit**	ils/elles	**vivent**

Ce raton laveur vit dans le Parc national de la Guadeloupe.

Vous **vivez** à Point-à-Pitre?
Non, nous **vivons** à Port-Louis.

Do you live in Point-à-Pitre?
No, we live in Port-Louis.

The irregular past participle of **vivre** is **vécu**.

Thierry Henry a **vécu** en Guadeloupe.

Thierry Henry lived in Guadeloupe.

9 On vit dans quelle ville?

Dites où ces gens vivent en choisissant une ville sur la carte.

> **MODÈLE** Guillaume est tourangeau.
> **Il vit à Tours.**

1. Marc est alsacien.
2. Chantale et moi, nous sommes parisiens.
3. Awa est bretonne.
4. Je suis parisien.
5. Thomas et toi, vous êtes normands.
6. Benjamin est breton.
7. Tu es normande.
8. Les Mercier sont gascons.
9. Monique est provençale.
10. Julie et sa cousine sont gasconnes.

Marianne est provençale.

10 Qui vit où?

Écrivez les numéros 1–8 sur votre papier.
Écoutez les phrases. Ensuite, écrivez la lettre qui répresente où chaque personne vit.

11 Pendant quelles années ont-ils vécu?

Dites pendant quelles années ces personnes célèbres ont vécu.

> **MODÈLE** Jeanne d'Arc (1412–1431)
> **Jeanne d'Arc a vécu de mille quatre cent douze à mille quatre cent trente et un.**

1. Louis XIV (1638–1715)
2. Marie-Antoinette (1755–1793)
3. Gustave Flaubert (1821–1880)
4. Claude Monet (1840–1926)

5. Charles de Gaulle (1890–1970)
6. Jacques Prévert (1900–1977)
7. Aimé Césaire (1913–2008)

The Pronoun y

> emcl.com
> WB 11–13
> LA 2
> Games

The pronoun **y** means "there" or "it." **Y** replaces a preposition (**à**, **en**, **dans**, **sur**, **chez**, **derrière**, **devant**) and the name of a place, or the preposition **à** followed by a thing.

Thierry Henry était **en Espagne**?
Oui, il **y** est allé pour un match.

Thierry Henry was in Spain?
Yes, he went there for a game.

Cette actrice vit **en Guadeloupe**?
Non, elle n'**y** vit plus.

Does that actress live in Guadeloupe?
No, she doesn't live there anymore.

Qui croit **à la technologie**?
Nous **y** croyons.

Who believes in technology?
We believe in it.

Y is placed directly before the conjugated verb, or if there is more than one verb, before the verb with which it is associated (usually the infinitive).

Affirmative statement	Ils **y** font du kayak.	*They are kayaking there.*
Negative statement	Non, nous n'**y** allons plus.	*No, we don't go there anymore.*
Question	**Y** allez-vous?	*Are you going there?*
Statement with an infinitive	Nous allons **y** vivre.	*We are going to live there.*

In the **passé composé**, **y** comes before the helping verb.

Au Parc national? Benjamin **y** est allé.   *To the national park? Benjamin went there.*

12 Vacances en Guadeloupe

Regardez les illustrations et dites si Lian fait les activités suivantes en Guadeloupe.

MODÈLES
Lian y pêche?
Oui, elle y pêche.

Elle y plonge?
Non, elle n'y plonge pas.

1. Elle y piquenique?

2. Elle y fait du vélo?

3. Elle y observe les oiseaux?

4. Elle y prend son père en photo?

5. Elle y fait de la plongée sous-marine?

6. Elle s'y repose?

Communiquez!

Interpersonal Communication

*À tour de rôle, demandez si la personne est allée en ville. Votre partenaire va donner une réponse avec **y** basée sur l'illustration.*

MODÈLES

Chloé
A: **Chloé est allée en ville?**
B: **Oui, elle y est allée. Elle a acheté de nouveaux vêtements.**

Luc
A: **Luc est allé en ville?**
B: **Non, il n'y est pas allé. Il a fait du ski à la montagne.**

1. Damien

2. Yasmine et Marianne

3. toi

4. Amadou et Julie

5. Marie-Claire

6. Alexandre

7. François et Marc

Vas-y!

Allons-y!

À vous la parole

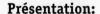

Communiquez!

Question centrale

? What are the benefits of encountering other cultures?

14 Un sondage

Interpersonal/Presentational Communication

Your French class is planning a trip to Guadeloupe. Interview ten classmates to find out what they want to do there. Make a grid like the one below listing the activities from this lesson. Check off each classmate's top three activity choices. Present your survey results to the class.

Qu'est-ce que tu voudrais faire en Guadeloupe?

	1	2	3	4	5	6	7	8	9	10
faire du kayak	x					x				
prendre la flore et la faune en photo			x		x			x		
piqueniquer	x		x			x	x			x

MODÈLE

A: **Qu'est-ce que tu voudrais faire en Guadeloupe?**

B: **Je voudrais y faire du kayak, prendre la flore et la faune en photo, et piqueniquer.**

Présentation:

Deux sur dix élèves (ou vingt pourcent des élèves) veulent faire du kayak....

Communiquez!

15 Un poème

Presentational Communication

Write a poem in French about Guadeloupe, following the instructions below. Illustrate your poem with your own drawings or pictures you find online. Publish your poem on your own personal blog, the class blog, or the school's website. You might also make a podcast of your poem to share with others.

Instructions: Write **Guadeloupe** for the first line. Write three words that symbolize Guadeloupe on the next line. On the third line write a full sentence. Here is an example about **la Normandie**:

La Normandie:
Province, terre des Normands, lieu de guerre.
J'y achète des pommes qui sont fraîches.

The Letter "h"

- The letter **h** is often silent at the beginning of a word. This means **liaison** or **l'enchaînement consonantique** will occur with the letter following the **h**.

A Enchaînez!

Écoutez et répétez la liaison ou l'enchaînement consonantique avec le "h" muet.

1. un‿hôtel
2. les‿habitants
3. en‿hiver
4. une‿histoire
5. bien‿heureusement
6. Il s'‿habille.

B Trouvez le "h" muet.

Écrivez les phrases suivantes. Ensuite, écoutez-les et mettez le signe ⌒ pour indiquer la liaison ou l'enchaînement consonantique avec le h muet.

1. Un homme d'affaires n'est pas humanitaire?
2. Invitez les Haïtiens!
3. On hésite de parler aux habitants.
4. Vous habitez dans un hôtel?
5. Il y a trente-huit hôtesses de l'air dans l'avion.
6. J'apprécie ton hospitalité.

The Pronounced "h"

- For some words that start with the letter **h**, the **h** is called **aspiré** and is "pronounced." This means there is no linking between the word beginning with the letter **h** and the preceding word, for example, **des haricots verts**.

C Répétez!

*Répétez les expressions et phrases suivantes avec le **h** aspiré.*

1. la maison hantée
2. en haut
3. C'est un hamac.
4. Ils mangent des hamburgers.
5. C'est horrible!
6. J'ai visité le hameau de la Reine.

D Le "h" aspiré ou muet?

*Écrivez **HA** si vous entendez le **h** aspiré, ou **HM** si vous entendez le **h** muet (avec liaison ou enchaînement consonantique).*

Vocabulaire actif

emcl.com
WB 14–16
LA 1
Games

Au carnaval

Le défilé

se déguiser

un costume

un masque

un défilé

une foule

un char

Un mariage

une mariée

un marié

un smoking

une robe de mariée

Pour la conversation

Ⓗow do I make an observation?

> **On dirait que** vous n'êtes pas encore revenus!
>
> *One would say you're not back yet!*

Et si je voulais dire...?

un déguisement	*costume*
une demoiselle d'honneur	*bridesmaid*
des farces et attrapes (f.)	*paraphernalia for practical jokes*
la lune de miel	*honeymoon (time period)*
une pièce montée	*wedding cake*
un pétard	*firecracker*
une réception	*reception*
un témoin	*witness (best-man/maid of honor)*
un voyage de noces	*honeymoon (trip)*

1 Un mariage princier

Lisez le paragraphe sur le mariage d'un prince. Ensuite, répondez aux questions.

C'est Ghislène Dupont en direct de Londres pour le mariage de Prince William et Katherine Middleton, bientôt le Duc et la Duchesse de Cambridge. C'est le 29 avril et il y a une grande foule ici devant l'abbaye de Westminster où le mariage va bientôt avoir lieu. La voiture de Kate arrive.... Elle descend de la voiture.... Qu'elle est belle! Je peux voir sa robe de mariée—blanche, bien sûr, simple, élégante. C'est une création de Sarah Burton pour Alexander McQueen. Son fiancé, bientôt son mari, ne va pas s'habiller d'un smoking, mais d'un costume militaire. On dit que c'est le couple d'une génération!

1. On parle du mariage de qui?
2. Quelle est la date?
3. Où se trouve la foule?
4. Comment est la robe de mariée?
5. Comment est-ce que le futur mari va s'habiller?
6. Qu'est-ce qu'on dit de ce couple?

2 Le Carnaval martiniquais

Utilisez les mots de la liste pour compléter les phrases.

smoking   masque   carnaval   défilé   robe de mariée   costume   chars   foule

1. Pendant le... on voit beaucoup de costumes.
2. Pour se déguiser on met un..., un..., ou les deux.
3. Traditionnellement, pour un mariage "burlesque," la femme met un... et l'homme se déguise en..., le contraire d'un mariage normal.
4. Les gens regardent beaucoup de... avec leurs décorations qui passent dans la rue.
5. Les chars font partie du grand....
6. Quand il y a beaucoup de participants dans la rue, ça s'appelle une....

3 Au Carnaval

*Écrivez les numéros 1–8 sur votre papier. Écoutez la conversation entre Lilou et Mathéo sur le Carnaval. Ensuite, écrivez **V** si ces phrases sont vraies ou **F** si elles sont fausses.*

1. Lilou et Mathéo ne vont pas aller au Carnaval cette année.
2. Mathéo a décidé de regarder le Carnaval à la télé.
3. Lilou adore se déguiser.
4. Mathéo s'est déguisé en pirate l'année dernière.
5. Lilou et Mathéo sont restés sur le char l'année dernière.
6. Mathéo a adoré le défilé sur le char.
7. Lilou a eu trop chaud. Elle ne veut pas se déguiser cette année.
8. Les deux amis décident d'aller au Carnaval sans masques.

4 Questions personnelles

Répondez aux questions.

1. Comment est-ce que tu te déguisais pour le 31 octobre quand tu étais petit(e)?
2. As-tu déjà marché dans un défilé? Quel défilé? Qu'est-ce que tu as fait?
3. Il y a combien de chars dans les défilés de ta ville?
4. Quels vêtements est-ce que la mariée et le marié ont mis au dernier mariage que tu as vu? Les vêtements étaient de quelle couleur?
5. Est-ce que tu voudrais mettre une robe de mariée ou un smoking pour ton mariage? Pourquoi, ou pourquoi pas?

Je me déguisais toujours en Spiderman entre 5 et 10 ans!

Rencontres culturelles

Carnaval en Martinique

Nicolas regarde les photos de ses parents sur leur télévision.

Nicolas: Donne-la-moi.

Père: La télécommande?

Nicolas: S'il te plaît. Mais, vous vous étiez déguisés?

Mère: Pendant le Carnaval, tout le monde se déguise.

Nicolas: Mais alors là, sur cette photo, vous êtes incroyables!

Père: Non, on portait le costume de notre groupe de déboulés.

Nicolas: De votre groupe de quoi?

Père: De défilés... en créole, on dit 'déboulés' comme on dit 'mas' pour masques.

Nicolas: Toi, Papa, avec ce costume rose et toutes ces fleurs collées dessus.

Père: C'était ma robe de mariée!

Nicolas: Et toi, Maman, tu ressembles à un marié dans ton smoking noir!

Mère: C'est à la fois pour dissimuler et mettre en valeur.

Père: Et tu ne nous as pas entendu pousser le cri de Vaval....

Nicolas: Vaval! On dirait que vous n'êtes pas encore revenus!

5 Carnaval en Martinique

Mettez les phrases en ordre chronologique.

1. Nicolas regarde une photo de ses parents déguisés.
2. Les parents de Nicolas sont dans les rues de Fort-de-France.
3. Les parents de Nicolas arrivent en Martinique.
4. Nicolas demande la télécommande.
5. Les parents de Nicolas rentrent de vacances.

Extension Pourquoi les Carnavals?

On discute du phénomène du carnaval dans une émission régionale française.

Présentateur: Lille, Basse Terre en Guadeloupe, Nice—sans compter Cologne, Bâle, Venise, et bien d'autres— les fêtes, défilés de Carnaval connaissent un succès toujours plus grand.

Spécialiste: La tradition du masque et du Carnaval est très ancienne... regardez la peinture... on la trouve représentée à toutes les époques.

Présentateur: Alors, pourquoi aujourd'hui?

Spécialiste: Parce qu'aujourd'hui, comme hier, nos sociétés ont besoin de défoulement, de transgression, de sortir de la norme....

Présentateur: Mais on s'amuse quand même!

Spécialiste: On s'amuse beaucoup! On parodie et on danse au rythme des percussions dans un débordement de couleurs, de paillettes, et de strass... des couleurs qui parfois veulent dire aussi quelque chose....

Extension Pourquoi les sociétés ont-ils besoin du Carnaval, selon le spécialiste?

 La Francophonie

Question centrale

?

What are the benefits of encountering other cultures?

✳ *La Martinique*

La Martinique est une île dominée par la Montagne Pelée, volcan actif dont l'éruption en 1902 a fait 28.000 morts. À la fois* un département et une région française, la Martinique compte presque 400.000 habitants. Sa capitale est Fort-de-France (90.000 habitants) et les villes principales sont Le Lamentin, Le Robert, et Schœlcher. La population martiniquaise est une population métissée* de type créole. Elle est composée principalement de Noirs ou métis* originaires, d'Africains, d'Afro-indiens, d'Européens, d'Indiens, de Syriens, de Libanais, et de Palestiniens. Le français est la langue officielle, mais le créole martiniquais est parlé dans la vie de tous les jours, en famille, et entre amis. On le parle aussi à la radio, à la télévision, et à l'occasion des cérémonies religieuses. Il est enseigné* aux collèges, aux lycées, et à l'université.

L'économie de la Martinique est dominée par les productions agricoles, surtout la canne à sucre, la banane, et l'ananas. Mais le tourisme joue aussi un rôle important. Près de 600.000 touristes visitent l'île chaque année. La Martinique est aujourd'hui la première destination touristique des Antilles français.

Cette terre de culture est aussi célèbre pour ses écrivains, les plus connus étant: Aimé Césaire (1913-2008), père de la négritude, mouvement littéraire considéré comme la première affirmation de l'identité noire; Frantz Fanon (1925–1961), théoricien révolutionnaire contre le colonialisme; Édouard Glissant (1928–2011), créateur de l'Antillanité, mouvement postérieur à la négritude qui a affirmé l'identité antillaise; et Joseph Zobel (1915–2006), auteur d'un célèbre roman antillais, *La Rue Cases-Nègres*.

 Search words: tourisme en martinique, sites à visiter en martinique, visiter martinique

---

À la fois *Both;* **métissée** *of mixed ethnicities;* **métis** *mixed-raced ethnicity;* **enseigné** *taught*

 **Produits**

La Rue Cases-Nègres est un classique de la littérature (1950) et du cinéma (1983). Au milieu d'une grande plantation on trouve les maisons des Noirs où habite un garçon de 11 ans, José. Sa grand-mère veut qu'il étudie pour améliorer (*improve*) sa vie et éviter (*avoid*) le travail dans les champs de canne à sucre.

Plus de 500.000 touristes par an visitent à la Martinique.

Le Carnaval martiniquais

Le Carnaval martiniquais est une tradition importante qui remonte* à l'esclavage.* Il est venu du contact entre les traditions africaines, les religions européennes, et la culture antillaise. Le Carnaval marque aussi une résistance à la colonisation. On le fête avec des défilés et de la musique. Il y a des défilés avec de vieilles voitures décorées pour l'occasion, qui transportent des caricatures de personnalités célèbres. Il y a aussi des figures traditionnelles comme les diables* rouges, et des personnages grotesques. Des concours* de chansons et musiques d'orchestres de rue accompagnent les défilés.

Toute la population participe au Carnaval de la Martinique.

Le Carnaval est l'occasion de dénoncer avec la caricature les personnes et institutions qui profitent du peuple. C'est aussi l'occasion de célébrer les fameux "mariages burlesques." Ce sont des parodies de mariages où les rôles s'échangent, les hommes se déguisant en femmes et les femmes en hommes. À la fin du Carnaval, le roi "Vaval," symbole de l'exubérance du Carnaval, est brûlé* au bord de la mer.

 Search words: carnaval de la martinique, carnaval de martinique facebook, carnaval martinique, de monuments nationaux

---

remonte *goes back to;* **esclavage** *slavery;* **diables** *devils;* **concours** *competitions;* **brûlé** *burned*

6 Activités culturelles

Faites les activités suivantes.

1. Faites le profil de la Martinique. Indiquez sa/ses....
   - population
   - capitale
   - villes principales
   - produits principaux
   - artistes

2. Comparez la Guadeloupe et la Martinique. Qu'est-ce que ces deux îles ont en commun?
3. Faites une recherche sur Victor Schoelcher et rédigez un petit texte. Pourquoi est-ce qu'il y a une ville et des écoles qui portent son nom? Donnez votre opinion.
4. Dessinez un char de Carnaval. Décrivez-le en français à la classe.

COMPARAISONS

Comment est-ce que Mardi gras à la Nouvelle Orléans se compare au Carnaval de la Martinique?

Perspectives

Le poète Aimé Césaire a dit, "La colonisation travaille à déciviliser le colonisateur...." Beaucoup de Martiniquais ont commenté sur les conséquences de l'esclavage et la colonisation sur le peuple de la Martinique, mais comment Césaire pousse-t-il (*move*) le débat contre la colonisation?

Du côté des médias

Lisez ce qui se passe à Fort-de-France pendant le Carnaval.

Carnaval: Programme de la ville de Fort-de-France

Dimanche 30 janvier– *Matnik Caribbean Carnival : Ouverture officielle du Carnaval de Fort-de-France.*

Jeudi 10 février– *Conférence-Débat:* Thème: "Soleil notre étoile, tradition culturelle à la Martinique." Lieu: Salle de réunions de la Mairie.

Samedi 12 février– *Noctamval:* Parade Nocturne des principaux groupes et orchestres de rue de la Martinique.

Dimanche 20 février– *Concours de la Reine du Carnaval de Fort-de-France.*

Mercredi 23 février– *Election des Rois et Reines des Centres de Loisirs au Grand Carbet du Parc Culturel Aimé Césaire.*

Vendredi 25 février– *Carnaval des Juniors.* Les enfants ne sont pas en reste. Plus d'un millier d'élèves déferlent dans les rues de Fort-de-France, pour vous gratifier d'un formidable spectacle.

Dimanche 27 février– *Ti-Tan Dans':* Bal du carnaval au Marché Couvert de Fort-de-France

Lundi 28 février au vendredi 04 mars– *Tradival:* Prélude aux jours gras, vous êtes invités à vous grimer selon des thèmes proposés.

Dimanche gras 06 mars– *Jou Ouvè:* Rendez vous pour le grand "vidé en pyjama," qui annonce l'apothéose du carnaval.

Dimanche gras 06 mars– Les rues de Fort-de-France deviennent le théâtre du *Grand Carnaval de la Martinique.*

Lundi gras 07 mars– *Mariage Burlesque:* Parodie de cérémonies de mariages, toutes les plus extravagantes que les autres rassemblent petits et grands.

Mardi gras 08 mars– *Vidé en rouge:* Sortie des Diables Rouges. Tout moun an rouj jou tala.

Mercredi des Cendres 09 mars– *Vidé en noir et blanc:* Costumés en noir et blanc, "djables" et autres carnavaliers accompagnent sa Majesté Vaval dans un dernier tour de ville avant d'être incinérée sur le front de mer.

Jeudi 31 mars (Mi-carême)– *Vavals D'Or*

---

7 Carnaval: Fort-de-France

Faites les activités suivantes.

1. Classez les évènements du Carnaval: défilés, masques, débats, concours. Donnez les dates à la française, par exemple, 30/1 pour le 30 janvier.
2. Qu'est-ce qui se passe...?
   - à la mairie
   - au parc Aimé Césaire
   - dans les rues
   - au Marché couvert
3. Décrivez ou dessinez un costume pour le Carnaval de la Martinique. Présentez-le à la classe qui va voter et choisir le meilleur déguisement.

Structure de la langue

Double Object Pronouns

A sentence may have both a direct and an indirect object. When you replace both the direct and indirect objects with pronouns, they must follow a particular order:

subject	+	me te nous vous	+	le la les	+	lui leur	+	y	+	en	+	verb

Elle montre la robe de mariée au marié?
Oui, elle **la lui** montre.

Is she showing the wedding dress to the groom?
Yes, she is showing it to him.

Tu me donnes ce costume?
Non, je ne **te le** donne pas.

Are you giving me this costume?
No, I'm not giving it to you.

Remember, direct and indirect object pronouns are placed right before the conjugated verb, or if there are two verbs, before the verb with which they are associated (usually the infinitive).

Affirmative statement	Oui, il **me le** vend.	*Yes, he is selling it to me.*
Negative Statement	Non, je ne **le lui** achète pas.	*No, I'm not buying it from him.*
Statement with an Infinitive	Tu peux m'indiquer le chemin? Oui, je peux **te l'**indiquer.	*Can you show me the way? Yes, I can point it out to you.*
Question	Le smoking? **Te l'**offre-t-il?	*A tuxedo? Is he giving one to you?*

In the **passé composé** of verbs that use **avoir**, the past participle agrees with the direct object or direct object pronoun when it precedes the verb. It never agrees with the indirect object or indirect object pronoun.

La photo? Je **la** lui ai offert**e**.

The photo? I gave it to her.

8 À la teuf d'anniversaire

*Voici une liste des invités à la fête d'anniversaire de Malika,
et une liste des cadeaux qu'ils vont lui offrir. Répondez aux
questions d'après la liste.*

Qu'est-ce que son copain offre à
Malika?

MODÈLES   Denise offre des magazines à Malika?
Oui, elle lui en offre.

Khaled offre des livres à Malika?
Non, il ne lui en offre pas.

1. Richard offre des bandes dessinées à Malika?
2. Madiba offre du rouge à lèvres à Malika?
3. Chantal offre des fleurs à Malika?
4. Tu offres des CDs à Malika?
5. Awa offre du chocolat à Malika?
6. J'offre des CDs à Malika?

Les invités:	Leurs cadeaux pour Malika:
Chantal	des livres
Awa	du chocolat
moi	des CDs
Denise	des magazines
Khaled	des fleurs
toi	des cartes cadeaux
Madiba	du rouge à lèvres
Richard	des bandes dessinées

9 Chez Nicolas

*Relisez **Rencontres culturelles** et répondez aux questions suivantes. Utilisez les pronoms
compléments d'objet directs et indirects.*

1. Est-ce que la mère de Nicolas donne la télécommande à son fils?
2. Est-ce que les parents de Nicolas montrent leurs photos à leur fils?
3. Est-ce que les parents de Nicolas ont mis des costumes en Martinique?
4. Est-ce que le père de Nicolas a mis son smoking au Carnaval?
5. Est-ce que Nicolas a entendu ses parents pousser le cri de Vaval dans le salon?
6. Est-ce que Nicolas regarde les photos dans un album?

10 Le piquenique

Écrivez les numéros 1–8 sur votre papier. Écoutez les petites conversations. Ensuite, écrivez la lettre de l'objet dont on parle.

MODÈLE
You hear:
A: **Tu as mis la nappe sur la plage?**
B: **Oui, je l'y ai mise.**
You write: **B**

A.

B.

C.

D.

E.

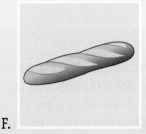
F.

G.

H.

Communiquez!

11 Tu as...?

Interpersonal Communication

À tour de rôle, demandez si votre partenaire a fait les choses suivantes.

MODÈLE

nourrir les animaux à la ferme
A: **Tu as nourri les animaux à la ferme?**
B: **Oui, je les y ai nourris.**
    ou
Non, je ne les y ai pas nourris.

1. faire du cheval à la campagne
2. tondre la pelouse chez toi
3. écrire une lettre à la mairie
4. acheter la carte de l'Alsace à la station-service
5. suivre le cours à l'auto-école (*driving school*)
6. voir le défilé du Carnaval en Martinique

À vous la parole

Communiquez!

12 Mes photos de vacances

Presentational Communication

Bring four photos from a real or imaginary vacation that you took recently and describe it to your group. Don't forget to say where you went, for how long you were gone, what you did and saw, and with whom you travelled.

Question centrale

What are the benefits of encountering other cultures?

Communiquez!

13 Les masques de Carnaval

Interpretive/Presentational Communication

Masks are a very important part of Carnival in Martinique. Make a mask (using recycled materials) that features some aspect of Martinique's culture. For example, you might make a mask featuring one of the island's traditional carnival characters. Research images of carnival masks from Martinique to get ideas. Then, describe your mask to the class, explaining what materials you used and what it represents.

 Search words: grands masques caribéens, tableaux de masques de carnaval martinique, les personnages du carnaval martinique

Communiquez!

14 Je vais voyager en Martinique.

Interpretive/Presentational Communication

With several classmates, plan a trip to Martinique. Make a list of what you need to know and would like to find out before going there. Then find a website that promotes tourism to the island. Navigate the site and check the information against your list. Were you able to find out everything you wanted to know? Write an e-mail to the website's administrator, asking for the information you need that was not presented on the site.

 Search words: voyage martinique, martinique guide de voyage

Communiquez!

15 Aimé Césaire et la négritude

Interpretive/Interpersonal Communication

Imagine that you have the opportunity to interview Aimé Césaire about his role in the **négritude** movement. First, do some preliminary research on the Internet about **la négritude**. Then, write seven questions to find out what motivated Césaire, what changes he wanted to make in society, how successful the movement was, and anything else you would like to know about the literary movement. Exchange your questions with a partner. Try to answer each other's questions as if you were Aimé Césaire.

Quelles questions allez-vous poser à Aimé Césaire?

Search words: **aimé césaire biographie**
aimé césaire interview
aimé césaire la négritude

Communiquez!

16 La musique caraïbe

Interpretive/Presentational Communication

The Caribbean islands have a rich musical tradition, with such genres as: **zouk**, **compas**, **gwo ka**, jazz, rap, and reggae. With your group, research one of the following questions and present what you have learned to the class:

- What does the music of Martinique and its neighboring islands sound like?
- What are the genre's origins?
- What are some of the instruments used?
- What cultures have influenced this genre?
- Who are some of the more influential singers and groups?

Search words: **musique des antilles françaises**

Stratégie communicative

Circumlocution

When you want to express an idea, but don't know the specific words you need in French, try using words you do know to get your meaning across. This technique is called "circumlocution," a term that comes from two Latin words meaning "to talk around." Circumlocution is an important language skill to practice because it expands what you are able to talk about in French.

One tip to using effective circumlocution is to identify the class or category of what you don't know how to express; for example **C'est un endroit.... C'est un produit.... C'est une personne qui.... C'est l'action de....**

17 Je me débrouille en France.

Imagine that you have just arrived in France and you need to know the following words and expressions. With a partner, take turns saying what you need using circumlocution.

MODÈLE a small whiteboard for kitchen
J'ai besoin d'un petit tableau blanc où je peux écrire ma liste d'achats.

1. a laundromat
2. hair conditioner
3. a shoe repair shop
4. a library
5. an internet café
6. chocolate chips
7. bagels

18 Pas de problème!

Express what you would say in each of the following situations using circumlocution. You may want to use one of the verbs from the box.

se servir de	payer	aider	recevoir	préparer	donner

1. You want to know if you can pay cash at your hotel.
2. You want to know if you should tip the waitress.
3. You want to know how to subscribe to a magazine your friend gets.
4. You want fried onions on your hamburger.
5. Your friend fainted on the street and you're asking someone for help.
6. You want to lend someone your poetry book to help with their homework.

Leçon C

Vocabulaire actif

emcl.com
WB 24–29
LA 1
Games

En Haïti

Les fruits de mer (m.)

LA PRESKIL

un crabe

Crabes farcis

une coquille
Saint-Jacques

**Saint-Jacques meunière
aux amandes**

une crevette

Crevettes épicées

un lambi

**Brochettes de
lambi grillé**

une langouste

Langoustes créoles

une morue

Accras de morue

un rouget

**Rougets frits
à l'haïtienne**

L'eau et la terre

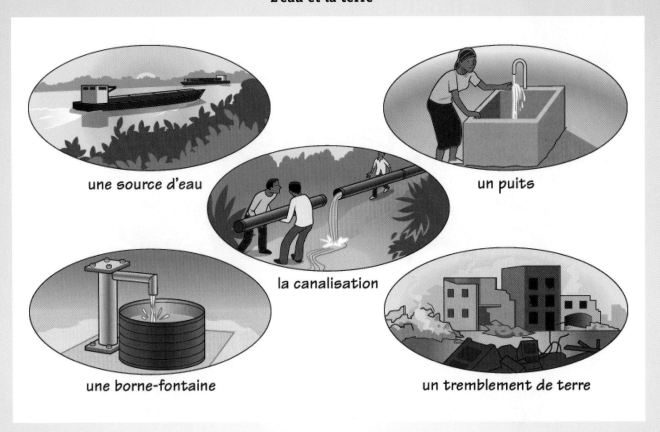

une source d'eau

un puits

la canalisation

une borne-fontaine

un tremblement de terre

Pour la conversation

How do I say what I'm in charge of?

> **Je suis chargé de la mission d'**installer des bornes-fontaines dans les villages.

I am in charge of installing water hydrants in the villages.

How do I express appreciation?

> **Vous nous rendez un grand service.**

You are helping us a great deal.

Et si je voulais dire...?

l'aide (f.) internationale	*international help*
les opérations (f.) de déblaiement	*clearing operations*
les premiers soins (m.)	*first aid*
le ravitaillement	*supplies*
la reconstruction	*rebuilding*
les secours (m.)	*search and rescue*

1 Une lettre d'Haïti

Lisez la lettre de Josette à M. Duclerc. Ensuite, répondez aux questions.

Monsieur,

On m'a dit que vous étiez chargé d'installer des bornes-fontaines dans les villages de notre région. Mes collègues et moi ici au Lycée Toussaint Louverture, et tous les autres habitants de notre région, nous vous remercions de votre voyage et de votre futur travail après le tremblement de terre. Vous allez nous rendre un grand service et nous voudrions vous remercier avec une photo de nos élèves et une carte qu'ils ont tous signée.

Josette Marcelin

1. Qui est Josette?
2. De quelle mission M. Duclerc est-il chargé?
3. Est-ce qu'il a déjà fini la mission?
4. Pourquoi est-ce que Josette écrit cette lettre à M. Duclerc?
5. À quel événement est-ce que Josette fait référence?
6. Qu'est-ce que Josette envoie à M. Duclerc avec sa lettre?

2 En Haïti

Complétez chaque phrase avec un mot ou une expression de la liste.

canalisations	puits	poissons	tremblement de terre	crevettes

fruits de mer   sources   crabes

1. En Haïti, il y a eu un... très sérieux en 2010.
2. Plusieurs... d'eau ont été polluées.
3. Les... sont importantes pour apporter de l'eau aux villages.
4. Souvent, dans les villages, on cherche de l'eau du....
5. En Haïti on aime manger les... comme les langoustes, les..., et les....
6. Les gens qui aiment pêcher préparent souvent des... pour le dîner.

3 Qu'est-ce qu'on commande?

La famille Marcelin est au restaurant pour fêter un mariage. Dites ce que chaque personne commande.

MODÈLE  le marié
Le marié commande les accras de morue.

1. Josette

2. Marcel

3. Jacqueline

4. Julien

5. Rose

6. la mariée

4 Aidez Haïti!

*Écrivez les numéros 1–6 sur votre papier. Écoutez le message de la Croix-Rouge en Haïti. Puis, écrivez **V** si la phrase que vous entendez est vraie ou **F** si elle est fausse.*

5 Questions personnelles

Répondez aux questions.

1. Est-ce que tu as déjà vécu un tremblement de terre? Si oui, où?
2. Est-ce que tu connais une personne ou une organisation qui a aidé Haïti après le tremblement de terre? Qu'est-ce qu'ils ont donné?
3. Est-ce que l'eau que tu bois à la maison vient d'une canalisation ou d'un puits?
4. Quels fruits de mer est-ce que tu préfères?
5. Est-ce que tu aimes pêcher? Si oui, où?
6. Est-ce que tu sais préparer le poisson?
7. Quels plats épicés est-ce que tu as essayés? Tu les as aimés?
8. Qui t'a rendu un grand service? Tu l'as remercié(e)?

Rencontres culturelles

De l'aide pour Haïti

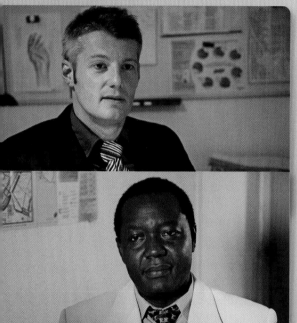

Le père de Manon parle à un représentant d'une ONG (Organisation non gouvernementale) pour Haïti dans son bureau.

Père de Manon: D'accord. Nous sommes vraiment très inquiets.

Représentant: La situation sanitaire à Haïti est vraiment très difficile. Nous avons un gros problème avec l'eau. Les canalisations, les puits sont détruits depuis le tremblement de terre. Et les sources à la campagne sont polluées.

Père de Manon: Je suis précisément chargé d'une mission eau....

Représentant: Et quel genre de mission?

Père de Manon: Je suis chargé de faire installer des bornes-fontaines dans les villages.

Représentant: C'est exactement ce qu'il nous faut! Il y a encore tellement à faire....

Père de Manon: On peut en discuter davantage au restaurant. On vous invite à un buffet de spécialités haïtiennes: crabes farcis, langoustes créoles, crevettes épicées.

Représentant: Oh, merci! C'est très gentil.

---

6 De l'aide pour Haïti

Indiquez si on décrit le père de Manon, le représentant de l'ONG, ou Haïti.

1. Son eau est polluée.
2. Il est très inquiet.
3. Elle a connu un tremblement de terre.
4. Il représente Haïti.
5. Il offre un repas haïtien.
6. Il est chargé d'une mission d'eau.
7. Ses puits sont détruits.
8. Il y a une mauvaise situation sanitaire.

Extension   Nouvelles d'Haïti

Taïna, Magny, Akao, et Vincent dînent à un restaurant haïtien à Paris.

Akao: Et comment ça va au pays?

Vincent: C'est très difficile, les choses avancent très lentement.

Magny: Et tu as pu goûter la cuisine haïtienne?

Vincent: Au village, on avait une vieille dame haïtienne qui faisait la cuisine; on lui donnait de l'argent et elle s'occupait de tout.

Taïna: Qu'est-ce que tu as dégusté?

Vincent: On a mangé beaucoup de poissons, de crabes, de crevettes... avec des sauces extraordinairement parfumées et épicées. Bon, on commande?

Extension   Où Vincent a-t-il voyagé?

What are the benefits of encountering other cultures?

La Francophonie

✻ *Haïti*

Haïti est situé dans la partie ouest d'une île de la mer des Caraïbes qui s'appelle Hispaniola. La République Dominicaine en occupe la partie est. Le pays compte presque 10 millions d'habitants et sa capitale est Port-au-Prince (2 millions d'habitants). Haïti est la première nation noire qui s'est

Port-au-Prince, la capitale d'Haïti.

révoltée contre l'esclavage,* et est devenue indépendante en 1804. Pourtant, ce pays a été marqué par de nombreuses crises politiques et des catastrophes naturelles (tremblements de terre, cyclones). Son économie dépend essentiellement de sa production agricole: café, cacao, coton, et mangues. Parce qu'Haïti est un petit pays longtemps exclu du marché occidental, il se trouve souvent dépendant de l'aide internationale.

En revanche,* la culture haïtienne est très riche. En littérature, de nombreux écrivains haïtiens sont connus dans le monde: Jean Métellus, René Depestre, Dany Laferrière, et Lyonel Trouillot, par exemple. Haïti a aussi donné naissance* a une importante diaspora* artistique. L'écrivain Alexandre Dumas (*Les Trois Mousquetaires*), le peintre Jean-Michel Basquiat, et l'acteur Sydney Poitier sont parmi les plus célèbres qui ont des ascendances* haïtiennes.

Search words: **tourisme et voyage en haïti, haïti séisme, aider haïti, radio métropole haïti**

---

esclavage *slavery;* **En revanche** *On the other hand;* **naissance** *birth;*
diaspora *scattering (emigration);* **ascendances** *origins*

Produits

On reconnaît la musique messagère, le twoubadou, le zouk, et le rythme racine comme variétés de **musique haïtienne**. Écoutez-les en ligne.

Les tableaux de Jean-Michel Basquiat sont exposées au Musée d'art moderne de Paris.

Toussaint Louverture et l'indépendance haïtienne

La Révolution française en 1789 incite les esclaves* noirs à se révolter et conduit* en 1793 à l'abolition de l'esclavage.* Toussaint Louverture est choisi par la France, qui l'avait fait Général, pour être Gouverneur de l'île. Il chasse* les Espagnols et les Anglais qui menaçaient la colonie. Mais, Toussaint Louverture rétablit la prospérité et promulgue* une constitution autonomiste. Alors, il est arrêté* et déporté en France où il meurt*en 1803. Mais les troupes haïtiennes battent* les troupes françaises et l'indépendance est proclamée le 1er janvier 1804. Haïti est le premier pays indépendant au monde issu de* l'esclavage. C'est la première république entièrement noire de l'humanité. Elle demeure un symbole de résistance pour les peuples opprimés.

 Search words: **biographie toussaint louverture, résultats chronologiques pour toussaint louverture**

---

esclaves *slaves;* **conduit** *leads;* **esclavage** *slavery;* **chasse** *chases out;* **promulgue** *passes;* **arrêté** *arrested;* **meurt** *dies;* **battent** *fight;* **issu de** *descended from*

COMPARAISONS

Qui étaient les leaders qui se sont battus pour l'indépendance américaine?

Le portrait de Toussaint Louverture figure sur la monnaie haïtienne.

La cuisine haïtienne

La cuisine haïtienne est une cuisine fusion qui est le produit des traditions africaines, créoles, et européennes. À la différence de la cuisine antillaise, les épices, aromates,* piments, présents dans les sauces, sont servis à part. Parmi les spécialités se trouvent le riz aux haricots rouges, les accras de morue, et les plats préparés avec les pois congo* ou les bananes. Le blanc-manger* est un des rares desserts. Les fruits (ananas, mangue, goyave*) sont transformés en jus ou préparés avec des épices et du sucre.

Mon dico Cajun

Bonjou: *Bonjour.*
Orevwa: *Au revoir.*
Mèsi: *Merci.*
Ou pale kreyòl? *Vous parlez créole?*
Konben pou...? *C'est combien...?*

 Search words: **cuisine haïtienne, recettes haïtiennes**

---

aromates *herbs and spices;* **pois congo** *type of peas;* **blanc-manger** *type of custard;* **goyave** *guava*

Faites les activités suivantes.

1. Faites le profil d'Haïti. Indiquez sa/ses....
   - population
   - capitale
   - date d'indépendance
   - écrivains
   - cuisine
   - culture
2. Trouvez une chanson en créole et traduisez-la en français.
3. Choisissez un artiste de la diaspora haïtienne. Racontez son histoire. Aidez-vous de l'Internet.
4. Trouvez un parc, un gymnase, une école, ou un lycée en Haïti qui porte le nom de Toussaint Louverture et donnez son adresse.
5. Recherchez la recette d'un plat typique de la cuisine haïtienne et faites votre liste d'achats.

À discuter

Après le tremblement de terre en 2010, qu'est-ce que les Haïtiens ont perdu?

Du côté des médias

Lisez le schéma pour apprendre comment les Canadiens ont répondu au tremblement de terre en Haïti.

L'AIDE HUMANITAIRE APRÈS LE SÉISME EN HAÏTI

À qui les Québécois ont-ils donné pour venir en aide aux victimes du séisme?

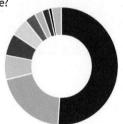

■ Croix-Rouge canadienne	**34** MILLIONS
Croix-Rouge canadienne	**34** MILLIONS
CECI	**13.3** MILLIONS
Oxfam-Québec	**4.5** MILLIONS
Développement et paix	**4** MILLIONS
UNICEF	**3.4** MILLIONS
Vision mondiale	**1.9** MILLIONS
Médecins sans frontières	**1.5** MILLIONS
Médecins du monde	**1.3** MILLIONS
CARE Canada	**0.6** MILLIONS
Autres	**1.7** MILLIONS
TOTAL:	**66.2** MILLIONS

ÇA COUTE COMBIEN?

280$ École en boîtes fournissant le matériel nécessaire à une enseignante et 80 élèves. UNICEF

**195$** Vacciner 100 enfants: 195$, soit 1, 95$ par enfant. Médecins sans Frontières

53$ Prothèse. Handicap International

2$ Repas chaud pour un élève de Port-au-Prince. Développement et paix

8 **L'aide humanitaire**

Faites les activités suivantes.

1. À quel organisme les Québécois ont-ils le plus donné?
2. Recherchez les organisations. Qui s'occupe de quoi?
   - santé
   - alimentation
   - logement
   - justice
   - enfants
3. Combien coûte...?
   - une école en boîte
   - un repas chaud
   - une vaccination
   - une prothèse
4. Avec un groupe, discutez de ces questions: D'après vous, quelle priorité est la plus vitale? Qui a le plus besoin de dons (*donations*)? Justifiez vos réponses.

La culture sur place

Les ONG en Haïti
Introduction et interrogations

Le tremblement de terre en Haïti en janvier 2010, suivi par (*followed by*) une épidémie de choléra, a démontré (*demonstrated*) au monde comment un petit pays peut être affecté par une catastrophe naturelle. Dans cette *Culture sur Place*, vous allez investiguer comment les organismes humanitaires ont aidé, et continuent à aider, les habitants de Haïti.

9 Première Étape: Faites des recherches en ligne

Utilisez une combinaison des mots suivants pour chercher sur Internet un organisme humanitaire.

Haïti   organismes humanitaires   organismes de bienfaisance   tremblement de terre   séisme

10 Deuxième étape: Présentons!

Créez une présentation sur l'organisme humanitaire que vous avez choisi. Votre présentation peut être un exposé oral, une affiche, une page web, ou une présentation PowerPoint. Elle doit répondre aux questions suivantes:

1. Quel est le but (*goal*) de cet organisme?
2. Dans quel pays se trouve le siège social (*headquarters*) de cet organisme?
3. Quand est-ce que l'organisme a été fondé?
4. Que fait l'organisme pour aider les habitants d'Haïti?
5. Quels sont les résultats de leur aide? Comment l'organisme a-t-il changé la vie des Haïtiens?

11 Troisième étape: Faisons l'inventaire!

Avec vos camarades de classe, répondez aux questions suivantes.

1. Que pensez-vous des buts de ces organismes en Haïti? Quel but est le plus important, d'après vous? Préparez une liste de six à dix buts en ordre d'importance.
2. Aider dans un pays où il y a eu une catastrophe naturelle, c'est quelquefois difficile. Quelles sont les difficultés potentielles?
3. Pouvez-vous penser à d'autres moyens (*ways*) d'aider les habitants d'Haïti?
4. Qu'est-ce que vous pourriez (*could*) faire individuellement ou avec votre classe?

Nous pourrions créer un magazine d'informations!

Structure de la langue

M. Célestin pêche les langoustes depuis des années.

Depuis + Present Tense

To ask about something that began in the past and is still going on in the present, use the expression **depuis quand** followed by a verb in the present tense. To answer, use a verb in the present tense followed by **depuis** and an expression of time, for example, a day, date, or hour.

Depuis quand êtes-vous en Haïti?	*Since when have you been in Haiti?*
Nous sommes ici **depuis** mercredi.	*We have been here since Wednesday.*
Depuis quand est-ce que Jérôme travaille pour une ONG?	*How long has Jérôme worked (been working) for an NGO?*
Il travaille pour eux **depuis** l'été dernier.	*He's worked (been working) for them since last summer.*

To ask how long (for how much time) something has been going on, use the expression **depuis combien de temps** followed by a verb in the present tense. To answer, use a verb in the present tense followed by **depuis** and an expression of a period of time.

Depuis combien de temps êtes-vous en Haïti?	*How long have you been in Haiti?*
Nous sommes ici **depuis** deux jours.	*We have been here for two days.*
Depuis combien de temps est-ce que Jérôme travaille pour une ONG?	*How long has Jerome worked (been working) for a NGO?*
Il travaille pour eux **depuis** cinq mois.	*He has worked (been working) for them for five months.*

Communiquez!

12 Questions sur votre vie

Interpersonal Communication

À tour de rôle, posez des questions pour savoir depuis quand votre partenaire fait certaines choses. Répondez avec l'année.

> **MODÈLE** avoir un portable
> A: **Depuis quand est-ce que tu as un portable?**
> B: **J'ai un portable depuis 2012.**

1. savoir télécharger les chansons
2. connaître ton/ta meilleur(e) ami(e)
3. vivre dans ta maison ou ton appartement
4. envoyer une photo sur ton portable
5. prendre tes amis en photo
6. étudier le français

Depuis combien de temps tu étudies la chimie?

13 Des questions intimes

*À tour de rôle, demandez **depuis combien de temps** votre partenaire fait les choses suivantes.*

MODÈLE   savoir nager
> A: **Depuis combien de temps est-ce que tu sais nager?**
> B: **Je sais nager depuis huit ans. Et toi?**

1. étudier l'Unité 8
2. aller à cette école
3. vivre dans la ville où tu habites
4. être à l'école
5. avoir 14, 15, ou 16 ans
6. connaître le/la prof d'anglais
7. être dans la classe de français
8. parler français

Communiquez!

14 Un matin au grand magasin

Interpersonal Communication

Mlle Latortue travaille dans une boutique de cosmétiques et parfums à Port-au-Prince. Avec un partenaire, résumez sa matinée (morning as duration) en complétant les questions et en y répondant. Utilisez l'information entre parenthèses dans les réponses.

MODÈLE   Depuis... est-ce que Mlle Latortue travaille aujourd'hui? (9h00)
> A: **Depuis quand est-ce que Mlle Latortue travaille aujourd'hui?**
> B: **Elle travaille depuis neuf heures.**

1. Il est midi et elle est toujours avec la même cliente. Depuis quand est-ce qu'elle aide Mme Gaillot? (10h00)
2. Mlle Latortue connaît très bien Mme Gaillot. Depuis combien de temps est-ce que Mme Gaillot achète son maquillage et son parfum dans ce magasin? (deux ans)
3. Mme Gaillot part et le directeur du magasin arrive. Depuis combien de temps est-ce que le directeur parle à Mlle Latortue. (10 minutes)
4. Le directeur lui annonce une bonne nouvelle (*news*). Depuis quand est-ce que Mlle Latortue est la meilleure employée du magasin? (midi)

15 Depuis quand? Depuis combien de temps?

Écrivez les numéros 1–8 sur votre papier. Écoutez les réponses suivantes. Ensuite, choisissez la lettre qui correspond à la question qu'on a posée.

> A: Depuis quand...?
> B: Depuis combien de temps...?

À vous la parole

Communiquez!

What are the benefits of encountering other cultures?

16 Vous pouvez me rendre un service?

Interpersonal Communication

You are visiting Guadeloupe, Martinique, or Haiti. With a partner, play the roles of an American tourist and a resident of one of these islands, who asks where the visitor is from and his/her name. The tourist asks the inhabitant for help with something, for example, finding a place to stay, getting a recommendation for a restaurant, or help locating tourist sites.

Communiquez!

17 Comment se préparer pour un tremblement de terre

Presentational Communication

Design a video game proposal and mock-up in French that would teach people what to do in case of an earthquake. For example, part of the game might involve preparing **un sac d'urgence** (*an emergency kit*) or **une enveloppe de documents importants**. If you prefer, make a two-page brochure instead. Begin by making a list of the information you think people should know. Then, draw images onscreen to show how people would enter the game and how it would be played. The goal is keeping people safe.

 Search words: conduit à tenir face à un tremblement de terre, comment se préparer en cas de séisme, que faire en cas de séisme

Lecture thématique

Cent poèmes d'Aimé Césaire

Rencontre avec l'auteur

Daniel Maximin (1947–) est un poète, romancier, et essayiste guadeloupéen. Il était directeur littéraire aux Éditions Présence Africaine à Paris, où il a grandi et étudié. Quand il est retourné en Guadeloupe, il a été nommé Directeur régional des affaires culturelles. En 2008, il a publié *Cent Poèmes d'Aimé Césaire*, un an après la mort (*death*) du poète. C'est la première anthologie thématique des œuvres de Césaire, illustrée de cent photos et de tableaux d'un peintre cubain, Wifredo Lam. On considère Maximin un proche héritier littéraire de Césaire, fondateur du mouvement de la négritude. Comment Maximin organise-t-il son poème?

Pré-lecture

Écrivez un poème basé sur votre prénom, par exemple:

Énergique   **R**étro   **I**ntéressant   **C**harmant

Stratégie de lecture

Theme

A theme is a central message or perception about life that is revealed in a literary work. Themes may be stated overtly or implied. For example, a theme might be decomposition or rebirth. Create a grid like the one below. In the left column, write the opening subtitle for each stanza of the poem. (Note that each stanza begins with a letter of Césaire's name.) In the right column, state the themes of Césaire's that are hinted at. Two examples have been done for you. Note as you read that Maximin uses some of Césaire's own words to make his points; these quotes are in italics.

 Search words: aimé césaire biographie

Stanzas	Themes in Césaire's poetry
C comme *Cahier d'un retour au pays natal*	Césaire écrit des thèmes martiniquais.
E comme Engagement	Césaire écrit des thèmes politiques.

Outils de lecture

Quotations

Sometimes authors use the words of others, as Maximin does when he quotes Césaire. In this case, these words provide a key to understanding the poem and the themes in Césaire's work. What does poetry mean to Césaire? How is it more than creative expression?

"La poésie est une démarche* qui par le mot, l'image, le mythe, l'amour et l'humour m'installe au cœur du vivant de moi-même et du monde."

C comme *Cahier d'un retour au pays natal.* C'est le chef-d'œuvre initial d'Aimé Césaire, un étudiant de 25 ans pétri de* toutes les cultures du monde et qui compose *pour la faim universelle, pour la soif universelle,* ce qu'André Breton définira* comme "le plus grand monument lyrique de ce temps."

E comme Engagement. C'est la puissance* de la création poétique de Césaire qui l'a conduit à l'engagement politique, et non l'inverse:* *ma bouche sera* la bouche des malheurs* qui n'ont point* de bouche.

S comme *Soleil, œil fascinant mon œil.* Toute sa poésie est fondée sur la parole* donnée à la géographie, à la géologie, à la flore et la faune solaires de la Caraïbe: *soleils à calculer mon être, natif* natal.*

A comme *Armes miraculeuses* de résistance créatrice* (titre de son premier recueil en 1946). Ce sont pour Aimé Césaire celles de la poésie, du théâtre, du discours:* *ma voix,* la liberté de celles qui s'affaissent* au cachot* du désespoir.* Le poète forge des armes* de paroles qui deviennent les outils de l'émancipation et de l'identité conquises.* *Des Ferments* contre les Ferrements.*

I comme *Insolite bâtisseur.** Le poète comme l'homme politique a toujours l'obsession de bâtir,* d'édifier* la verticalité humaine *avec des bouts de ficelle,* avec des mailles forcées de cadène* contre l'horizontalité des vies courbées* ou écrasées:* *ne dépare* pas le pur visage de l'avenir, bâtisseur d'un insolite demain.*

R comme Résistance. De la dissidence antillaise des années 1940 aux combats* de la décolonisation, Césaire promeut* l'idée de résistance créatrice, solidaire de tous ceux qui se battent pour édifier et non pour détruire:* *capte* au décor le secret des racines,* la résistance ressuscite.*

E comme *Espérance à flanc d'abîme,*** du poète qui habite un paradis raté,* mais garde confiance en chaque graine et chaque goutte* endurant solidairement *le défi* du désert sur la carte voyageuse du pollen.* Du Cahier jusqu'à ses derniers vers:* *tout se retrouvera là/ cumulé pour le sable* généreux.*

Pendant la lecture
1. Qu'est-ce qu'André Breton pense de la poésie de Césaire?

Pendant la lecture
2. L'engagement littéraire pousse (*pushes*) Césaire vers quelle autre arène?

Pendant la lecture
3. Césaire parle de quels aspects de sa terre natale?

Pendant la lecture
4. Césaire lutte avec quoi?

Pendant la lecture
5. Qu'est-ce que Césaire bâtit avec des "vies courbées ou écrasées"?

Pendant la lecture
6. Pour Césaire, la résistance est-elle quelque chose qui détruit ou qui embellit (*makes beautiful*) la vie?

Pendant la lecture
7. Comment Césaire voit-il l'avenir (*future*) de son pays?

Cahier du retour au pays natal est un long poème qui décrit la descente aux enfers (*hells*) de l'oppression raciale pour découvrir la fierté (*pride*) d'être nègre, le base du mouvement la négritude.

---

démarche *step;* **pays natal** *native country;* **pétri de** *steeped in;* **définira** *will define;* **puissance** *power;* **l'inverse** *the opposite;* **sera** *will be;* **malheurs** *misfortunes;* **ne... point** *don't... at all;* **la parole** *words;* **natif** *native;* **créatrice** *creative;* **discours** *speech;* **voix** *voice;* **s'affaissent** *collapse, slump;* **cachot** *dungeon;* **désespoir** *despair;* **armes** *weapons;* **conquises** *conquered;* **ferments** *fermentations;* **ferrements** *irons;* **insolite bâtisseur** *unusual builder;* **bâtir** *build;* **édifier** *to erect;* **bouts de ficelle** *pieces of thread;* **mailles forcées de cadène** *chain mail (worn by knights);* **courbées** *bent over;* **écrasées** *crushed;* **dépare** *mar;* **combats** *battles;* **promeut** *promotes;* **détruire** *to destroy;* **capte** *captures;* **racines** *roots;* **espérance** *hope;* **flanc d'abîme** *edge of the abyss;* **raté** *failed;* **goutte** *drop;* **défi** *challenge;* **vers** *lines (in a poem);* **sable** *sand*

Post-lecture

Qu'est-ce que Césaire a pris de la Martinique pour faire sa poésie?

Le monde visuel

L'artiste français Claude Salez (1924–) peint beaucoup de paysages (*landscapes*) de la Bretagne et des Antilles, ainsi que des paysages marins (*seascapes*). Un paysage marin montre la mer ou la plage. Les peintres peignent ces paysages depuis des milliers (*thousands*) d'années avant Jésus-Christ. En 1872, le paysage marin de Monet, *Impression, soleil levant*, a donné son nom au mouvement impressionniste. Aujourd'hui, les artistes sont toujours fascinés par la puissance (*power*) et le mouvement de la mer et de l'océan. Dans cette peinture, comment est la mer et de quelle façon est-elle le centre d'intérêt du tableau?

Les Saintes, Guadeloupe, 1995. Claude Salez. Collection privée.

18 Activités d'expansion

Faites les activités suivantes

1. Utilisez les informations dans votre grille pour écrire un paragraphe sur les thèmes dans la poésie de Césaire.
2. Faites une collection de citations d'Aimé Césaire et groupez-les par thèmes; par exemple, l'histoire, la politique, la colonisation, la géographie.
3. Faites un collage qui montre les buts (*goals*) de la négritude.

Le soleil se couche sur la plage tropicale.

Chevaux dans les montagnes en Haïti.

Projets finaux

A Connexions par Internet: L'histoire

Haiti was the first Black state to become independent. With a group, research Haiti's independence and the impact Toussaint L'Ouverture, the French Revolution, Général Leclerc, and Napoléon Bonaparte had on it. Create a chart with pictures, captions, dates, arrows, phrases, etc. to show these relationships.

 **Search words: biographie toussaint louverture
résultants chronologiques pour toussaint louverture**

B Communautés en ligne

Global Voices

Global Voices Online is a non-profit organization of over 400 bloggers and translators around the world. It was founded by the Berkman Center for Internet and Society at Harvard. Its goal is to give a voice to people often ignored in traditional media. Go to its website and click on "Pays," then "Haïti." Read a blog entry about a current event in Haiti and post a comment. Then share with your classmates what you learned, what you said, and what you would still like to learn.

 Search words: global voices en ligne

C Passez à l'action!

Ecotourisme chez nous

Ecotourism is travel to areas of natural beauty, designed so that minimal impact occurs on the environment and the well-being of the local people is improved. It promotes cultural awareness and raises sensitivity to the environmental and political issues of an area and its people. Working in groups, choose an area in your state or region that could be promoted for ecotourism. Then, design a webpage in French to promote ecotourism to this area. (You might even work with a Spanish and English class so that the information on your site is available in three languages.) Assign each member of your group one or more of the tasks below to create your website.

- home page with logo and contact information
- self-test to see if the reader is ready for an ecotourism experience
- description of the natural area or site
- description of available activities
- actions expected of participants so that they will not harm the environment

Question centrale

?

What are the benefits of encountering other cultures?

D Faisons le point!

Your teacher will give you a chart to fill in about your learning in this unit.

A Évaluation de compréhension auditive

Nos vacances préférées

*Write the numbers 1–8 on your paper. Listen to Maurice and Aline talk about Maurice's vacation in Martinique. Then, write **V** if the phrase you hear is **vrai**, or **F** if it is **faux**.*

1. Maurice fait du scooter des mers.
2. Maurice a visité l'île avec sa classe.
3. Maurice a pris plein de photos de la faune et de la flore.
4. Maurice a pris les grives, les ramiers, et les colibris en photo.
5. Maurice et Aline se sont déguisés en mariés au carnaval.
6. Sandrine a porté un smoking pour le carnaval.
7. Maurice propose à Aline de manger dans un restaurant créole.
8. Les deux amis vont déguster les spécialités de la cuisine créole.

B Évaluation orale

With a partner, role-play a reporter interviewing an employee of a non-profit agency in Haiti after the earthquake. The interview takes place in a Haitian restaurant. Remember, you do not know each other so you should use formal language.

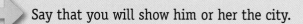

Ask for how long the non-profit employee has been in Port-au-Prince.

Say you've been here for two months.

Say that you don't know the city.

Say that you will show him or her the city.

Thank the employee for speaking with you.

Tell the reporter he or she is doing you a great favor.

Say that you don't know Haitian specialties well and ask what the employee prefers: the creole lobster or the spiced shrimp.

Say what you prefer.

Say, "Let's order!"

C Évaluation culturelle

In this activity, you will compare Francophone cultures with American culture. You may need to do some additional research on American culture.

1. **La diversité**
   Explain why Guadeloupe is considered a diverse place to live in. Then compare the ethnic populations there with the ones where you live.
2. **La dépendance**
   Tell what Guadeloupe has to import from France. Then compare the Guadeloupe-France relationship to the one between Hawaii or Puerto Rico and the mainland United States.
3. **Le tourisme vert**
   Identify the two types of **tourisme vert**, and name a location where each type exists in the United States or the Americas.
4. **La Martinique**
   Explain how **la Guadeloupe** and **la Martinique** are similar. Then compare your state to another state, explaining how they are similar. For both comparisons, you might look at similarities among products, natural features, population, among other things.
5. **Les carnavals**
   Describe **le Carnaval** in Martinique. Then compare it to Mardi Gras in New Orleans.
6. **Les effets des désastres naturels**
   Haiti has long struggled with economic difficulties. How have natural disasters made the country's situation even worse? Compare the natural disasters that have occurred in Haiti with those that have transpired along the Gulf Coast of the United States. How was the aftermath of the disasters in both regions similar? In what ways was it different?

D Évaluation écrite

You and a friend are planning a three-day trip to Guadeloupe. Write an e-mail to your friend in which you:

- say you can't make up your mind about where the two of you should stay: at the seaside or in the mountains
- suggest at least one activity for each day using **Si** + imperfect
- ask your friend if he or she can bring a map
- tell your friend not to forget his or her airline ticket
- conclude by saying: "One would say Guadeloupe is **un paradis**."

Below is a photo you took at **le Carnaval** in Martinique. Describe it to your partner, who was unable to go with you. Use present tense, the pronoun **y**, and **depuis** in your description.

F Évaluation compréhensive

Create a storyboard with five or six frames that tells the story of your stay with your family in Guadeloupe. Include what you and your family saw and did. You may use labels, speech bubbles, or a combination.

Vocabulaire de l'Unité 8

l' **aide (f.)** assistance *C*
les **amandes (f.)** almonds *C*
un **ananas montagne** mountain pineapple *A*
un **anoli** anole *A*
les **Antilles (f.)** West Indies *A*
  arriver (à) to be able to *A*
  au: au moins at least *A*
une **borne-fontaine** water hydrant *C*
une **brochette** skewer *C*
un **buffet** buffet *C*
  ça: ça m'est égal it's all the same to me *A*
la **canalisation** pipe(line) *C*
le **carnaval** carnival *B*
un **char** float *B*
une **chauve-souris** bat *A*
une **chute d'eau** waterfall *A*
un **colibri** hummingbird *A*
  collé(e) glued, stuck *B*
un **contrebandier, une contrebandière** smuggler *A*
un **costume** costume *B*
le **créole** Creole [language] *B*
  davantage more *C*
un **déboulé [Mart.]** parade *B*
un **défilé** parade *B*
se **déguiser** to dress up *B*
  depuis for *C*; **depuis combien de temps** (for) how long *C*; **depuis quand** since when *C*
  dessus on, over (it) *B*; **au dessus** above *A*
  détruit(e) destroyed *C*
  dirait: on dirait one would say *B*
  dissimuler to hide *B*
  en: en route on the way *A*
  épicé(e) spicy *C*
  être: être chargé(e) de to be in charge of *C*
  faire: faire de la plongée sous-marine to go scuba diving *A*; **faire du kayak** to go kayaking *A*; **faire du scooter des mers** to jet ski *A*; **faire le touriste** to be a tourist *A*; **faire une randonnée à pied** to hike *A*
  farci(e) stuffed *C*
la **faune** fauna, wildlife *A*
la **flore** flora *A*
  fois: à la fois at the same time *B*
une **foule** crowd *B*
  frit(e) deep-fried *C*
les **fruits de mer (m.)** seafood *C*
  gentil, gentille nice *C*
une **grive** thrush *A*
la **Guadeloupe** Guadeloupe *A*
  haïtien(ne) Haitian *C*
  haut(e) high *A*
un **hibiscus** hibiscus *A*
  inquiet, inquiète worried *C*

  installer to install *C*
des **jumelles (f.)** binoculars *A*
une **mangrove** mangrove *A*
un **mariage** wedding *B*
un **marié** groom *B*
une **mariée** bride *B*
un **mas [Mart.]** mask *B*
un **masque** mask *B*
  mettre: mettre en valeur to accentuate *B*
  meunière rolled in flour and sautéed *C*
une **mission** mission *C*
la **nature** nature *A*
  ne (n')… pas encore not yet *B*
  observer to observe *A*
une **ONG (organisation non gouvernementale)** NGO (non-governmental organization) *C*
une **orchidée** orchid *A*; **orchidée suspendue** tropical orchid *A*
un **papillon** butterfly *A*
  pêcher to fish *A*
  piqueniquer to picnic *A*
  pollué(e) polluted *C*
  pourras: tu pourras you will be able to *A*
  pousser: pousser un cri to scream *B*
  précisément precisely *C*
  prendre: prendre (quelque chose) en photo to take a picture (of something) *A*
un **puits** well *C*
un **ramier** wood pigeon *A*
une **randonnée** hike *A*
un **raton laveur** raccoon *A*
un(e) **représentant(e)** representative *C*
la **République d'Haïti (Haïti)** Republic of Haiti *C*
une **robe: robe de mariée** wedding dress *B*
  sanitaire health, sanitary *C*
  sembler to seem *A*
un **sentier** path *A*
  sera: on sera we will be *A*
  service: rendre un service (à quelqu'un) to do (someone) a favor *C*
la **situation** situation *C*
un **smoking** tuxedo *B*
une **source d'eau** spring *C*
une **spécialité** specialty *C*
  tellement so much *C*
la **terre** land *C*
une **tortue: tortue marine** sea turtle *A*
la **trace [Mart.]** path *A*
un **tremblement de terre** earthquake *C*
  vivre to live *A*
  y it [pronoun] *A*

Seafood… see p. 457

Unité 8 Bilan cumulatif

Listening

I. You will hear a short conversation. Select the reply that would come next. You will hear the conversation twice.

1. A. Dites-moi, vous nous rendez un grand service.
    B. Et bien, vous avez, par exemple, la Martinique ou encore la Guadeloupe.
    C. À mon avis, les spécialités créoles sont très bonnes, surtout en été.
    D. Écoutez, je ne sais pas. Je n'arrive pas à choisir entre les lambis et les crevettes.

II. Listen to the conversation. Select the best completion to each statement that follows.

2. Le jeune couple cherche....
    A. une robe de mariée et un smoking blanc
    B. un bon restaurant au bord de la mer
    C. à partir en vacances en couple
    D. un costume pour le carnaval

3. Ils veulent partir....
    A. en février pour le carnaval
    B. en vacances au bord de la mer
    C. après leur mariage
    D. en smoking et robe de mariée

4. L'homme et la femme aiment....
    A. se déguiser pour le carnaval d'hiver
    B. pêcher et manger des fruits de mer
    C. faire de la plongée sous-marine
    D. passer du temps à la plage

5. Le jeune couple....
    A. part en vacances pour la première fois depuis leur mariage
    B. va en Afrique pour la première fois
    C. va faire une excursion en train
    D. aime manger le bœuf et le porc

Reading

III. Read the text from a tourist brochure. Then select the best completion to each statement.

Si vous aimez la foule, la musique, les défilés, et les costumes, rendez-vous en Martinique! Le Carnaval est une expérience incroyable et je n'exagère pas. Amusez-vous et déguisez-vous en fruits de mer et oui, pourquoi pas un petit costume de crabe ou encore de tortue marine, ou de chauve-souris. En Martinique, pendant ce festival, vous aurez toujours faim! Venez découvrir une cuisine exceptionnelle avec un menu d'accras de morue, langoustes, crevettes épicées, brochettes de lambis, et coquilles Saint-Jacques. Moi, j'ai déja hâte d'être en vacances! Une belle aventure à tous et à très bientôt dans un prochain article sur les voyages!

À bientôt dans les Antilles!

1. Cette brochure parle....
   A. d'un tour du monde qu'un écrivain français a fait
   B. de l'importance de la faune et de la flore
   C. des dangers du tourisme sur l'environnement
   D. de différentes activités que vous pourrez faire en vacances dans les Antilles

2. L'auteur recommande....
   A. de découvrir les îles au moment où on fait la fête
   B. d'apprendre le français avant de partir en vacances
   C. de voyager avec des Français
   D. de découvrir la cuisine traditionnelle de Normandie

3. Cet écrivain écrit probablement pour....
   A. des gens en voyages en Europe
   B. un office de tourisme
   C. les touristes français qui veulent découvrir le Québec
   D. un magazine spécialisé dans la cuisine alsacienne

Writing

IV. Complete the paragraph by writing appropriate vocabulary words in the blanks.

Le père d'Émilie propose un voyage en famille en Guadeloupe pendant le Carnaval: "Qu'en pensez-vous? La faune est très exotique et la __1__ est extraordinaire: les balisiers et les orchidées! Pour les découvrir, nous pouvons faire une __2__ à pied au Parc national. Il y a 'une trace' ou petit __3__ à prendre pour suivre une __4__ d'eau jusqu'aux chutes! Plus tard nous redescendons à la plage, pour faire des activités au __5__ de la mer. Ça vous dit de faire du kayak ou de la __6__ sous-marine suivi par un repas de langoustes, crevettes, crabes, et d'autres __7__ de mer?"

V. Complete the paragraph with verbs in the **présent**, **impératif**, or **passé composé**.

Dans une auberge de jeunesse à Caen une femme __8__ un plateau de galettes à Marie et lui demande:
— Comment trouvez-vous la région normande?
— Ooh la la! Je n' __9__ pas à tout faire! Il y a beaucoup de choses à voir!
— __10__ -vous bien! On __11__ du beau temps.
— __12__ -vous Monet? Si vous __13__ à Rouen, n'oubliez pas de visiter la cathédrale et les falaises d'Étretat qui sont dans ses tableaux!
— J'y vais avant de rentrer à Paris en passant par Giverny. Tiens! Vous pouvez me prendre en photo?
— Venez dans le jardin. Ça vous __14__ en valeur.
   (Après la photo)
— Madame, vous m' __15__ un service!
— Je vous en prie, mademoiselle!

8. (offrir)
9. (arriver)
10. (se rassurer)
11. (annoncer)
12. (connaître)
13. (conduire)
14. (mettre)
15. (rendre)

Composition

VI. Write a letter inviting a friend to visit a particular region in France. Tell your friend about the region and describe what there is to see and do there. Find out how he or she feels about staying in a youth hostel. Suggest a departure date. Find out how your friend would like to travel (by car, train, airplane, etc.).

Speaking

VII. You and a friend cannot decide on whether to have dinner–in a Breton crêperie or a Creole restaurant with specialties from the Antilles. Both restaurants are next door to each other in your neighborhood. Role-play the conversation. Discuss what you want to eat and drink, discuss prices, and choose a restaurant.

9 La vie contemporaine

Rendez-vous à Nice!

Épisode 19:

Projets d'avenir

Question centrale

?

What influences and changes contemporary society?

Qu'est-ce que la mère de Chadia offre?

A. des gâteaux marocains
B. des pains au chocolat
C. des religieuses

Comment s'appelle ce train?

Contrat de l'élève

Leçon A I will be able to:

>> ask to borrow things, say I know or don't know how to use something, and express happiness.

>> talk about France's innovations in transportation.

>> use the conditional tense.

Leçon B I will be able to:

>> hypothesize and propose solutions.

>> talk about nuclear energy, education, and youth employment in France.

>> use the conditional tense in **si** clauses.

Leçon C I will be able to:

>> express my future goals and give a reason.

>> talk about Brussels, Belgium, and the European Union.

>> use the future tense.

Vocabulaire actif

emcl.com
WB 1–5
LA 1
Games

Le smartphone

un fichier multimédia

l'icône (f.)

une appli

le lockscreen

l'interface (f.)

la messagerie

le port micro-USB

la caméra

la carte SIM

Comment envoyer une photo

1. Tu passes ton doigt sur l'icône photo.
2. L'appareil se met en mode photo.
3. Tu règles la largeur du champ, la distance, la lumière....
4. Tu appuies quand tu es content(e) des réglages.
5. Pour envoyer la photo, tape l'adresse dans la messagerie.
6. Joins la photo et appuie sur envoyer.

Pour la conversation

How do I ask someone to lend me something?

> **Tu peux me prêter** ton téléphone portable?

Can you lend me your cell phone?

How do I say that I know or do not know how to use something?

> **Je (ne) sais (pas) m'en servir.**

I (don't) know how to use it.

How do I express what someone was happy about?

> **Ils sont très contents d'**avoir reçu cette photo de nous.

They're very happy to have received that photo of us.

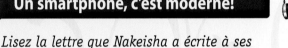

1 **Un smartphone, c'est moderne!**

Lisez la lettre que Nakeisha a écrite à ses parents pendant leur visite au Cameroun. Puis répondez aux questions.

1. Qu'est-ce que les parents de Nakeisha viennent d'acheter?
2. Depuis combien de temps est-ce que Nakeisha a un smartphone?
3. Qu'est-ce qu'elle peut faire avec son smartphone? Faites une liste.
4. Nakeisha explique à ses parents comment faire quoi? Nommez deux choses.
5. Comment est-ce que Nakeisha dit au revoir à ses parents?

Salut, Maman et Papa!

Merci de m'avoir acheté un smartphone! Ça fait deux mois que je l'ai, et je suis très contente de savoir que vous êtes plus modernes maintenant! C'est à la fois un ordinateur, une caméra, un appareil-photo (camera), un bureau de poste, et un téléphone! Je sais que vous ne savez pas vous en servir, mais il n'est pas difficile d'envoyer une photo de votre téléphone portable. Pour prendre la photo il faut passer son doigt sur l'icône photo, régler la lumière, et appuyer. Pour l'envoyer, vous devez simplement taper l'adresse, joindre la photo, et appuyer sur envoyer. Bonne chance, et amusez-vous au Cameroun!

Je vous embrasse,

Nakeisha

P.S. N'oubliez pas de m'envoyer des photos de mes cousins et de mes oncles et tantes!

2 J'adore mon smartphone!

Complétez chaque phrase avec un mot ou une expression logique de la liste.

> lockscreen   port micro-USB   carte SIM   icône   appli
>
> fichier multimédia   interface   caméra   messagerie

1. Je vais acheter une nouvelle... pour pouvoir voir des concerts sur mon smartphone.
2. Je prends des vidéos avec ma....
3. Le... est une protection importante qui empêche (*prevents*) les gens d'utiliser mon smartphone.
4. Je consulte la... pour savoir qui a téléphoné ou qui a envoyé un texto.
5. J'ouvre le... pour écouter de la musique ou voir une vidéo.
6. Je passe mon doigt sur l'... pour ouvrir un fichier.
7. Quand deux personnes n'ont pas le même logiciel, on peut avoir des problèmes d'....
8. Mon smartphone ne marche plus, mais on a récupéré (*recovered*) la... pour ne pas perdre mes informations.
9. Pour transférer mes photos sur mon ordinateur, je cherche le....

3 Alima et sa mère

Écrivez les numéros 1–3 sur votre papier. Écoutez la conversation entre Alima et sa mère. Ensuite, choisissez la réponse logique pour compléter les phrases.

1. Cette conversation a lieu dans un magasin de....
   A. vêtements
   B. téléphones
   C. photos

2. Alima montre à sa mère comment....
   A. prendre et envoyer des photos
   B. envoyer des mails
   C. utiliser les applis

3. La mère d'Alima envoie....
   A. une photo à son mari
   B. un mail
   C. une invitation

4 Questions personnelles

Répondez aux questions.

1. Depuis quand est-ce que tu as un téléphone portable? Et tes ami(e)s? Et tes parents?
2. As-tu beaucoup d'applications sur ton portable? Quelles applis est-ce que tu préfères?
3. Pour envoyer une photo avec un smartphone, qu'est-ce que tu fais après avoir mis l'appareil en mode photo?
4. Qu'est-ce que tu fais avec ton portable quand tu entres dans une salle de cinéma?
5. Qu'est-ce que tu prêtes à tes amis? Qu'est-ce qu'ils te prêtent? Qu'est-ce que tu ne leur prêtes pas? Pourquoi?

Rencontres culturelles

Babila envoie des photos au Cameroun.

La sœur de Madiba demande un service.

Babila: Tu peux me prêter ton téléphone portable?

Madiba: Quoi?

Babila: Ton portable... je devrais envoyer une photo de ma chambre à notre cousine de Yaoundé.

Madiba: Mais tu ne sais pas t'en servir.

Babila: Justement, tu vas m'apprendre.

Madiba: Bon, là tu as l'icône photo. Tu passes ton doigt dessus; l'appareil se met en mode photo. Ensuite sur le côté, tu as toute une série d'icônes: tu peux régler la largeur du champ, la distance, la lumière.... Tu continues toujours à regarder l'écran pour voir l'effet de tes réglages. Enfin, quand tu es prête, tu appuies comme ça, et voilà.

Babila: Et tu as fait une photo de nous deux. Et pour l'envoyer comment je fais?

Madiba: Très facile! Tu vas dans la messagerie; tu tapes l'adresse. Puis, tu vas chercher la photo dans la galerie. Tu la joins et tu l'envoies.

(*Madiba envoie la photo.*)

Babila: Et au Cameroun, ils sont maintenant très contents d'avoir reçu cette photo de nous deux. Bon, j'ai compris, je le prends.

---

5 **Babila envoie des photos au Cameroun.**

Complétez les phrases.

1. ... demande un service.
2. Elle veut envoyer une... à sa cousine au Cameroun.
3. Mais elle ne sait pas se... du portable.
4. Sa... va lui apprendre à le faire.
5. Babila prend le portable pour prendre une photo de sa....

Extension **Le radio réveil de Judith**

Hugues aide sa sœur, Judith, avec son radio réveil.

Judith: Je veux programmer ce radio réveil et je n'y arrive pas.

Hugues: Mais qu'est-ce que tu veux programmer?

Judith: Mes cinq postes de radio préférés.

Hugues: Bon, le mode d'emploi, il est où?

Judith: C'est bien là le problème, je l'ai perdu!

Extension Pourquoi est-ce que Judith et Hugues ne peuvent pas programmer le radio réveil?

La France et les technologies innovantes dans les transports

La France a une vieille tradition d'aventuriers et d'ingénieurs. Son industrie est particulièrement performante dans les transports et l'énergie.

L'aéronautique et l'aérospatiale connaissent des développements spectaculaires. La France et ses partenaires européens ont créé une industrie aéronautique autour d'Airbus, une compagnie qui est devenue l'un des leaders mondiaux* dans la construction des avions. La capitale de cette industrie est Toulouse.

C'est aussi en France où s'est développée la série des fusées* Ariane, qui lancent des satellites. Aujourd'hui, le Centre National d'Études Spatiale (CNES) continue à travailler en coopération avec d'autres pays européens pour lancer et gérer* des satellites. La base de lancement est située à Kourou en Guyane française. Deux nouveaux ensembles de lancement s'appellent Vega et Soyouz.

Le groupe EADS à Toulouse construit un avion.

Dans le domaine des transports terrestres, la France a développé la technologie des trains à grande vitesse (TGV) qui accélèrent jusqu'à 350 à 400 km/h. Aujourd'hui les TGV couvrent* une partie du territoire européen avec les réseaux* *Eurostar* vers le Royaume-Uni;* *Thalys* vers la Belgique, les Pays-Bas, et l'Allemagne; et *Lyria* vers la Suisse. La France a influencé la construction des TGV en Chine.

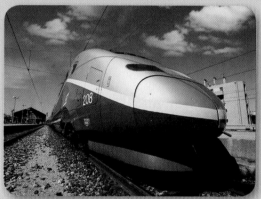

C'est le TGV Duplex; il va à 320 km/h (*199 mph*).

L'industrie automobile est également très performante avec les groupes Renault-Nissan et Peugeot-Citroën. Ces deux compagnies produisent des voitures individuelles (50% de la production exportée) et des voitures de sports qui ont remporté* plusieurs fois le titre de champions du monde de Formule 1 ou des rallyes. Une autre entreprise importante dans l'automobile est le groupe Michelin, deuxième constructeur mondial de pneus.

 Search words: airbus et l'aéronautique, dassault aviation, tout sur l'espace cnes, eads, sncf, eurostar, michelin site officiel

---

mondiaux *world;* **fusées** *rockets;* **gérer** *to manage;* **couvrent** *cover;* **réseaux** *networks;* **Royaume-Uni** *United Kingdom;* **remporté** *won*

Produits

L'Indochine était une colonie française qui regroupait principalement le Vietnam, le Laos, et le Cambodge. C'était une source importante de caoutchouc (*rubber*), matériel essentiel pour fabriquer (*to manufacture*) des pneus et donc, de revenus pour la France. En 1931, par exemple, **les plantations de caoutchouc** en Indochine ont produit 10 millions de tonnes métriques de latex. Avec leur entreprise considérable, les frères Michelin ont rapporté beaucoup d'argent.

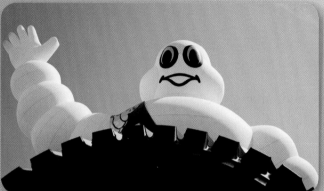

Le bonhomme (*man*) Michelin.

COMPARAISONS

NASA se compare à quelle organisation européenne? Où est le siège (*headquarters*) de NASA? D'où est-ce qu'on lance les fusées américaines?

---

6 Activités culturelles

Faites les activités suivantes.

1. Expliquez ce que c'est....
   • l'Airbus   • le TGV   • l'Ariane
2. Indiquez un moyen de transport pour aller de Paris à....
   • Londres
   • Bruxelles
   • Zürich
3. Trouvez sur Internet les sigles (*logos*) des marques automobiles et de pneumatiques. Dites quelle marque on appelle....
   • la firme aux chevrons (*arrows, stripes*)
   • la firme au losange (*diamond*)
   • la firme au lion

4. Faites un axe chronologique pour montrer l'histoire d'une de ces entreprises:
   • SNCF ou TGV
   • CNES
5. Écrivez la biographie de Marcel Dassault, un ingénieur qui a travaillé dans l'aviation.

À discuter

Quel avancement technologique a aidé le plus grand nombre de personnes—les pneus Michelin, les avions Airbus, les fusées Ariane, ou le TGV? Quelles sont les opinions de la classe? Quelle sorte de recherche est-ce qu'il faut faire pour former vos opinions?

Du côté des médias

Lisez les informations suivantes sur les fusées.

9.4.1968:   1er lancement (fusée sonde Véronique) (derniers lancements en 1979)

10.3.1970:   1er lancement Diamant B (dernier lancement Diamant le 27 septembre 1975)

5.11.1971:   1er lancement lanceur européen Europa II

24.12.1979: 1er lancement Ariane 1

4.8.1984:   1er lancement Ariane 3

15.6.1988:   1er lancement Ariane 4 (dernier lancement Ariane 4 le 15 février 2003)

4.6.1996:   1er lancement Ariane 5

10.12.1999: 1er lancement commercial Ariane 5

premier semestre 2011 (prévision): 1er lancement Soyouz à Kourou

courant 2011 (prévision): 1er lancement Vega

À la fin 2010, 199 fusées Ariane ont été lancées, toutes depuis le site de Kourou sur une période de 31 ans.

Nombre de lancements	Génération
11	Ariane 1
6	Ariane 2
11	Ariane 3
116	Ariane 4
55	Ariane 5

Faites les activités suivantes.

1. Dites quelle fusée porte le nom....
   - d'une pierre précieuse
   - d'un prénom de fille
   - d'un personnage de la mythologie grecque
   - d'une fille de roi enlevée par le dieu grec Zeus
2. Dites à quoi ces dates correspondent:
   - 1979
   - 1999
   - 2010
3. Faites une recherche sur Internet pour trouver les raisons scientifiques du choix de Kourou comme centre spatial.
4. Refaites le tableau de lancements en ordre, avec le plus grand nombre de lancements en premier et le plus petit nombre en dernier.
5. Faites une carte de la Guyane qui montre....
   - ses pays voisins
   - les masses d'eau
   - ses villes principales, y compris (*including*) sa capitale et Kourou
   - un tableau avec sa devise (*motto*), ses produits principaux, sa population, sa langue officielle, etc.

La fusée Ariane en est à son sixième modèle.

Conditional Tense

To tell what people *would* do or what *would* happen, use the conditional tense (**le conditionnel**).

Tu me **donnerais** ton smartphone?   *Would you give me your smartphone?*

To form the conditional tense of regular **–er** and **–ir** verbs, add the imperfect tense endings **-ais**, **-ais**, **-ait**, **-ions**, **-iez**, **-aient** to the infinitive form of the verb. For regular **–re** verbs, drop the final **e** from the infinitive before adding the imperfect endings.

choisir			
je	choisir**ais**	nous	choisir**ions**
tu	choisir**ais**	vous	choisir**iez**
il/elle/on	choisir**ait**	ils/elles	choisir**aient**

Spelling Tip

Conditional endings have only three possible pronunciations. Which pronunciation is used most often?

Pardon, **prendriez**-vous notre photo?   *Excuse me, would you take our photo?*
Oui, j'**aimerais** bien la prendre.   *Yes, I'd like to take it.*

Some verbs have an irregular stem in the conditional. However, all their endings are regular. Here are some of the verbs that have irregular stems in the conditional.

Infinitive	Irregular Stem	Conditional
aller	ir-	**Iriez**-vous en Haïti?
s'asseoir	assiér-	Je m'**assiérais** dans le fauteuil de papa.
avoir	aur-	Je n'**aurais** pas peur!
devoir	devr-	Manon **devrait** étudier.
envoyer	enverr-	Tu m'**enverrais** ton adresse?
être	ser-	Elles y **seraient**.
faire	fer-	Noah **ferait** du footing.
falloir	faudr-	Il **faudrait** y aller.
pouvoir	pourr-	Nous **pourrions** lui demander.
recevoir	recevr-	Awa **recevrait** de l'argent.
savoir	saur-	Vous **sauriez** la date?
venir	viendr-	Tu ne **viendrais** pas ici.
voir	verr-	Je **verrais** les monuments.
vouloir	voudr-	Thomas ne **voudrait** rien.

The conditional tense may also be used to make suggestions.

À ma place, qu'est-ce que vous **feriez**?   *If you were me, what would you do?*
J'**achèterais** une nouvelle appli.   *I would buy a new app.*

8   **À l'agence de voyage**

À tour de rôle, jouez les rôles d'un client et d'un agent dans une agence de voyages. Le client dit ce qu'il ferait bien (wouldn't mind doing), et l'agent suggère un endroit francophone.

MODÈLE   voir des sites de la Deuxième Guerre mondiale (*WWII*)
         A: **Je verrais les sites de la Deuxième Guerre mondiale.**
         B: **Alors, vous aimeriez probablement les plages de Normandie.**

1. faire du kayak
2. goûter la cuisine allemande
3. voir des tableaux impressionnistes
4. faire une promenade dans le quartier des cabarets de Toulouse-Lautrec
5. faire des sports d'hiver
6. acheter des souvenirs en cuir
7. faire de la plongée sous-marine
8. visiter des châteaux de la Renaissance

Nous ferions bien du scooter des mers.

Vous aimeriez sûrement la Guadeloupe.

COMPARAISONS

What tense would you use in French to express the verbs that appear below in boldface?

She **would eat** more if she weren't on a diet.
He **would** always **turn** his assignment in late.

COMPARAISONS: You would use the conditional in the first sentence: **Elle mangerait**... In the second sentence, you would use the imperfect because you are expressing an action that occurred regularly in the past. (The auxiliary "would" has several functions in English.)

Écrivez les numéros 1–7 sur votre papier. Choisissez une réponse à la question.

A. Je vous conseille ce smartphone qui a 900 applis.

B. Oui, je suis libre.

C. Mais je ne me suis pas peignée.

D. Désolé, je ne sais pas m'en servir.

E. Oui, tu mets ton lecteur flash ici.

F. Oui, avec mon smartphone.

G. Appuyez sur cette icône.

10 **Si c'était l'été....**

Dites ce que tout le monde ferait si c'était l'été. Utilisez un verbe de la liste dans chaque phrase.

> voir une comédie romantique   s'asseoir devant la télé   venir à la plage
>
> aller au parc d'attractions   faire une randonnée à pied   recevoir mes amis   être serveurs

MODÈLE  moi, je
Je recevrais mes amis.

1. Julien

2. Yasmine et Marie-Alix

3. Élodie et moi, nous

4. Alexis et René

5. tu

6. Noah et toi, vous

À ta place je prendrais le ballon!

11 À ta place

Beaucoup d'ados que vous connaissez vous demandent des conseils. Dites-leur ce que vous feriez à leur place en utilisant le conditionnel.

> **MODÈLE** Amadou te dit qu'il ne sait pas comment mettre son smartphone en mode photo.
> **À ta place, j'essaierais de passer mon doigt sur l'icône photo.**

1. Jérémy te dit qu'il ne sait pas quoi acheter pour l'anniversaire de sa copine.
2. Fabienne te dit qu'elle ne sait pas quoi regarder à la télé ce soir.
3. Khaled te dit qu'il ne sait pas quel artiste présenter dans son cours d'art.
4. Marianne et Alex te disent qu'elles ne savent pas comment aller à Versailles.
5. Émilie te dit qu'elle doit choisir un poème pour son cours de littérature, mais elle ne connaît pas les poètes français.
6. Martin et Chantal te disent qu'ils ont faim.
7. Momo te dit qu'il est malade.
8. Marguerite te dit qu'elle va voyager en Europe, mais elle ne sait pas comment trouver de bonnes auberges de jeunesse.

Communiquez!

12 Que ferais-tu?

Interpersonal Communication

Imaginez les situations suivantes. Que feriez-vous? Travaillez avec deux camarades.

> **MODÈLE** on vous donne 175€
> A: **Que ferais-tu?**
> B: **J'achèterais un smartphone avec une caméra. Et toi, que ferais-tu?**
> A: **Moi, je mettrais l'argent à la banque. Et toi, que ferais-tu?**
> C: **Moi, je voyagerais....**

1. vous perdez vos devoirs d'histoire
2. vous recevez une carte cadeau pour votre magasin préféré
3. vous observez un cambriolage (*burglary*)
4. vous recevez votre permis de conduire
5. vos parents vous achètent un smartphone
6. vous voyez une personne célèbre dans le métro
7. vous gagnez un billet d'avion pour le Maroc
8. une voyante vous dit que vous allez être un grand médecin
9. on vous donne un guide de spectacles et cinéma
10. vous rencontrez un garçon ou une fille français(e) et vous voulez devenir sa petite amie ou son petit ami

À vous la parole

Communiquez!

13 Mon smartphone

Presentational Communication

Print out a photo of a smartphone or draw one. Label all its parts. Explain to a partner how the smartphone works. Then, write a short paragraph about what you would do with a smartphone.

> **Question centrale**
> What influences and changes contemporary society?

Communiquez!

14 Mon appli favorite

Interpersonal/Presentational Communication

Choose an application on a smartphone. Tell a partner why you like this particular application and explain how to use it. Your partner will then explain to the class how to use the application and why or why not he or she will buy it now that he or she understands how it works.

Communiquez!

15 Je choisirais la voiture....

Interpretive/Interpersonal Communication

Make a list of five features you would like to have in a car, for example, a retractable roof, good gas mileage, room for sports gear, reasonable cost. Go online and choose a car that you like made by Renault-Nissan or Peugeot-Citroën. Then compare it to an American car in the same class, based on your list of features. Write a paragraph about which car you would buy and why. Share what you wrote with the class, explaining what you would do with your car and what features you would use a lot.

Prononciation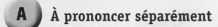

Repeated Consonants

- When two of the same consonants are next to each other in two separate words, each one must be pronounced.

A **À prononcer séparément**

Répétez les phrases suivantes. Faites attention à la prononciation du "l" dans les deux phrases.

1. Il écoute. – Il l'écoute.
2. Il attend. – Il l'attend.
3. Il espère. – Il l'espère.
4. Il oublie. – Il l'oublie.

B **Je sépare les deux consonnes.**

Lisez les phrases suivantes à voix haute. Ensuite, écoutez pour vérifier si vous les avez bien prononcées et puis répétez-les.

1. Elle l'accepte.
2. Elle l'ouvre.
3. Elle l'appelle.
4. Elle l'arrête.

When Nasal Sounds Change

- Sometimes when a word becomes feminine or plural, the original sound is no longer nasal.

C **Du masculin au féminin, du singulier au pluriel**

Répétez les phrases suivantes. Les phrases 1–2 montrent la différence entre les formes féminines et masculines, et les phrases 3–4 montrent la différence entre les formes singulières et plurielles.

1. Le musicien joue de la guitare. — La musicienne joue de la guitare.
2. Mon cousin m'a envoyé des photos. — Ma cousine m'a envoyé des photos.
3. Il vient bientôt. — Ils viennent bientôt.
4. Il comprend la technologie. — Ils comprennent la technologie.

D **Nasal ou pas?**

Écoutez les deux phrases et choisissez la phrase dans laquelle vous entendez un son nasal.

Vocabulaire actif

emcl.com
WB 13–18
LA 1
Games

Problèmes dans la société

Les problèmes (m.)

l'éducation (f.)

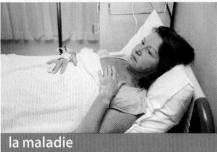

la maladie

la guerre

la violence

le terrorisme

la drogue

l'alcoolisme (m.)

le chômage

les sans-abri [inv.]

la faim

la pauvreté

le racisme

les problèmes économiques

les problèmes de l'environnement

Les solutions (f.)

moderniser

trouver un remède contre

user de diplomatie (f.)

combattre

intervenir

créer des emplois (m.)

ouvrir un centre d'accueil

faire un don (d'argent, de provisions, de nourriture)

enseigner la tolérance

économiser

arrêter la pollution

donner de son temps à une ONG

Pour la conversation

How do I hypothesize?

> **Si** au moins le gouvernement créait des emplois pour les jeunes, **il y aurait** moins de chômage.

> *If at least the government created jobs for young people, there would be less unemployment.*

How do I propose solutions?

> **Il est nécessaire** d'éliminer la pauvreté.

> *It's necessary to eliminate poverty.*

1 Pas possible!

Charlotte a fait un don de son temps pour aider une organisation sociale dans sa ville. Lisez le mail qu'elle envoie à son copain pour décrire son expérience. Ensuite, répondez aux questions.

1. Quelle est la réaction de Charlotte face aux problèmes de sa ville?
2. Qu'est-ce que Charlotte fait pour aider les églises?
3. Que font les gens qui sont au chômage?
4. Pourquoi est-ce que l'alcoolisme et la drogue sont des problèmes importants dans la ville?
5. Selon Charlotte, quelle est la cause de la violence entre les jeunes?
6. De quoi est-ce qu'elle a peur?

À: Philippe
Cc:
Sujet: Je fais de mon mieux, mais....

Salut, Philippe!

Je suis très triste. Je vois qu'il y a vraiment beaucoup de problèmes dans notre société. Il y a beaucoup de pauvreté. Les gens n'ont pas assez à manger. Je travaille avec des églises pour demander aux gens de faire des dons—d'argent, de nourriture, de provisions. Il y a un pourcentage important de gens qui ont faim chez nous. Le problème c'est que beaucoup de jeunes sont au chômage, et certains boivent trop ou se droguent. Leurs familles et leurs amis hésitent à faire une intervention. Il y a aussi beaucoup de violence entre groupes de jeunes.... Il n'y a pas beaucoup de tolérance dans la société. Des fois j'ai peur que les petites organisations comme celle que j'aide ne sont pas assez pour créer des solutions permanentes.

À bientôt,

Charlotte

2 Des solutions

Proposez une solution à chaque problème suivant.

MODÈLE   Il y a beaucoup de chômage.
Quand il y a beaucoup de chômage, il est nécessaire de créer des emplois.

1. Il y a des problèmes de l'environnement.
2. On trouve beaucoup de sans-abris dans les rues.
3. Il y a des maladies sans remède.
4. Une personne qu'on aime prend de la drogue.

5. Il y a du racisme dans les écoles.
6. Deux pays font la guerre.
7. Il y a de la pauvreté dans les villes.

3 Si au moins....

Complétez les phrases selon le modèle en choisissant un mot ou une expression de la liste.

| drogue | pauvreté | chômage | pauvreté | racisme | faim | guerres |

MODÈLE   Si au moins les familles faisaient des interventions....
**Si au moins les familles intervenaient,
il y aurait moins de drogue.**

Si au moins je découvrais un remède contre cette maladie.

1. Si au moins le gouvernement créait des emplois pour les jeunes, ...
2. Si au moins les gens faisaient des dons de nourriture, ...
3. Si au moins on enseignait la tolérance, ...
4. Si au moins on usait de diplomatie, ...
5. Si au moins on éliminait le chômage, ...
6. Si au moins on donnait de son temps aux ONG, ...

4 Si je pouvais changer le monde....

Écrivez les numéros 1–8 sur votre papier. Écoutez ces jeunes parler des problèmes de la vie contemporaine. Ensuite, choisissez une action qu'on pourrait faire pour mettre fin à chaque problème.

A. créer des emplois
B. donner des provisions
C. trouver un remède
D. user de diplomatie

E. intervenir
F. enseigner la tolérance
G. moderniser les écoles
H. arrêter la pollution

Rencontres culturelles

Des inquiétudes sur la vie contemporaine

Madiba, Nicolas, Rachid, et Manon parlent des problèmes de la vie contemporaine.

Manon: Pour vous, tout va toujours mal.

Nicolas: Tu ne vas pas dire que tout va bien. Si tout allait bien, ça se saurait.

Rachid: Regarde le chômage des jeunes: bonjour les perspectives! Si au moins le gouvernement créait des emplois pour les jeunes, il y aurait moins de chômage.

Madiba: Et s'il y avait moins de racisme, il y aurait moins de problèmes dans les banlieues.

Manon: Le racisme n'existerait pas si on enseignait la tolérance.

Nicolas: Je m'intéresse aux problèmes de l'environnement. S'il y avait moins de pollution, la planète se porterait mieux.

Madiba: Et au Cameroun, il y aurait moins de pauvreté, si on luttait efficacement contre l'alcoolisme et la drogue.

Nicolas: C'est pareil avec le terrorisme. Il est nécessaire d'éliminer la pauvreté. Comme ça, le terrorisme serait plus facile à combattre.

Manon: Je trouve qu'on parle beaucoup avec des si... l'important pour moi, c'est d'agir. Je fais partie d'ATD Quart Monde qui lutte contre la pauvreté dans le monde.

---

5 **Des inquiétudes sur la vie contemporaine**

Identifiez la personne qui...

1. ... travaille avec l'ATD Quart Monde pour lutter contre la pauvreté.
2. ... pense que Nicolas est pessimiste.
3. ... pense qu'il y a de la violence dans les banlieues parce qu'il y a du racisme.
4. ... est inquiet pour les jeunes qui n'ont pas de travail.
5. ... croit qu'il y aurait moins de terrorisme si on combattait la pauvreté.

Trois étudiants qui font leurs études à l'Institut d'études politiques discutent des solutions.

Étudiant 1: T'es d'accord avec le prof sur la difficulté à moderniser ces pays?

Étudiant 2: Absolument pas! Si on n'avait pas laissé tant de problèmes sans solution, si on n'avait pas immobilisé leur gouvernance, on n'en serait pas là.

Étudiant 3: Mais aussi, si on avait dit la vérité aux gens, ils ne se seraient pas laissé imposer des solutions aussi dures que le mal. La question de gouvernance est seulement un de plusieurs problèmes... il y a aussi la faim, la pauvreté, les maladies comme le SIDA et le paludisme....

Étudiant 1: Moi, je ne suis pas d'accord. Je trouve que les gouvernances ont toutes leur côté corrompu....

Étudiant 2: Et finalement, on parle diplomatie mais on ne prend que des demi-mesures.

Étudiant 1: Alors, c'est quoi le remède?

Étudiant 2: C'est refuser d'accepter les juste milieux.... Il faut faire ce qu'on peut.

Extension Les étudiants parlent des problèmes de quel continent? Justifiez votre réponse.

emcl.com
WB 19–20

Question centrale

What influences and changes contemporary society?

L'énergie nucléaire

La physique nucléaire est une spécialité française. Pierre et Marie Curie ont découvert* le radium, le polonium et puis, la radioactivité. Ces grands scientifiques ont reçu deux prix Nobel. Leur travail servait de base pour le développement de la radiochimie* pour combattre le cancer et de l'énergie nucléaire. Aujourd'hui, la France est le deuxième producteur mondial d'électricité d'origine nucléaire. Elle compte 60 unités des centrales nucléaires qui produisent 79% de l'électricité consommée.

 Search words: marie curie , prix nobel, la fondation nobel, le nucléaire pour ou contre

---

ont découvert *discovered*; **radiochimie** *radiochemistry*

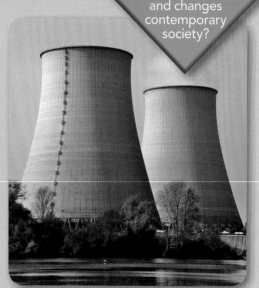

La France possède 10% des centrales nucléaires du monde; c'est le pays le plus nucléarisé du monde.

Objectifs et problèmes de l'éducation

L'éducation scolaire est très importante pour les Français. L'école doit donner une instruction commune à tous et offrir une éducation gratuite et laïque.* Elle doit permettre de trouver un travail, favoriser la réduction des inégalités sociales, et donner une culture générale. Mais ces objectifs ne sont pas toujours faciles à atteindre.* L'éducation française a créé un fossé* entre les diplômés universitaires d'une part, issus* d'une éducation très sélective et rigoureuse, et les "petits diplômés" qui ne peuvent pas réussir dans un système éducatif rigoureux. Toutefois, aujourd'hui les difficultés économiques changent cet élitisme et le chômage devient massif pour tous les jeunes.

 Search words: problèmes de l'éducation scolaire, échecs scolaires, statistiques sur l'éducation

---

laïque *secular*; **inégalités** *inequalities*; **atteindre** *to achieve, reach*; **un fossé** *gulf*; **issus de** *stemming from*

Produits

Une grande école est une université privée qui recrute les meilleurs élèves du lycée par concours (*entrance exam*). Souvent ces étudiants deviennent des hauts fonctionnaires (*high-ranking civil servants*) dans le gouvernement.

COMPARAISONS

Quelles sont les attentes (*expectations*) des Américains à l'égard de l'école?

Le chômage des jeunes

Il y a environ 25% des jeunes de 20–24 ans qui connaissent le chômage. Ce sont d'abord ceux qui ont fait des études courtes et par conséquent ont une qualification professionnelle limitée. Par conséquent, plus de 50% de ces jeunes font un métier spécialisé et ils auraient du mal* à changer de profession. Les jeunes qui ont fait des études longues à l'université ont plus d'opportunités, mais dans les sections littéraires et humanitaires, ils ont du mal à trouver du travail et les salaires sont souvent moins élevés que dans d'autres sections. Finalement, ce sont seulement les jeunes qui ont fait des études techniques ou scientifiques à l'université qui sont moins exposés au risque de chômage.

 Search words: chômage jeunes france

——————
du mal *difficulty*

COMPARAISONS

Quel pourcentage des jeunes américains de 20–24 ans que vous connaissez travaillent? Comment est-ce que le chômage dans ce groupe se compare à la France?

6 Activités culturelles

Faites les activités suivantes.

1. Faites des recherches sur Internet pour trouver le site Nobel et trouvez des informations sur Marie Curie.
2. Faites des recherches sur l'histoire de l'énergie nucléaire en France. Pourquoi est-ce que cette forme d'énergie domine le marché de l'électricité en France?
3. Quelles sont les attentes (*expectations*) des Français à l'égard de l'école?
4. Donnez des conseils à un jeune Français qui ne travaille pas.

Les étudiants français manifestent parce qu'il veulent que leur gouvernement les aide.

Perspectives

"Le nucléaire nous permet de lutter contre l'effet de serre, d'être indépendants des autres pays, et de ne pas payer cher l'électricité." Est-ce que ce Français choisirait de continuer avec le nombre de centrales nucléaires (*nuclear energy plants*) en France aujourd'hui, ou de les remplacer (*replace*)?

Du côté des médias

Regardez le tableau des résultats du baccalauréat pour le Lycée Henri IV à Paris.

RÉSULTATS DÉFINITIFS DU BACCALAURÉAT

PAR CLASSE

SÉRIES	Candidats présentés	Nombre total d'admis	% d'admis	Candidats selon les mentions obtenues										Élèves refusés	Total des mentions	
				TB		B		A/B		Passable							
				Nb	%	Nb	%	Nb	%	Nb 1er g	Nb 2è g	Tot	%		Nb	%
T L1	33	33	100,00	10	30,30	16	48,48	16	21,21	0		0	0,00		33	100,00
T L2	36	36	100,00	18	50,00	9	25,00	9	22,22	1		1	2,78		35	97,22
T ES	38	38	100,00	19	50,00	15	39,47	15	10,53			0	0,00		38	100,00
T S1	32	32	100,00	16	50,00	10	31,25	10	12,50	2		2	6,25		30	93,75
T S2	32	32	100,00	10	31,25	12	37,50	12	28,13	1		1	3,13		31	96,88
T S3	31	31	100,00	17	54,84	9	29,03	9	16,13			0	0,00		31	100,00
T S4	39	39	100,00	17	43,59	14	35,90	14	20,51			0	0,00		39	100,00
T S5	36	36	100,00	20	55,56	10	27,78	10	13,89	1		1	2,78		35	97,22
Totaux	277	277	100,00%	127	45,85%	95	34,30%	95	18,05%	5	0	5	1,81%	0	272	98,19%

7 Résultats du baccalauréat

Répondez aux questions.

1. Quel est le nombre d'élèves qui ont passé le bac?
2. Il y a combien de séries possibles?
3. Quelles sont les abréviations pour les mentions "très bien," "bien," et "assez bien"?
4. Quel pourcentage des élèves en Littérature 1 ont reçu des mentions?
5. Combien d'élèves n'ont pas réussi au bac?
6. En général, les élèves de cette école sont-ils des élèves faibles, moyens, ou sérieux?
7. Si vous habitiez à Paris, choisiriez-vous ce lycée pour vos enfants? Pourquoi, ou pourquoi pas?

Structure de la langue

Conditional Tense in Sentences with *si*

emcl.com
WB 21–24
LA 2
Games

Si j'étais président, je moderniserais les écoles!

To say what would happen "if" some condition were met, use **si** followed by the imperfect tense to express the condition and the conditional in the other part of the sentence to say what would happen.

> **si** + imperfect | conditional

Si mon copain **buvait** trop, j'interviendrais.	*If my friend drank too much, I would intervene.*

As in English, the clause with **si** and the imperfect tense can either begin or end the sentence.

On **userait** de diplomatie s'il y **avait** une guerre.	*We would use diplomacy if there was a war.*

COMPARAISONS

Which part of the following sentence is hypothetical?

Si j'avais le temps, j'apprendrais l'italien.

If I had the time, I'd learn Italian.

How many clauses are in the sentence above? A clause is a group of words that include a subject and verb.

COMPARAISONS: The hypothetical part of the sentence is "If I had time…." "The "if" implies that the speaker doesn't have the free time necessary to do the activity. There are two clauses in this sentence, the "if" clause and the "result" clause.

8 Des problèmes sociaux

Si vous étiez le président, que feriez-vous dans les situations suivantes? Faites des phrases logiques en choisissant une solution à chaque problème.

MODÈLE

S'il y avait...

1. du racisme
2. un problème avec l'éducation
3. du chômage
4. du terrorisme
5. de la drogue dans les villes
6. trop de sans-abri
7. des problèmes de l'environnement

je... + conditionnel

A. l'éliminer
B. ouvrir des centres d'accueil
C. arrêter la pollution
D. parler de la tolérance
E. moderniser les écoles
F. créer des emplois
G. le combattre

9 En Guadeloupe

Dites ce que chaque personne ferait si elle était en Guadeloupe.

MODÈLE

Mégane
Mégane ferait de la plongée sous-marine si elle était en Guadeloupe.

1. Kemajou

2. Naya et Maude

3. ma famille et moi, nous

4. moi, je

5. Océane et toi, vous

6. toi, tu

10 Et si...?

*Écrivez les numéros 1–8 sur votre papier. Écrivez **S** si on a trouvé une solution, ou **I** si c'est juste une idée.*

Communiquez!

11 Ce que je ferais

Interpersonal Communication

Dans les situations suivantes, que feriez-vous? À tour de rôle, posez des questions à votre partenaire.

MODÈLE voir le contrôle de français dans les mains d'un élève

A: **Si tu voyais le contrôle de français dans les mains d'un élève, qu'est-ce que tu ferais?**

B: **Je ne le regarderais pas.**

1. devoir ranger ta chambre avant de sortir avec tes amis
2. avoir un accident de voiture
3. perdre le smartphone de ton frère
4. se reveiller tard
5. faire du baby-sitting pour un enfant méchant
6. être en retard pour ton job
7. voir un sans-abri dans la rue

Qu'est-ce que tu ferais avec cette photo?

Je l'enverrais à mes amis.

À vous la parole

Communiquez!

12 Des solutions

Presentational Communication

Choose two important problems that the world faces today. Explain each problem and write a comprehensive solution for each one.

> **MODÈLE** **La pollution est un problème sérieux. Si on utilisait l'engrais biologique, il y aurait moins de pollution dans nos fleuves et océans....**

Communiquez!

13 Un problème expliqué à mon ami(e)

Presentational Communication

Read an excerpt from Tahar Ben Jalloun's book *Le racisme expliqué à ma fille*. Use it as a model to write a short dialogue in which you explain to a friend the reasons for a social problem in simple terms.

> 🔍 **Search words: le racisme expliqué à ma fille extrait**

Communiquez!

14 Il est nécessaire de (d')....

Presentational Communication

Working in groups, create posters telling people what needs to be done to solve each of the social problems discussed in this lesson. Each poster should include vocabulary from the unit, a graphic, and a slogan. Display the posters in your classroom or school.

> **MODÈLE** **Il est nécessaire d'ouvrir des centres d'accueil pour aider les sans-abri.**

> **?** Question centrale
>
> What influences and changes contemporary society?

Stratégie communicative

Writing a Proposal

For this lesson you will write a proposal (**une proposition**) for solving a problem in today's society. In your proposal, you will define the problem, develop a clear plan of action, and address the needs and expectations of your readers. Begin by identifying possible solutions to existing problems.

15 Des propositions

Match a solution on the left with a problem on the right.

1. Si on offrait des activités physiques et culturelles aux jeunes, les banlieues seraient plus calmes.
2. Si on payait pour faire des recherches pour éliminer cette maladie, plus d'Africains survivraient.
3. Si on avait des transports publics, il y aurait moins de pollution en ville.
4. Si le gouvernement créait des emplois pour les jeunes, ils pourraient contribuer à la société.
5. Si on enseignait la tolérance aux jeunes gens, le racisme n'existerait plus.

A. Il y a trop de jeunes gens qui sont au chômage.
B. Beaucoup d'Africains meurent (*die*) à cause du paludisme (*malaria*).
C. Il existe de la tension entre les groupes différents à l'école.
D. Il y a un problème de violence chez les jeunes dans les bandes (*gangs*) dans les rues.
E. Les voitures en ville créent de la pollution.

16 Ma proposition

Follow the steps below and write a proposal to identify and solve a problem in society today.

Step 1: Pick a problem in society today (it doesn't have to come from this unit's vocabulary) you want to write about, write down possible solutions to the problem, and decide who your audience is (classmates, teachers, legislators, etc.). **Step 2:** Write a clear explanation of the problem. Include facts, statistics, and perhaps a quote from an expert. **Step 3:** Outline a plan to solve the problem and give reasons why your plan will work. Consider objections people might raise to your plan and counter each one in your arguments. **Step 4:** Review your writing to make sure you used language and an approach that is appropriate for your particular audience.

> **MODÈLE**   **LECTEUR(S):** le directeur de l'école, les parents des élèves
>
> **PROBLÈME:** Il y a beaucoup d'enfants et d'ados aux États-Unis qui sont gros — entre 16% et 33%. C'est difficile pour eux de faire du sport, alors ils ne sont pas en forme. D'après le Docteur Koplan, "L'obésité rend les enfants vulnérables aux maladies cardiaques et à d'autres problèmes de santé." Dans notre école, je crois que 25% des élèves sont gros.
>
> **PROPOSITION:** Je propose que la cantine de l'école offre des plats végétariens pour donner une alternative à la pizza et aux hamburgers et frites que la cantine sert maintenant.
>
> **ARGUMENTS:** Pour les jeunes qui pensent que les plats végétariens ne sont pas bons, je propose un concours où le public prépare des plats végétariens et que les jeunes choisissent ce qu'on va mettre sur le menu.

Vocabulaire actif

emcl.com
WB 25–29
LA 1
Games

Les secteurs du marché et les professions

Tu voudrais travailler dans…?

le secteur agroalimentaire

le secteur du développement durable

le domaine des sciences et techniques

le secteur aéronautique

le secteur de l'informatique

le domaine de la santé

l'industrie du divertissement

le secteur financier

Les professions

un infirmier	une infirmière
un coiffeur	une coiffeuse
un vétérinaire	une vétérinaire
un pilote	une pilote
un homme politique	une femme politique
un chercheur	une chercheuse
un consultant	une consultante
un technicien de centrale solaire	une technicienne de centrale solaire
un designer automobile	une designer automobile
un concepteur de web	un concepteur de web

Pour la conversation

How do I express my future goals?

> **Je travaillerai dans** le développement durable.
> *I will work in the sustainable development industry.*

How do I give a reason?

> **C'est pour ça** que je travaille aujourd'hui à ATD Quart Monde.
> *That's why I'm working now for ATD Quart Monde.*

Et si je voulais dire...?

un acheteur, une acheteuse industriel	*purchasing manager*
un(e) attaché(e) de presse	*news correspondant*
un chirurgien, une chirurgienne	*surgeon*
un(e) ingénieur agronome	*agronomist*
un ouvrier, une ouvrière	*blue collar worker*
un pompier	*firefighter*
un concepteur de robots	*robot designer*
un concepteur-rédacteur	*advertisement writer*

1 Un test d'aptitude professionnelle

Romain vient de passer un test d'aptitude professionnelle. Maintenant Mlle Stein lui donne les résultats. Lisez leur conversation et répondez aux questions.

—Romain, vous avez dit que vous ne savez pas ce que vous voulez faire dans la vie.

—Le problème, c'est que je dois choisir une spécialisation pour m'inscrire à l'université. Je n'ai pas encore pris une décision.

—Romain, selon le test, vous êtes fort en maths et en sciences.

—C'est vrai. J'ai étudié l'algèbre, le calcul, la chimie, et la physique.

—Vous vivez dans une ferme, c'est bien ça?

—Oui, avec des chevaux, des vaches, des poules, des cochons....

—Et vous les aidez quand ils sont malades?

—Oui, j'aide le vétérinaire quand il vient chez nous.

—Selon le test, c'est évident que vous pouvez avoir un bon avenir dans le domaine de la santé... des animaux. Mais, est-ce que la profession de vétérinaire vous dit?

—J'aime les animaux, mais en fait, je préfère le domaine des sciences et techniques: peut-être designer d'automobiles ultra-performantes!

—Bravo, pour choisir sa profession, il faut connaître ses aptitudes, mais aussi ses intérêts!

1. Qu'est-ce que Romain ne savait pas avant de passer le test?
2. Qu'est-ce que Romain veut faire l'année prochaine?
3. Quel est son problème?
4. En quelles matières Romain est-il fort?
5. Où vit-il?
6. Qu'est-ce que Romain va devenir?
7. Dans quel domaine va-t-il se spécialiser?

2 Les professions

Complétez chaque phrase avec le nom d'une profession.

MODÈLE   ... trouve des remèdes contre les maladies.
Un chercheur/une chercheuse trouve des remèdes contre les maladies.

1. ... aide les personnes malades.
2. ... aide les animaux malades.
3. ... crée de nouvelles voitures.
4. ... coupe (*cuts*) les cheveux.
5. ... voyage beaucoup en avion.
6. ... travaille pour le gouvernement.
7. ... s'intéresse aux solutions durables pour l'énergie.

3 Les secteurs

Dites qui travaillent dans chacun des secteurs suivants. Choisissez deux professions de la liste.

acteur	concepteur de web	consultant	designer automobile hybride
chercheur	designer automobile électrique	infirmier	médecin musicien
ingénieur pilote serveur	steward	technicien de centrale solaire	
	graphiste vétérinaire fermier		

MODÈLE   l'industrie du divertissement
Les acteurs et les musiciens travaillent dans l'industrie du divertissement.

1. le secteur agroalimentaire
2. le secteur aéronautique
3. le domaine des sciences et techniques
4. le secteur de l'informatique
5. le secteur de développement durable
6. le domaine de la santé

4 Dans quel secteur travaillez-vous?

Écrivez les numéros 1–7 sur votre papier. Écoutez les personnes suivantes parler de leur travail.
Choisissez l'illustration qui correspond à chaque description que vous entendez.

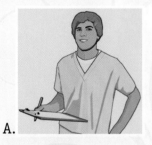

A.

B.

C.

D.

E.

F.

G.

5 C'est pour ça....

Choisissez la réponse logique à chaque question.

1. Tu vas me prendre en photo?
2. Tu vas me montrer ta nouvelle appli?
3. Tu connais quelqu'un qui boit trop?
4. Tu veux sauvegarder l'environnement?
5. Le domaine de la santé t'intéresse?

A. C'est pour ça que je viens à l'école en vélo.
B. C'est pour ça que je passe mon doigt sur l'icône.
C. C'est pour ça que j'étudie les sciences.
D. C'est pour ça que j'organise une intervention.
E. C'est pour ça que je règle la lumière.

6 Questions personnelles

Répondez aux questions.

1. Dans quel domaine d'études est-ce que tu te spécialises?
2. Tu comptes travailler dans quel secteur, domaine, ou industrie?
3. Qu'est-ce qui t'intéresse comme profession?
4. Quelles matières est-il nécessaire d'étudier pour faire la profession de ton choix?
5. Selon toi, quel secteur offrira le plus d'emplois?

Il est nécessaire de suivre des cours sciences pour devenir chercheur.

Rencontres culturelles

Dans l'avenir

Madiba, Manon, Rachid, et Nicolas discutent de l'avenir.

Madiba: C'est sûr, je travaillerai dans le développement durable. Je veux aider le pays de ma famille à s'en sortir.

Manon: Moi, je serai dans le secteur agroalimentaire à l'Union européenne. C'est pour ça que je travaille aujourd'hui à ATD Quart Monde.

Rachid: Et moi, vous me trouverez dans le secteur de l'informatique: concepteur de web 3 et 4!

Nicolas: Mon truc, c'est le domaine des sciences et des techniques. Je serai designer d'automobile hybride.

Rachid: Il va nous faire la Batmobile!

Madiba: Développement durable contre agroalimentaire: avec Manon on ne va pas être d'accord tous les jours!

Manon: Non, moi, j'ai confiance dans le progrès.

Nicolas: Allez tous dans ma Batmobile, je vous emmène faire un tour!

---

7 Dans l'avenir

Complétez chaque phrase.

1. Chaque ado va travailler dans un... différent.
2. Madiba anticipe un conflit avec son amie....
3. Manon a... dans le progrès et dans l'avenir.
4. Nicolas va devenir... d'automobile hybride.
5. Manon va travailler pour... en Belgique.
6. Rachid va travailler dans le secteur de l'informatique comme... de web.

Extension   Un sondage sur l'avenir

Un sondeur pose une question importante aux passants.

Sondeur: C'est un sondage pour l'émission "Le monde comme il sera." Qu'est-ce que vous conseillerez à vos enfants de faire dans la vie?

Passante 1: Je leur parlerai du secteur agroalimentaire. Il sera de plus en plus important de nourrir la planète.

Passant 2: Je l'orienterai sur l'industrie du divertissement. La mode et les jeux... rien n'a vraiment changé, et l'avenir reproduit le passé.

Passant 3: Je lui dirai de choisir le secteur de l'informatique. C'est là où le monde s'invente.

Passante 4: Je privilégierai le développement durable. Il y aura encore une prise de conscience, on voudra prendre soin de notre planète.

Passant 5: Je lui conseillerai les métiers traditionnels. On aura toujours besoin d'infirmiers, de vétérinaires, de coiffeurs, de médecins....

Extension   Quel conseil voudriez-vous suivre? Pourquoi?

What influences and changes contemporary society?

La Francophonie

✳ La Belgique

La Belgique est un royaume. C'est une monarchie parlementaire où le roi règne mais ne gouverne pas. Il y a 11 millions d'habitants en Belgique qui se divisent entre deux principales communautés: la Wallonie et la Flandre. Les Wallons sont Francophones et représentent 32% de la population. Les Flamands* représentent 58% de la population. La Wallonie et la Flandre sont deux communautés territoriales, linguistiques, économiques, et culturelles rivales. La Flandre est aujourd'hui la région la plus riche avec une économie active et croissante.*

Le centre-ville d'Anvers.

L'économie de la Wallonie est basée sur des activités traditionnelles: le charbon,* l'acier,* et les textiles. Alors, aujourd'hui elle passe par une période de crise et il y a plus de chômage. Il existe aussi une troisième communauté, germanophone, qui représente environ 75.000 personnes. Bruxelles est la capitale de la Belgique et les principales villes sont Anvers, Liège, Gand, Bruges, Mons, et Namur.

Mon dico belge

caillant:	très froid
dîner:	déjeuner
lavette:	un gant de toilette
pistolet:	sandwich
souper:	dîner
<u>nombres:</u>	
septante:	soixante-dix
huitante:	quatre-vingts
nonante:	quatre-vingt-dix

🔍 **Search words:** **fiche pays belgique, tourisme belgique, le répertoire des sites touristiques belges**

Flamands *Flemish*; **croissante** *growing*; **charbon** *coal*; **acier** *steel*

Belges célèbres	
Dessinateurs bandes dessinées	Hergé (*Tintin*), Morris (*Lucky Luke*), Peyo (les Schtroumpfs)
Écrivains	Georges Simenon (romans policiers), Henri Michaux (poèmes), Amélie Nothomb, et François Weyergans (romans)
Chanteurs	Jacques Brel
Artistes	Pieter Paul Rubens, James Ensor, René Magritte
Metteurs en scène	Chantal Ackerman, Jean-Pierre et Luc Dardenne

Tintin et Milou dans *On a marché sur la lune*, par Hergé.

Produits

Écoutez la chanson d'amour de Jacques Brel, pour une femme et pour un pays, qui s'appelle **"Marieke."** Elle est écrite en français et en flamand.

Search words: **jacques brel marieke paroles, jacques brel marieke écoute gratuite**

Bruxelles

Bruxelles (ou Brussel en flamand) est la capitale de la Belgique et aussi la capitale de l'Union européenne. C'est là où se trouvent de nombreuses institutions européennes: le Conseil de l'Union européenne, la Commission européenne, le Comité des régions, le Conseil des Communes d'Europe. La population compte 1,1 millions d'habitants et environ 25.000 personnes travaillent pour la Commission. Bruxelles est le siège* de l'OTAN* (Organisation du traité de l'Atlantique Nord). Elle est aussi considérée comme une ville de classe mondiale avec ses 120 institutions internationales, ses 1.400 organisations non gouvernementales, ses 160 ambassades* et ses 2.500 diplomates. Elle est connue comme une ville d'art grâce à* ses quartiers "Renaissance" (Grand-Place), ses immeubles "Art Nouveau," et ses galeries XIXème siècle.

 Search words: **monuments de bruxelles, visiter bruxelles**

---

siège *headquarters*; **OTAN** *NATO*; **ambassades** *embassies*; **grâce à** *thanks to*

Bruxelles est aussi la capitale de l'art nouveau.

COMPARAISONS

Dans quelles provinces parle-t-on français au Canada? Qu'est-ce que le gouvernement et les compagnies font pour communiquer dans les deux langues, anglais et français? C'est pareil en Belgique avec le français et le flamand? Allez aux sites webs du gouvernement belge pour trouver une réponse.

 Search words:

gouvernement fédéral la belgique, programmes cinéma bruxelles

Union européenne

En 1957, la France, l'Allemagne, la Belgique, le Luxembourg, les Pays-Bas, et l'Italie signent le Traité de Rome pour créer une communauté économique européenne. Cette communauté devient en 1986 un marché unique qui garantit la libre* circulation des personnes, des marchandises, et des capitaux. Petit à petit elle s'élargit* avec de nouveaux membres. Puis, en 1992, elle se transforme encore et devient l'Union européenne (UE). Aujourd'hui, l'UE est une institution politique, juridique, et économique. Elle compte plus de 25 pays membres dont la majorité utilise une monnaie unique, l'euro. Les capitales de l'Europe sont: Bruxelles (Conseil et Commission), Luxembourg (Cour de Justice européenne), Strasbourg (Parlement européen), et Schengen (gestion* de l'espace de libre circulation).

 Search words: site web officiel de l'union européenne, conseil de l'union européenne bruxelles

libre *free*; **s'élargit** *becomes larger*; **gestion** *management*

Devant le Conseil européen de Bruxelles on voit les drapeaux des pays membres.

8 Questions culturelles

Faites les activités suivantes.

1. Complétez le profil de Belgique:
   - population
   - capitale
   - monnaie
   - type de gouvernement
   - villes principales
   - groupes culturels
   - langues
2. Choisissez un(e) Belge célèbre et faites une petite biographie.
3. Faites un axe chronologique qui montre les événements (*events*) principaux dans la formation de l'Union européenne.
4. Faites une liste ou une carte des pays-membre de l'Union européenne et donnez la capitale de chaque pays en français.

À discuter

De quelles façons l'Union européenne ressemble-t-elle aux États-Unis? Pensez au gouvernement, au transport entre les frontières, à la monnaie, et à la libre circulation des personnes.

Du côté des médias

Lisez les descriptions du Conseil de l'Europe, du Conseil européen, et de l'Union européenne.

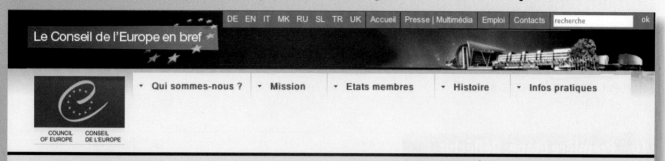

Conseil de l'Europe ←——————→ **Conseil européen**

Organisation internationale dont le siège est à Strasbourg et qui rassemble 47 états d'Europe. Sa mission est de promouvoir la démocratie et de protéger les droits de l'homme et l'État de droit en Europe.

Réunion régulière (au moins deux fois par an) des chefs d'État et de gouvernement des États membres de l'Union européenne pour orienter la politique communautaire.

Union européenne (UE)

L'UE regroupe 27 pays qui lui ont particulièrement délégué leur souveraineté pour lui permettre de prendre au niveau européen des décisions démocratiques sur des questions d'intérêt commun. À ce jour, aucun pays n'est entré dans l'Union sans être préalablement membre du Conseil de l'Europe.

9 Le Conseil de l'Europe: Ne pas confondre

Complétez chaque phrase avec "Conseil de l'Europe," "Conseil européen," ou "Union européenne."

1. Les membres du... se réunissent au moins deux fois par an.
2. ... se trouve à Strasbourg.
3. Les pays membres de... doivent aussi faire partie du Conseil europpéen.

Dites où vous cliquerez pour vous informer sur des:

4. brochures gratuites
5. dates importantes
6. documents pour profs
7. objectifs

La culture sur place

Les nouveaux mots

Introduction

Chaque année, dans sa nouvelle édition, Le *Petit Larousse*, un dictionnaire français, annonce les nouveaux mots entrés dans la langue française. Dans cette *Culture sur place*, vous allez consulter ces listes de "Mots nouveaux," et considérer les implications de ces changements. Qu'est-ce que ces mots reflètent de la culture française?

---

10 **Première Étape: Réfléchir**

Lisez ces listes de mots:

2010: adolescent, burn-out, caster, clubber, e-learning, financiarisation, mobinaute, peer to peer, pipolisation, présidentialisation, remédiation, slim, surbooké, think tank, véloroute

2009: agrocarburant, bien-pensance, biopiraterie, chatteur, déstresser, écovolontariat, flexisécurité, hyperactif, interconfessionnel, slameur

2008: blockbuster, blogueur, centre d'appel, chronophage, intermodalité, testing

2007: anti-âge, antiterrorisme, audioguide, bimbo, coacher, djihadiste, écogarde, épargne-temps, home-jacking, one-woman-show, primo-accédant

Faites un organigramme avec trois colonnes pour chaque catégorie ci-dessous. Ensuite, mettez les mots de chaque année dans la bonne catégorie.

- les mots dont je peux deviner le sens (*meaning*) facilement
- les mots qui sont très similaires à un mot en anglais
- les mots créés pour le public français
- les mots qui ont un rapport avec les avancées technologiques

---

11 **Deuxième Étape: Demander pourquoi**

Choisissez un mot des listes ci-dessus (above) et écrivez quelques hypothèses en français pour deviner son origine. Ensuite, recherchez le mot sur Internet. Trouvez des exemples du mot et écrivez 2–3 phrases originales en l'employant correctement. Notez aussi les origines de ce mot.

Future Tense

You have already learned how to say what you are going to do in the near future using a present tense form of **aller** and an infinitive.

Dans 20 ans, Hugo sera vétérinaire.

Fatima **va travailler** dans le secteur aéronautique.

Fatima is going to work in the aviation industry.

Another way to say what will happen in the future is to use the future tense.

Jean **travaillera** dans l'industrie du divertissement.

Jean will work in the entertainment industry.

The future tense has the same stem as the conditional: the infinitive for **-er** and **-ir** verbs and the infinitive minus **e** for **–re** verbs. The future endings are: **-ai**, **-as**, **-a**, **-ons**, **-ez**, and **-ont**.

finir			
je	**finirai**	nous	**finirons**
tu	**finiras**	vous	**finirez**
il/elle/on	**finira**	ils/elles	**finiront**

Spelling Tip

Note that the future endings are the same as the present tense of **avoir** except for the **nous** and **vous** forms.

La femme politique **trouvera** une remède contre le chômage.

The politican will find a solution to unemployment.

Ils **vendront** leur voiture.

They will sell their car.

The verbs that have an irregular stem in the conditional have the same irregular stem in the future.

Dans cinq ans, tu **seras** consultant.

In five years, you will be a consultant.

Je n'y **irai** jamais!

I will never go (there)!

COMPARAISONS

Read the French sentence below and its English translation. How do you explain the difference in how the future is formed in English?

Je te parlerai ce soir.
I'll talk to you tonight.

COMPARAISONS: The French sentence uses only one verb to express the future, **parlerai**. The English sentence uses two verbs, the auxiliary verb "will" and the main verb "talk."

12 Au futur

Complétez chaque phrase avec un verbe de la liste. Utilisez la forme correcte du futur.

commander   marcher   attendre   choisir   étudier   partir   visiter   suivre   rencontrer

1. Marc et toi, vous... un nouveau jean?
2. Après la pièce, Alima... les acteurs.
3. À l'université, je... un cours d'informatique.
4. Dans trois ans, Moustapha et Félix... l'informatique à l'université.
5. À quelle heure...-tu pour la campagne?
6. À New York, Amir et moi, nous... la statue de la Liberté.
7. Ambre... sur les Champs-Élysées.
8. Salim... des fruits de mer au restaurant.
9. Sandrine et Valérie... le nouveau film de Vincent Cassel.

Dans six ans, Antoine et Valérie se marieront.

13 Ce qu'on sera

Choisissez un mot ou expression de la liste pour dire ce qu'on sera dans l'avenir, basé sur ce qu'on fait maintenant.

concepteur de web   infirmier   étudiant   chercheur
coiffeur   pilote   vétérinaire   femme politique

MODÈLE   Brigitte aime trouver des solutions pour les problèmes politiques.
Elle sera femme politique.

1. Augustin aide les gens qui sont malades.
2. Rose et Romain étudient la chimie et la biologie.
3. Inès et toi, vous aimez essayer de nouvelles coiffures (*hairstyles*).
4. J'aime être en ligne.
5. Clara et moi, nous aimons apprendre à l'école.
6. Mehdi adore les avions.
7. Sabrina et Sophie aiment passer du temps avec les animaux.

14 Dans l'avenir

Vous travaillez pour les Nations-Unis. Déclarez les changements que vous ferez dans l'avenir.

MODÈLE Aujourd'hui les étudiants sont confrontés au racisme dans les écoles.
Dans l'avenir, les écoles auront plus de professeurs de couleurs.

1. Aujourd'hui beaucoup d'écoles n'ont pas assez d'ordinateurs pour leurs élèves.
2. Aujourd'hui on combat le terrorisme.
3. Aujourd'hui on vend de la drogue aux jeunes dans les rues.
4. Aujourd'hui trop de gens n'ont pas de travail.
5. Aujourd'hui beaucoup de jeunes boivent trop.
6. Aujourd'hui le pourcentage des sans-abri augmente (*increases*).
7. Aujourd'hui les fleuves et les océans sont pollués.
8. Aujourd'hui il y a des maladies sérieuses.

Dans l'avenir, les recherches médicales élimineront beaucoup de maladies.

15 Dans dix ans

Interpersonal Communication

À tour de rôle, posez des questions à votre partenaire à propos de sa vie dans dix ans.

MODÈLE où / habiter
A: **Où habiteras-tu dans dix ans?**
B: **J'habiterai à San Francisco. Et toi, où habiteras-tu dans dix ans?**
A: **J'habiterai à New York.**

1. dans quel secteur/travailler
2. que/faire comme passe-temps
3. quand/être marié(e)

4. combien d'enfants/avoir
5. quelle voiture/conduire
6. où/habiter: dans une maison ou dans un appartement

16 Le futur ou le conditionnel?

*Écrivez les numéros 1–8 sur votre papier. Écoutez les phrases et écrivez **F** si le verbe est au futur ou **C** s'il est au conditionnel.*

À vous la parole

Communiquez!

17 **Ma profession de rêve**

Interpersonal/Presentational Communication

Interview ten classmates to find out what profession they would like to have. Record their answers in a grid like the one below and report your findings to the class.

Qu'est-ce que tu seras?	1	2	3	4	5	6	7	8	9	10
chanteur		✔				✔				
concepteur web										
acteur										

MODÈLE **Deux élèves seront chanteurs....**

Communiquez!

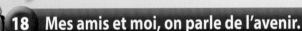

18 **Mes amis et moi, on parle de l'avenir.**

Interpersonal/Presentational Communication

Write a dialogue with a minimum of eight lines in which you and your classmates discuss your future professional plans, using vocabulary from this lesson and university vocabulary from **Unité 4**, **Leçon C**. Be sure to explain why you are making these choices. Practice and present your dialogue in class.

Communiquez!

19 **Georges Simenon**

Presentational Communication

Imagine you work for a U.S. publishing company planning to sell Georges Simenon's books in translation. Create a book jacket for one of the titles. Include a visual, the title in English, and the name of the author on the front cover. On the inside cover, write a descriptive blurb to make the reader want to read the book, but that does not give away the plot.

  Search words: georges simenon, livres par simenon, inspecteur maigret

Lecture thématique

Péplum

Rencontre avec l'auteur

Auteur belge, **Amélie Nothomb** est née au Japon en 1967. Elle devient célèbre en 1992 avec son premier roman, *Hygiène de l'assassin*. Depuis lors (*Since then*), elle publie avec succès un roman par an. Dans ses romans, on trouve des éléments autobiographiques. Elle aime soulever (*raise*) des questions complexes de la vie contemporaine. Dans cet extrait de *Péplum*, on lit une conversation entre une personne qui vient de se réveiller après 500 ans et un scientifique qui fait partie de l'élite du nouvel ordre. *Péplum* fait partie de quel genre de fiction?

Pré-lecture

Quand vous pensez à la Terre en 2580, qu'est-ce que vous imaginez? Pensez aux inventions, aux ressources, aux gouvernements.

Stratégie de lecture

Dystopia

A "dystopia" is a fictional future world in which people lead dehumanized lives, often in a totalitarian setting. As you read, complete a graphic organizer like the one below with words or phrases that indicate a dystopian society in this excerpt from *Péplum*. One example has been done for you.

Dans l'avenir?	Personnages déhumanisés?	Milieu totalitaire?
		Seule l'élite a droit à l'énergie.

Outils de lecture

Social commentary

Some science fiction authors make social commentary in their work. What does Nothomb say about life on Earth today? In her opinion, what would make things better?

Le dialogue, 1996. Daniel Cacouault. Collection privée.

—Bon. Racontez-moi tout, à partir du 8 mai 1995, vers 10 heures du matin.

—Il n'y a pas moyen de raconter une histoire aussi longue.

—Dans les grandes lignes!*

—Il n'y a qu'une ligne: l'énergie. Il n'y a qu'une seule histoire: l'énergie. Il n'y a qu'une seule politique: l'énergie.

—C'est l'hymne national ponantais que vous me chantez là?*

—Ce sont les considérations les plus importantes de l'univers.

—On est poétique, en 2580.

—Moquez-vous* de nous! C'est à cause de votre inconscience que nous en sommes là.

—Ne me faites pas porter le chapeau.* Je ne suis pas responsable des actes de mes contemporains.

—Voilà: vous l'avez dit. Vous venez de l'époque de l'irresponsabilité.

—Je vous préviens:* si vous m'adressez un réquisitoire,* je me bouche* les oreilles.

—Vous êtes encore plus représentative de votre siècle que je ne le croyais. À mon avis, vous ne passeriez pas les tests.

—Quels tests?

—Les tests d'accès à l'oligarchie énergétique. Seule l'élite a droit à l'énergie. Moi qui vous parle, je suis oligarque.

—Compliments.

—Vous ne me demandez pas en quoi consistent ces tests?

—Il est inutile de vous le demander. Quand un petit premier de classe a eu une bonne note, il finit toujours par réciter les questions, les réponses, et les félicitations.*

—Nous sommes évalués sur trois plans: notre intelligence (en ce, compris notre culture), notre caractère (en ce, compris notre honnêteté) et notre santé (en ce, compris notre beauté).

—Votre beauté?!

—Oui, les laids ne sont pas admis.*

—C'est d'une injustice flagrante!*

—Pas plus que le reste. Être jugé sur son intelligence est aussi injuste que d'être jugé sur sa beauté. L'une et l'autre sont à 65% des qualités innées.* Ce sont donc des critères égaux en iniquité.*

—Mais pourquoi faut-il être beau pour faire partie de l'élite?

—Ne jouez pas les scandalisées. Ce critère existe de toute éternité. Notre époque s'est contentée de rendre officiel ce qui ne l'était pas.

—Eh bien, figurez-vous* que c'est une sacrée* différence!

---

les grandes lignes *broad strokes (outline)*; **C'est l'hymne... là?** *That's a sad tune you're singing there!*; **Moquez-vous** *Make fun*; **Ne me... porter le chapeau.** *Don't pass me the buck.*; **préviens** *warn*; **réquisitoire** *accusation*; **bouche** *cover [lit. stop up]*; **félicitations** *congratulations*; **admis** *admitted*; **flagrante** *flagrant, terrible*; **innées** *innate*; **égaux en iniquité** *equally unjust*; **figurez-vous** *would you believe*; **sacrée** *a heck of a*

Pendant la lecture
1. Quelle est la grande ligne, d'après l'homme?

Pendant la lecture
2. On est en quelle année?

Pendant la lecture
3. Qu'est-ce que l'homme blâme pour les problèmes de l'énergie?

Pendant la lecture
4. Comment est-ce que l'homme nomme (*name*) les années 90?

Pendant la lecture
5. Qui a droit à l'énergie en 2580?

Pendant la lecture
6. Quelles sont les trois parties du test?

Pendant la lecture
7. Quel critère est rendu officiel?

Post-lecture

Comment l'auteur voit-elle le rôle du bon citoyen dans la société contemporaine?

Le monde visuel

Les artistes ont le choix de peindre avec de différents matériaux, par exemple, la peinture à l'huile, le pastel, l'aquarelle (*watercolors*), ou l'acrylique. Pour choisir le bon outil (*tool*), l'artiste doit considérer sa préférence, mais aussi le résultat recherché (*desired outcome*), car l'outil doit actualiser la vision de l'artiste. Daniel Cacouault a choisi l'acrylique pour son tableau moderne *Le Dialogue* (1996), dans lequel il a mis des couleurs vives. En faisant son choix, Cacouault a dû prendre en compte que la peinture acrylique perdrait ses couleurs en séchant (*drying*), contrairement à la peinture à base d'huile qui ne change pas en séchant. Bien que (*Although*) certains artistes l'évitent pour cette raison, l'acrylique permet de simuler la texture de la poussière de marbre (*marble dust*), de sable (*sand*), d'écorce (*bark*) et d'autres matériaux. Pouvez-vous voir de différentes textures dans ce tableau, ou est-ce que la texture est plate (*flat*)?

Activités d'expansion

Faites les activités suivantes.

1. Écrivez un paragraphe dans lequel vous décrivez la vision de l'auteur pour l'avenir. Servez-vous de votre organigramme.
2. Comparez une femme qui possédait l'idéal de la beauté dans le passé (par exemple, Elizabeth Taylor dans les années 50, Twiggy dans les années 60, ou Madonna dans les années 80) et comparez-la à une femme idéale de nos jours. Commencez avec une description de chacune. Puis, passez à une comparaison en vous servant des photos et des textes.
3. Créez une bande dessinée (avec 5-6 scènes) dans le style manga qui montre un aspect de la société de *Péplum*.
4. Comparez et contrastez le monde de *Péplum* avec une autre dystopie que vous connaissez de la littérature, de la télévision, ou du cinéma.

Salut Mathéo, qu'est-ce que tu fais?

Je voudrais réserver un billet d'avion pour faire une visite surprise à Florence.

Quelle bonne idée! Tu vas acheter le billet sur ton smartphone?

Oui, attends, j'ouvre l'appli, ça va me prendre une seconde….

Voilà, c'est fait!

Alors, tu vas aller au Cameroun?

Oui, Florence n'est pas au courant.

Ça va lui faire une belle surprise!

Au fait, merci pour ton mail, sur les carrières dans le développement durable.

De rien. Je t'ai envoyé des liens sur le secteur aéronautique, aussi. Et vous avez reçu les photos?

Quelles photos?

Celles que Flo m'a envoyées du Cameroun. Je les ai jointes à mon message.

Vraiment? J'ai rien reçu.

Moi non plus.

Ben, j'comprends pas. J'ai passé le doigt sur l'icône de la messagerie….

Oui….

…j'ai ouvert l'appli et j'ai cliqué sur "partager."

T'es sûr que t'as utilisé la bonne appli?

Attends, je vérifie….

Zut alors!

Qu'est-ce qui s'est passé?

C'est pas vrai. Je les ai mises sur mon réseau social. Oh non!

Ben, c'était quel genre de photos?

Y'avait des photos de transports routiers, de sites touristiques, Flo avec ses amis, et puis….

Et puis quoi?

Une photo de Florence… devant l'infirmier en train de lui montrer de gros boutons sur la joue….

Eh ben, bravo!

En effet, elle va avoir une belle surprise Florence!

Projets finaux

A — Connexions par Internet: Cours sur les carrières

Write down one or two careers you are considering in French. Find out what courses you need to take now, and what you need to specialize or major in after high school. Research some schools that would meet your needs and state which one you would like to attend. Share your career plans with the class.

> **MODÈLE** **Je voudrais devenir vétérinaire. Au lycée il sera nécessaire d'étudier les maths et les sciences. À l'université, je me spécialiserai dans la médecine vétérinaire. J'aimerais m'inscrire à l'Université du Minnesota.**

B — Communautés en ligne

Pour améliorer notre école

Make a list of things you like and don't like at your school. Then write six sentences suggesting improvements that would make your school better; for example, **Notre lycée serait meilleur s'il y avait un ordinateur pour chaque élève**. Share your suggestions with a Francophone e-pal or with a student from another French class. Also find out what changes that person would make to improve his or her school.

C — Passez à l'action!

On s'engage!

As a class, choose a social problem that you would like to work toward changing. Come up with a plan for actions you can take today, next week, and next month, to help solve this problem. Complete a graphic organizer like the one below to organize your ideas and explain how your plans will work. Keep a record, and next month report on how your initiatives worked.

	Actions	**Réflections**
Aujourd'hui		
La semaine prochaine		
Le mois prochain		

Fill in a chart like the one that follows to demonstrate your understanding of what influences and changes contemporary culture. An example has been done for you.

Question centrale

?

What influences and changes contemporary society?

Leçon A
Mon smartphone → Smart phones allow you to send photos, use a variety of apps, etc. Nearly everyone is connected now.

Leçon A
Rencontres culturelles: Babila envoie des photos au Cameroon. →

Leçon A
Points de départ: La France et les technologies innovantes dans les transports →

Leçon A
À vous la parole: Mon appli favorite →

Leçon B
Rencontres culturelles: Des inquiétudes avec la vie contemporaine →

Leçon B
Points de départ: L'énergie nucléaire →

Leçon B
Points de départ: Objectifs et problèmes de l'éducation →

Leçon B
Points de départ: Le chômage des jeunes →

LeçonB
À vous la parole: Les problèmes de l'environnement →

Leçon B
Stratégie communicative →

Leçon C
Les secteurs du marché et les professions →

Leçon C
Points de départ: L'Union européenne →

Évaluation

A   Évaluation de compréhension auditive

Listen to Maude and Amir talk about their plans for the future. Then, choose the logical response to each question.

1. Dans quel secteur Maude veut-elle travailler?
   - A. dans le secteur aéronautique
   - B. dans le secteur informatique
   - C. dans le secteur agroalimentaire
2. Quel métier nécessitera les plus longues études?
   - A. ingénieur
   - B. informaticien
   - C. concepteur web

3. Dans quel secteur Amir travaillera-t-il?
   - A. dans le secteur aéronautique
   - B. dans le secteur informatique
   - C. dans le secteur agroalimentaire
4. Qu'est-ce qu'on fait avec la photo?
   - A. Maude et Amir la mettent sur l'Internet.
   - B. Ils la joignent à un mail.
   - C. Ils la sauvegardent.

B   Évaluation orale

With a partner, role-play a scene in which a teen explains to a grandparent how to send a photo using a smartphone. In the scene:

1. Ask to borrow the smartphone.

2. Express concern and say that your grandparent doesn't know how to use it.

3. Say that your grandchild can teach you how. Explain that you want to send photos of the birthday party to your sister in Lyon.

4. Explain to your grandparent how to send a photo.

5. Thank your grandchild and say that you will start by taking a photo of him or her.

6. Explain how to adjust the distance and the light, type in the e-mail address, attach the photo, and send it.

7. Tell your grandchild how happy you are to have learned how to send photos with a smartphone.

In this activity, you will compare Francophone cultures with American culture. You may need to do some additional research on American culture.

1. **Les technologies**

   In what areas of technology has France been an innovator? What specific contributions has France made? What innovations has the United States made in computer technology?

2. **L'énergie nucléaire**

   How much of France's energy comes from nuclear power? How much of the United States's power comes from nuclear energy? Should we increase or decrease our dependence on nuclear energy? Why?

3. **Les objectifs éducatifs**

   What are the perceived goals of education in France and the United States? In what ways are these goals similar? What are the challenges facing both countries in education? What political policies are in place in the United States to make education better?

4. **Le chômage des jeunes**

   How many young people aged 20–24 are unemployed in France? What are the unemployment figures for this same group in the United States? What can the French and American governments do to reduce unemployment for young people?

5. **Deux langues pour une population**

   What are the two primary language groups in Belgium? Which North American countries have two language groups? How well do these two language groups coexist in both countries?

6. **Deux capitales du gouvernement**

   What is the name of the European organization of which France is a member? Why is it sometimes called the "United States of Europe?" How is Brussels important to this organization? In what American city can you find similar governmental institutions?

La Renault Mégane coupé est très populaire.

Write a paragraph about what your friends like to do today (present tense) and the jobs they will have in ten years (future tense).

MODÈLE **Ma meilleure amie, Sarah, aime les animaux.**
Dans dix ans elle sera vétérinaire.

E **Évaluation visuelle**

Describe each problem you see in the illustration below. Then say what is the solution for each problem.

MODÈLE **Si on modernisait l'école, les élèves apprendraient plus.**

F **Évaluation compréhensive**

Create a storyboard with four to six frames that describe what you would do (conditional) if you were president of the United States to resolve some of the social problems discussed in Unit 9. Use as much of the vocabulary from the unit as possible.

Vocabulaire de l'Unité 9

l' **adresse (f.)** address *A*
agir to act *B*
l' **alcoolisme (m.)** alcoholism *B*
l' **appareil (m.)** camera, device *A*
apprendre to teach *A*
appuies: tu appuies you push *A*
appuyer to push *A*
l' **avenir (m.)** future *C*
avoir: avoir confiance en to trust *C*
la **banlieue** suburb *B*
c'est: c'est pour ça que this/that is why *C*
ça: ça se saurait it would be known *B*
un **centre: centre d'accueil** reception center, shelter *B*
le **champ** field of vision *A*
un **chercheur, une chercheuse** researcher *C*
le **chômage** unemployment *B*
un **coiffeur, une coiffeuse** hair stylist *C*
combattre to fight *B*
comme: comme ça like this *A*; thus *B*
un **concepteur web** web designer *C*
un(e) **consultant(e)** consultant *C*
contemporain(e) contemporary *A*
le **côté** side *A*
demander: demander un service to ask for a favor *A*
un(e) **designer automobile** automotive designer *C*
la **distance** distance *A*
le **domaine: domaine de la santé** health sector *C*; **domaine des sciences et techniques** science and technology sector *C*
la **drogue** drugs *B*
économique economic *B*
économiser to save (up) *B*
l' **éducation (f.)** education *B*
efficacement efficiently *B*
un **emploi** job *B*
enseigner to teach *B*
exister to exist *B*
la **faim** hunger *B*
faire: faire partie (de) to belong (to) *B*; **faire un don (de)** to give *B*; **faire une intervention** to organize an intervention *B*
une **femme: femme politique** female politician *C*
la **galerie** gallery *A*
le **gouvernement** government *B*
la **guerre** war *B*
un **homme: homme politique** male politician *C*
l' **important [neutr.]** what's important *B*
industrie (f.): industrie du divertissement entertainment industry *C*
un **infirmier, une infirmière** nurse *C*
une **inquiétude** worry *B*

s' **intéresser (à)** to be interested (in) *B*
intervenir to intervene *B*
joindre to attach *A*
joins attach *A*
justement exactly *A*
la **largeur** width *A*
lutter to fight *B*
le **marché** market *[financial]* *C*
se **mettre: se mettre en mode photo** to go into photo mode *A*
moderniser to modernize *B*
nécessaire: il est nécessaire de it is necessary to *B*
la **nourriture** food *B*
passer to move over (something), to pass *A*
la **pauvreté** poverty *B*
un(e) **pilote** pilot *C*
se **porter: se porter mieux** to feel/do better *B*
prêter to lend *A*
un professionel, une professionelle** professional *C*
le **progrès** progress *C*
des **provisions (f.)** supplies *B*
les **réglages (m.)** adjustments *A*
régler to adjust *A*; **régler la largeur du champ** to adjust the zoom *A*
un **remède** remedy, solution *B*
un **sans-abri** homeless person *B*
le **secteur** industry *C*; **secteur aéronautique** aviation industry *C*; **secteur agroalimentaire** food industry *C*; **secteur de l'informatique** information technology industry *C*; **secteur du développement durable** sustainable development industry *C*; **secteur financier** financial sector *C*
un **smartphone** smartphone *A*
la **société** society *B*
une **solution** solution *B*
se **sortir: s'en sortir** to overcome *C*
sur about *B*
taper to type *A*
un(e) **technicien(ne) de centrale solaire** solar plant technician *C*
un **téléphone portable** cell phone *A*
le **terrorisme** terrorism *B*
la **tolérance** tolerance *B*
tout: toute une série de whole series of *A*
un **truc** thing *C*
l' **Union européenne (f.)** European Union *C*
user de diplomatie to use diplomacy *B*
un(e) **vétérinaire** veterinarian *C*
la **violence** violence *B*

Smartphones… see p. 484

Unité

10 En vacances

Rendez-vous à Nice!

Épisode 20:
Ça zique sur la plage.

Citation

"Voyager, c'est être une sorte d'enfant professionnel."

Traveling is like being a professional child.

—Jacques Meunier, écrivain et voyageur français

À savoir

Plus de 89% des Français passent leurs vacances d'été en France.

Question centrale

?

What opportunities does travel afford us?

Qu' est-ce qui se passe?

A. Jean-Charles et Thomas dansent.
B. Tout le monde parle des vacances.
C. Patrick se moque des touristes.

Comment s'appelle cette fusée française?

Contrat de l'élève

Leçon A   I will be able to:

» say I've been wanting to do something for a long time.

» talk about the French Riviera, Nice, and two of its art museums.

» use adverbs and verbs followed by infinitives.

Leçon B   I will be able to:

» say what I need and ask someone to return something.

» talk about the Alps, Grenoble, and camping in France.

» use the verb **dormir** and the comparative of adverbs.

Leçon C   I will be able to:

» ask someone what to bring.

» talk about French Guiana, what its cities Kourou and Cayenne are known for, and adventure tourism.

» use the superlative of adverbs.

Vocabulaire actif

emcl.com
WB 1–5
LA 1
Games

À la plage 🎧

Une vacancière fait du scooter des mers.

Une ado fait du parachutisme ascensionnel.

un parasol

Une touriste fait de la voile.

Un touriste fait du ski nautique.

un matelas pneumatique

un fourre-tout

un e-reader

MALRONCE

une serviette de plage

un best-seller

MICHELIN FRANCE

le guide Michelin

les lunettes de soleil

la crème solaire

PROSUN

une chaise longue

Un vacancier bronze.

Pour la conversation

How do I say I've been wanting to do something for a long time?

> **Ça fait longtemps que je voulais** venir ici.
> *I've wanted to come here for a long time.*

Et si je voulais dire...?

un camping-car	*RV*
une chaise pliante	*folding chair*
une épuisette	*fishing net*
un jeu de poche	*travel game*
une pelle	*shovel*
le sable	*sand*
un seau	*bucket*

1 Mes vacances à Nice

Lisez le blogue de Xavier au sujet de son voyage sur la côte d'Azur. Ensuite, répondez aux questions.

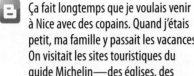

Ça fait longtemps que je voulais venir à Nice avec des copains. Quand j'étais petit, ma famille y passait les vacances. On visitait les sites touristiques du guide Michelin—des églises, des musées, et des marchés. On allait à la plage où je nageais et je plongeais. J'avais envie de faire du parachutisme ascensionnel, du scooter des mers, et du ski nautique, mais je ne pouvais pas. Maman en avait trop peur. Elle avait peur de tout… la mer, le soleil. Elle nous disait toujours, "Mets de la crème solaire. Porte tes lunettes de soleil." Cet été avec les copains a été différent. J'ai fait tout ce que je voulais faire. J'ai fait de la voile, du parachutisme ascensionnel, du ski nautique, et du scooter des mers. J'ai passé des vacances actives! Et, oui, Maman, bien sûr, j'ai aussi mis de la crème solaire et j'ai porté mes lunettes de soleil!

1. Avec qui est-ce que Xavier voulait venir à Nice depuis très longtemps?
2. Qu'est-ce que sa famille faisait pendant les vacances autrefois?
3. Qu'est-ce qu'il faisait à la plage quand il était petit?
4. Qu'est-ce qu'il ne pouvait pas faire?
5. Comment est-ce que ses vacances récentes étaient différentes?
6. Qu'est-ce que Xavier a fait cet été?
7. Qu'est-ce qu'il fait toujours pour faire plaisir à (*to please*) sa mère?

2 Allons à la plage!

Complétez les phrases suivantes avec une expression de la liste pour indiquer ce qu'on fait à la plage.

serviette de plage   chaise-longue   fourre-tout   lunettes de soleil
parasol   best-seller   crème solaire

1. On met toutes ses affaires dans un… quand on va à la plage.
2. On porte des… pour protéger les yeux à la plage.
3. On s'assied sur une… sous un….
4. On met de la… sur la figure, les bras, et les jambes avant de nager ou plonger.
5. Quand on sort de l'eau, on prend une….
6. On lit un… avec un e-reader.

3 **La côte d'Azur**

À tour de rôle, demandez à votre partenaire ce qu'il ou elle ferait s'il ou elle était sur la côte d'Azur.

> **MODÈLE**   consulter le guide Michelin ou une tablette pour trouver une belle plage
> A: **Si tu étais sur la côte d'Azur, est-ce que tu consulterais le guide Michelin ou une tablette pour trouver une belle plage?**
> B: **Je consulterais une tablette. Et toi?...**

1. se reposer sur une chaise-longue ou une serviette de plage
2. bronzer ou nager
3. apporter un best-seller ou un jeu vidéo
4. faire du parachutisme ascensionnel ou du ski nautique
5. faire de la voile ou du scooter des mers

> Moi je bronzerais sur une chaise-longue avec mon best-seller préféré!

> Et moi, je visiterais les musées d'art.

 4 **Les vacances sur la côte d'Azur**

Écoutez Pauline et Catherine planifier leur voyage sur la côte d'Azur. Écrivez le nom en anglais de chaque chose qu'elles vont apporter.

 5 **Questions personnelles**

Répondez aux questions.

1. Qu'est-ce que tu aimes faire à la plage?
2. Qu'est-ce que tu mets dans ton fourre-tout quand tu vas à la plage?
3. Est-ce que tu sais faire du ski nautique?
4. As-tu envie de faire du parachutisme ascensionnel?
5. Est-ce que tu apportes un e-reader ou un roman?
6. De quelles couleurs est ta serviette de plage?

> J'aimerais beaucoup faire du parachutisme ascensionnel!

Rencontres culturelles

Vacances sur la côte d'Azur

Manon et Nicolas se parlent au téléphone. Manon est toujours à Nice. Nicolas est de retour de vacances chez lui.

Nicolas: Ah, content d'être revenu de vacances!

Manon: Chut! Je suis encore ici, moi! Je viens de mettre de la crème solaire. Il fait beau et je vais sur la plage. Imagine-moi sur un jet ski....

Nicolas: C'est si beau que ça?

Manon: Imagine: je dis le mot "côte d'Azur" et je vois tout de suite des couleurs, une lumière, je respire des parfums....

Nicolas: Ce n'est pas du charme, c'est de l'envoûtement!

Manon: Ça fait longtemps que je voulais venir ici. Comme ma mère connaît bien la région, on voit beaucoup de choses!

Nicolas: Vous avez vraiment visité beaucoup d'endroits?

Manon: J'ai surtout adoré le musée Chagall à Nice: le cadre, et puis la collection sont splendides.

Nicolas: J'aime beaucoup, moi aussi, la fantaisie de Chagall.

Manon: On s'est aussi beaucoup promené dans l'arrière-pays et il y a des villages avec des maisons de rêve le long de jolies corniches.

Nicolas: Fais-moi une promesse: la prochaine fois, tu m'emmènes!

6 | Vacances sur la côte d'Azur

Identifiez la personne décrite.

1. ... n'est plus en vacances.
2. ... est à Nice.
3. ... connaît bien la côte d'Azur.
4. ... va bientôt bronzer.
5. ... aime la fantaisie de l'artiste Marc Chagall.
6. ... veut visiter la côte d'Azur.

Extension | Après les vacances

Clotilde et Elsa passent le temps sur la terrasse d'un café après les vacances.

Clotilde: Tu as une mine superbe!

Elsa: Dix jours de soleil et de douceur....

Clotilde: Eh bien, ça se voit... tu as l'air très détendu. J'admire comme tu peux t'arrêter et tout oublier... moi, j'en suis incapable!

Elsa: Mais moi, je n'ai pas ton énergie: je ne sais pas comment tu fais avec ton boulot d'été.

Clotilde: Et moi, j'aimerais parfois te ressembler: savoir prendre son temps, c'est un art. Toi, c'est l'art de vivre; moi c'est l'art de travailler!

Elsa: Et si on échangeait?! Pour voir....

Extension | En quoi Elsa et Clotilde sont-elles différentes l'une de l'autre?

La côte d'Azur

La côte d'Azur s'étend* de Cassis (près de Marseille) à l'ouest de la frontière italienne. Elle inclut les villes de Nice, Toulon, Cannes, Antibes, Saint-Tropez, Juan-les-Pins, Hyères, et Monaco. Quinze millions de touristes visitent la région chaque année, et plus de 50% des visiteurs sont des étrangers.*

Il y a beaucoup d'images associées à la côte d'Azur. Il y a d'abord les "palaces," de beaux

Bâtiments et ports typiques de la côte d'Azur.

bâtiments de luxe qu'on trouve à Antibes, Monaco, Cannes, et Nice. Parmi* les "palaces" les plus importants sont l'Eden Roc, l'Hôtel de Paris, le Carlton, et le Negresco. Ensuite, on pense aux stars et aux villes associées avec le cinéma et la musique. Les plus célèbres sont Saint-Tropez, associée à l'actrice Brigitte Bardot; Cannes et son festival de cinéma; Antibes, Juan-les-Pins, et Nice sont connues pour leurs festivals de jazz; et Nice pour son carnaval. Finalement, on pense aux artistes et écrivains qui y ont habité. Parmi eux se trouvent les peintres Matisse et Picasso, et les auteurs F. Scott Fitzgerald, Cocteau, Apollinaire, Colette, et Simenon.

 Search words: **office de tourisme (+ ville), le festival de cannes, festival de jazz**

_____

s'étend *extends;* **des étrangers** *foreigners;* **parmi** *among*

Le festival de Cannes est un événement très populaire.

COMPARAISONS

Où est-ce que les Américains aiment passer l'hiver ou les vacances dans un climat ensoleillé (*sunny*)?

Nice

Nice est peut-être la ville la plus représentative de la côte d'Azur. La douceur* de son climat et la beauté de sa géographie et de ses monuments, comme la Baie des Anges, le Promenade des Anglais, la colline de Cimiez, la Vieille Ville forteresse à l'italienne, ses palais et villas de toutes les époques en font depuis des années une importante destination touristique. Beaucoup de ces touristes y sont restés. On peut voir l'influence anglo-saxonne, russe, et italienne dans les bâtiments religieux de la ville. Il y a entre autres des églises baroques catholiques de style italien, une cathédrale orthodoxe style "vieille Russie," une église orthodoxe grecque aux fresques byzantines, une église anglicane style King's College à Cambridge, et une synagogue. Nice est aussi célèbre pour son carnaval au mois de février, surtout sa bataille* de fleurs... une parade de vingt chars fleuris.

Cette cathédrale russe orthodoxe est représentative de Nice.

Nice est aussi une grande ville moderne de 350.000 habitants qui forme une agglomération* de près d'un million d'habitants. C'est la deuxième ville de la région Provence-Alpes-Côte-d'Azur. L'économie dépend du tourisme mais, après Paris, Nice est le deuxième centre de productions cinématographiques de France. Les studios de la Victorine se trouvent à Nice et plusieurs films importants y ont été tournés* comme *Les Enfants du paradis*. La région niçoise est aussi là où se trouve le campus universitaire de Sophia-Antipolis dédié aux technologies numériques.*

 Search words: office du tourisme nice, églises nice

---

douceur *mildness*; **bataille** *battle*; **agglomération** *urban area*; **tourné** *filmed*; **dédié** *dedicated*; **numériques** *digital*

 **La Promenade des Anglais** à Nice est une large avenue au bord de la mer Méditerranée. Son nom vient des touristes anglais qui venaient y passer l'hiver au XIXème siècle. De nos jours, on peut y trouver des gens qui aiment faire du roller.

À Nice on peut se promener sur la Promenade des Anglais.

Les musées Chagall et Matisse

L'artiste Marc Chagall est connu pour ses tableaux fantaisistes inspirés par la tradition juive.* Le Musée national Message biblique Marc Chagall a été ouvert en 1973. On y trouve les dix-sept œuvres de Marc Chagall consacrées à la Genèse,* à l'Exode, et au Cantique des Cantiques,* et toutes les esquisses* préparatoires à ce travail sur la Bible.

Le museé Matisse à Cimiez.

Henri Matisse est connu pour ses couleurs vives. Il a créé le mouvement du fauvisme qui a révolutionné le traîtement de la couleur. Le musée Matisse a été ouvert en 1963 dans la villa des Arènes à Cimiez grâce aux donations de l'artiste. Il présente une soixantaine* de tableaux, des gravures,* des sculptures, des objets, et des dessins.

 Search words: musée marc chagall nice, musée matisse de nice, tableaux chagall, tableaux matisse

---

juive *Jewish*; **Genèse** *Genesis*; **Cantique des Cantiques** *Song of Solomon*; **esquisses** *sketches*; **soixantaine** *around sixty*; **gravures** *engravings*

---

7 Activités culturelles

Faites les activités suivantes.

1. Faites une carte de la côte d'Azur avec ses villes principales indiquées. Écrivez des légendes (*labels*) pour la masse (*body of water*) d'eau et les provinces ou pays qui entourent la région.
2. Écrivez un nom, un évènement, une personne, ou un lieu associé à chacune de ces villes de la côte d'Azur:
   • Saint-Tropez • Cannes • Nice • Monaco
3. Faites des recherches pour trouver le lien (*link*) entre la côte d'Azur et un de ces auteurs: F. Scott Fitzgerald, Jean Cocteau, Guillaume Apollinaire, Colette, Georges Simenon.
4. Sur un plan de Nice, retrouvez les lieux cités dans la présentation de la ville.
5. Trouvez le nom d'un film tourné à Nice et écrivez un profile: date, acteurs, metteur en scene, genre, intrigue (*plot*).
6. Présentez un tableau de Marc Chagall ou d'Henri Matisse à la classe. Décrivez-le et dites pourquoi vous l'aimez ou ne l'aimez pas.

Perspectives

"Quand j'étais petite, mes parents nous emmenaient une année à la mer, puis l'autre à la montagne. Il est rare qu'on soit allé à la campagne car il y a moins de choses à faire pour les enfants, à part le camping. Personnellement, j'ai toujours préféré la mer parce qu'il y a de tout: de beaux paysages, du soleil, des sports, des magasins, des restaurants au bord de l'eau, et même des fêtes le soir!" Traditionnellement, les Français vont à la mer, à la montagne, ou à la campagne pour les vacances. Qu'est-ce que cette jeune Française choisirait pour ses futures vacances?

Du côté des médias

Lisez l'axe chronologique sur la vie artistique d'Henri Matisse.

La vie de Matisse en quelques dates

1869
Henri Matisse naît le 31 décembre au Cateau-Cambrésis (Nord). Enfance à Bohain.

1887-89
Il entreprend des études de Droit à Paris et devient clerc d'avoué à Saint-Quentin. Parallèlement, il suit des cours de dessin de l'école Quentin-Latour.

1890
Au cours d'une convalescence, Matisse commence à peindre.

1895
Gustave Moreau l'accueille à son atelier de l'école des Beaux-Arts. Il y rencontre Rouault, Camoin et Manguin.

1898
Matisse épouse Amélie Pararye. Voyage de noces à Londres et séjour à Toulouse et Ajaccio.

1901
Il expose au salon des Indépendants présidé par Signac et rencontre Vlaminck.

1904
Première exposition particulière chez Ambroise Vollard.

1905
Il passe l'été à Collioure avec Derain. Au salon d'Automne, Matisse, Derain, Friesz, Manguin, Marquet, Puy, Rouault, Valtat, et Vlaminck sont exposés dans la même salle et baptisés du nom "Fauves".

1909
Un amateur moscovite, Chachoukine, lui commande deux décorations, *La Danse* et *La Musique*.

1910
Rétrospective à la Galerie Bernheim Jeune.

1912-13
Il voyage au Maroc avec Camoin.

1917
Arrivé à Nice. Il rend sa première visite à Renoir à Cagnes-sur-Mer.

1918
Il expose à la galerie Paul Guillaume avec Picasso.

1921
Il s'installe à Nice et vivra dès lors la moitié de l'année à Nice et l'autre à Paris.

1922
Série des *Odalisques*.

1930-31
Il part pour Tahiti et accepte à la fin de l'année la commande d'une grande décoration pour le docteur Barnes sur le thème de la danse. Il loue un atelier 8, rue Désiré-Niel à Nice dans le but de realiser *La Danse*.

1938
Il s'installe à Cimiez dans l'ancien Hôtel Régina transformé en appartements.

1943
En juin, il s'installe à Vence dans la Villa Le Rève pour fuir les menaces de bombardements sur Nice.

1948
Il commence à travailler à la décoration de la chapelle du Rosaire pour les Dominicaines de Vence et utilise les gouaches découpées.

1949
Matisse se réinstalle au Régina.

1950
Importantes expositions à Nice et à Paris.

1951
Le 25 juin, inauguration de la Chapelle de Vence. Exposition rétrospective au Museum of Modern Art, New York.

1952
Inauguration du musée Matisse du Cateau-Cambrésis.

1953
Matisse donne à la Ville de Nice, en vue de la création d'un musée, les œuvre *Nature morte aux grenades*, *La Danse créole*, *Océanie le ciel*, *Océanie et la mer*, et quatre dessins de la série *Thèmes et Variations*.

1954
Matisse meurt le 3 novembre à Nice. Il repose au cimetière de Cimiez.

8 La vie d'Henri Matisse

Faites les activités suivantes.

1. Indiquez quel moment de la vie de Matisse a un lien avec ces lieux:
   - Cateau-Cambrésis
   - Chapelle de Vence
   - Maroc
   - New York
   - Nice

2. Expliquez avec qui....
   - il parle à Cagnes-sur-Mer
   - il passe l'été à Collioure
   - il expose à la galerie Paul Guillaume

3. Donnez la date des œuvres suivantes de Matisse:
   - *La Danse* et *La Musique*
   - *Odalisques*
   - *Nature morte aux grenades*
   - *Océanie et la mer*

Structure de la langue

emcl.com
WB 8–12
LA 2
Games

Adverbs

La crème solaire est toujours dans mon fourre-tout, mais c'est peut-être trop tard pour ton père!

French adverbs usually come right after the verbs they describe.

J'aime **beaucoup** tes lunettes de soleil.   *I like your sunglasses a lot.*

In the **passé composé**, short, common adverbs, such as **bien**, **déjà**, **beaucoup**, **un peu**, **souvent**, **enfin**, **mal**, **même**, **peut-être**, **surtout**, **toujours**, and **trop** usually come before the past participle.

Noah a **déjà** fait du scooter des mers.   *Noah has already gone jet-skiing.*
Nous sommes **enfin** arrivés dans l'arrière-pays. *We finally arrived in the back country.*

Adverbial expressions of time come either at the beginning or the end of a sentence regardless of the verb's tense.

Aurélie a bronzé **hier matin**.   *Aurélie sunbathed yesterday morning.*
Ce matin Aurélie va bronzer encore.   *This morning Aurélie is going to sunbathe again.*

Many adverbs are formed by adding **-ment** to the feminine form of an adjective. For example, to form the adverb "perfectly" in French, change the adjective **parfait** to its feminine form **parfaite** and add **-ment**: **parfaitement**. The suffix **-ment** corresponds to *-ly* in English. Adverbs ending in **-ment** are placed at the beginning or end of a sentence when they modify the entire sentence. When they only modify the verb, they follow the same rules as short adverbs.

Heureusement, j'ai apporté le guide Michelin. *Fortunately, I brought the Michelin guide.*
Il a **évidemment** oublié la crème
solaire.   *He evidently forgot the sunscreen.*

COMPARAISONS

Where are adverbs placed in English sentences?

She **always** sunbathes.   Elle bronze **toujours**.
We have **finally** arrived!   Nous sommes **enfin** arrivés.

COMPARAISONS: Adverbs are often placed before the verb or past participle in English sentences.

9 Manon et Nicolas

Donnez des détails sur Nicolas et Manon, les personnages du dialogue au page 543. Utilisez l'adverbe indiqué.

MODÈLE Manon connaît Nicolas. (bien)
Manon connaît bien Nicolas.

1. Nicolas est à Paris. (déjà)
2. Manon est à Nice. (toujours)
3. Elle adore le musée Chagall. (surtout)
4. Elle va à la plage. (souvent)
5. Elle aime les activités de mer. (beaucoup)
6. Elle va faire du scooter des mers. (bientôt)

10 Ils font comment?

Utilisez le verbe entre parenthèses et un adverbe pour dire ce que tout le monde fait et comment.

> précisément   joliment   simplement   parfaitement   affectueusement   prudemment

MODÈLE L'ensemble de Gabrielle est simple. (s'habiller)
Gabrielle s'habille simplement.

1. Parce que Salim est <u>prudent</u>, il regarde à droite et à gauche. (conduire)
2. Ton grand-père est <u>précis</u> quand il répare les montres. (travailler)
3. Nicolas a un contrôle <u>parfait</u>. (réussir)
4. Ta grand-mère t'a écrit un <u>joli</u> message sur ta carte d'anniversaire. (écrire)
5. Rahina, une fille <u>affectueuse</u>, donne la bise. (dire bonjour à ses amis)

Marc mange rapidement.

11 Les dernières vacances

Interpersonal Communication

Avec un partenaire, posez des questions sur ce que vous avez fait pendant les dernières vacances. Utilisez un adverbe de la liste dans chaque question.

| déjà | souvent | le soir | bien | tous les jours | mal | le matin | (un) peu | beaucoup |

MODÈLE   faire du ski nautique
A: Tu as souvent fait du ski nautique?
B: Oui, j'ai souvent fait du ski nautique. Et toi?
ou
B: Non, je n'ai pas souvent fait de ski nautique, mais j'ai souvent bronzé.

1. faire de la voile
2. apporter un fourre-tout à la plage
3. lire un best-seller
4. nager
5. porter des lunettes de soleil
6. faire du parachutisme ascensionnel
7. se reposer

Regarde, j'ai fait du scooter des mers!

Oh super!

12 Les vacances de Julie et Rachid

*Écrivez les numéros 1–5 sur votre papier. Écoutez l'histoire de Julie et Rachid. Écrivez **V** si la phrase est vraie ou **F** si elle est fausse.*

1. Julie voudrait aller à Lyon.
2. Rachid a décidé de l'accompagner.
3. Ils ont profité de la mer.
4. Julie et Rachid ont toujours fait la même chose.
5. Julie est une bonne conductrice.

Verbs + Infinitives

emcl.com
WB 13–15
Games

Caro s'amuse à faire du ski nautique?

You have seen that an infinitive may directly follow some conjugated verbs such as: **aimer**, **aller**, **désirer**, **devoir**, **falloir**, **pouvoir**, **préférer**, **venir**, **vouloir**.

J'**aime aller** à la plage.	*I like to go to the beach.*
Ils **veulent faire** de la voile.	*They want to go sailing.*

Sometimes a preposition, **à** or **de**, precedes the infinitive that follows a conjugated verb. Here is a partial list of those verbs you have learned.

verb + *à* + infinitive	
aider	Tu aides ton frère **à** faire du jet ski?
s'amuser	Je m'amuse **à** faire du parachutisme ascensionnel.
apprendre	Vous apprenez **à** parler espagnol?
commencer	Nous commençons **à** lire un best-seller.
continuer	Abdoulaye continue **à** bronzer.
s'engager	Tu t'engages **à** protéger l'environnement?
hésiter	Marcel hésite **à** faire un tour de montagnes russes.
s'intéresser	Je m'intéresse **à** travailler dans le secteur agroalimentaire.
inviter	Ils m'invitent **à** venir à la plage.
se préparer	Nous nous préparons **à** voyager.
réussir	Est-ce qu'il a réussi **à** trouver ses lunettes de soleil?

verb + *de* + infinitive	
accepter	J'accepte **de** travailler ici.
arrêter	Luc a arrêté **de** venir en retard.
choisir	Où est-ce que tu as choisi **d'**aller?
conseiller	Je te conseille **d'**aider ta grand-mère.
décider	Vous avez décidé **de** lui offrir un cadeau d'anniversaire?
demander	Qu'est-ce qu'il demande **d'**acheter?
se dépêcher	Nous nous dépêchons **de** finir notre repas.
dire	Qu'est-ce que Mamy t'a dit **de** faire?
essayer	Vous essayez **de** faire de la voile?
finir	Vous avez fini **de** jouer avec le parasol?
offrir	Tu offres **d'**acheter le guide Michelin pour tes parents.
oublier	Comment tu peux oublier **de** faire la vaisselle?
promettre	Jean a promis **de** ranger sa chambre.
rêver	Je rêve **de** vivre près de la plage!

13 Que faire?

*Complétez les phrases suivantes pour dire ce que ces personnes font. Utilisez la préposition **à** ou **de**, si nécessaire, et un infinitif.*

1. Malika choisit....

2. Est-ce que vous aimez...?

3. Je ne finis pas....

4. Arabéa apprend....

5. Qui t'invite...?

6. Maman nous dit....

7. Normand et moi, nous aidons notre mère....

14 Des questions logiques

Interpersonal Communication

*Posez des questions à votre partenaire en utilisant un verbe de la liste. N'oubliez pas d'utiliser la préposition **à** ou **de** si nécessaire.*

commencer	apprendre	devoir	finir	venir	réussir	rêver	continuer	arrêter

MODÈLE faire du ski nautique
A: **As-tu appris à faire du ski nautique?**
B: **Oui, j'ai appris à faire du ski nautique quand j'avais dix ans.**

1. bronzer
2. faire de la voile
3. choisir un smartphone
4. conduire une Fiat
5. ranger ta chambre aujourd'hui
6. me chercher
7. faire les devoirs pour le cours de français
8. vivre près de la mer
9. tondre la pelouse
10. arriver à l'heure à l'école

À vous la parole

Communiquez!

What opportunities does travel afford us?

15 Ses dernières vacances

Interpersonal Communication

Ask if your partner has done the following things during his or her last vacation. Make sure they use **beaucoup/souvent**, **une fois**, or **ne... jamais**. In a table like the one below, check the appropriate boxes based on your partner's response and then change roles. Finally, write out the results of your conversation.

	beaucoup/souvent	une fois	ne... jamais
1. aller au cinéma	✔		
2. faire du shopping			
3. visiter un musée			
4. prendre de la choucroute garnie			
5. faire du ski nautique			
6. bronzer			
7. dîner dans un bon restaurant			
8. lire un best-seller			

MODÈLES aller au cinéma
Véro: **Es-tu allé au cinéma?**
Guy: **Je suis souvent allé au cinéma.**

Pendant les dernières vacances, Guy est souvent allé au cinéma....

Communiquez!

16 Sur la côte d'Azur

Presentational Communication

Create a comic strip of at least five frames that takes place on the French Riviera. Use the lesson vocabulary in your comic strip. Include narration and speech bubbles. Give a copy of your comic strip without narration to a classmate and ask him or her to fill in the speech bubbles, based on your drawings. Finally, compare your original with his or hers.

Prononciation 🎧

Pronouncing /R/ between Two Vowel Sounds

- When the letter "r" is followed by a vowel, it is pronounced /R/, even if the vowel is the beginning of the next word. When /R/ follows a consonant in high frequency words like **quatre**, the /R/ is pronounced when speaking formally, but may be omitted when speaking informally.

A Le son /R/

Répétez les phrases suivantes en faisant attention au son /R/.

1. Ça te conviendrait de faire un voyage à Paris?
2. Ça te conviendrait de faire un voyage à Montréal?
3. Il revient le quatre décembre?
4. Il revient le quatre octobre?

B Je parle informellement.

Répétez les mots suivants. Prononcez le son /R/ la première fois, puis ne prononcez pas le /R/ la deuxième fois pour parler de manière informelle.

1. quatre — quatre
2. peut-être — peut-être
3. un centre d'accueil — un centre d'accueil
4. mettre — mettre
5. un litre de lait — un litre de lait
6. Je vais faire autre chose. — Je vais faire autre chose.

C Il y a un /R/?

*Écrivez les numéros 1–6 sur votre papier. Écrivez **R** si vous entendez le son /R/, ou **O** si vous n'entendez pas le son /R/.*

The Imperfect versus the Conditional

- To train your ear to hear the distinction between these two tenses, listen for the /R/ in the middle of the verb that indicates the conditional.

J'aimais le pays.	**but**	J'aimerais le pays.
I liked the country.		*I would like the country.*
imperfect		**conditional**

D Imparfait ou conditionnel?

*Écrivez les numéros 1–6 sur votre papier. Écrivez **I** si vous entendez l'imparfait, ou **C** si vous entendez le conditionnel.*

Vocabulaire actif

On fait du camping.

une canne à pêche

une casserole

une tente

un sac de couchage

un réchaud   une poêle   une glacière   une lampe de poche

une caravane

Mme Mercier dort en plein air.

Les Mercier sont dans un terrain de camping.   **Mme Mercier aime faire du camping.**

Pour la conversation

How do I say I need something?

> **Il me faut** un sac de couchage pour Karim.

I need a sleeping bag for Karim.

How do I ask someone to return something as soon as possible?

> **Rends-le-moi dès que** tu rentres.

Return it to me as soon as you get back.

Et si je voulais dire...?

une chambre d'hôte	*bed and breakfast*
une couverture	*blanket*
un gîte rural	*cabin*
un lit de camp	*cot*
une villa	*country house*
loger à l'hôtel	*to stay in a hotel*
transporter	*to transport*

---

1 On va faire du camping.

Lisez l'histoire à haute voix (aloud), en remplaçant les images avec les mots ou expressions.

Je pars avec un groupe de jeunes faire du camping pour la première fois. Nous avons huit

 pour 24 garçons. Mais moi, je vais essayer de dormir dans mon

  . On apporte deux  pour faire

la cuisine. Chaque personne a une , même (*even*) les adultes. J'ai ma

 pour aller aux toilettes pendant la nuit, et mes  pour faire des

randonnées à pied pendant la journée. Je crois que j'ai tout ce qu'il me faut!

2 Au terrain de camping

Choisissez une expression de la liste pour compléter chaque phrase.

une canne à pêche	en plein air	une tente	un réchaud	au terrain de camping

faire du camping   un sac de couchage   une glacière   la poêle

1. Ma famille et moi, on va faire du camping, et on arrive... en Provence.
2. Pour pêcher, on se sert d'....
3. Pour garder le poisson frais, il me faut....
4. Pour cuisiner, nous mettons... avec le poisson sur....
5. Je dors dans..., mais pas sous....
6. Je préfère dormir....
7. J'adore...!

3 Il me faut....

Vous partez faire du camping pour la première fois. Dites à vos parents ce dont vous avez besoin.

MODÈLE   **Il me faut deux shorts.**

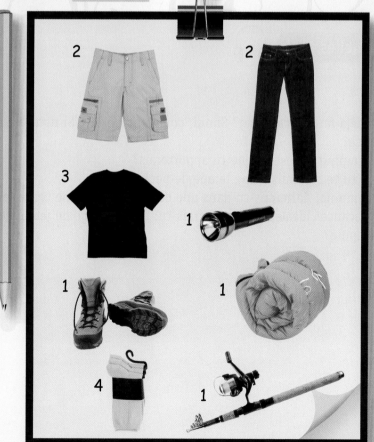

Écrivez les numéros 1–8 sur votre papier. Écoutez la conversation. Écrivez la lettre de l'objet dans l'ordre qu'il est mentionné.

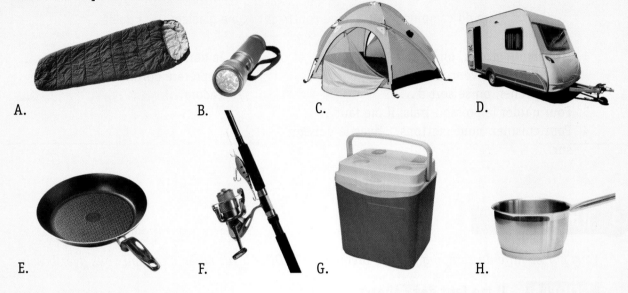

A.

B.

C.

D.

E.

F.

G.

H.

5 Questions personnelles

Répondez aux questions.

1. Est-ce que tu as déjà fait du camping? Si oui, comment c'était? Si non, est-ce que le camping t'intéresse?
2. Si tu faisais du camping, qu'est-ce que tu apporterais?
3. Quand est-ce que tu te servirais d'une lampe de poche?
4. Si tu faisais du camping, dormirais-tu dans une caravane, sous une tente, ou en plein air?
5. Pour passer des vacances idéales, que choisirais-tu: une auberge de jeunesse, un hôtel, ou un terrain de camping?

Rencontres culturelles

Rachid fait du camping.

Rachid rend visite à Nicolas pour emprunter quelque chose.

Nicolas: Vous partez quand?

Rachid: Demain matin... on dort à Grenoble et le lendemain on commence la randonnée dans le massif de la Chartreuse.

Nicolas: Tu as déjà préparé tes affaires?

Rachid: Un vrai déménagement: la lampe de poche, la tente, une casserole, une poêle, une glacière, un réchaud... mais il me faut un sac de couchage pour Karim.

Nicolas: Oui, le sac de couchage! Tiens, prends-le. Rends-le-moi dès que tu rentres.

Rachid: Volontiers....

Nicolas: Bon... bien, bon courage. "les conquérants de l'inutile!"

Rachid: Tu parles d'une aventure! Moi qui ne suis jamais monté plus haut que Sacré-Cœur!

Extension L'année prochaine

Au clubhouse, Kevin s'aperçoit que son copain est de retour de son aventure.

Kevin: Toi, tu as pris le coup de soleil du montagnard.

François: On a eu un temps de rêve. Kevin, tu dois faire ce tour du Mont-Blanc l'année prochaine....

Kevin: Non, non, je ne suis pas fou!

François: Mais tu vas tout adorer—l'ambiance du groupe, la solidarité et puis, les paysages, la montée vers les solitudes des sommets. Ce sont des sensations incroyables. Et tu en seras fier!

Kevin: Seulement si tu promets de me prendre en photo au sommet!

Extension Qu'est-ce qui convainc Kevin d'accepter la proposition de François? Qu'est-ce que cela montre de sa personnalité?

---

6 Rachid fait du camping.

Mettez les évènements en ordre chronologique.

1. Rachid emprunte un sac de couchage à Nicolas.
2. Rachid prépare ses affaires.
3. Rachid dort à Grenoble.
4. Rachid part faire du camping.
5. Rachid commence sa randonnée dans le massif de la Chartreuse.

emcl.com
WB 20–21

Question centrale
?
What opportunities does travel afford us?

Les Alpes

Les Alpes s'étendent* sur huit pays européens. C'est en France qu'on trouve le sommet le plus élevé, le Mont-Blanc (4.810 mètres). Les Alpes sont synonymes d'activités et de tourisme sportif. Il y a de grandes stations de ski à Chamonix, Megève, Les Deux Alpes, Val d'Isère, et Avoriaz. Les Alpes s'identifient aussi à l'environnement avec les grands parcs naturels comme le Parc national de la Vanoise. Enfin, les Alpes sont l'objet d'une politique communautaire européenne de développement durable qui touche l'agriculture de montagne, l'entretien* des paysages, la protection des sols,* de la faune et des forêts de montagne, et l'énergie.

Le Mont-Blanc fait frontière entre la France et l'Italie.

 Search words: chamonix mont blanc, domaine de mégève

s'étendent *extend*; entretien *maintenance*; sols *soils*

COMPARAISONS

Servez-vous d'un convertisseur en ligne pour trouver l'équivalent de 4.810 mètres en "feet."

Grenoble

Grenoble est la ville principale des Alpes et la ville symbole de l'entrée de la France dans la modernité après la Seconde Guerre mondiale.* Elle a été un laboratoire social, urbain, et un symbole de qualité de vie. C'est une ville qui continue à se moderniser.

Avec environ 500.000 habitants, Grenoble est un grand centre de recherches et d'innovations. C'est à Grenoble qu'on a inventé les capteurs* pour airbags, l'écran plat,* les tickets magnétiques, le silicium sur isolant,* équipement indispensable pour toutes les consoles de jeux. Aujourd'hui la recherche grenobloise est très présente dans les nanotechnologies. Plus de 10.000 ingénieurs anglo-saxons habitent Grenoble. Ils ont même leur quartier et leur journal.

La ville de Grenoble est un centre urbain moderne.

 Search words: grenoble tourisme, visiter grenoble

Seconde Guerre mondiale *World War II*; capteurs *sensors*; plat *flat*; silicium sur isolant *silicon-on-insulator*

Produits

Le téléphérique (*cable car*) de Grenoble offre un moyen de transport par cabines suspendues à des câbles. On peut aller du centre-ville à la colline de la Bastille en trois ou quatre minutes.

COMPARAISONS

Où est-ce qu'on peut faire du camping dans votre région? Qu'est-ce que vous pouvez y voir et faire?

Le camping en France

Le camping représente 8% des choix de séjour pendant les vacances. Il existe 12.000 terrains de campings en France qui offrent des conditions d'accueil* très variées. Les vacanciers peuvent choisir entre un camping à la mer, à la montagne ou à la campagne. Ils peuvent aussi choisir un camping farniente* ou un camping sportif, un camping aventurier avec un confort de base, ou un camping confort style club de vacances. De nombreux sites informent sur les qualités des équipements et les conditions d'accueil. Ils classent souvent les campings avec des étoiles.*

 Search words: camping france

---

conditions d'accueil *facilities;* **farniente** *do nothing;* **étoiles** *stars*

Les jeunes français aiment faire du camping.

7 Activités culturelles

Faites les activités suivantes.

1. Faites des recherches sur le Parc de la Vanoise en ligne. Écrivez une liste d'activités à y faire et une liste de faune et flore à voir.
2. Cherchez sur Internet des sites qui parlent de Chamonix, Megève, ou une autre station de ski dans les Alpes. Faites un budget pour un weekend de ski. Combien coûte un condo ou un hôtel? Combien coûte une journée de ski? Quel équipement est-ce qu'on peut louer sur le site? Y a-t-il des forfaits (*packages*)?

 Search words: skier chamonix, megève, les deux alpes, val d'isère, avoriaz

3. Vous allez passer trois jours à Grenoble. Faites votre itinéraire en donnant les endroits et les activités.
4. Faites des recherches et choisissez un camping en France qui répond à vos intérêts. Écrivez une description de l'endroit, des aménagements (*facilities*), et des activités.

À discuter

Quelles sont les valeurs des personnes qui font souvent du camping? Qu'est-ce qu'elles apprécient?

Du côté des médias

Lisez les informations sur un camping près de Grenoble.

Bienvenue au Kawan Resort
Le Bontemps

En harmonie avec la nature ...

Kawan Resort Le Bontemps est aménagé dans un parc de 6 hectares arborés de plus d'une centaine de végétaux rares, ainsi qu'un jardin Zen, fontaine et passerelles....

Étape d'une nuit ou long séjour
Le Bontemps est situé dans la Vallée du Rhône à VERNIOZ/ST ALBAN DE VAREZE, dans le département de l'Isère en région Rhône Alpes, à 20 km de l'A7 (Vienne) et 15 km de Roussillon, entre Lyon et Valence.

Idéal pour un séjour touristique, offrant de nombreuses possibilités de visites culturelles et activités sportives, le camping Le Bontemps, grâce à sa position géographique, est aussi très bien placé pour vous proposer un séjour d'une nuit sur la route de vos vacances.

Détente
En vous installant chez nous, vous pourrez profiter du calme, de la nature environnante, confortablement installé sur un grand emplacement délimité, ombragé, plat et herbeux, ou dans un de nos mobil-homes "ZEN" grand confort.

Activités
Vous aurez à votre disposition la piscine chauffée, les toboggans aquatiques et la pataugeoire pour les enfants, l'aire de jeux, le terrain de volley, de foot, de tennis, le minigolf, mais aussi une grande zone "nature" ou vous pourrez vous promener, jouer en toute tranquillité, ou pêcher dans l'étang....

La salle d'animation, excentrée du centre du camping, vous offrira l'opportunité de venir vous détendre avec notre équipe d'animation.

Services
Vous trouverez sur place, un restaurant, une épicerie de dépannage, une laverie....

Nouveau!
Visite Virtuelle
Cliquez ici pour voir les différentes visites du Camping Le Bontemps

8 | Camping au resort Le Bontemps

Faites les activités suivantes.

1. Décrivez le camping:
   - où il se trouve en France (région, département, près de quelle ville ou village)
   - types d'hébergement (*lodging*)
   - la piscine
   - services
2. Quels sports et loisirs est-ce qu'on offre?

Structure de la langue

emcl.com
WB 22–24
LA 2
Games

Present Tense of the Irregular Verb *dormir*

Est-ce que Noah dort bien?

Here are the forms of the irregular verb **dormir** (*to sleep*).

dormir			
je	**dors**	nous	**dormons**
tu	**dors**	vous	**dormez**
il/elle/on	**dort**	ils/elles	**dorment**

Vous **dormez** bien dans les sacs de couchage?
Non, je **dors** très mal!

Do you sleep well in sleeping bags?
No, I sleep very badly!

The past participle of **dormir** is **dormi**.

Khaled a **dormi** sous la tente.

Khaled slept in the tent.

---

9 **Les Duez font du camping!**

C'est la première semaine des vacances et vous faites du camping avec les Duez. Dites où tout le monde dort: dans la caravane, sous la tente, ou en plein air.

1. tu
2. Mme Duez
3. Olivier et moi
4. Ariane et Chloé
5. M. Duez
6. grand-père
7. Fabrice et toi
8. je

Olivier et moi, grand-père

Mme Duez, Ariane, Chloé

Fabrice et toi

M. Duez

Dites où tout le monde dort après avoir nagé dans la mer Méditerranée.

1. Christine et toi/à la plage
2. Emmanuel/dans la voiture
3. Assane et moi/dans la caravane
4. Sabrina et toi/à la table
5. les chiens/sur les glacières
6. je/dans un lit
7. tu/sous un parasol

11 Où est-ce qu'on a dormi?

*Écrivez **E** si on a dormi à l'extérieur et **I** si on a dormi à l'intérieur.*

Comparative of Adverbs

emcl.com
WB 25–26
Games

Comparisons with adverbs are formed in the same way as comparisons with adjectives.

plus	+	adverb	+	**que**
moins	+	adverb	+	**que**
aussi	+	adverb	+	**que**

Est-ce que Clément pêche mieux que son grand-père?

Djamel nage **plus** souvent **que** moi.
Ils font du camping **moins** souvent **que** nous.
Elle conduit **aussi** mal **que** Raoul.

Djamel swims more often than me.
They camp less often than us.
She drives as badly as Raoul.

Some adverbs have an irregular comparative form.

Adverb	Comparative
bien (*well*)	**mieux** (*better*)
mal (*badly*)	**pire, plus mal** (*worse*)
beaucoup (*a lot, much*)	**plus** (*more*)
peu (*little*)	**moins** (*less*)

Gérard connaît le terrain de camping **mieux** que Malick.
Je dors **moins** que toi!

Gérard knows the campground better than Malick.
I sleep less than you!

12 Awa et Justine

Awa doit faire une présentation dans laquelle elle se compare à sa copine Justine. Utilisez les notes qu'Awa a écrites pour compléter chaque phrase avec la forme appropriée de l'adverbe entre parenthèses au comparatif.

	moi	Justine
jouer au foot	très bien	mal
nager	jamais	quatre fois par semaine
aller au cinéma	une fois par semaine	une fois par mois
jouer du piano	très bien	assez bien
conduire	vite	prudemment
faire du ski nautique	une fois par semaine	une fois par semaine

1. Awa joue au foot... que Justine. (bien)
2. Justine nage... Awa. (beaucoup)
3. Awa va au cinéma... que Justine. (souvent)
4. Awa joue du piano... que Justine. (mal)
5. Justine conduit... qu'Awa. (prudemment)
6. Justine fait du ski nautique... qu'Awa. (souvent)

13 À Roland-Garros

L'Open de France tennis a lieu au stade Roland-Garros à Paris. Dites comment les joueurs de tennis ont joué.

Le stade de Roland Garros.

	1	2	3	4
Rafael Nadal	7	7	5	6
Roger Federer	5	6	7	1

MODÈLE (match 3) *Roger Federer — Rafael Nadal*
Roger Federer a mieux joué que Rafael Nadal.

(match 1) *Roger Federer — Rafael Nadal*
Roger Federer a moins bien joué que Rafael Nadal.

1. (match 2) Roger Federer — Rafael Nadal
2. (match 4) Rafael Nadal — Roger Federer

	1	2
Ne Li	7	6
Victoria Azarenka	6	2

3. (match 1) Victoria Azarenka — Ne Li
4. (match 2) Ne Li — Victoria Azarenka
5. (match 1) Ne Li — Victoria Azarenka

À vous la parole

Question centrale

?

What opportunities does travel afford us?

14 Les prochaines vacances

Interpersonal Communication

Dans une grille, indiquez la fréquence avec laquelle vous ferez les activités suivantes pendant les prochaines vacances. Ensuite, utilisez **plus que**, **aussi que**, *ou* **moins souvent que** *pour comparer votre grille avec celle d'un partenaire dans une conversation.*

	tous les jours	une fois par semaine	ne... jamais
1. bronzer	✔		
2. faire du camping			
3. aller au cinéma			
4. faire du ski nautique			
5. visiter un musée			
6. sortir avec des amis			
7. aller à une teuf			
8. pêcher			

MODÈLE A: **Est-ce que tu bronzeras?**
B: **Oui, je bronzerai tous les jours. Et toi?**
A: **Pas moi. Je bronzerai moins/plus/aussi souvent que toi.**

Communiquez!

15 On va faire du camping.

Interpretive/ Interpersonal/Presentational Communication

You and your partner just won a two-week camping vacation in France and a 500-euro gift certificate to buy equipment. With a partner, find a French sporting goods store online and shop for camping gear. In a conversation, discuss with your partner the activities you plan to do, which items you need to buy, and what they will cost. Then come to an agreement on what you will purchase. Be sure to stay within your budget! Present what you "bought" to the class.

  Search words: matériel camping en france, **au vieux campeur**

Stratégie communicative

Travel Writing

One objective of travel writing is to convince prospective travelers to visit a particular location. The piece may narrate a personal experience, have characters and a plot like a novel, or use powerful description, like the example below.

Une ville provençale en été

Pourquoi visiter Aix-en-Provence? Ici, le temps s'arrête et les couleurs sont vibrantes. Le bleu lavande, le vert olive, et le jaune soleil sont devenus mes couleurs préférées le temps d'un été. En juillet il y fait très chaud, jusqu'à 40 degrés Celsius, mais les maisons ont des murs en pierres* très épais* qui conservent la fraicheur si bien qu'il fait frais à l'intérieur. Les rues sont étroites* et au balcon on y voit des vêtements sur un fil* et de belles fleurs roses, rouges, et blanches.
C'est une scène si simple et pourtant* si belle que je comprends pourquoi nous la retrouvons dans tant de tableaux, photos, et cartes postales. Les paysages de Provence ont inspiré de nombreux artistes comme Cézanne et Gauguin et moi, qui suis si sensible* à la lumière,* aux couleurs, aux arts. Je suis tombée complètement amoureuse d'Aix-en-Provence, de ses marchés aux fruits et légumes si colorés, de son rythme de vie doux et de ses nombreux cafés sur le cours Mirabeau où il est bon de prendre sur l'une de ses nombreuses terrasses un petit café crème accompagné d'un croissant frais au beurre un beau matin d'été.

pierres *stones*; **épais** *thick*; **étroites** *narrow*; **fil** *line*; **pourtant** *yet*; **sensible** *sensitive*; **lumière** *light*

---

16 **J'ai compris.**

Discuss the following questions about the travel writing sample above with a group of classmates.

1. What did the title make you think the article would be about?
2. What is the article's focus?
3. How does the author make the place come alive?
4. How does the author feel about being in this location?
5. What would be a good photo or painting to accompany this article?

---

17 **Mon récit de voyage**

Watch videos online about a francophone location that interests you. Then, choose one aspect of the place to research further. You might choose shopping, a historical site, a museum, restaurant, or a leisure activity. Write a paragraph as if you have experienced it yourself. Decide if you want to write your paragraph like a memoir, a story, or a description. Try to show your enthusiasm for the place and your topic so that the place comes alive. Then exchange paragraphs with a partner and answer the questions above about your partner's piece. Did you succeed in conveying your message? Was your partner able to answer all the questions? If not, edit your paragraph before you turn it in.

Vocabulaire actif

emcl.com
WB 27–30
LA 1
Games

Le monde et le tourisme d'aventure

Les continents (m.) et les masses d'eau (f.):

Le tourisme d'aventure: faire une visite guidée avec un guide amérindien

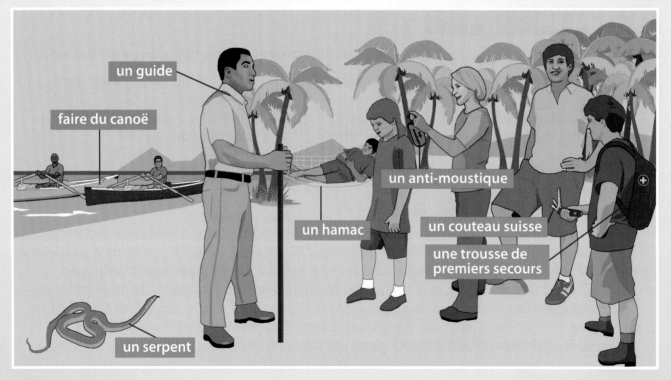

Pour la conversation

How do I ask what to bring?

> **Qu'est-ce que nous devrions apporter?**
> *What should we bring?*

1 Rosalie fait du tourisme aventure.

Lisez l'e-mail que Rosalie a écrit à sa sœur. Ensuite, répondez aux questions.

1. Dans quel continent est-ce que Rosalie fait du tourisme d'aventure?
2. Comment est-ce qu'elle va d'un endroit (*place*) à un autre?
3. Qu'est-ce qu'elle a appris des Amérindiens guyanais?
4. Pourquoi Rosalie n'a-t-elle pas eu très peur quand elle a vu un gros serpent?
5. Où est-ce qu'elle dort?

À: Myriam
Cc:
Sujet: Mon voyage

Myriam,

C'est vraiment une aventure ici en Amérique du Sud! Heureusement, j'ai demandé ce que je devais apporter avant de partir, parce que le couteau suisse est indispensable. Je l'utilise tous les jours. On marche beaucoup et c'est fatigant! Hier j'ai fait du canoë pour la première fois, et notre guide amérindien guyanais nous a montré la flore et la faune de la région. Un autre guide a expliqué l'histoire et la culture de leur région. J'ai vu un gros serpent—et j'ai eu un peu peur, bien sûr. Je savais qu'on avait une trousse de premiers secours, alors je suis restée calme. On a besoin de mettre un anti-moustique ici parce qu'il y a beaucoup de moustiques et ils sont très gros. La nuit on dort dans des hamacs—tu imagines? Je te recommande vivement le tourisme d'aventure. C'est très amusant et chaque nuit je dors comme un bébé.

Je t'embrasse,
Rosalie

2 Les continents

Complétez les descriptions avec les noms des continents et pays de la liste.

l'Europe l'Australie le Canada l'Amérique du Nord l'Afrique
l'Amérique du Sud l'Angleterre la France

1. La mer Méditerranée se trouve entre... et....
2. La mer du Nord est au nord de....
3. La Guyane française est située dans....
4. La mer des Caraïbes est entre... et....
5. La Manche sépare deux pays: la... et l'....
6. Le Mexique se trouve dans....
7. L'état d'Alaska n'est pas loin (de)....
8. ... est aussi un pays.

Caroline va visiter des ports francophones en faisant le tour du monde en voilier (sailboat).
Remplacez chaque numéro sur la carte avec le nom d'une masse d'eau pour compléter l'histoire.

Caroline commence son voyage en Guadeloupe dans __1__. Ensuite, elle va à la côte d'Azur au bord de __2__ où elle reste quatre jours. Puis, elle suit la côte de l'Afrique dans __3__ et passe une semaine au Cameroun avant de continuer son tour du monde. Elle repart et arrive dans __4__ où elle visite Madagascar. Enfin, elle finit son voyage à Tahiti dans __5__.

4 Aventure en Guyane

Répondez à chaque question pour décrire l'illustration.

1. Qui fait du tourisme d'aventure?
2. Que fait le père?
3. Que font les fils?
4. Est-ce que le guide amérindien a peur du serpent?
5. Que fait la mère?
6. De quoi est-ce que Sylvie se sert?

M. Gaumont

Théo

Hervé

Mme Gaumont

Sylvie

5 D'où viennent-ils?

Écrivez les numéros 1–8 sur votre papier. Écoutez les personnes suivantes. Écrivez la lettre qui correspond au continent d'où chaque personne vient.

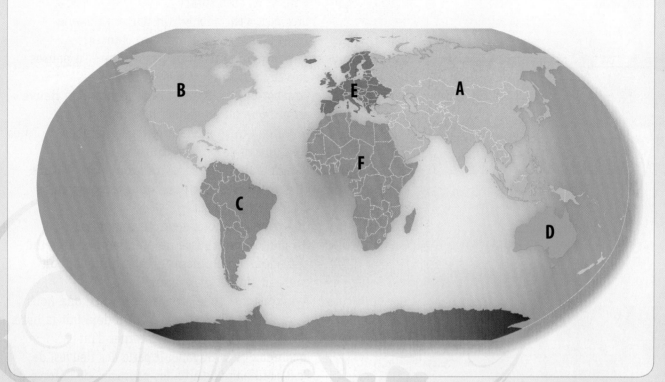

6 Questions personnelles

Répondez aux questions.

1. Quels continents as-tu visités?
2. As-tu déjà vu l'océan Pacifique? L'océan Atlantique?
3. As-tu déjà voyagé en bateau sur un océan ou une mer?
4. Aimerais-tu voyager en Australie? En Asie? En Afrique?
5. Connais-tu les capitales des pays de l'Europe?
6. Où irais-tu pour faire du tourisme d'aventure? Pourquoi?
7. As-tu peur des serpents?

Rencontres culturelles

Une aventure en Guyane française

Nicolas et ses parents projettent une aventure en Guyane.

Nicolas: Bon, vous êtes sûrs?

Père de Nicolas: Oui, oui, c'est décidé! On part en Guyane.

Nicolas: Tu es sûre que tu as dit oui, Maman?

Mère de Nicolas: Et pourquoi je n'aurais pas dit oui? Tu penses que ta maman n'est pas en forme?

Nicolas: Ce n'est pas ça, mais... la descente d'un fleuve en pirogue ou en canoë, les piranhas, les serpents qui te passent entre les jambes.... Tu es sûre que tu es prête à tout ça?

Mère de Nicolas: Rien à craindre avec notre groupe de "Nature et découvertes," et puis, on a toujours eu d'excellents guides.

Nicolas: Qu'est-ce que nous devrions apporter?

Père de Nicolas: On prend une trousse de premiers secours, un anti-moustique puissant, et surtout un bon couteau suisse... c'est sûr!

Mère de Nicolas: Rassure-toi, j'ai déjà pensé à tout ce que nous devrions emporter. Tu vois? J'ai déjà fait la liste.

Père de Nicolas: J'ai découvert un site sur Internet d'un amoureux de la Guyane. Il parle des fleuves, de l'extraordinaire beauté des paysages, de la force des sensations, de l'accueil et du regard des indigènes, de leur hospitalité, de la douceur de vivre aussi.

Nicolas: Bon, ben, c'est parti! À nous l'aventure!

---

7 Une aventure en Guyane française

*Dites si chaque phrase est vraie ou fausse.
Corrigez toutes les phrases qui sont fausses.*

1. Nicolas et ses parents vont faire du tourisme vert.
2. Nicolas pense que sa mère a peur des ours et des tigres.
3. Le père de Nicolas fait référence à un film d'aventures.
4. On va apporter une trousse de premiers secours, un anti-moustique puissant, et un bon couteau suisse.
5. Le père de Nicolas a trouvé un blogue de quelqu'un qui aime la Guyane.

Extension Yves part en vacances.

Yves, qui finit un stage dans une compagnie, parle à son collègue d'un futur voyage.

Éric: Tu as prévu des vêtements chauds pour la nuit? Et aussi pour te protéger contre le vent et contre le sable?

Yves: Et contre le soleil? Je vais me servir d'une djellaba.

Éric: Tu en as une?

Yves: Plusieurs! Ça te sert pour tout: contre le vent, le froid, la chaleur.

Extension Yves ira à quelle destination francophone?

La Guyane française

La Guyane française se trouve dans le nord de l'Amérique du Sud. Elle est devenue un département français en 1946 et aujourd'hui, c'est le plus grand de tous les départements. La Guyane française est recouverte* à 96% par la forêt équatoriale très protégée au nom de la biodiversité. Elle a une population de 225.000 habitants; les Créoles guyanais (40%) et les Amérindiens guyanais (5%) sont les ethnies les plus importantes. Les principales villes sont Cayenne (58.000 habitants), puis Saint-Laurent-du-Maroni, et Kourou. L'économie de la Guyane dépend beaucoup de la France métropolitaine et de l'industrie spatiale à Kourou.

 Search words: comité du tourisme de la guyane

_____
recouverte *covered*

Cayenne, la capitale de la Guyane française.

 **Produits**

Le guyanais Léon Gontran-Damas (1912–1978) était un poète qui a dit "Trois fleuves/trois fleuves coulent/trois fleuves coulent dans mes veines" en parlant de ses origines africaines, indigènes, et européennes. Étudiant en France et témoin (*witness*) de la discrimination raciale là-bas, il a lancé le mouvement de **la Négritude** (mouvement littéraire et philosophique) avec ses amis Léopold Sédar Senghor et Aimé Césaire.

 Search words: poèmes léon gontran-damas

Kourou

La base spatiale de Kourou a été créée par le Général de Gaulle en 1964 pour développer l'économie du département. La base est proche* de l'équateur et elle a une large ouverture* sur l'océan Atlantique. C'est le port spatial de l'Europe. Il profite du succès commercial des fusées* Ariane 4 et Ariane 5 qui à ce jour ont lancé* plus de 300 satellites dans l'espace.

 Search words: arianespace

_____
proche *near;* **ouverture** *opening;* **fusées** *rockets;* **ont lancé** *launched*

La fusée Ariane 5 est lancée de la base spaciale de Kourou, en Guyane française.

Le bagne* de Cayenne

Les bagnes guyanais ont été créés en 1852 pour emprisonner des criminels, délinquants et opposants politiques. Les prisonniers devaient aussi servir de main d'œuvre* pour la Guyane. Le plus célèbre des bagnes est celui* de Cayenne, popularisé par le film *Papillon* (avec Dustin Hoffmann et Steve McQueen). Le dernier groupe de prisonniers à être envoyés en Guyane est parti de la France en 1938. Les bagnes ont été fermés en 1946 et les prisonniers survivants* rapatriés* en France.

---

bagne *penal colony, prison;* **main d'œuvre** *labor;* **celui** *the one;* **survivants** *surviving;* **rapatriés** *repatriated*

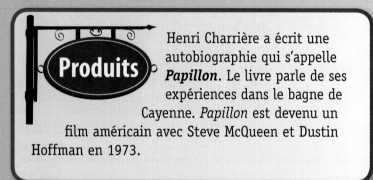

Produits

Henri Charrière a écrit une autobiographie qui s'appelle *Papillon*. Le livre parle de ses expériences dans le bagne de Cayenne. *Papillon* est devenu un film américain avec Steve McQueen et Dustin Hoffman en 1973.

HENRI CHARRIÈRE

PAPILLON

ROBERT LAFFONT

La Francophonie: Le tourisme d'aventure

✳ *En France*

On pratique le tourisme d'aventure (5% du marché du tourisme) en France surtout à la montagne ou à la mer. Quelques activités populaires sont le canyoning;* le parapente;* les stages de survie* en haute montagne; et des randonnées à pied, à cheval, ou à ski. Les Alpes proposent des bases de sports aventures et emploient plus de 100 guides professionnels.

 Search words: tourisme d'aventure france, canyoning, parapente, stage de survie

---

canyoning *includes caving, rockclimbing, and white-water rafting;* **parapente** *paragliding;* **survie** *survival*

❊ En Guyane

La Guyane est un endroit idéal pour faire du tourisme d'aventure. Ses fleuves offrent le seul moyen* naturel de pénétrer l'Amazonie. On peut faire des excursions en pirogues (type de canoë) pendant trois à cinq jours pour explorer la forêt et les villages indigènes. Il y a aussi des randonnées pour tous les niveaux. On peut découvrir le cœur de la forêt amazonienne en compagnie d'un guide, ou simplement marcher au bord des bois. On peut aussi faire de la pêche sportive en mer ou en rivière. Cette activité peut être intense—les poissons ont parfois une longueur de 1–2,5 m.* et peuvent peser jusqu'à 75 kg.*

Le tourisme d'aventure permet de découvrir les petits villages et les habitants.

🔍 **Search words: tourisme d'aventure guyane**

---

le seul moyen *the only way;* **1–2,5 m** *about 3.3–8.2 feet;* **75 kg** *about 165 lbs*

COMPARAISONS

Où vont les Américains qui veulent faire du tourisme d'aventure? Faites des recherches en ligne.

8 Activités culturelles

Faites les activités suivantes.

1. Discutez en groupe de ces questions: Qu'est-ce qui a influencé la Guyane le plus—ses ressources naturelles, son climat, ou la technologie?
2. Trouvez un autre poème par Léon Gontran-Damas. Expliquez à la classe pourquoi vous l'aimez ou vous ne l'aimez pas.
3. Trouvez des critiques sur le film *Papillon*. Écrivez un paragraphe qui explique pourquoi vous le loueriez ou pas.
4. Si vous faisiez du tourisme d'aventure, quelle serait votre activité préférée? Justifiez votre choix ou racontez une expérience que vous avez déjà eue.

À discuter

De quelles façons la faculté d'adaptation est-elle importante pour un(e) touriste?

Du côté des médias

Regardez la carte et lisez les informations sur la Guyane française.

Quand vous reviendrez, personne ne vous croira...

... D'un coup d'ailes, l'océan est franchi, les plages ensoleillées défilent sous vos yeux. Par le hublot, le regard suit un fleuve qui serpente et se perd dans l'immensité verte de l'Amazonie. Cayenne scintille au loin...

... Sur le fleuve, la pirogue glisse entre deux rideaux d'arbres à l'ombre desquels apparaissent, de loin en loin, les pirogues des villages bushenengués. Courant sur le rivage, les enfants saluent de la main...

... Devant le carbet tendu de hamacs, le feu du dîner fait rougeoyer les troncs des grands arbres bruissants, entre lesquels le fleuve paisible s'écoule dans les dernières lueurs du soleil. Les Amérindiens du village d'accueil achèvent la préparation des gibiers et poissons. Les rires des enfants éclaboussent le silence...

... L'ambiance bat son plein au rythme endiablé des groupes dans les rues de Cayenne en Carnaval. Masques et costumes en liesse rient et dansent de toutes leurs couleurs éclatantes jouant du soleil et de l'ombre des vieilles maisons créoles...

... 5... 4... 3... 2... 1... Allumage... Décollage ! Lentement, majestueusement, Ariane s'élève dans le ciel étoilé de Kourou, auréolée de la lumièrev inondant le pas de tir. Quelques secondes plus tard, un grondement puissant, profond, fait vibrer le sol puis l'air, effaçant durant quelques minutes les mille bruissements de la forêt équatoriale...

Bienvenue en Amazonie Française.

---

9 Visitez la Guyane française!

Faites les activités suivantes.

1. Regardez la carte. La Guyane française fait frontière avec quels pays? Elle fait partie de quel continent?
2. Retrouvez dans le document:
   - le nom de la région
   - le nom des habitants du village
   - le nom de l'événement qui a lieu chaque année dans les rues de Cayenne
   - le nom de la ville où on lance la fusée Ariane
3. Écrivez un récit de votre expérience imaginaire dans l'Amazonie, au Carnaval, ou à Kourou.

La culture sur place

Les vacances

Comme vous avez lu, les vacances nous permettent de réaliser les activités dont (*of which*) nous avons envie. Les vacances varient de culture en culture et de famille en famille. Dans cette *Culture sur place*, vous allez discuter de vos vacances idéales, et ensuite vous allez les comparer avec les vacances préférées des Français.

10 Première Étape: Réfléchir

Sur une feuille de papier ou votre ordinateur, faites une liste de vos vacances idéales. Pour chaque destination, indiquez les activités que vous voudriez y faire.

11 Deuxième Étape: Faire une enquête

Faites une enquête de dix camarades de classe basée sur les destinations suivantes. Demandez (A) quel type de destination est leur préférée et (B) quelles sont les destinations réelles qu'ils ont déjà visitées en famille. Comptez le total. Calculez le pourcentage de la classe qui préfère chaque destination.

la mer   la montagne   la campagne   la ville   le lac

12 Troisième Étape: Comparer

Regardez où les Français vont en vacances. Pour comparer, mettez ce tableau à côté de la liste de types de destinations préférées de votre classe.

Type de destination	Pourcentage de séjours qui ont fréquenté cet espace*
Mer	27,2
Montagne	14,1
Campagne	35,0
Ville	36,4
Lac	4,0

*Le total est supérieur à 100% parce qu'un séjour peut compter plusieurs destinations.

13 Faisons l'inventaire!

Répondez aux questions.

1. Est-ce que vous êtes d'accord avec l'idée que les vacances reflètent nos désirs? Pourquoi, ou pourquoi pas?
2. Est-ce qu'il y avait beaucoup de différences d'opinion dans votre classe vis-à-vis des vacances? Pourquoi ou pourquoi pas, pensez-vous?
3. Comment pouvez-vous expliquer les similarités et les différences entre les préférences pour les vacances en France et dans votre classe?

Superlative of Adverbs

Qui nage le plus vite?

The superlative of adverbs is formed in the same way as the superlative of adjectives.

> **le + plus + adverb**

Je voyage **le plus souvent** dans ma famille.   *I travel the most often in my family.*

To form the superlative of **bien**, **mal**, **beaucoup**, and **peu**, put **le** before the adverbs' irregular comparative forms.

Adverb	Comparative	Superlative
bien	mieux	**le mieux**
mal	pire, plus mal	**le pire, le plus mal**
beaucoup	plus	**le plus**
peu	moins	**le moins**

Qui fait du jet ski **le mieux**?   *Who can jet-ski the best?*

Annie lit le plus.

COMPARAISONS

Which example below shows an English example of a superlative form similar to **le plus** + adverb?
I run the **fastest**.
She studies **the most**.
He skies **the most carefully**.

COMPARAISONS: English uses a superlative form similar to **le plus** + adverb with long adverbs: "He skies the most carefully."

14 Le superlatif

Écrivez 1–6 sur votre papier. Écoutez chaque phrase. Ensuite, écrivez le nom de la personne qui fait chaque activité le mieux.

15 Mes camarades de classe

Formez des phrases au sujet de vos camarades de classe.

> **MODÈLE** parler français (bien)
> **Ryan parle français le mieux.**

1. se lever (tôt)
2. réussir en maths (bien)
3. conduire (mal)
4. travaille (peu)
5. danser (beaucoup)
6. voyage (loin)

16 Les vacances de l'année dernière

À tour de rôle, utilisez le superlatif pour demander à votre partenaire qui dans sa famille fait les activités suivantes et comment.

> **MODÈLE** faire du ski nautique/bien
> A: **Qui fait du ski nautique le mieux dans ta famille?**
> B: **Mon père fait du ski nautique le mieux.**

1. aller au fitness/souvent
2. se coucher/tard
3. aimer les serpents/peu
4. conduire/mal
5. mettre de l'anti-moustique/plus
6. dormir/bien
7. faire du sport/mal
8. nager/bien

Tu vois, mon frère danse le plus mal dans ma famille.

À vous la parole

Communiquez!

Question centrale

?

What opportunities does travel afford us?

17 **Une enquête franco-américaine**

Vous avez interviewé votre ami francophone, Karim, dont vous trouverez les réponses ci-dessous. C'est à vous d'interviewer un(e) ado américain(e) et de comparer leurs vies.

	Karim	Ado américain(e)
1. Comment tu joues au foot? Au basket? (jouer bien/mal)	Foot–très bien Basket–nul	
2. Combien de fois par semaine vas-tu au café? (aller souvent)	2 ou 3	
3. À quelle heure te couches-tu? (se coucher tard)	23h00	
4. Tu passes combien de temps à étudier chaque soir? (étudier sérieusement)	3 heures	
5. Tu aimes danser? (danser beaucoup)	J'adore.	
6. Tu écoutes souvent le raï? (écouter souvent)	Tous les jours.	
7. Tu aimes le couscous? (peu)	Énormément.	
8. Tu as eu quelle note au dernier contrôle de maths?	12	

MODÈLE **Karim joue au foot mieux que Levi, mais Levi joue au basket mieux que Karim....**

Communiquez!

18 **Le tourisme d'aventure**

Presentational Communication

Create a brochure for a seven-day tour of French Guiana. In your brochure, include:

- where French Guiana is located
- a list of activities travelers will do on the tour
- different types of accommodation
- prices for airfare to and from French Guiana and the largest city in your area
- a list of recommended travel gear
- the price of the tour
- a slogan for the tour or the tour company

La plage, c'est chouette

Rencontre avec l'auteur

René Goscinny (1926–1977) est un écrivain français, connu surtout pour ses bandes dessinées *Astérix* et *Lucky Luke*. En 1959, il a publié *Le Petit Nicolas*, une série de contes drôles sur un petit garçon et ses aventures. On voit le monde du point de vue d'un enfant; l'auteur se moque des perceptions des adultes. Est-ce que la plage est chouette pour l'enfant ou le père?

Pre-lecture

Qu'est-ce que vous faisiez à la plage quand vous étiez petit(e)?

Stratégie de lecture

Point of view is the vantage point from which a story is told. Think about how different this story would be if it were told from someone else's point of view, for example, that of Nicolas' father or another adult. As you read, fill out a graphic organizer recording the father's actions and feelings, according to what his son describes.

L'évènement	Description du père	Sentiment du père
1. le ballon est tombé sur la tête de papa	Unhappy, kicks ball hard so it goes far in water	angry
2. faire des trous dans le sable	Liked to do it when a child	nostalgic

Outils de lecture

Characterization

One way to create a character is to report what he or she says and does. Who describes his father's speech and actions? What do these descriptions tell us about the narrator's character? How do they contribute to the humor of the story?

Plage, Biarritz, 1999. Delphine D. Garcia. Collection privée.

À la plage, on rigole bien. Je me suis fait des tas de* copains, il y a Blaise, et puis Fructueux, et Mamert; qu'il est bête celui-là! Et Irénée et Fabrice et Côme et puis Yves, qui n'est pas en vacances parce qu'il est du pays et on joue ensemble, on se dispute, on ne se parle plus et c'est drôlement chouette.

"Va jouer gentiment avec tes petits camarades, m'a dit papa ce matin, moi je vais me reposer et prendre un bain de soleil." Et puis, il a commencé à se mettre de l'huile partout et il rigolait en disant: "Ah! quand je pense aux copains qui sont restés au bureau!"

Nous, on a commencé à jouer avec le ballon d'Irénée. "Allez jouer plus loin" a dit papa, qui avait fini de se huiler, et bing! le ballon est tombé sur la tête de papa. Ça, ça ne lui a pas plu* à papa. Il s'est fâché* tout plein* et il a donné un gros coup de pied* dans le ballon, qui est allé tomber dans l'eau, très loin. Un shoot terrible....

—Écoutez, les enfants, je veux me reposer tranquille.* Alors, au lieu de* jouer au ballon, pourquoi ne jouez-vous pas à autre chose?

—Ben, à quoi par exemple, hein, dites? a demandé Mamert. Qu'il est bête celui-là!

—Je ne sais pas, moi, a répondu papa, faites des trous,* c'est amusant de faire des trous dans le sable.* Nous, on a trouvé que c'était une idée terrible et on a pris nos pelles*....

On a commencé à faire un trou. Un drôle de trou, gros et profond* comme tout. Quand papa est revenu avec sa bouteille d'huile, je l'ai appelé et je lui ai dit:

—T'as vu notre trou, papa?

—Il est très joli, mon chéri, a dit papa.... Et puis, est venu un monsieur avec une casquette blanche et il nous a demandé qui nous avait permis* de faire ce trou dans sa plage. "C'est lui, m'sieur!" ont dit tous mes copains en montrant papa. Moi j'étais très fier,* parce que je croyais que le monsieur à la casquette allait féliciter* papa. Mais le monsieur n'avait pas l'air content.

—Vous n'êtes pas un peu fou, non, de donner des idées comme ça aux gosses?* a demandé le monsieur. Papa... a dit: "Et alors?" Et alors, le monsieur à la casquette s'est mis à crier que c'était incroyable* ce que les gens étaient inconscients,* qu'on pouvait se casser* une jambe en tombant dans le trou, et qu'à marée haute,* les gens qui ne savaient

continued

Pendant la lecture
1. Selon Nicolas, pourquoi est-ce que la plage est chouette?

Pendant la lecture
2. Qu'est-ce que le père de Nicolas veut faire?

Pendant la lecture
3. Pourquoi le père de Nicolas n'est-il pas content?

Pendant la lecture
4. Qu'est-ce que le père de Nicolas dit aux garçons de faire?

Pendant la lecture
5. Pourquoi est-ce que le monsieur pense que le trou est une mauvaise idée?

---

des tas de beaucoup; **ne lui a pas plu** *didn't please him;* **s'est fâché** *got angry;* **tout plein** beaucoup; **coup de pied** *kick;* **tranquille** au calme; **au lieu de** *instead of;* **trous** *holes;* **sable** *sand;* **pelles** *shovels;* **profond** *deep;* **nous avait permis** *had given us permission;* **fier** *proud;* **féliciter** *to congratulate;* **gosses** enfants; **incroyable** *incredible;* **inconscients** *reckless;* **se casser** *to break;* **marée haute** *high tide*

pas nager perdraient pied et se noieraient* dans le trou, et que le sable
pouvait s'écouler* et qu'un de nous risquait de rester dans le trou, et qu'il
pouvait se passer des tas de choses terribles dans le trou et qu'il fallait
absolument reboucher* le trou.

—Bon, a dit papa, rebouchez le trou, les enfants. Mais les copains ne
voulaient pas reboucher le trou.

—Un trou, a dit Côme, c'est amusant à creuser,* mais c'est embêtant*
à reboucher.

—Allez, on va se baigner*! a dit Fabrice. Et ils sont tous partis en
courant. Moi je suis resté, parce que j'ai vu que papa avait l'air d'avoir des
ennuis.

—Les enfants! Les enfants! a crié papa, mais le monsieur à la
casquette a dit:

—Laissez les enfants tranquilles et rebouchez-moi ce trou en vitesse!
Et il est parti.

Papa a poussé un gros soupir* et il m'a aidé à reboucher le trou. Comme
on n'avait qu'une seule petite pelle, ça a pris du temps et on avait à peine
fini que maman a dit qu'il était l'heure de renter à l'hôtel pour déjeuner, et
qu'il fallait se dépêcher, parce que, quand on est en retard, on ne vous sert
pas à l'hôtel. "Ramasse* tes affaires, ta pelle, ton seau* et viens," m'a dit
maman. Moi j'ai pris mes affaires, mais je n'ai pas trouvé mon seau. "Ça ne
fait rien, rentrons" a dit papa. Mais moi, je me suis mis à pleurer plus fort.

Un chouette seau, jaune et rouge, et qui faisait des pâtés terribles. "Ne
nous énervons pas,"* a dit papa, "où l'as-tu mis, ce seau?" J'ai dit qu'il
était peut-être au fond du trou, celui qu'on venait de boucher. Papa m'a
regardé comme s'il voulait me donner une fessée,* alors je me suis mis à
pleurer plus fort et papa a dit que bon, qu'il allait le chercher le seau, mais
que je ne lui casse plus les oreilles.* Mon papa, c'est le plus gentil de tous
les papas! Comme nous n'avions toujours que la petite pelle pour les deux,
je n'ai pas pu aider papa et je le regardais faire quand on a entendu une
grosse voix derrière nous: "Est-ce que vous vous fichez de moi?*" Papa a
poussé un cri,* nous nous sommes retournés et nous avons vu le monsieur
à la casquette blanche. "Je crois me souvenir que je vous avais interdit*
de faire des trous," a dit le monsieur. Papa lui a expliqué qu'il cherchait
mon seau. Alors, le monsieur lui a dit que d'accord, mais à condition qu'il
rebouche le trou après. Et il est resté là pour surveiller* papa.

"Écoute, a dit maman à papa, je rentre à l'hôtel avec Nicolas. Tu nous
rejoindras* dès que tu auras retrouvé le seau." Et nous sommes partis.
Papa est arrivé très tard à l'hôtel, il était fatigué, il n'avait pas faim et

continued

Pendant la lecture
6. Qui rebouche le trou?

Pendant la lecture
7. Pourquoi Nicolas commence-t-il à pleurer?

Pendant la lecture
8. Que fait le père de Nicolas pour trouver le seau de son fils?

---

se noieraient *would drown;* **s'écouler** *cave in;* **reboucher** *fill back up;* **creuser** *to dig;* **embêtant** *bothersome;* **se baigner**
nager; **soupir** *sigh;* **Ramasse** *Pick up;* **seau** *bucket;* **ne nous énervons pas** *let's not get upset;* **fessée** *spanking;* **casser les**
oreilles *to make deaf:* **vous vous fichez de moi** *are you trying to make a fool out of me;* **a poussé un cri** *shouted;* **interdit**
forbidden; **surveiller** *monitor;* **rejoindras** *join us*

il est allé se coucher. Le seau, il ne l'avait pas trouvé, mais ce n'est pas grave, parce que je me suis aperçu* que je l'avais laissé dans ma chambre. L'après-midi, il a fallu appeler un docteur, à cause des brûlures* de papa. Le docteur a dit à papa qu'il devait rester couché pendant deux jours.

—On n'a pas idée de s'exposer comme ça au soleil, a dit le docteur, sans se mettre de l'huile sur le corps.

—Ah! a dit papa, quand je pense aux copains qui sont restés au bureau!

Mais il ne rigolait plus du tout en disant ça.

Pendant la lecture
9. Selon le médecin, qu'est-ce que le père de Nicolas doit faire?

Pendant la lecture
10. Pourquoi est-ce que le père de Nicolas ne rigole pas quand il pense au bureau?

——————
aperçu vu; **brûlures** burns

Post-lecture

Pour quelles raisons est-ce que le père de Nicolas regrette sa journée à la plage?

Le monde visuel

L'artiste Delphine D. Garcia (1973–) est connue pour ses œuvres d'art autobiographiques. La façon dont (*in which*) elle se sert du point de vue a pour objet de saisir (*seize*) la réalité. Un point de vue est un angle à partir duquel (*from which*) on voit un sujet. Il peut se trouver directement en face du spectateur, à un angle déconcertant (*disconcerting*); il peut être éloigné (*at a distance*) ou rapproché (*close by*), au dessus ou au dessous du sujet, ou réunir plusieurs de ces angles. Si le sujet de ce tableau n'est pas une ou plusieurs personnes, quel est-il? Comment est-ce que le point de vue de ce tableau exprime (*expresses*) la vision que l'artiste a de cette scène de son passé?

19 Activités d'expansion

Faites les activités suivantes.

1. Écrivez un paragraphe sur l'usage du point de vue dans l'histoire. Servez-vous de votre organigramme.
2. Imaginez que le père de Nicolas rentre au bureau et parle avec ses collègues de ses vacances au bord de la mer. Racontez l'histoire que vous venez de lire du point de vue du père de Nicolas.
3. Avec trois autres élèves, faites un sketch (*skit*) où vous jouez les rôles de Nicolas, de son père, de sa mère, et du docteur à l'hôtel. Nicolas raconte au docteur ses aventures à la plage, la mère lui pose des questions sur la santé de son mari, le père se plaint (*complains*), et le docteur répond à chaque membre de la famille.

Projets finaux

A Connexions par Internet: L'Art

Choose a painting by Chagall or Matisse that you like and describe it to the class, including the following information:

- when it was painted
- what is in the foreground, middle, background
- the colors of the items or subjects in the painting
- why this is typical or atypical of the artist's work
- why you like or dislike it

B Communautés en ligne

Le Centre spatial guyanais

Do research to find out ten important facts about the space center in French Guiana and the Ariane rockets used to launch satellites. Then ask French students in other schools in the United States or abroad to add to it. Share what you have learned with the class.

C Passez à l'action!

Le tourisme d'aventure

In a group, create a **bande dessinée** about a teen's experience with adventure tourism in French Guiana. Assign each member a task, such as someone to:

- generate story idea and characters
- write story
- edit story
- draw cartoon frames
- write in speech in speech bubbles

Question centrale

?

What opportunities does travel afford us?

D Faisons le point!

Je comprends	Je ne comprends pas encore	Mes connexions
What did I do well to learn and use the content of this unit?	What should I do in the next unit to better learn and use the content?	
How can I effectively communicate to others what I have learned?	What was the most important concept I learned in this unit?	

Évaluation

A Évaluation de compréhension auditive

Vacances en France ou à l'étranger?

*Write the numbers 1–8 on your paper. Listen to Lilou and Hamza talk about vacations. Then, write **V** if the phrase you hear is **vrai**, or **F** if it is **faux**.*

B Évaluation orale

With a partner, role-play two cousins planning a camping trip. In your conversation:

Greet your cousin and say you've wanted to go camping in the Alps for a long time.

Say you are going to have fun together. Ask if your partner prefers swimming or hiking.

State how you feel about these activities. Then ask what you should bring.

Tell your friend to bring a sleeping bag, flashlight, swimming suit, fishing pole, and boots. Say you need a beach towel and ask if your friend wants to shop with you.

Say what you need. Ask if your cousin can lend you these things.

Arrange a time and place to meet your partner.

Beaucoup de campeurs en France louent des mobil-homes.

In this activity, you will compare francophone cultures with American culture. You may need to do some additional research on American culture.

1. **La côte d'Azur**
   Name several famous people associated with this region. Compare it to an area in your region where the wealthy and famous go. What makes these areas special?

2. **Les carnavals**
   Compare Nice's winter carnival to Mardi Gras in New Orleans. Which celebration would you prefer to go to? Why?

3. **Les musées d'art**
   Visit the web sites of **les musées Chagall et Matisse**. How do they compare to art museums in your region?

4. **Les montagnes**
   What is the highest peak in France? In the United States? Compare the activities you can do in the Alps with those available in mountain regions of the United States.

5. **Les téléphériques**
   Compare the cable car experience in Grenoble to one in the United States. What landscape can you see in both?

6. **Le camping**
   Compare the different types of camping available in France with those in your area. How popular is camping in France and where you live?

7. **Les centres spaciaux**
   Compare the initiatives of the French and United States space programs. What is the main focus of each program?

8. **Les bagnes**
   Describe what you learned about the famous French overseas prison system in French Guiana. What correctional facilities are there in your region, and what types of inmates do they house? How has incarceration changed since the time of Papillon?

9. **Le tourisme d'aventure**
   What kinds of adventure tourism activities are available in France and French Guiana? What opportunities for adventure tourism are available in the United States?

D Évaluation écrite

Write a note to your roommate, saying:

- you are going to the beach
- you need your roommate's beach towel and carry-all
- it's been a long time since you've been to the beach
- invite your roommate to meet you there
- say what he or she should bring, like an ice chest, beverages, suntan lotion

Use the illustration to describe to a partner your activities while on vacation in Nice. Use as much of the vocabulary and structures from the unit as possible.

F **Évaluation compréhensive**

Imagine that you went camping at a real campsite in France or the Amazon rainforest in Guiana. Create a storyboard with six frames to illustrate your adventures. Begin with trip preparations, then tell what you saw and did there.

 Search words: camping en france

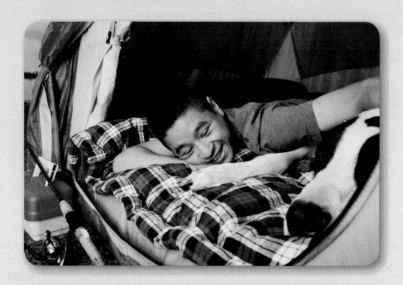

l'   **accueil (m.)** welcome *C*
un(e)   **ado** teenager *A*
les   **affaires (f.)** belongings, things *B*
         amérindien(ne) Amerindian *C*
l'   **Amérique (f.): Amérique du Nord** North America *C*; **Amérique du Sud** South America *C*
un   **amoureux, une amoureuse (de)** lover (of) *C*
l'   **Antartique (m.)** Antartica *C*
un   **anti-moustique** insect repellent *C*
l'   **arrière-pays (m.)** back country *A*
l'   **Asie (f.)** Asia *C*
         aussi: aussi (+ adverb) que as (adverb) as *B*
l'   **Australie (f.)** Australia *C*
un   **best-seller** best seller *A*
         bon: bon courage good luck *B*
         bronzer to tan *A*
         c'est: C'est décidé. It's settled. *C*; **C'est parti!** Here we go! *C*
         ça: ça fait longtemps que it's been a long time since *A*
le   **cadre** setting *A*
le   **camping** camping *B*
une   **canne: canne à pêche** fishing pole *B*
une   **caravane** camper *B*
une   **casserole** saucepan *B*
une   **chaise-longue** beach chair *A*
le   **charme** charm *A*
         chut shh *A*
une   **collection** collection *A*
         comme as, since *A*
un   **conquérant** conqueror *B*
un   **continent** continent *C*
la   **corniche** cliff road *A*
la   **côte: côte d'Azur** French Riviera *A*
un   **couteau: couteau suisse** Swiss army knife *C*
         craindre to fear *C*
la   **crème: crème solaire** sunscreen *A*
         décider to decide *A*
la   **découverte** discovery *C*
un   **déménagement** move [house] *B*
         dès: dès que as soon as *B*
la   **descente** descent *C*
la   **douceur: douceur de vivre** relaxed style of life *C*
         emporter to bring *C*;
         en: en canoë by canoe *C*; **en pirogue** by pirogue *C*; **en plein air** outdoors *B*
l'   **envoûtement (m.)** spell *A*
un   **e-reader** e-reader *A*
         être: être de retour to be back *A*
         faire: faire de la voile to go sailing *A*; **faire du camping** to go camping *B*; **faire du canoë** to go canoeing *C*; **faire du parachutisme ascensionnel** to go parasailing *A*; **faire du ski nautique** to go water-skiing *A*; **faire un tour** to go on a tour *C*; **faire une liste** to make a list *C*; **faire une promesse** to make a promise *A*
la   **fantaisie** fantasy *A*
         faut: il me faut I need *B*
la   **force** strength *C*

un   **fourre-tout** carry-all *A*
une   **glacière** cooler *B*
le   **guide** tour guide *A*; **guide Michelin** Michelin guidebook *A*
la   **Guyane (française)** French Guyana *C*
un   **hamac** hammock *C*
un(e)   **indigène** native person *C*
l'   **inutile (m.)** what is useless *B*
un   **jet ski** jet ski *A*
une   **lampe: lampe de poche** flashlight *B*
le   **lendemain** next day *B*
le   **long de** alongside *A*
les   **lunettes (f.): lunettes de soleil** sunglasses *A*
des   **maisons: maisons de rêve** dream houses *A*
la   **Manche** English Channel *C*
une   **masse: masse d'eau** body of water *C*
le   **massif** mountain range *B*
un   **matelas: matelas pneumatique** inflatable water mattress *A*
la   **mer: mer des Caraïbes** Caribbean Sea *C*; **mer Méditerranée** Mediterranean Sea *C*; **mer du Nord** North Sea *C*
         mieux: mieux que better than *B*; **le mieux** the best *C*
         moins: moins (+ adverb) + que less… than *B*; **le moins** the least *C*
la   **nature** nature *C*
le   **mot** word *A*
l'   **océan (m.): océan Atlantique** Atlantic Ocean *C*; **océan Indien** Indian Ocean *C*; **océan Pacifique** Pacific Ocean *C*
un   **parasol** umbrella (beach) *A*
un   **parfum** perfume, scent *A*
un   **piranha** piranha *C*
         pire worse *C*; **le pire** the worst *C*
la   **plage** beach *A*
         plus: plus mal worse *B*; **plus + (adverb) + que** more (adverb) than *B*; **le plus** the most *C*; **le plus mal** the worst *C*
une   **poêle** frying pan *B*
         projeter to plan *C*
se   **promener** to go for a walk *A*
         puissant(e) powerful *C*
un   **réchaud** portable stove *B*
le   **regard** look *C*
         rendre to give back, to return *B*
         respirer to breathe *A*
         rêver to dream *A*
un   **sac: sac de couchage** sleeping bag *B*
un   **scooter des mers** jet ski *A*
une   **sensation** feeling, sensation *C*
une   **serviette: serviette de plage** beach towel *A*
         splendide gorgeous *A*
une   **tente** tent *B*
un   **terrain: terrain de camping** campground *B*
le   **tourisme: tourisme d'aventure** adventure tourism *C*
une   **trousse: trousse de premiers secours** first-aid kit *C*
un   **vacancier, une vacancière** vacationer *A*
         volontiers gladly *B*

Unité 10 Bilan cumulatif

Listening

I. You will hear a short conversation. Select the reply that would come next. You will hear the conversation twice.

1. A. On a besoin d'un anti-moustique et d'une trousse de premiers secours.
   B. Il leur faut un bon matelas pneumatique à la plage.
   C. On va faire du camping.
   D. On a déjà décidé où on passera les vacances.

II. Listen to the conversation. Then select the best completion to each statement that follows.

2. ... sont partis en vacances.
   A. Des amis
   B. Un frère, une sœur, et leur mère
   C. Les parents
   D. Des grands-parents

3. La famille a dormi....
   A. en plein air
   B. à l'hôtel à Biarritz
   C. à l'auberge de jeunesse
   D. près de l'Atlantique

4. Bruno a....
   A. rencontré Clothilde
   B. bronzé
   C. rencontré des gens intéressants
   D. beaucoup lu

5. Clothilde a....
   A. lu des guides
   B. mis beaucoup de crème solaire
   C. beaucoup parlé anglais
   D. fini une série de best-sellers

Reading

III. Read the e-mail. Then select the best completion to each statement.

Bonjour à tous!

Me voilà maintenant sur la côte d'Azur depuis quelques semaines. Ça faisait longtemps que je voulais venir ici voir ce que tout le monde appelle la "grande bleue." La mer Méditerranée est superbe; je comprends pourquoi chaque année des millions de touristes viennent bronzer sur ses plages. Tout est beau et bien organisé pour les touristes. Et il fait toujours beau. On peut bien se reposer. Pas de stress comme à Paris. Je passe mon temps à nager, faire du jet ski, dîner en plein air, et explorer la région. Les distances entre les villes ne sont pas très grandes, alors j'ai pu facilement visiter beaucoup d'endroits, surtout le long de la corniche. La vie dans le sud est plus calme que la vie dans notre banlieue, mes amis. Si je pouvais, je resterais ici. Alors, si vous ne me voyez pas la semaine prochaine, venez me retrouver ici sur la plage. Je vous joins une photo pour vous tenter.

A très bientôt, peut-être!

Affectueusement,

Un amoureux du Sud, Marco

1. Marco vient....
   A. du sud de la France
   B. de la corniche
   C. de la région parisienne
   D. de la région

2. Marco passe son temps à....
   A. travailler
   B. faire du ski nautique
   C. "vivre" et explorer la côte d'Azur
   D. lire des best-sellers

3. En tout, Marco va passer... sur la côte d'Azur.
   A. une semaine
   B. toute sa vie
   C. l'été
   D. plusieurs semaines

Writing

IV. Complete the paragraph with appropriate words or expressions.

Robert vient de rentrer de vacances. Comme il s'intéresse à l'écologie et fait ses études dans la __1__ des sciences et technologies, il a fait du tourisme vert en Guyane française. C'était un voyage de rêve entre la flore et la __2__ très riches du pays et le tourisme d' __3__ . Pour la __4__ d'un fleuve, pas de jet ski comme sur la côte d'Azur, mais du canoë dans une __5__ ! Il a dormi dans un __6__ dans la forêt et a préparé ses repas sur un __7__ . Il a fait la connaissance des Amérindiens qui lui ont donné un __8__ chaleureux dans cet arrière-pays. Mais dans les villes et la banlieue, la vie n'est pas un rêve! C'est difficile de trouver du travail et on voit beaucoup de gens au __9__ . Le gouvernement cherche un remède. Une solution sera d'investir dans le __10__ .

V. Complete the sentences with verbs in the **présent**, **futur**, **imparfait**, or **conditionnel**.

11. Demain, Cécile __11__ son bac.
12. Si vous vouliez combattre le racisme, vous __12__ la tolérance.
13. Si vous m'accompagniez, nous __13__ faire de la randonnée à Chamonix.
14. Vous aimez l'art de Matisse et de Chagall, alors, quand vous __14__ en France, visitez les musées de Nice.
15. Je me servirais de pneus Michelin, si j' __15__ des problèmes avec ma voiture.
16. Si le Tour de France passe par Grenoble, je __16__ les cyclistes.
17. Si nous allions en Guyane, nous __17__ voyager avec un guide!
18. Elle __18__ de la crème solaire quand elle ira à la plage.
19. Si tu veux, je te __19__ mon couteau suisse.

11. (passer)
12. (enseigner)
13. (pouvoir)
14. (aller)
15. (avoir)
16. (voir)
17. (devoir)
18. (mettre)
19. (prêter)

Composition

VI. Write a journal entry about your plans for the future and what your friends will do after finishing their studies.

Speaking

VII. Tell your partner how to send a photo using a smartphone. As you speak, touch the parts of the phone you are talking about.

Grammar Summary

The Grammar Summary is in alphabetical order.

Adjectives

Agreement of Regular Adjectives

Masculine	Masculine Plural	Feminine	Feminine Plural
	+ s	masculine adjective + e	masculine adjective + es
grand	grands	grande	grandes

Exceptions

Masculine	Masculine Plural	Feminine	Feminine Plural
Adjectives ending in **e** bête	+ s bêtes	no change bête	+ s bêtes
Adjectives ending in **n, l** bon intellectuel	+ s bons intellectuels	**double consonant + e** bonne intellectuelle	**double consonant + es** bonnes intellectuelles
Adjectives ending in **s** gros	no change gros	**double consonant + e** grosse	**double consonant + es** grosses
Adjectives ending in **eux** généreux	no change généreux	**-euse** généreuse	**-euses** généreuses

Irregular Adjectives

Masculine	Masculine Before a Vowel	Masculine Plural	Feminine	Feminine Plural
beau nouveau vieux frais cher blanc long	bel nouvel vieil	beaux nouveaux vieux } + s	belle nouvelle vieille fraîche chère blanche longue	+ s

Invariable Adjectives

Some adjectives do not change in the feminine or the plural form.

orange	marron	super	sympa	bon marché

Position of Adjectives

Article + Noun	+ Adjective
des stylos **bleus**	

Exceptions

beau, joli, nouveau, vieux, bon, mauvais, grand, petit, gros *(BAGS: beauty, age, goodness, size)*

Article + Adjective	+ Noun
une **belle** voiture	

Comparative of Adjectives

plus	*(more)*	**+ adj**	**+ que**	*(than)*
moins	*(less)*	**+ adj**	**+ que**	*(than)*
aussi	*(as)*	**+ adj**	**+ que**	*(as)*

Superlative of Adjectives

For regular adjectives placed after the noun

le/la/les + noun + **le/la/les** + **plus** + adjective

For adjectives placed before the noun

le/la/les + **plus** + adjective + noun

Exception: bon = le/la/les **meilleur**(e)(s)

Interrogative Adjective *quel*

Masculine	Masculine Plural	Feminine	Feminine Plural
quel	quels	quelle	quelles

Adjective *tout*

Masculine	Masculine Plural	Feminine	Feminine Plural
tout	tous	toute	toutes

Possessive Adjectives

Masculine	Feminine	Plural
mon	ma	mes
ton	ta	tes
son	sa	ses
notre	notre	nos
votre	votre	vos
leur	leur	leurs

Adverbs

assez	peut-être
beaucoup	souvent
bien	surtout
déjà	toujours
enfin	trop
mal	un peu
même	vite
peu	

Expressions of Quantity

assez de	une boîte de	une bouteille de
beaucoup de	un paquet de	un pot de
peu de	un morceau de	une tranche de
un peu de	un gramme de	un kilo de
trop de	un litre de	

Formation of Long Adverbs

Long adverbs are formed by adding **-ment** to the feminine form of an adjective.

Feminine Form of Adjective	+ ment
heureuse	heureusement
généreuse	généreusement

Position of Adverbs

Short Adverbs Qualifying Verbs

present tense	*passé composé*
J'aime **beaucoup** les animaux.	Tu as **trop** mangé.

Long Adverbs Qualifying Sentences

Modyfying Verbs	Modyfying Entire Sentence
Tu dessines **parfaitement**.	Nous avons fini, **heureusement**. **Heureusement**, nous avons fini.

Adverbial Expressions of Time

Tu vas à la teuf **demain soir**?
Ce matin, le prof a apporté des gâteaux.

Comparative of Adverbs

plus	(more)	**+ adverb**	**+ que**	(than)
moins	(less)	**+ adverb**	**+ que**	(than)
aussi	(as)	**+ adverb**	**+ que**	(as)

Some adverbs have an irregular form:

Adverb	Comparative
bien (well)	**mieux** (better)
beaucoup (a lot, much)	**plus** (more)
peu (little)	**moins** (less)
mal (badly)	**pire, plus mal** (worse)

Superlative of Adverbs

For regular adjectives placed after the noun

le + **plus** + adverb

To form the superlative of **bien**, **beaucoup** and **peu**, put **le** before these adverbs' irregular comparative forms.

Adverb	Comparative	Superlative
bien (well)	**mieux** (better)	**le mieux** (the best)
beaucoup (a lot, much)	**plus** (more)	**le plus** (the most)
peu (little)	**moins** (less)	**le moins** (the least)
mal (badly)	**pire, plus mal** (worse)	**le pire, le plus mal** (the worst)

Articles

Indefinite Articles

Singular		Plural
Masculine	**Feminine**	
un	une	des

Definite Articles

Singular			Plural
Before a Consonant Sound		**Before a Vowel Sound**	
Masculine	**Feminine**		
le	la	l'	les

À + Definite Articles

Singular			Plural
Before a Consonant Sound		**Before a Vowel Sound**	aus
Masculine	**Feminine**		aux
au	à la	à l'	

De + Definite Articles

Singular			Plural
Before a Consonant Sound		**Before a Vowel Sound**	des
Masculine	**Feminine**		des
du	de la	de l'	
In the negative			
de			

Partitive Articles

Before a Consonant Sound		Before a Vowel Sound	In the Negative
Masculine	**Feminine**	**de l'**eau minérale	**pas de** coca
du coca	**de la** viande		**pas de** viande
			pas d'eau minérale

C'est vs. *il/elle est*

c'est	vs.	ce n'est pas
C'est un ballon de foot.		Ce n'est pas un gâteau.
c'est	**vs.**	**il/elle est**
C'est un garçon. C'est une fille.		Il s'appelle Karim. Elle s'appelle Amélie.
ce sont	**vs.**	**ils/elles sont**
Ce sont des étudiants. Ce sont des étudiantes.		Ils sont sportifs. Elles sont sympa.

Negation

ne (n')… pas	Il **ne** joue **pas**.
	Il **n'**a **pas** joué.
ne (n')… plus	Elle **n'**aime **plus** les frites.
ne (n')… jamais	Nous **ne** dansons **jamais**.
ne (n')… personne	Vous **n'**invitez **personne**?
ne (n')… rien	Ma grand-mère **ne** comprend **rien**.

Nouns

Irregular Plural Nouns

	Singular	Plural
no change	un bus	des bus
-al → **aux**	un cheval	des chev**aux**
-eu → **eux**	un jeu	des jeu**x**
-eau → **eaux**	un bateau	des bat**eaux**

Numbers

Cardinal Numbers	Ordinal Numbers
un	premier, première
deux	deuxième
trois	troisième
quatre	quatrième
cinq	cinquième
six	sixième
sept	septième
huit	huitième
neuf	neuvième
dix, etc.	dixième, etc.

Prepositions

Prepositions before Cities, Countries, Continents

City (no article)	Masculine (le Japon)	Feminine (la France)	Plural (les États-Unis)
à	au	en	aux

Pronouns

Subject Pronouns

Singular	Plural
je	nous
tu	vous
il/elle/on	ils/elles

Direct Object Pronouns

Singular	Plural
me	nous
te	vous
le, la	les

Indirect Object Pronouns

Singular	Plural
me	nous
te	vous
lui	leur

The Pronoun *en*

en replaces...	
de + Noun	Tu manges du pain? Oui, j'en mange. Prenez de la viande! Prenez-en!
de + Noun after Expression of Quantity	Vous voulez un peu de café? Oui, j'en veux un peu. Il a apporté trois assiettes? Oui, il en a apporté trois.

Order of Double Object Pronouns

Subject +	**me** **te** **nous** **vous** **se** +	**la** **les** +	**lui** **leur** +	**y** +	**en** +	Verb	

Stress Pronouns

Singular	Plural
moi	nous
toi	vous
lui, elle	eux, elles

Relative Pronouns *qui* and *que*

	Subject	Object
People	qui	que
	l'homme qui parle	le pull que je porte
Things	qui	que
	la prof qui est française	le garçon que je connais

Questions

Forming Questions

using **n'est-ce-pas**	Il fait chaud, **n'est-ce pas**? Ils regardent un DVD, **n'est-ce pas**?
using **est-ce que**	**Est-ce qu'**il fait chaud? **Est-ce qu'**ils regardent un DVD?
using **inversion:** Verb-Subject	**Fait-il** chaud? **Regardent-ils** un DVD?

Telling Time

Il est une **heure**	…et quart.	…et demie.	…moins le quart.
Il est midi. Il est minuit.			

Verbs

Regular Verbs—Present Tense

		-er aimer	
j'	aim**e**	nous	aim**ons**
tu	aim**es**	vous	aim**ez**
il/elle/on	aim**e**	ils/elles	aim**ent**

-ir finir			
je	fin**is**	nous	fin**issons**
tu	fin**is**	vous	fin**issez**
il/elle/on	fin**it**	ils/elles	fin**issent**

-re vendre			
je	vend**s**	nous	vend**ons**
tu	vend**s**	vous	vend**ez**
il/elle/on	vend	ils/elles	vend**ent**

Irregular Verbs—Present Tense

acheter			
j'	ach**è**te	nous	achetons
tu	ach**è**tes	vous	achetez
il/elle/on	ach**è**te	ils/elles	ach**è**tent

devoir			
je	dois	nous	devons
tu	dois	vous	devez
il/elle/on	doit	ils/elles	doivent

aller			
je	vais	nous	allons
tu	vas	vous	allez
il/elle/on	va	ils/elles	vont

dormir			
je	dors	nous	dormons
tu	dors	vous	dormez
il/elle/on	dort	ils/elles	dorment

avoir (avoir besoin de/avoir chaud/avoir faim/avoir froid/avoir soif)			
j'	ai	nous	avons
tu	as	vous	avez
il/elle/on	a	ils/elles	ont

écrire			
j'	écris	nous	écrivons
tu	écris	vous	écrivez
il/elle/on	écrit	ils/elles	écrivent

boire			
je	bois	nous	buvons
tu	bois	vous	buvez
il/elle/on	boit	ils/elles	boivent

être			
je	suis	nous	sommes
tu	es	vous	êtes
il/elle/on	est	ils/elles	sont

conduire			
je	conduis	nous	conduisons
tu	conduis	vous	conduisez
il/elle/on	conduit	ils/elles	conduisent

faire			
je	fais	nous	faisons
tu	fais	vous	faites
il/elle/on	fait	ils/elles	font

falloir	
il faut	

connaître			
je	connais	nous	connaissons
tu	connais	vous	connaissez
il/elle/on	connaît	ils/elles	connaissent

Irregular Verbs—Present Tense *continued*

lire			
je	lis	nous	lisons
tu	lis	vous	lisez
il/elle/on	lit	ils/elles	lisent

prendre			
je	prends	nous	prenons
tu	prends	vous	prenez
il/elle/on	prend	ils/elles	prennent

mettre			
je	mets	nous	mettons
tu	mets	vous	mettez
il/elle/on	met	ils/elles	mettent

recevoir			
je	reçois	nous	recevons
tu	reçois	vous	recevez
il/elle/on	reçoit	ils/elles	reçoivent

offrir			
j'	offre	nous	offrons
tu	offres	vous	offrez
il/elle/on	offre	ils/elles	offrent

savoir			
je	sais	nous	savons
tu	sais	vous	savez
il/elle/on	sait	ils/elles	savent

ouvrir			
j'	ouvre	nous	ouvrons
tu	ouvres	vous	ouvrez
il/elle/on	ouvre	ils/elles	ouvrent

sortir			
je	sors	nous	sortons
tu	sors	vous	sortez
il/elle/on	sort	ils/elles	sortent

partir			
je	pars	nous	partons
tu	pars	vous	partez
il/elle/on	part	ils/elles	partent

suivre			
je	suis	nous	suivons
tu	suis	vous	suivez
il/elle/on	suit	ils/elles	suivent

pouvoir			
je	peux	nous	pouvons
tu	peux	vous	pouvez
il/elle/on	peut	ils/elles	peuvent

venir			
je	viens	nous	venons
tu	viens	vous	venez
il/elle/on	vient	ils/elles	viennent

préférer			
je	préfère	nous	préférons
tu	préfères	vous	préférez
il/elle/on	préfère	ils/elles	préfèrent

vivre			
je	vis	nous	vivons
tu	vis	vous	vivez
il/elle/on	vit	ils/elles	vivent

Irregular Verbs—Present Tense *continued*

voir			
je	vois	nous	voyons
tu	vois	vous	voyez
il/elle/on	voit	ils/elles	voient

vouloir			
je	veux	nous	voulons
tu	veux	vous	voulez
il/elle/on	veut	ils/elles	veulent

Regular Imperatives

-er chanter	-ir choisir	-re pendre
Chante!	Choisis!	Prends!
Chantons!	Choisissons!	Prenons!
Chantez!	Choisissez!	Prenez!

Reflexive Verbs—Present Tense

se préparer	
je **me** prépare	nous **nous** préparons
tu **te** prépares	vous **vous** préparez
il/elle/on **se** prépare	ils/elles **se** préparent

Imperative of Reflexive Verbs

s'asseoir
Assieds-toi!
Asseyons-nous!
Asseyez-vous!

Expressing the Near Future

aller + Infinitive
Nous allons dîner.

Passé composé with *avoir*

avoir + past participle

-er verbs → é	-ir verbs → i	-re verbs → u
Nous avons gagné.	Tu as fini.	On a attendu.

Passé composé with avoir *continued*

Irregular Past Participles					
avoir	→ **eu**	devoir	→ **dû**	être	→ **été**
faire	→ **fait**	mettre	→ **mis**	offrir	→ **offert**
pouvoir	→ **pu**	prendre	→ **pris**	vendre	→ **vendu**
venir	→ **venu**	voir	→ **vu**	vouloir	→ **voulu**

Passé composé with être

être + past participle (+ agreement in gender and number)					
je	suis	arrivé(e)	nous	sommes	arrivé(e)s
tu	es	arrivé(e)	vous	êtes	arrivé(e)s
il	est	arrivé	ils	sont	arrivés
elle	est	arrivée	elles	sont	arrivées

Some of the verbs that use **être** as the helping verb in the **passé composé** are:

Infinitive	Past Participle
aller	**allé**
arriver	**arrivé**
entrer	**entré**
monter	**monté**
rentrer	**rentré**
rester	**resté**
retourner	**retourné**
partir	**parti**
sortir	**sorti**
descendre	**descendu**
vendre	**vendu**
venir	**venu**

Passé composé of Reflexive Verbs

se préparer	
je **me** suis couché(e)	nous **nous** sommes couché(e)s
tu **t'**es couché(e)	vous **vous** êtes couché(e)s
il **s'**est couché	ils **se** sont couchés
elle **s'**est couchée	elles **se** sont couchées
on **s'**est couché	

Imperfect Tense

aller	
j'all**ais**	nous all**ions**
tu all**ais**	vous all**iez**
il/ elle/on all**ait**	ils/ elles/ all**aient**

Conditional Tense

choisir	
je choisi**rais**	nous choisi**rions**
tu choisi**rais**	vous choisi**riez**
il/ elle/on choisi**rait**	ils/ elles choisi**raient**

Future Tense

finir	
je fini**rai**	nous fini**rons**
tu fini**ras**	vous fini**rez**
il/ elle/on fini**ra**	ils/ elles fini**ront**

Irregular Stems of Verbs in Future and Conditional Tenses

Infinitive—Irregular stem		
aller—ir	asseoir—assiér	devoir—devr
envoyer—enverr	être—ser	faire—fer
falloir—faudr	pouvoir—pourr	recevoir—receur
savoir—saur	venir—viendr	voir—verr
vouloir—voudr		

Verbs + Infinitives

aimer	aller	désirer
devoir	falloir	pouvoir
préférer	venir	vouloir

Nous préférons faire du ski.

Verbs + *à* + Infinitives

aider	s'amuser	apprendre
commencer	continuer	s'engager
hésiter	s'intéresser	inviter
se préparer	réussir	

Verbs + *de* + Infinitives

accepter	arrêter	choisir
conseiller	décider	demander
se dépêcher	dire	essayer
finir	offrir	oublier
promettre	rêver	

Vocabulaire

Vocabulary terms from Level 1 of *T'es branché?* are included but do not have a unit number. Vocabulary terms from Level 2 include the unit number in which the term is introduced.

Français-Anglais

A à at; in; on; to; *à bicyclette* on a bicycle 4; *À bientôt.* See you soon.; *à bord* on board; *à côté (de)* beside, next to; *À demain.* See you tomorrow.; *à droite* on the right; *à gauche* on the left; *à la fois* at the same time 8; *à la télé* on TV 1; *à l'heure* on time; *à l'horizon* on the horizon 2; *à mon avis* in my opinion; *à pied* on foot; *à roulettes* on wheels 5; *à vélo* by bike

abstrait(e) abstract 2
un **accélérateur** accelerator 5
un **accent** accent 7
accepter to accept 3
un **accessoire** accessory 6
un **accident** accident 5
un **accompagnateur, une accompagnatrice** home health worker
accompagner to accompany
des **accras de morue (m.)** cod fritters
un **accueil** welcome 10; *un centre d'accueil* reception center, shelter 9
un **achat** purchase
acheter to buy
un **acteur, une actrice** actor
l' **action (f.)** action; *l'Action de grâce (f.)* Thanksgiving 1
une **activité** activity
l' **addition (f.)** bill
un(e) **ado** teenager 10
adorer to adore 6
une **adresse** address 9; *un jeu d'adresse* game of skill 1
l' **aérobic (m.)** aerobics
aéronautique: *le secteur aéronautique* aviation industry 9
un **aéroport** airport
des **affaires (f.)** belongings, things 10; *affaires de ménage* house cleaning items 3; *affaires de toilette* toiletries 3
affectueusement affectionately, with warm regards 6
une **affiche** poster
l' **Afrique (f.)** Africa
agacer to annoy 3; *Tu*

m'agaces! You're getting on my nerves! 3
l' **âge (m.)** age; *Tu as quel âge?* How old are you?
un(e) **agent(e)** agent 5; *agent de police* police officer
agir to act 9
s' **agir (de): il s'agit de** it's about 6
un **agneau** lamb 1
l' **agriculture (f.)** agriculture
agroalimentaire: *le secteur agroalimentaire* food industry 9
ah oh
l' **aide (f.)** assistance 8
aider to help
aimer to like, to love
l' **air (m.)** air; *avoir l'air* to look 2; *en plein air* outdoors 10
un **album** album 3
l' **alcoolisme (m.)** alcoholism 9
algérien(ne) Algerian
l' **Allemagne (f.)** Germany
l' **allemand (m.)** German [language]
allemand(e) German
aller to go; *Tu trouves que... me va bien?* Does this... look good on me?; *Vas-y!* Go for it!
allô hello [on telephone]
alors so, then
l' **Alsace (f.)** Alsace region 7
alsacien(ne) from, of Alsace region 7
l' **aluminium (m.)** aluminum; *en aluminium* made of aluminum
une **amande** almond 8
une **ambiance** ambiance 2; atmosphere 1; *chaude*

ambiance exciting/fun night 7
américain(e) American
amérindien(ne) Amerindian 10
l' **Amérique (f.): Amérique du Nord** North America 10; *Amérique du Sud* South America 10
un(e) **ami(e)** friend
l' **amour (m.)** love 4
un **amoureux, une amoureuse (de)** lover (of) 10
amusant(e) funny 2
amuser to amuse 1
s' **amuser** to have fun 3
un **an** year; *le Jour de l'an* New Year's Day 1
un **ananas** pineapple; *ananas montagne* mountain pineapple 8
l' **anglais (m.)** English [language]
anglais(e) English
l' **Angleterre (f.)** England
un **animal** animal; *les animaux en voie de disparition* endangered species
un **animateur, une animatrice** TV host 1
animé: *un dessin animé* cartoon 1
une **année** year; *en première année* in the first year 4
annexer to annex 4
un **anniversaire** birthday; *anniversaire de mariage* wedding anniversary 5
annoncer to announce 7
un **anoli** anole 8
les **Antilles (f.)** West Indies 8
un **anti-moustique** insect repellent 10

les **antirétroviraux (m.)** antiretroviral drugs

l' **antisémitisme (m.)** anti-Semitism 6

août August

l' **apartheid (m.)** Apartheid 6

un **appareil** camera, device 9

un **appartement** apartment

appeler to call 2

une **appli (application)** app (application) 9

apporter to bring

apprendre to learn; to teach 9

appuyer to push 9

après after

l' **après-midi (m.)** afternoon

arabe Arab 6

l' **argent (m.)** money; silver 6; *en argent* made of silver 6

une **armoire** wardrobe

arrêter to stop

s' **arrêter** to stop

l' **arrière-pays (m.)** back country 10

une **arrivée** arrival

arriver to arrive; *arriver (à)* to be able to 8

arroser to water 3

l' **art (m.)** art 2; *les arts plastiques (m.)* visual arts; *un objet d'art* art object 2

un **article** magazine, newspaper article 6

artifice: un feu d'artifice firework 1

un(e) **artiste** artist 2

l' **Asie (f.)** Asia 10

un **aspirateur** vacuum cleaner 3; *passer l'aspirateur* to vacuum 3

s' **asseoir** to sit down 3

assez (de) enough (of)

une **assiette** plate

assis(e) sitting 2

un(e) **athlète** athlete

attachant(e) likeable 1

attendre to expect (baby) 4; to wait (for)

Attention! Be careful!, Watch out!

atterrir to land 5

attractions: un parc d'attractions amusement park 1

au in (the), on (the); to (the); with 7; *au bord de la mer* at the seaside 2; *au bout de* at the end of; *au chocolat* with chocolate 7; *au-dessus de* above; *au fait* by the way 1; *au fond de* at the end of; *au moins* at least 8; *au premier plan* in the foreground 2; *Au revoir.* Good-bye.; *au secours* help 3; *au sucre* with sugar 7

une **auberge de jeunesse** youth hostel 7

une **aubergine** eggplant

aujourd'hui today

aussi also, too; as; *aussi (+ adverb) que* as... as 10

l' **Australie (f.)** Australia 10

une **auto (automobile)** car 1; *auto tamponneuse* bumper car 1; *un(e) designer automobile* automotive designer 9

un **autobus** bus; *en autobus* by bus 2

un(e) **autochtone** native 1

l' **automne (m.)** autumn

un **autoportrait** auto-portrait 2

autre other

autrefois formerly, in the past 4

autrement otherwise

aux at (the), in (the), to (the)

avance: en avance early

s' **avancer (vers)** to move (toward) 5

avant before 3

avec with

l' **avenir (m.)** future 9

une **aventure** adventure; *le tourisme d'aventure* adventure tourism 10

une **avenue** avenue

un **avion** plane; *en avion* by plane 2

un **avis** opinion; *à mon avis* in my opinion

un(e) **avocat(e)** lawyer

avoir to have; *avoir... an(s)* to be... year(s) old; *avoir besoin de* to need; *avoir* *bonne mine* to look healthy; *avoir chaud* to be hot; *avoir confiance* to trust 9; *avoir de la chance* to be lucky 5; *avoir envie de* to feel like, to want; *avoir faim* to be hungry; *avoir froid* to be cold; *avoir hâte de* to be eager 5; *avoir horreur de* to hate 1; *avoir l'air* to look 2; *avoir lieu* to take place 1; *avoir mal (à...)* to be hurt, to have a/an... ache; *avoir mal au cœur* to feel nauseous; *avoir mauvaise mine* to look sick; *avoir peur (de)* to be afraid (of) 1; *avoir peur du vide* to be afraid of heights 1; *avoir quel âge* to be how old; *avoir raison* to be right 2; *avoir soif* to be thirsty; *avoir un petit air du pays* to look like (something from) my country

avril April

azur: la côte d'Azur French Riviera 10

B

le **bacon** bacon 5

un **bagage** piece of luggage 5; *faire enregistrer les bagages* to check one's luggage 5; *un compartiment à bagages* luggage compartment 5

une **bague** ring 6; *bague de diamants* diamond ring 6

une **baguette** long thin loaf of bread

baigner to bathe 2

une **baignoire** bathtub

un **bain** bath 6; *un peignoir de bain* bathrobe 6

une **balade** ride, walk 5

un **balisier** botanical canna 8

un **ballon (de foot)** (soccer) ball

banal(e) banal

une **banane** banana

un **banc** bench

une **bande dessinée (BD)** comic strip 6

une **banlieue** suburb 9

une **banque** bank

le **bas** bottom

le **basket (basketball)** basketball

un **bassin** fountain, pond, pool 2

un **bateau** boat; *en bateau* by boat 2

une **batterie** drum set 6

bavard(e) talkative

beau, bel, belle beautiful, handsome

beaucoup a lot, very much; *beaucoup de* a lot of

un **beau-frère** stepbrother

un **beau-père** stepfather

la **beauté** beauty 2

beige beige

belge Belgian

la **Belgique** Belgium

une **belle-mère** stepmother

une **belle-sœur** stepsister

ben well

le **Bénin** Benin

béninois(e) Beninese

berbère Berber

un **best-seller** best seller 10

bête unintelligent

le **beurre** butter

une **bicyclette** bicycle 4; *à bicyclette* on a bicycle 4

bien really, well; *bien sûr* of course 1

bientôt soon; *à bientôt* see you soon

bienvenue welcome

un **bijou** piece of jewelry 6

un **billet** bill [money]; ticket

la **biologie** biology

biologique organic

blanc, blanche white

un **blason** team logo

bleu(e) blue; *la bleue* the blue one

un **blogue** blog

blond(e) blond

un **blouson** jacket

le **bœuf** beef; *bœuf bourguignon* beef burgundy 7

boire to drink 5

une **boisson** drink

une **boîte** nightclub 2; *boîte (de)* can (of); *en boîte* at/to the club 2

un **bol** bowl

bon so 6; *bon(ne)* good; *Bon Appétit!* Enjoy your meal!; *bon courage* good luck 10; *bon marché(e)* cheap; *Bonne route!* Have a good trip! 5; *Bon voyage!* Have a good trip!; *le bon vieux temps* the good old days 4

bonjour hello

un **bonnet** hat 6; *bonnet en laine* wool hat 6

le **bord** edge, side 2; *au bord de la mer* by the seaside 2; *bord de mer* seaside 8; *monter à bord* to board 5

une **borne-fontaine** water hydrant 8

une **borne libre-service** self-service kiosk 5

un **bosquet** grove 2

des **bottes (f.)** boots

la **bouche** mouth; *une bouche du métro* subway entrance

un **boucher, une bouchère** butcher 4

une **boucherie** butcher shop

une **boucle d'oreille** earring 6

bouger to move

un **boulanger, une boulangère** baker 4

une **boulangerie** bakery

le **bout** end; *au bout de* at the end of

une **bouteille (de)** bottle (of)

une **boutique** shop

un **bracelet** bracelet 6

le **bras** arm

une **brasserie** café-restaurant 2

la **Bretagne** Brittany region 5

breton(ne) from, of Brittany region 7

une **brochette** skewer 8

bronzer to tan 10

une **brosse: brosse à cheveux** hairbrush 3; *brosse à dents* toothbrush 3

se **brosser: se brosser les cheveux** to brush one's hair 3; *se brosser les dents* to brush one's teeth 3

brouillé: des œufs (m.)

brouillés scrambled eggs 5

brun(e) brown, dark (hair)

un **buffet** buffet 8

un **bulletin météo(rologique)** weather forecast 1

un **bureau** desk, office; *bureau de tabac* news store that sells tobacco, stamps, lottery tickets 2; *bureau du proviseur* principal's office

le **Burkina Faso** Burkina Faso

burkinabè from, of Burkina Faso

un **bus** city bus 2; *en bus* by city bus 2

un **but** goal

C

c'est it is, that is, this is; *C'est ça.* That's right.; *C'est décidé.* It's settled. 10; *c'est pareil* it's the same 3; *C'est parti!* Here we go! 10; *c'est pour ça que* this/that is why 9; *c'est sûr* that's for sure 1

ça it, this; that; *Ça fait combien?* How much is it?; *ça fait longtemps que* it's been a long time since 10; *ça m'est égal* it's all the same to me 8; *ça ne se fait pas* you shouldn't do that 7; *ça se saurait* it would be known 9; *ça serait* it would be 2; *Ça va?* How are things going?; *ça va se savoir* it will be revealed (known) 1; *ça vaut* it's worth 6; *ça veut dire* it/that means 3; *c'est pour ça que* that/this is why 9; *comme ça* like this, thus 9; *Rien que ça?* Is that all? 6

une **cabine d'essayage** dressing room

un **cabinet: cabinet dentaire** dentist's office 2; *cabinet du médecin* doctor's office 2

un **cadeau** gift

un **cadre** setting 10

un **café** café; coffee; *café au lait* coffee with milk 5

un **cahier** notebook

se **calmer: Calme-toi!** Calm down! 3

un(e) **camarade de classe** classmate

le **camembert** camembert cheese

une **caméra** camera 9

le **Cameroun** Cameroon

camerounais(e) Cameroonian

un **camion** truck 5

la **campagne** country(side)

le **camping** camping 10; *faire du camping* to go camping 10; *un terrain de camping* campground 10

le **Canada** Canada

canadien(ne) Canadian

la **canalisation** pipe(line) 8

un **canapé** sofa

un **canard** duck 4

une **canne à pêche** fishing pole 10

un **canoë** canoe 10; *en canoë* by canoe 10; *faire du canoë* to go canoeing 10

une **cantine** school cafeteria

une **capitale** capital

un **capot** hood *[car]* 5

le **caramel** caramel 7; *une crème caramel* caramel custard 7

une **caravane** camper 10

un **carnaval** carnival 8

une **carotte** carrot

un **carré** square; *en carrés* in squares

une **carte** card; map; menu; *carte cadeau* gift card; *carte de crédit* credit card 5; *carte d'embarquement* boarding pass 5; *carte postale* postcard 6; *carte SIM* SIM card 9

un **cas** case 3; *en tout cas* in any case 3

une **cascade** waterfall

une **casquette** cap

une **casserole** saucepan 10

une **cathédrale** cathedral

une **cause** cause

causer to cause

une **caverne** cave 6

un **CD** CD

ce it; this; *ce, cet, cette, ces* that, these, this, those; *ce que* what; *ce qui* what 3; *ce mot-là* this (very) word 4

un **cédérom** CD

une **ceinture** belt 6; *ceinture de sécurité* seatbelt 5

cela that, this 3

célèbre famous 2

cent (one) hundred

un **centre: centre commercial** mall, shopping center; *centre d'accueil* reception center, shelter 9

des **céréales (f.)** cereal 5

une **cerise** cherry

une **chaîne** channel 1

une **chaise** chair

une **chaise-longue** chaise lounge 10

une **chambre** bedroom; hotel room 5

un **champ** field 4; field of vision 9

un **champignon** mushroom

la **chance: avoir de la chance** to be lucky 5

changer to change 3

une **chanson** song

un **chansonnier, une chansonnière** cabaret artist/singer 4

chanter to sing

un **chanteur, une chanteuse** singer

un **chapeau** hat

une **chapelle** chapel 2

chaque each 4

un **char** float 8

une **charcuterie** delicatessen

un **charcutier, une charcutière** deli owner 4

chargé(e): être chargé(e) (de) to be in charge (of) 8

charmant(e) charming

le **charme** charm 10

un **chat** cat

un **château** castle

chaud: chaude ambiance exciting/fun night 7; *avoir chaud* to be hot; *il fait chaud* it's hot; *j'ai chaud* I am hot; *un chocolat chaud* hot chocolate 5

une **chaussette** sock

une **chaussure** shoe

une **chauve-souris** bat 8

un **chef** sir 5

un **chef-d'œuvre** masterpiece 2

un **chemin** path, way

une **chemise** shirt

cher, chère dear 6; expensive

chercher to look for

un **chercheur, une chercheuse** researcher 9

chéri(e) honey 3

un **cheval** horse; *faire du cheval* to go horseback riding 4

les **cheveux (m.)** hair; *une brosse à cheveux* hairbrush 3; *se brosser les cheveux* to brush one's hair 3

une **chèvre** goat 4

chez at/to the house (home) of; *chez moi* at/to my house

chic chic

un **chien** dog

la **chimie** chemistry

chimique chemical

le **chocolat** chocolate; *au chocolat* with chocolate 7; *un chocolat chaud* hot chocolate 5; *une mousse au chocolat* chocolate mousse 7

choisir to choose; to decide 8

un **choix** choice 7

le **chômage** unemployment 9

une **chose** thing 4; *Tu en sais des choses.* You sure know a lot about it. 4

la **choucroute** sauerkraut 7; *choucroute garnie* sauerkraut with potatoes, sausages, smoked pork 7

chouette great

chut shh 10

une **chute d'eau** waterfall 8

un **ciné (cinéma)** movie theatre; *le cinéma* movies

cinq five

cinquante fifty

cinquième fifth

circuler to drive, to get around

une **cité universitaire** university dormitory 4

un **citron** lemon 5; *un thé au citron* tea with lemon 5

clair(e) clear 1

une **clarinette** clarinet 6

une **classe** class

classique classical 6; *la musique classique* classical music 6

un **clavier** keyboard

une **clé** (ignition) key 5; *clé USB* USB key

un **clignotant** blinker 5

la **climatisation** air conditioning 5

un **clip** video clip 6

cliquer to click

un **coca** cola

un **cochon** pig 4

le **cœur** heart; *avoir mal au cœur* to feel nauseous

un **coiffeur, une coiffeuse** hair stylist 9

une **coiffure** hairstyle 2; *un salon de coiffure* hair salon 2

le **coin** corner; *du coin* on the corner

un **colibri** hummingbird 8

collé(e) glued, stuck 8

une **collection** collection 10

un **collier** necklace 6; *collier de/ en perles* pearl necklace 6

une **colline** hill

la **colonisation** colonization 3

combattre to fight

combien how much; *Ça fait combien?* How much is it?; *C'est combien le kilo?* How much per kilo?; *depuis combien de temps* how long 8; *Il coûte combien?* How much does it cost?

une **comédie** comedy; *comédie romantique* romantic comedy

commander to order 5

comme for; like; since 10; *comme ça* like this, thus 9; *comme ci, comme ça* so-so

commencer to begin; *pour commencer* for starters 7

comment how, what; *Comment allez-vous?* How are you?; *Comment est…?* What is… like?

un(e) **commerçant(e)** business, shopping; *un(e) petit(e) commerçant(e)* shopkeeper 2

un **compartiment à bagages** baggage compartment 5

un **complexe** center 1

compliqué(e) complicated 6

un **compositeur** composer, songwriter

une **composition** composition 2

composter to validate (a ticket)

un **composteur** ticket-stamping machine

comprendre to understand

compris included 5

compter to plan to do something 1

un **comptoir** (ticket) counter 5

un **concepteur de web** web designer 9

un **concert** concert; *concert R'n'B* R&B concert

un **concombre** cucumber

un **conducteur, une conductrice** driver 5

conduire to drive 5

la **confiance: avoir confiance** to trust 9

la **confiture** jam

connaître to be familiar with (person, place, thing), to meet 6; to know 4; *faire connaître (à)* to introduce to someone 6

se **connaître** to know each other 4

un **conquérant** conqueror 10

conseiller to advise

consommer to consume

un(e) **consultant(e)** consultant 9

une **consultation** consultation 1

un **conte** tale 6

contemporain(e) contemporary 9

content(e) happy 2

un **continent** continent 10

continuer to continue

contre against, versus

un **contrebandier, une contrebandière** smuggler 8

un **contrôle** test; *contrôle de sécurité* security checkpoint 5

un **contrôleur, une contrôleuse** ticket collector

convenir (à) to please 5; to suit 7; *si cela vous convient* if you'd like 5

une **conversation** conversation 6

conviendra: me conviendra (see **convenir**) 7

un **copain, une copine** (boy/girl) friend

un **coq** rooster 4; *le coq au vin* chicken cooked in wine 7

une **coquille St-Jacques** scallop 8

une **corniche** cliff road 10

le **corps** body

une **corvée** chore 3

un **costume** costume 8

un **côté** side 9; *à côté (de)* beside, next to

une **côte** coast 7; *la côte d'Azur* French Riviera 10; *la Côte-d'Ivoire* Ivory Coast

le **coton** cotton 6; *en coton* made of cotton 6

le **cou** neck

couché(e) in bed 1

se **coucher** to go to bed 3

une **couleur** color; *De quelle(s) couleur(s)?* In what color(s)?

un **couloir** hallway

couper to cut

un **couple** couple 2

le **courage: bon courage** good luck 10

une **courgette** zucchini

un **courrier** mail 6

le **couscous** couscous

un(e) **cousin(e)** cousin

un **coussin** pillow

un **couteau** knife; *couteau suisse* Swiss army knife 10

coûter to cost

une **couturière** dressmaker 4

le **couvert** table setting; *mettre le couvert* to set the table

un **crabe** crab 8

craindre to fear 10

un **crayon** pencil

le **crédit: une carte de crédit** credit card 5

créer to create 2

la **crème: crème caramel** caramel custard 7; *crème solaire* sunscreen 10

une **crémerie** dairy store

le **créole** Creole *[language]* 8

créole Creole 8

une **crêpe** crêpe; *un stand de crêpes* crêpe stand 2

une **crêperie** crêpe restaurant 7

une **crevette** shrimp 8

un **cri** cry 8; *pousser un cri* to scream 8

croire to believe, to think 4

un **croissant** croissant

un **croque-monsieur** grilled ham and cheese sandwich

des **crudités** (f.) raw vegetables 7

une **cuiller** spoon

le **cuir** leather 6; *en cuir* made of leather 6

la **cuisine** cooking; kitchen

un **cuisinier, une cuisinière** chef, cook

une **cuisinière** stove

culturel, culturelle cultural

une **cure** spa treatment

D

d'abord first of all

d'accord OK

d'habitude usually 4

une **dame** lady 5

danois(e) from, of Denmark 7

dans in

un **danseur, une danseuse** dancer 4

une **date** date 5

davantage more 8

de any, some; by, made of 6; from, of; *de diamants* made of diamonds 6; *de lin* made of linen 6; *de neuf* new 4; *de perles* made of pearls 6; *De quelle(s) couleur(s)?* In what color(s)?

débarasser la table to clear the table 7

un **déboulé** *[Mart.]* parade 8

debout standing 2

un **début** beginning 5

une **décapotable** convertible 5

décembre December

décider to decide 10; *C'est décidé.* It's settled. 10

décoller to take off *[airplane]* 5

décontracté(e) relaxed

une **découverte** discovery 10

découvre (see **découvrir**) 1

découvrir to discover 6; *faire découvrir (à)* to introduce to someone 6

décrire to describe 2

un **défilé** parade 8

un **degré** degree

se **déguiser** to disguise oneself, to dress up 8

déjà already

le **déjeuner** lunch

délicieux, délicieuse delicious

demain tomorrow; *À demain.* See you tomorrow.

demander to ask (for); *demander le chemin* to ask for directions; *demander un service* to ask for a favor 9

démarrer to start

un **déménagement** move (house) 10

demi(e) half; *et demie* half past

un **demi-frère** half-brother

une **demi-sœur** half-sister

une **dent** tooth; *une brosse à dents* toothbrush 3; *se brosser les dents* to brush one's teeth 3

dentaire: un cabinet dentaire dentist's office 2

le **dentifrice** toothpaste 3

un(e) **dentiste** dentist

un **départ** departure

un **département** department

se **dépêcher (de)** to hurry 3

se **déplacer** to get around 2

depuis for 8; since 7; *depuis combien de temps* how long 8; *Depuis le temps!* At last! 7; *depuis quand* since when 8

dernier, dernière last

derrière behind

des any 7; from (the), of (the); some

désagréable unpleasant

descendre to get off, to go down

une **descente** descent 10

se **déshabiller** to get undressed 3

un(e) **designer automobile** automotive designer 9

désirer to want

désolé(e) sorry

le **désordre** disorder 3

dès que as soon as 10

un **dessert** dessert

un **dessin** drawing 2; *dessin animé* cartoon 1

dessiner to draw 2

dessus on, over (it) 8; *au-dessus de* above

le **destin** destiny 4

une **destination** destination

un **détail** detail 1

se **détendre** to relax 3

détruit(e) destroyed 8

deux two

deuxième second

devant in front of

un **développement** development 9; *développement durable* sustainable development 9; *le secteur de développement durable* sustainable development industry 9

devenir to become

deviner to guess 6

une **devise** motto

devoir to have to

un **devoir** assignment; *les devoirs (m.)* homework

un **diabolo menthe** lemon-lime soda with mint syrup 7

un **diamont** diamond 6; *une bague de diamants* diamond ring 6

un **dictionnaire** dictionary

différent(e) different 6

difficile difficult

diligent(e) diligent

dimanche Sunday

un **dindon** turkey 4

dîner to have dinner

le **dîner** dinner

le **dioxyde de carbone** carbon dioxide

la **diplomatie** diplomacy 9; *user de diplomatie* to use diplomacy 9

dirait: on dirait (see **dire**) 8

dire to say, to tell 3; *joliment dit* nicely said 6; *ça veut dire* it/that means 3; *vouloir dire* to mean 3

se **dire** to say to oneself 5

direct: en direct de live from 6

une **direction** direction

dis: say; *dis donc* well 5; *disons* let's say

une **discographie** discography 6

une **discussion** discussion

discuter (de) to discuss 1

disparaître to disappear 4

disponible free

disposé(e) laid out 2

se **disputer** to argue 3

dissimuler to hide 8

une **distance** distance 9

le **divertissement** entertainment 9; *l'industrie (f.) du divertissement* entertainment industry 9

divorcé(e)(s) divorced

dix ten

dix-huit eighteen

dixième tenth

dix-neuf nineteen

dix-sept seventeen

un **documentaire** documentary

le **doigt** finger; *doigt de pied* toe

un **domaine** field, sector 9; *domaine de la santé* health sector 9; *domaine des sciences et techniques* science and technology sector 9

un **don: faire un don (de)** to give 9

donc so, therefore; *dis donc* well 5

donner to give; *donnez-moi* give me

dont whose 4

dormir to sleep

un **dortoir** dormitory 7

le **dos** back

une **douceur** gentleness 10; *douceur de vivre* relaxed style of life 10

une **douche** shower

douze twelve

un **drame** drama

un **drap** sheet 3

un **drapeau** flag

la **drogue** drugs 9

droite: à droite to the right; *à droite de* to (on) the right of; *tout droit* straight ahead

drôle funny

du about (the); any 7; from (the); of (the); on (the); some; *du coin* on the corner

dur(e) difficult 4

durable: le développement durable sustainable development 9; *le secteur de développement durable* sustainable development industry 9

un **DVD** DVD

dynamique dynamic 2

E

l' **eau (f.)** water; *eau minérale* mineral water; *une chute d'eau* waterfall 8; *une grande eau* fountain 2; *une masse d'eau* body of water 10; *une source d'eau* spring 8

une **écharpe** scarf

un **éclair** eclair

une **école** school

économique economic 9

économiser to save (up) 9

l' **écoute (f.): en écoute libre** listening trial 6

écouter to listen (to); *écouter de la musique* to listen to music; *écouter mon lecteur MP3* to listen to my MP3 player

un **écran** monitor, screen

écrire to write

un **écrivain** writer

une **éducation** education 9; *éducation physique et sportive (EPS)* gym class

un **effet** effect; *effet de serre* greenhouse effect

efficacement efficiently 9

égal(e): ça m'est égal it's all the same to me 8

une **église** church 2

égoïste selfish

eh bien well

électrique electric

l' **électro pop (m.)** Electro pop music 6

un(e) **élève** student

éliminer to eliminate

elle her 7; it; she

elles them (f.) 7; they

l' **embarquement (m.)** boarding 5; *une carte d'embarquement* boarding pass 5; *une porte d'embarquement* boarding gate 5

embrasser to kiss

une **émission** television program; TV show 1; *émission de musique* music show 1; *émission de télé-réalité* reality TV show 1

emmener to bring (person) 1

un **emploi** job 9

emprunter to borrow 6

en any, about it/them, from it/them, of it/them, some 7; at 2; by; in; made of 6; of [pronoun]; on; *en aluminium, plastique* made of aluminum, plastic; *en argent* made of silver 6; *en autobus* by bus 2; *en avance* early; *en avion* by plane 2; *en bateau* by boat 2; *en boîte* at/to the club 2; *en bus* by city bus 2; *en canoë* by canoe 10; *en coton* made of cotton 6; *en cuir* made of leather 6; *en direct de* live from 6; *en écoute libre* listening trial 6; *en face de* across from; *en famille* with family 7; *en haut* at the top 1; *en laine* made of wool 6; *en ligne* online; *en métro* by subway 2; *en or* made of gold 6; *en ordre* in order 5; *en panne* broken down 5; *en perles* made of pearls 6; *en pirogue* by pirogue 10; *en plein air* outdoors 10; *en plus* in addition to 1; *en première année* in the first year 4; *en R.E.R.* by R.E.R. 2; *en retard* late; *en route* on the way 8; *en scooter* by scooter 2; *en soie* made of silk 6; *en solde* on sale; *en taxi* by taxi 2; *en tout cas* in any case 3; *en train* by train 2; *en velours* made of velvet 6; *en ville* downtown; *en voiture* by car 2; *en voiture électrique* by electric car; *en voiture hybride* by hybrid car *en un sens* in a way 4; *Tu en sais des choses.* You sure know a lot about it. 4

enchanté(e) delighted

encore more 7; still 3

un **endroit** place

l' **énergie (f.)** energy; *énergie nucléaire* nuclear energy; *énergie solaire* solar energy

énergique energetic

un **enfant** child

enfin come on 1; finally; well 6

un **engagement** engagement 6

s' **engager** to be committed to, to commit to

l' **engrais (m.)** fertilizer

une **enquête** survey

enregistrer: faire enregistrer les bagages to check one's luggage 5

enseigner to teach 9

ensemble together

un **ensemble** outfit

ensuite next

entendre to hear 6

s' **entendre** to get along 3

enthousiaste enthusiastic 5

entre between

une **entrée** appetizer 7

entrer to come in, to enter; *entrer à l'université* to go to college 4

une **enveloppe** envelope 6

l' **environnement (m.)** environment

l' **envoi (m.)** send button 9

un **envoûtement** spell 10

envoyer to send; *envoyer des textos* to send text messages

une **éolienne** wind turbine

l' **épaule (f.)** shoulder

épicé(e) spicy 8

une **épicerie** grocery store

un **épicier, une épicière** grocery store owner 4

une **époque** era, period 4

l' **EPS (f.)** gym class

une **équipe** team

un **érable** maple tree 5; *le sirop d'érable* maple syrup 5

un **e-reader** e-reader 10

un **escargot** snail 7

un **espace** area

l' **Espagne (f.)** Spain

l' **espagnol (m.)** Spanish *[language]*

espagnol(e) Spanish

espérer to hope 6

un **essai** essay 6

essayer to try (on)

l' **essence (f.)** gasoline 5

un **essuie-glace** windshield wiper 5

l' **est (m.)** east

est-ce que *[phrase introducing a question]*

l' **estomac (m.)** stomach

et and; *et demie* half past; *et quart* quarter past

un **étage** floor, story; *le premier étage* the second floor

un **étang** pond

les **États-Unis (m.)** United States

l' **été (m.)** summer

étonner to surprise 6

être to be; *être au courant* to know, to be informed; *être chargé(e) (de)* to be in charge (of) 8; *être d'accord* to agree; *être de retour* to be back 10; *être en (bonne, mauvaise) forme* to be in (good, bad) shape; *être en train de (+ infinitive)* to be (busy) doing something; *être libre* to be free; *être occupé* to be busy; *être situé(e)* to be located; *être sur place* to be there 5; *être vert* to be environmentally friendly; *ça serait* it would be 2; *Nous sommes le (+ date).* It's the (+ date).

des **études (f.)** studies 4

un(e) **étudiant(e)** student 4

étudier to study

euh um

un **euro** euro

l' **Europe (f.)** Europe

eux them 2

évidemment obviously 2

un **évier** sink

éviter to avoid 5

exactement exactly

exagérer to exaggerate 6

une **excursion** trip 2; *faire une excursion* to take a trip 2

exister to exist 9

une **expérience** experience 4

expliqué(e) explained 6

expliquer to explain 6

un **exposé** presentation 3

une **exposition** exhibit 2

extraordinaire extraordinary 6

F

fabuleux, fabuleuse fabulous 4

une **fac (faculté)** college 4

face: en face de across from

facile easy

la **faim** hunger 9; *avoir faim* to be hungry

faire to do, to make; *faire connaître (à)* to introduce to someone 6; *faire découvrir (à)* to introduce to someone 6; *faire de la gym (gymnastique)* to do gymnastics; *faire de la plongée sous-marine* to go scuba diving 8; *faire de la voile* to go sailing 10; *faire du camping* to go camping 10; *faire du canoë* to go canoeing 10; *faire du cheval* to go horseback riding 4; *faire du footing* to go running; *faire du kayak* to go kayaking 8; *faire du parachutisme ascensionnel* to go parasailing 10; *faire du patinage (artistique)* to (figure) skate; *faire du roller* to in-line skate; *faire du scooter des mers* to jet ski 8; *faire du shopping* to go shopping; *faire du ski (alpin)* to (downhill) ski; *faire du ski nautique* to go water-skiing 10; *faire du sport* to play sports; *faire du vélo* to bike; *faire enregistrer les bagages* to check one's luggage 5; *faire griller* to barbecue 1; *faire la connaissance (de)* to meet; *faire la cuisine* to cook; *faire la lessive* to wash clothes 3; *faire la vaisselle* to wash the dishes 3; *faire le ménage* to do housework 3; *faire le plein* to fill up the gas tank 5; *faire les courses* to go grocery shopping; *faire le touriste* to be a tourist 8; *faire marcher* to make (something) work; *faire mes devoirs* to do my homework; *faire partie (de)* to belong (to) 9; *faire sécher le linge* to dry clothes 3; *faire un don (de)* to give 9; *faire un tour* to go on a ride 1; to go on a tour 10; *faire un tour de grande roue* to go on a Ferris wheel ride 1; *faire un tour de manège* to go on a carnival ride 1; *faire un tour de montagnes russes* to go on a roller coaster ride 1; *faire un voyage* to go on a trip 5; *faire une excursion* to take a trip 2; *faire une intervention* to organize an intervention 9; *faire une liste* to make a list 10; *faire une nuit blanche* to stay up all night 1; *faire une promenade* to go for a walk; *faire une promesse* to make a promise 10; *faire une randonnée à pied* to hike 8; *faire une visite guidée* to go on a guided tour 10

se **faire: ça ne se fait pas** you shouldn't do that 7

fait: au fait by the way 1; *Ça fait combien?* How much is it?; *il fait beau* it's beautiful out; *il fait chaud* it's hot; *il fait du soleil* it's sunny; *il fait du vent* it's windy; *il fait frais* it's cool; *il fait froid* it's cold; *il fait mauvais* the weather's bad; *Quel temps fait-il?* What's the weather like?; *tout à fait* completely 1

une **falaise** cliff 7

fallait: il fallait (see **falloir**) 4

falloir to be necessary, to have to; *il faut* it is

necessary, one has to/must, we/you have to/must

une **famille** family; *en famille* with family 7

la **fantaisie** fantasy 10

farci(e) stuffed 8

fatigué(e) tired

la **faune** fauna, wildlife 8

faut: il me faut I need 10

un **fauteuil** armchair

une **femme** wife; *femme d'affaires* businesswoman; *femme politique* female politician 9

une **fenêtre** window

un **fer à repasser** (clothes) iron 3

une **ferme** farm 4

fermer to close

un **fermier, une fermière** farmer 4

une **fête** holiday 1; party; *fête foraine* carnival 1; *fête nationale* national holiday 1

fêter to celebrate 1

un **feu: feu d'artifice** firework 1; *feu de joie* bonfire 1

une **feuille de papier** sheet of paper

un **feuilleton** TV soap opera 1

février February

un **fichier multimédia** multimedia file 9

la **fièvre** fever

la **figure** face

filer to run [*inform.*] 1

une **fille** daughter; girl

un **film** film; *film d'action* action movie; *film d'aventures* adventure movie; *film d'horreur* horror movie; *film de science-fiction* science fiction movie; *film musical* musical; *film policier* detective movie

un **fils** son

fin(e) fine

finir to finish

un **fitness** gym, health club

un(e) **fleuriste** florist 2

un **fleuve** river

la **flore** flora 8

une **flûte** flute 6

une **fois** occasion, time 2; *à la fois* at the same time 8

folklorique: la musique folklorique folk music 6

fond: au fond (de) at the end (of)

le **foot** soccer

un **footballeur, une footballeuse** soccer player

le **footing** running

une **force** strength 10

forestier, forestière with mushrooms 7

une **forêt** forest

un **forgeron** blacksmith 6

forme: être en (bonne, mauvaise) forme to be in (good, bad) shape

formidable awesome 2

fort(e) strong

un **fou, une folle** crazy person 3

un **foulard** scarf

une **foule** crowd 8

un **four** oven

une **fourchette** fork

un **fourre-tout** carry-all 10

frais, fraîche cool; fresh; *il fait frais* it's cool

une **fraise** strawberry

le **français** French [*language*]

français(e) French

francanadien(ne) from, of French-speaking Canada

la **France** France

francophone French-speaking

un **frein** brake 5

fréquenter to frequent, to hang out 4

un **frère** brother; *beau-frère* stepbrother; *demi-frère* half-brother

un **frigo** refrigerator

des **frissons (m.)** chills; shakes 1

frit(e) deep-fried 8

des **frites (f.)** French fries

froid(e) cold; *avoir froid* to be cold; *il fait froid* it's cold

le **fromage** cheese

un **fruit** fruit; *les fruits de mer (m.)* seafood 8; *une tarte aux fruits* fruit tart

le **funk** funk music 6

G

le Gabon Gabon

gabonais(e) Gabonese

gagner to win; *gagner du temps* to save time 5

une galerie gallery 9; *galerie des miroirs déformants* fun house 1

une galette buckwheat crêpe 7

un gant de toilette washcloth 3

un garage auto shop 5

garanti(e) guaranteed 1

un garçon boy

une gare train station

garni(e): la choucroute garnie sauerkraut with potatoes, sausages, smoked pork 7

la Gascogne Gascony region 7

gascon(ne) from, of Gascony region 7

un gâteau cake

gauche: à gauche on the left; *à gauche de* on/to the left of

géant(e) giant

généreux, généreuse generous

génial(e) fantastic, great, terrific

le génocide genocide 6

le genou knee

un genre type

des gens (m.) people

gentil, gentille nice 8

une glace ice cream; mirror 2; *glace à la vanille* vanilla ice cream; *glace au chocolat* chocolate ice cream

une glacière cooler 10

la gorge throat

un gorille gorilla; *gorille des montagnes* mountain gorilla

gourmand(e) fond of food

goûter to taste 7

le goûter snack

un gouvernement government 9

un gramme (de) a gram (of)

grand(e) big, large, tall; *la grande roue* Ferris wheel 1; *faire un tour de grande roue* to go on a Ferris wheel ride 1; *une grande eau* fountain 2

grandir to grow

une grand-mère grandmother

les grand-parents (m.) grandparents

un grand-père grandfather

une grange barn 4

un(e) graphiste graphic designer

gratuit(e) free 1

grave serious

gravé(e) engraved 6

grillé(e) grilled 5; *le pain grillé* toast 5

griller to grill 1; *faire griller* to barbecue 1

la grippe flu

gris grey

une grive thrush 8

gros, grosse big, fat, large

grossir to gain weight

un groupe group 1

la Guadeloupe Guadeloupe 8

une guerre war 9

un guichet ticket booth

un guide guide 1; guidebook; *guide touristique* tourist guide; *le guide Michelin* Michelin guidebook 10

guidé(e) guided 10; *faire une visite guidée* to go on a guided tour 10

une guitare guitar 6

la Guyane (française) French Guyana 10

la gym (gymnastique) gymnastics; *faire de la gym (gymnastique)* to do gymnastics

H

s' habiller to get dressed 3

un(e) habitant(e) inhabitant, resident

habiter to live

haïtien(ne) Haitian 8

un hamac hammock 10

un hamburger hamburger

un hameau hamlet 2

hanté: une maison hantée haunted house 1

des haricots verts (m.) green beans

la hâte: avoir hâte de to be eager 5

le haut top

haut(e) high 8; *en haut* at the top 1

un héros, une héroïne hero, heroine 6

hésiter to hesitate 5

l' heure (f.) hour, o'clock, time; *à l'heure* on time; *Quelle heure est-il?* What time is it?

heureusement fortunately 3

heureux, heureuse happy 2

un hibiscus hibiscus 8

hier yesterday

le hip-hop hip-hop

l' histoire (f.) history

l' hiver (m.) winter

un homme: homme d'affaires businessman; *homme politique* male politician 9

l' horizon (m.) horizon 2; *à l'horizon* on the horizon 2

l' horreur (f.) horror; *avoir horreur de* to detest, to hate 1

horrible awful, horrible 1

l' hospitalité (f.) hospitality 6

un hôtel hotel; *hôtel de ville* city hall

une hôtesse de l'air female flight attendant 5

l' huile (f.) oil [car] 5

huit eight

huitième eighth

humanitaire humanitarian

hybride hybrid

I

ici here

une icône icon 9

une idée idea; *Bonne idée!* Good idea!

il he; it; *il y a* there are/is; *il y a (+ time)* (time) ago 4

ils they

une image image, picture 1

imaginer to imagine 1

un immeuble apartment building

l' important (neutr.) what's important 9

impossible impossible

impressionniste Impressionist 2

une **imprimante** printer

imprimer to print

incroyable incredible 6

les **indigènes (m.)** native people 10

indiquer to indicate, to point out/to 2

une **industrie** industry 9; *industrie du divertissement* entertainment industry 9

un **infirmier, une infirmière** nurse 9

les **informations (infos) (f.)** news 1

l' **informatique (f.)** computer science; information technology 9; *le secteur de l'informatique* information technology industry 9

informer to inform 2

un **ingénieur** engineer

l' **initiative (f.): un syndicat d'initiative** tourist information office 2

inquiet, inquiète worried 8

une **inquiétude** worry 9

s' **inscrire** to register 4; *s'inscrire en letters* to declare a major in Humanities 4

un **insecte** insect 1

insister (sur) to insist (on) 2

installer to install

s' **installer** to get settled 5

un **instant** moment; *pour l'instant* for the moment

un **instituteur, une institutrice** elementary school teacher 4

un **instrument** musical instrument 6

intelligent(e) intelligent

intéressant(e) interesting

intéresser to interest 2

s' **intéresser (à)** to be interested (in) 9

une **interface** interface 9

l' **intérieur (m.)** inside 2

international(e) international

(l') **Internet (m.)** Internet

une **intervention: faire une intervention** to organize an intervention 9

l' **inutile (m.)** what is useless 10

un(e) **invité(e)** guest

inviter to invite

l' **Italie (f.)** Italy

italien(ne) Italian

un **itinéraire** itinerary 7

ivoirien(ne) from, of the Ivory Coast

J

la **jambe** leg

le **jambon** ham

janvier January

japonais(e) Japonese 7

un **jardin** garden, park

le **jasmin** jasmine

jaune yellow

le **jazz** jazz music 6

je/j' I

un **jean** jeans

un **jet ski** jet ski 10

un **jeu: jeu d'adresse** game of skill 1; *jeu télévisé* (TV) game show 1; *jeu vidéo* video game; *les Jeux Olympiques (m.)* Olympic Games

jeudi Thursday

jeune young 2

un(e) **jeune** young man/woman 4

joindre to attach 9

joins (see **joindre**) 9

joli(e) pretty

joliment dit nicely said 6

jouer to play; *jouer au basket (basketball)* to play basketball; *jouer au foot (football)* to play soccer; *jouer au hockey sur glace* to play ice hockey; *jouer aux jeux vidéo* to play video games; *jouer de (+ instrument)* to play (instrument) 6; *jouer un rôle* to play a role

un **jour** day; one day, someday; *le Jour de l'an* New Year's Day 1

un **journal** newspaper 6

une **journée** day

juillet July

juin June

jumeau, jumelle twin 5; *un lit jumeau* twin-sized bed 5

des **jumelles (f.)** binoculars 8

une **jupe** skirt

un **jus** juice; *jus d'orange* orange juice; *jus de pamplemousse* grapefruit juice 5; *jus de pomme* apple juice 7

jusqu'à until

juste fair 3; only 5

K

un **kayak: faire du kayak** to go kayaking 8

le **ketchup** ketchup

kiffer to like *[inform.]* 1

un **kilo (de)** kilogram (of)

un **kilomètre** kilometer

un **kiosque** stand 2; *kiosque à journaux* newsstand

un **klaxon** horn 5

L

là there

là-bas over there

un **labo (laboratoire)** science lab

un **lac** lake

laid(e) ugly 2

la **laine** wool 6; *en laine* made of wool 6; *un bonnet en laine* wool hat 6

laisser to leave, to let; *Laisse-moi finir!* Let me finish!

le **lait** milk

un **lambi** lambis 8

une **lampe** lamp; *lampe de poche* flashlight 10

une **langouste** spiny lobster 8

une **langue** language

un **lapin** rabbit 4

une **largeur** width 9; *régler la largeur du champ* to adjust the zoom 9

laver: une machine à laver washing machine 3

se **laver** to wash (oneself) 3

un **lave-vaisselle** dishwasher 3

le, la, l' it *[object pronoun]*; the

un **lecteur: lecteur de DVD** DVD player; *lecteur de MP3* MP3 player la **lecture** reading 6

une **légende** legend 4

un **légume** vegetable

le **lendemain** next day 10

les the; them 5

la **lessive: faire la lessive** to wash clothes 3

une **lettre** letter 6

les **lettres (f.)** Humanities 4; *s'inscrire en lettres* to declare a major in Humanities 4

leur their; to them 5

leurs their

lève: Lève la tête! Look up! 2

se **lever** to get up 3

une **lèvre** lip 3; *un rouge à lèvres* lipstick 3

une **librairie** bookstore 2

libre free 6; *en écoute libre* listening trial 6; *une borne libre-service* self-service kiosk 5

une **licorne** unicorn 6

un **lien** link

un **lieu: avoir lieu** to take place 1

la **ligne** figure; *ta ligne* your figure; *en ligne* online

une **limonade** lemon-lime soda

le **lin** linen 6; *de lin* made of linen 6; *un mouchoir de lin* linen handkerchief 6

le **linge: faire sécher le linge** to dry clothes 3

lire to read

une **liste** list 10; *faire une liste* to make a list 10

un **lit** bed; *lit jumeau* twin-sized bed 5; *lits superposés* bunk beds 7

un **litre (de)** liter (of)

un **livre** book

une **livre** pound

un **lockscreen** lock screen 9

un **logiciel** software

loin (de) far (from)

long, longue long

le **long de** alongside 10

longtemps: ça fait longtemps que it's been a long time since 10

louer to rent

lui to her/him

une **lumière** light 2

lundi Monday

des **lunettes (f.)** glasses 4; *lunettes de soleil* sunglasses 10

lutter to fight 9

le **Luxembourg** Luxembourg

luxembourgeois(e) from, of Luxembourg

le **Lyonnais** Lyon region 7

lyonnais(e) from, of Lyon 7

M

m'appelle: je m'appelle my name is

une **machine à laver** washing machine 3

madame (Mme) Ma'am, Mrs., Ms.

mademoiselle (Mlle) Miss, Ms.

un **magasin** store

un **magazine** magazine 6

maghrébin(e) from, of the Maghreb 6

magique magical 2

mai May

maigrir to lose weight

un **maillot** jersey; *maillot de bain* bathing suit

la **main** hand; *la main dans la main* hand in hand

maintenant now

le **maire, madame le maire** mayor 4

mais but

une **maison** home, house; *maison de rêve* dream house 10; *maison hantée* haunted house 1

mal badly; *avoir mal (à...)* to be hurt, to have a/an... ache; *Ça va mal.* Things are going badly. *le plus mal* the worst 10; *plus mal* worse 10

un(e) **malade** sick person

malade sick

une **maladie** illness

le **Mali** Mali

malien(ne) Malian

Mamy grandma 4

la **Manche** English Channel 10

un **manège: faire un tour de manège** to go on a carnival ride 1

manger to eat

une **mangouste** mongoose 8

une **mangrove** mangrove 8

une **manif (manifestation)** street demonstration 4

un **mannequin** model

manquer to lack 4

un **manteau** coat

le **maquillage** make-up 3

se **maquiller** to put on make-up 3

un(e) **marchand(e)** merchant

le **marché** market *[financial]* 9; outdoor market; *marché aux puces* flea market

marcher to walk; to work 1; *faire marcher* to make (something) work

mardi Tuesday

une **marée** tide; *marée noire* oil slick

un **mari** husband

un **mariage** wedding 8; *un anniversaire de mariage* wedding anniversary 5

un **marié** groom 8

une **mariée** bride 8; *une robe de mariée* wedding dress 8

se **marier** to get married 4

marine: une tortue marine sea turtle 8

marquer to score

marron brown

mars March

martiniquais(e) from, of Martinique 6

la **Martinique** Martinique

un **mas** *[Mart.]* mask 8

le **mascara** mascara 3

un **masque** mask 8

une **masse d'eau** body of water 10

un **massif** mountain range 10

un **match** game

un **matelas pneumatique** inflatable water mattress 10

les **maths (f.)** math

la **matière** class subject

le **matin** morning

la **matinée** morning 5

mauvais bad; *il fait mauvais* the weather is bad

la **mayonnaise** mayo

me (m') me; to me 5

un(e) **mécanicien(ne)** mechanic 5

méchant(e) mean

un **médecin** doctor; *un cabinet de médecin* doctor's office 2

une **médiathèque** media center

les **meilleurs (m.)** the best

un **melon** melon

même even 5; same

le **ménage** household, housework 3; *des affaires (f.) de ménage* house cleaning items 3; *faire le ménage* to do housework 3

la **menthe** mint 7; *un diabolo menthe* lemon-lime soda with mint syrup 7

un **menu fixe** fixed menu

une **mer** sea 2; *mer des Caraïbes* Caribbean Sea 10; *mer Méditerranée* Mediterranean Sea 10; *mer du Nord* North Sea 10; *au bord de la mer* by the seaside 2; *le bord de mer* seaside 8; *les fruits de mer (m.)* seafood 8

merci thank you

mercredi Wednesday

une **mère** mother; *belle-mère* stepmother

merveilleux, merveilleuse marvelous 6

mesdemoiselles (f.) plural of *mademoiselle*

un **message** message 6

une **messagerie** messaging 9

la **météo** weather 5; weather forecast 1; *un bulletin météo(rologique)* weather forecast 1

un **métier** job

le **métro** subway; *en métro* by subway 2

un **metteur en scène** director

mettre to put (on), to set; *mettre en valeur* to accentuate 8; *mettre le couvert* to set the table

se **mettre: se mettre en mode photo** to go into photo

mode 9; *mets-toi devant l'écran* place yourself in front of the TV

un **meuble** piece of furniture

meunière rolled in flour and sautéed 8

un **micro-onde** microwave

midi noon

mieux better; *mieux que* better than 10; *le mieux* the best 10; *se porter mieux* to feel/do better 9

mille thousand

un **millefeuille** layered custard pastry

un **million** million

mince darn, shoot 1

une **mine** appearance, expression

minuit midnight

une **minute** minute

un **miroir** mirror 1; *une galerie des miroirs déformants* fun house 1

une **mission** mission 8

moche ugly

un **mode: se mettre en mode photo** to go into photo mode 9

moderne modern 2

moderniser to modernize 9

moi me

moins less; *moins le quart* quarter to; *moins (+ adverb) + que* less... than 10; *au moins* at least 8; *le moins* the least 10

un **mois** month

un **moment** moment 1

mon, ma, mes my

le **monde** everyone, world; *tout le monde* everybody 5

un **moniteur** monitor

un **monospace** minivan 5

monsieur (M.) Mr., sir

une **montagne** mountain; *un ananas montagne* mountain pineapple 8; *faire un tour de montagnes russes* to go on a roller coaster ride 1

monter to get in/on, to go up; *monter à bord* to board 5

une **montre** watch 6

montrer to show

un **monument** monument

se **moquer (de)** to make fun (of) 2

un **morceau (de)** piece (of)

mort(e) dead

une **morue** cod 8; *des accras (m.) de morue* cod fritters

une **mosquée** mosque

un **mot** word 10; *ce mot-là* this (very) word 4

un **mouchoir** handkerchief 6; *mouchoir de lin* linen handkerchief 6

une **mousse au chocolat** chocolate mousse 7

la **moutarde** mustard

un **mouton** sheep 4

un **mouvement** movement 2

un **moyen** means 2; *moyen de transport* means of transportation 2

moyen(ne) medium

mûr(e) ripe

un **musée** museum

un **music-hall** music hall 4

la **musique** music; *musique alternative* alternative music; *musique classique* classical music 6; *musique folklorique* folk music 6; *musique pop* pop music 6; *une émission de musique* music show 1

N

n'est-ce pas isn't that so

nager to swim

une **nappe** tablecloth

national(e) national 1; *une fête nationale* national holiday 1

la **nature** nature 8; *nature morte* still life 2

naviguer to browse

un **nay** ney [instrument] 6

ne: ne (n')... jamais never; *ne (n')... pas* not; *ne (n')... pas encore* not yet 8; *ne (n')... personne* nobody, no one, not anyone; *ne (n')... plus* no longer, not anymore;

ne (n')... rien nothing

nécessaire necessary 9

neiger to snow; *il neige* it's snowing

nettoyer to clean 4

neuf nine

neuf, neuve new 4; *de neuf* new 4; *Quoi de neuf?* What's new? 7

neuvième ninth

le **nez** nose

niçoise: une salade niçoise tuna salad

un **niveau** level 2

Noël Christmas 1

noir(e) black

un **nom** name 2

un **nombre** number

non no; *non plus* neither 7

le **nord** north; *l'Amérique du Nord (f.)* North America 10

normand(e) from, of Normandy region 7

la **Normandie** Normandy region 7

une **note** grade

notre, nos our

nourrir to feed 4

la **nourriture** food 9

nous to us 5; us; we

nouveau new; *nouvel, nouvelle* new

le **Nouveau-Brunswick** New Brunswick

novembre November

nucléaire nuclear

la **nuit** night; *faire une nuit blanche* to stay up all night 1

nul, nulle bad 1

un **numéro** number; *numéro de téléphone* phone number

le **Nutella** spread made of hazelnut and chocolate 5

O

un **objet** object 2; *objet d'art* art object 2

obligatoire mandatory

observer to observe 8

occupé(e) busy; *être occupé(e)* to be busy

occuper to occupy 4

s' **occuper (de)** to take care (of) 4

un **océan** ocean; *océan Atlantique* Atlantic Ocean 10; *océan Indien* Indian Ocean 10; *océan Pacifique* Pacific Ocean 10

octobre October

l' **œil (m.)** eye

un **œuf** egg; *œufs brouillés* scrambled eggs 5; *œufs sur le plat* eggs sunny side up 5

une **œuvre** work 2

officiel, officielle official 6

offrir to give, to offer

oh oh; *oh là là* oh dear, oh no, wow

un **oignon** onion

un **oiseau** bird

une **olive** olive

une **omelette** omelette

on one, they, we; *On s'appelle.* We'll call each other.

un **oncle** uncle

une **ONG (organisation non gouvernementale)** NGO (non-governmental organization) 8

onze eleven

l' **or (m.)** gold 6; *en or* made of gold 6

une **orange** orange

orange orange

une **orangerie** orangery 2

une **orchidée** orchid 8; *orchidée suspendue* tropical orchid 8

un **ordre** order 5; *en ordre* in order 5

un **ordinateur** computer; *ordinateur portable* laptop computer

l' **oreille (f.)** ear; *une boucle d'oreille* earring 6

ou or

où when; where

oublier to forget

un **oud** oud *[instrument]* 6

l' **ouest (m.)** west

oui yes

ouille ouch

un **ours** bear; *ours polaire* polar bear

ouvrir to open 6

P

le **pain** bread; *pain grillé* toast 5; *pain perdu* French toast 5

une **pamplemousse** grapefruit; *un jus de pamplemousse* grapefruit juice 5

un **panda** panda; *panda géant* giant panda

une **panne: en panne** broken down 5

un **panneau** panel

un **pantalon** pants

le **papier** paper; *feuille de papier* sheet of paper

un **papillon** butterfly 8

Papy grandpa 7

un **paquet** package 6; *paquet (de)* packet (of)

par through, via 2; with

le **parachutisme ascensionnel: faire du parachutisme ascensionnel** to go parasailing 10

un **parasol** (beach) umbrella 10

un **parc** park; *parc d'attractions* amusement park 1

parce que because

pardi of course *[regional]*

pardon pardon me

un **pare-brise** windshield 5

pareil, pareille the same 3; *c'est pareil* it's the same 3

les **parents (m.)** parents

paresseux, paresseuse lazy

parfaitement perfectly 7

parfois sometimes 1

un **parfum** perfume, scent 10

parisien(ne) from, of Paris 6

parlementaire parliamentary 1

parler to speak, to talk

se **parler** to talk to each other/ one another

parles: tu parles yeah right 7

des **paroles (f.)** lyrics

une **partie: faire partie (de)** to belong (to) 9

partir to leave; *C'est parti!* Here we go! 10

partout everywhere

pas not; *pas du tout* not at all;

pas mal not bad; *pas très bien* not very well; *ne (n')... pas* not; *ne (n')... pas encore* not yet 8

un **passager, une passagère** passenger 5

passer to go through 5; to move over (something), to pass 9; to spend (time); *passer l'aspirateur* to vacuum 3

un **passe-temps** pastime

une **passion** passion

passionnant(e) fascinating 1

passionné(e) (de) passionate (about)

le **pâté** pâté

des **pâtes (f.)** pasta

le **patinage (artistique)** (figure) skating

une **pâtisserie** bakery, pastry shop

pauvre poor 2

la **pauvreté** poverty 9

payer to pay

un **payeur, une payeuse** someone who pays

un **pays** country

un **paysage** landscape 7

une **pêche** peach; *la pêche* fishing 10; *une canne à pêche* fishing pole 10

pêcher to fish 8

un **peigne** comb 3

se **peigner** to comb one's hair 3

un **peignoir de bain** bathrobe 6

un(e) **peintre** painter 2

une **peinture** painting 2

une **pelouse** lawn 3

pendant during; for; *pendant que tu y es* while you're at it 5

une **pendule** clock

penser to think

perdre to lose

perdu lost; *le pain perdu* French toast 5

un **père** father; *beau-père* stepfather

une **perle** pearl 6; *un collier de/en perles* pearl necklace 6

une **personnalité** celebrity 1

une **personne** person; *ne (n')... personne* nobody, no one, not anyone

une **perspective** perspective 2

persuadé(e) persuaded

petit(e) little, short, small

un(e) **petit(e) commerçant(e)** shopkeeper 2

le **petit déjeuner** breakfast

des **petits pois (m.)** peas

le **pétrole** petroleum

(un) **peu** (a) little; *un peu de* a little of

la **peur: avoir peur (de)** to be afraid (of) 1; *avoir peur du vide* to be afraid of heights 1

peut-être maybe

une **pharmacie** drugstore 2

le **phare** headlight 5

une **photo** photo; *prendre (quelque chose) en photo* to take a picture (of something) 8; *re-photo* another photo

la **physique** physics

un(e) **pianiste** pianist 6

un **piano** piano 6

une **pièce** play 6; room

le **pied** foot; *à pied* on foot; *faire une randonnée à pied* to hike 8

un(e) **pilote** pilot 9

piqueniquer to picnic 8

piqueniquera (see **piqueniquer**) 8

un **piranha** piranha 10

un **pirate** pirate 6

pire worse 10; *le pire* the worst 10

une **pirogue** pirogue 10; *en pirogue* by pirogue 10

une **piscine** swimming pool

une **pizza** pizza

un **placard** closet

une **place** square

une **plage** beach 5; *une serviette de plage* beach towel 10

se **plaindre** to complain 5

une **plaine** plain 1

un **plaisir** pleasure

un **plan** city map; *au premier plan* in the foreground 2

une **planète** planet

une **plante** plant 3

la **plastique** plastic; *en plastique* made of plastic

un **plat** dish 7; *plat principal* main dish 7; *des œufs (m.) sur le plat* eggs sunny side up 5

un **plateau** platter 7

plein full 5; *en plein air* outdoors 10; *faire le plein* to fill up the gas tank 5

pleurer to cry

pleuvoir to rain; *il pleut* it's raining

la **plongée sous-marine: faire de la plongée sous-marine** to go scuba diving 8

plonger to dive

plus more; *plus mal* worse 10; *plus (+ adverb) + que* more... than 10; *plus de (+ noun)* more 3; *en plus* in addition to 1; *le/la/les plus (+adjectif)* the most (+ adjective); *le plus* the most 10; *le plus mal* the worst 10; *ne (n')... plus* no longer, not anymore; *non plus* neither 7

plusieurs several 2

plutôt instead; rather 2

un **pneu** tire 5

pneumatique: un matelas pneumatique inflatable water mattress 10

une **poche** pocket 10; *une lampe de poche* flashlight 10

une **poêle** frying pan 10

un **poème** poem 6

un **point de vue** viewpoint 1

une **poire** pear

un **poisson (rouge)** (gold)fish

la **poitrine** chest

le **poivre** pepper

un **poivron** bell pepper

politique political 9; *une femme politique* female politician 9; *un homme politique* male politician 9

polluant polluting

pollué(e) polluted 8

polluer to pollute

un **pollueur, une pollueuse** polluter

la **pollution** pollution

une **pomme** apple; *un jus de pomme* apple juice 7; *une tarte aux pommes* apple pie

un **pont** bridge

pop: la musique pop pop music 6

le **porc** pork

un **port** port 7; *port micro-USB* USB port 9

un **portable** cell phone

portable: une téléphone portable cell phone 9

une **porte** door; *porte d'embarquement* boarding gate 5

un **portefeuille** wallet 6

porter to wear

se **porter: se porter mieux** to feel/do better 9

un **portrait** portrait 2

une **possibilité** possibility 2

possible possible

postale: une carte postale postcard 6

une **poste** post office

un **pot (de)** a jar (of)

un **potage** soup 7

une **poubelle** garbage can 3

une **poule** hen 4

le **poulet** chicken

pour for; *pour commencer* for starters 7; *c'est pour ça que* that/this is why 9

pourquoi why

pourrais (see **pouvoir**) 4

pourras (see **pouvoir**) 8

pousser un cri to scream 8

pouvoir to be able (to)

un **pouvoir** power 6

précisément precisely 8

préférait (see **préférer**) 2

préféré(e) favorite

préférer to prefer

premier, première first; *le premier plan* foreground 2; *au premier plan* in the foreground 2; *en première année* in the first year 4

les **premiers secours (m.)** first-

aid 10; *une trousse de premiers secours* first-aid kit 10

prendre to have (food or drink), to take; *prendre des vacances* to take a vacation 4; *prendre (quelque chose) en photo* to take a picture (of something) 8

un **prénom** first name

préparer to make 7; to prepare

se **préparer** to get (oneself) ready 3

une **préposition** preposition

près de near

un **présentateur, une présentatrice** news anchor 1

présenter à (to someone) to introduce

presque almost 3; nearly

prêt(e) ready

prêter to lend 9

les **prévisions (f.)** forecast 5

principal(e) main 7; *un plat principal* main dish 7

le **printemps** spring

un **problème** problem

prochain(e) next 1

un(e) **prof** teacher

une **profession** profession; *Quelle est votre profession?* What is your profession?

un **professionnel, une professionelle** professional 9

un **profil** profile

profiter to take advantage of; *profiter de* to benefit from; *tu profiterais de* you would benefit from

un **programme** plan 1

le **progrès** progress 9

un **projet** project

projeter to plan 10

prolongé(e) extended 7

une **promenade** walk

se **promener** to go for a walk 10

une **promesse: faire une promesse** to make a promise 10

promettre to promise 5

une **promo** sale 5

proposer to suggest 7

protéger to protect

provençal(e) from, of Provence

la **Provence** Provence 7

une **province** province

un **proviseur** principal

des **provisions (f.)** supplies 9

prudemment carefully 5

puis then

puissant(e) powerful 10

un **puits** well 8

un **pull** sweater

un **pyjama** pyjamas 6

Q

qu'est-ce que what; *Qu'est-ce qu'elle a?* What's wrong with her?; *Qu'est-ce que tu aimes faire?* What do you like to do?; *Qu'est-ce que tu fais?* What are you doing?

qu'est-ce qui what 7

un **quai** platform

quand when; *depuis quand* since when 8

quarante forty

un **quart** quarter; *et quart* quarter past; *moins le quart* quarter to

un **quartier** area, district 2

quatorze fourteen

quatre four

quatre-vingt-dix ninety

quatre-vingts eighty

quatrième fourth

que as, than; that; which 7; *dès que* as soon as 10

le **Québec** Quebec

québécois(e) from, of Quebec

quel, quelle what, which

quelque chose something

quelqu'un somebody, someone

une **question** question

qui that, who; which 7; *ce qui* what 3

une **quiche** quiche

quinze fifteen

quitter to leave

quoi what; you know what I mean 4; *Quoi de neuf?* What's new? 7

quotidien(ne) daily 3

R

le **racisme** racism 6

raconter to tell 4

la **radiation** radiation

une **radio** radio 6

le **raï** Rai music 6

un **raisin** grape

la **raison: avoir raison** to be right 2

un **ramier** woodpigeon 8

une **randonnée** hike 8; *faire une randonnée à pied* to hike 8

ranger to arrange, to pick up 3

le **rap** rap music 6

rapide fast 2

se **rappeler** to remember 3

se **raser** to shave 3

un **rasoir** razor 3

se **rassurer** to reassure (oneself) 7; *rassure-toi* don't worry 7

la **ratatouille** ratatouille

raté(e) failed 1

un **raton laveur** raccoon 8

réaliser to realize

réaliste realistic 2

la **réception** reception desk 7

un(e) **réceptionniste** hotel clerk 5

une **recette** recipe

recevoir to get, to host, to receive 6

un **réchaud** portable stove 10

réchauffer to heat up

reconnaître to recognize 2

recycler to recycle

une **rédaction** composition 6

réfléchir (à) to consider, to think over

une **réflexion** thought 6

un **regard** look 10

regarder to watch

se **regarder** to look at oneself 3

le **reggae** reggae music 6

une **région** region 7

un **réglage** adjustment 9

régler to adjust 9; to pay 5; *régler la largeur du champ* to adjust the zoom 9

une **reine** queen 2

une **religieuse** cream puff pastry

remarquable remarkable 2

remarque look, well 3

remarquer to notice 2

rembourser to reimburse

un **remède** remedy, solution 9

remercie: je vous remercie (de) thank you (for) [*form.*] 6

remettre to put back 5

se **remettre (à)** to start something again 3; *on s'y remet* let's get back to it 3

remplacer to replace

remplir to fill up 3

se **rencontrer** to meet (someone) 3

un **rendez-vous** meeting

rendre to give back, to return 10; to turn in 3; *rendre un service (à quelqu'un)* to do (someone) a favor 5; *rendre visite à (+ person)* to visit (person) 1

se **rendre (à)** to go, to show up 3

la **rentrée** back to school/work after vacation 1

rentrer to come back, to come home, to return

réparer to repair 5

un **repas** meal

repasser to iron 3; *un fer à repasser* (clothes) iron 3

re-photo another photo

un **reportage** news report; *reportage sportif* sports coverage 1

se **reposer** to rest 3

un(e) **représentant(e)** representative 8

la **République d'Haïti (Haïti)** Republic of Haiti 8

le **R.E.R.** express train from Paris to suburbs 2; *en R.E.R.* by R.E.R. 2

une **reservation** reservation 5

réserver to make a reservation 5

une **résolution** resolution

respiratoire respiratory

respirer to breathe 10

responsable responsible 5

ressembler (à) to resemble

un **restaurant** restaurant

rester to be left 5; to remain, to stay

un **resto-U (restaurant universitaire)** university cafeteria 4

un **retour** return 5; *être de retour* to be back 10

retourner to return

se **retrouver** to meet

un **rétroviseur** rear-view mirror 5

se **réunir** to meet 1

se **réussir (à)** to pass (a test), to succeed

un **rêve** dream 10; *une maison de rêve* dream house 10

se **réveiller** to wake up 3

revenir to come back; to return

rêver to dream 10

revoir to see again 6

une **révolution** revolution 4

le **rez-de-chaussée** ground floor

un **rhume** cold

une **riad** riad

riche rich, wealthy 2

rien: Rien que ça? Is that all? 6; *ne (n')... rien* nothing

rigoler to laugh

rire to laugh

une **rive** river bank 2

une **rivière** river

une **robe** dress; *robe de mariée* wedding dress 8

le **rock** rock (music)

un **roi** king 2

un **rôle** role

le **roller** in-line skating

un **roman** novel 6

une **rondelle** circular piece of food; *en rondelles* in circles

rose pink

une **roue: la grande roue** Ferris wheel 1; *faire un tour de grande roue* to go on a Ferris wheel ride 1

rouge red

un **rouge à lèvres** lipstick 3

un **rouget** goatfish 8

rougir to blush

une **roulette** wheel 5; *à roulettes* on wheels 5; *une valise* *à roulettes* suitcase with wheels 5

une **route** highway, road, route; *Bonne route!* Have a good trip! 5; *en route* on the way 8

une **routine** routine 3

roux, rousse red (hair)

une **rue** street

le **Rwanda** Rwanda

S

s'appeler: je m'appelle my name is; *On s'appelle.* We'll call each other.; *tu t'appelles* your name is

s'appelle: On s'appelle. We'll call each other.

s'il vous plaît please

un **sac** bag; *sac à dos* backpack; *sac à main* purse 6; *sac de couchage* sleeping bag 10

la **Saint-Jean** national Quebec holiday 1

la **Saint-Valentin** Valentine's day 1

une **saison** season 5

une **salade** lettuce; salad; *salade niçoise* tuna salad

salé(e) salty, savory 7

une **salle** room; *salle de classe* classroom; *salle à manger* dining room; *salle de bains* bathroom; *salle d'informatique* computer lab

un **salon** living room; *salon de coiffure* hair salon 2

salut good-bye, hi

samedi Saturday

une **sanction** punishment 7

des **sandales (f.)** sandals 6

un **sandwich** sandwich; *sandwich au fromage* cheese sandwich; *sandwich au jambon* ham sandwich

sanitaire health, sanitary 8

un **sans-abri** homeless person 9

la **santé** health 9; *le domaine de la santé* health sector 9

une **saucisse** sausage 5

le **saucisson** salami

sauf except 7

le **saumon** salmon 7; *une terrine de saumon* salmon loaf 7

sauvage wild

sauvegarder to protect; to save

savoir to figure out, to know how 6; to know 5; *Tu en sais des choses.* You sure know a lot about it. 4

se **savoir: ça se saurait** it would be known 9; *ça va se savoir* it will be revealed (known) 1

un **savon** soap 3

un **saxophone** saxophone 6

une **scène** scene 2

les **sciences (f.)** science; *le domaine des sciences et techniques* science and technology sector 9

la **science-fiction** science fiction

un **scooter** scooter 2; *en scooter* by scooter 2; *faire du scooter des mers* to jet ski 8

scotché(e) (à) glued (to) 3

une **sculpture** sculpture 2

une **séance** film showing

un **sèche-cheveux** hairdryer 3

un **sèche-linge** clothes dryer 3

sécher: faire sécher le linge to dry clothes 3

un **secours: au secours** help 3

un **secret** secret 6

un **secteur** industry 9; *secteur aéronautique* aviation industry 9; *secteur agroalimentaire* food industry 9; *secteur de développement durable* sustainable development industry 9; *secteur de l'informatique* information technology industry 9

la **sécurité: une ceinture de sécurité** seatbelt 5; *un contrôle de sécurité* security checkpoint 5

seize sixteen

un **séjour** living room; stay 6

le **sel** salt

selon according to 1

une **semaine** week

sembler to seem 8

le **Sénégal** Senegal

sénégalais(e) Senegalese

un **sens** sense, way 4; *en un sens* in a way 4

une **sensation** feeling, sensation 10

un **sentier** path 8

sentir to smell; *Ça sent quoi?* What does it smell like?

sept seven

septembre September

septième seventh

sera (see **être**) 8

une **série** series; *toute une série (de)* whole series (of) 9

le **sérieux** seriousness 6

sérieux, sérieuse serious 2

un **serpent** snake 1

un **serveur, une serveuse** server

un **service: rendre un service (à quelqu'un)** to do (someone) a favor 8; *demander un service* to ask for a favor 9

une **serviette** napkin; towel 3; *serviette de plage* beach towel 10

servir to serve 5

se **servir (de)** to use 3

un **shampooing** shampoo 3

le **shopping** shopping

un **short** shorts

si how about, if only, what if 4; if; yes [on the contrary]; *si cela vous convient* if you'd like 5

le **SIDA** AIDS

un **siège** seat

signaler to signal 5

SIM: une carte SIM SIM card 9

simple simple

simplement simply 6; *tout simplement* simply 5

le **sirop** syrup 5; *sirop d'érable* maple syrup 5

un **sitcom** sitcom 1

un **site** site 2; *site web* website

une **situation** situation 8

situé(e) located

six six

sixième sixth

le **ski (alpin)** (downhilll) skiing; *faire du ski nautique* to go water-skiing 10 un **skype** skype call 1

skyper to skype 1

un **smartphone** smartphone 9

un **smoking** tuxedo 8

un **SMS** text message 6

une **société** company 6

une **sœur** sister; *belle-sœur* stepsister; *demi-sœur* half-sister

la **soie** silk 6; *en soie* made of silk 6

soif: avoir soif to be thirsty

le **soir** evening; *tous les soirs* every night 4

une **soirée** evening 5

soixante sixty

soixante-dix seventy

solaire solar; *la crème solaire* sunscreen 10; *l'énergie (f.) solaire* solar energy; *un panneau solaire* solar panel

solde: en solde on sale

le **soleil** sun; *des lunettes (f.) de soleil* sunglasses 10; *il fait du soleil* it's sunny

la **solidarité** solidarity 7

une **solution** solution 9

sombre dark 2

son, sa, ses her, his, one's, its

une **sorte** kind, sort 2

une **sortie** exit 2

sortir to come out; to go out; to take out 3

se **sortir: s'en sortir** to overcome 9

la **soupe** soup

une **source d'eau** spring 8

une **souris** mouse

sous under

soutenir to support; *je soutiens* I support

se **souvenir (de)** to remember 3

un **souvenir** memory

souvent often

se **spécialiser (en)** to major (in) 4

une **spécialité** specialty 8; *spécialité du jour* daily special

une **spectacle** show 3

splendide gorgeous 10

un **sport** sport; *une voiture de sport* sports car 5

sportif, sportive athletic 1; *un reportage sportif* sports coverage 1

un **spot publicitaire** commercial 1

un **stade** stadium

un **stand de crêpes** crêpe stand 2

une **station** station 2

une **station-service** gas station 5

une **statue** statue

un **steak-frites** steak with fries

le **step** step aerobics

une **stéréo** stereo

un **steward** male flight attendant 5

strict(e) strict

un **stylo** pen

le **sucre** sugar; *au sucre* with sugar 7

sucré(e) sweet 7

le **sud** south; *l'Amérique du Sud (f.)* South America 10

la **Suisse** Switzerland

suisse Swiss; *un couteau suisse* Swiss army knife 10

la **suite: tout de suite** right away 5

suivre to follow, to take (a class) 2

un **sujet** subject 2

super awesome; really, very 6

superbe excellent 5

un **supermarché** supermarket

superposé: des lits (m.) superposés bunk beds 7

un **supplément** additional cost 5

sur about 9; of; on; *être sur place* to be there 5

sûr sure; *bien sûr* of course 1; *c'est sûr* that's for sure 1

surfer: surfer sur Internet to surf the web

surprend: ça ne me surprend pas it doesn't surprise me

surpris(e) surprised 6

une **surprise** surprise 7

surtout especially; mostly 1

survivre to survive

sympa nice

synchroniser to synchronize

un **syndicat d'initiative** tourist information office 2

un **synthé(tiseur)** synthesizer 6

T

t'appelles: tu t'appelles your name is; *Tu t'appelles comment?* What's your name?

t'inquiète: ne t'inquiète pas don't worry 2

le **tabac: un bureau de tabac** news store that sells tobacco, stamps, lottery tickets 2

une **table** table; *débarrasser la table* to clear the table 7

un **tableau** chalkboard; painting; *tableau des arrivées et des départs* arrival and departure timetable

une **tablette** tablet

une **tache** spot 2

un **taf** work

tahitien(ne) Tahitian

une **taille** size; *de taille moyenne* of average height; *Quelle taille faites-vous?* What size are you?

un **taille-crayon** pencil sharpener

un **tailleur** tailor 4

un **tambour** drum 6

tamponneuse: une auto tamponneuse bumper car 1

tant pis too bad

une **tante** aunt

taper to type 3

un **tapis** rug

tard late 1

une **tarte** pie; *tarte aux fruits* fruit tart; *tarte aux pommes* apple pie

une **tartine** bread with butter, jam 5

une **tasse** cup

un **taxi** taxi 2; *en taxi* by taxi 2

te (t') to you, you

un(e) **technicien(ne) de centrale solaire** solar plant technician 9

la **technique** technology 9; *le domaine des sciences et techniques* science and technology sector 9

la **techno** techno music 6

un **tee-shirt** T-shirt

une **télé (télévision)** television, TV; *télé câblée* cable TV 5; *à la télé* on TV 1

  télécharger to download

une **télécommande** TV remote control 1

un **téléphone portable** cell phone 9

  téléphoner to phone (someone), to make a call

la **téléréalité** reality TV 1; *une émission de télé-réalité* reality TV show 1

  télévisé(e) televised 1; *un jeu télévisé* (TV) game show 1

  tellement so much 8

la **température** temperature

le **temps** time 5; weather; *depuis combien de temps* how long 8; *Depuis le temps!* At last! 7; *gagner du temps* to save time 5; *le bon vieux temps* the good old days 4; *Quel temps fait-il?* What's the weather like?; How's the weather?; *tout le temps* all the time 5

des **tennis (f.)** sneakers

une **tente** tent 10

  tenter to tempt 1

un **terrain de camping** campground 10

une **terrasse** terrace

la **terre** land 8

une **terrine de saumon** salmon loaf 7

le **terrorisme** terrorism 9

un **testeur de jeux vidéo** video game tester

la **tête** head; *Lève la tête!* Look up! 2

une **teuf** party

un **texto** text message

un **thé** tea 5; *thé au citron* tea with lemon 5

un **théâtre** theatre 2

un **thème** topic

  thermal(e) hydrotherapeutic

le **thon** tuna

un **thriller** thriller

un **ticket** ticket

  tiens here 6; hey

un **tigre** tiger; *tigre de Sumatra* Sumatran tiger

  timide shy

un **tissu** fabric

le **Togo** Togo

  togolais(e) Togolese

  toi you

les **toilettes (f.)** toilet; *des affaires (f.) de toilette* toiletries 3; *un gant de toilette* washcloth 3

un **toit** roof

la **tolérance** tolerance 9

une **tomate** tomato

  tomber: tomber en panne to break down 5

  ton, ta your; *tes* your

une **tondeuse** lawn mower 3

  tondre to mow 3

  top awesome; *C'est le top!* That's awesome!

une **tortue** turtle 8; *tortue marine* sea turtle 8

  tôt early 1

  totale: Total vintage! It has a totally vintage look!; *la totale* the whole deal 2

une **touche** key *[on keyboard]*

  toucher to touch 7

  toujours always; still

un **tour** tour; *faire un tour* to go on a ride 1; to go on a tour 10; *faire un tour de grande roue* to go on a Ferris wheel ride 1; *faire un tour de manège* to go on a carnival ride 1; *faire un tour de montagnes russes* to go on a roller coaster ride 1

une **tour** tower 7

la **Touraine** Touraine region 7

  tourangeau, tourangelle from, of Touraine region 7

le **tourisme: tourisme d'aventure** adventure tourism 10

un(e) **touriste** tourist 8; *faire le touriste* to be a tourist 8

  tourner to turn

la **Toussaint** All Saints Day 1

  tout(e) all; every 5; *tous les soirs* every night 4; *tout à fait* completely 1; *Tout ça!* All that!; *tout de suite* right away 5; *tout le monde* everybody 5; *tout le temps* all the time 5; *tout simplement* simply 5; *toute une série (de)* whole series (of) 9; *en tout cas* in any case 3

une **trace** *[Mart.]* path 8

  traditionnel, traditionnelle traditional 6

un **train** train; *en train* by train 2

  traîner to dawdle 3

  traire to milk 4

une **tranche (de)** a slice (of)

un **transport** transportation 2; *un moyen de transport* means of transportation 2

  travailler to work

  traverser to cross

  treize thirteen

un **tremblement de terre** earthquake 8

  trente thirty

  très very; *Très bien, et toi/vous?* Very well, and you?

un **trésor** treasure 6

  triste sad 2

  trois three

  troisième third

un **trombone** trombone 6

une **trompette** trumpet 6

  trop too; *trop de* too much of

une **trousse** pencil case; *trousse de premiers secours* first-aid kit 10

  trouver to find

se **trouver** to be located

un **truc** thing 9

  tu you

la **Tunisie** Tunisia 6

  tunisien(ne) Tunisian 6

U

  un a, an; one

  une a, an, one

l' **Union européenne (f.)** European Union 9

l' **univers (m.)** universe 6

universitaire: une cité universitaire university dormitory 4

une **université** university 4; *entrer à l'université* to go to college 4

un **USB: un port micro-USB** USB port 9

user de diplomatie to use diplomacy 9

une **usine** factory

utiliser to use 3

V

les **vacances (f.)** vacation; *prendre des vacances* to take a vacation 4

un **vacancier, une vacancière** vacationer 10

une **vache** cow 4

la **vaisselle: faire la vaisselle** to wash the dishes 3

une **valise** suitcase; *valise à roulettes* suitcase with wheels 5

une **vallée** valley

vas: Tu vas bien? Are things going well?

vaut: ça vaut it's worth 6

un **vélo** bike; *à vélo* by bike

le **velours** velvet 6; *en velours* made of velvet 6

un **vendeur, une vendeuse** salesperson

vendre to sell

vendredi Friday

venir to come; *venir de (+ infinitive)* to have just 1

le **vent** wind; *il fait du vent* it's windy

le **ventre** stomach

vérifier to check 5

un **verre** glass

vers around 1; towards

une **version** version 1

vert(e) green

une **veste** jacket

des **vêtements (m.)** clothes

un(e) **vétérinaire** veterinarian 9

veux: je veux bien I'd like that

le **vide: avoir peur du vide** to be afraid of heights 1

une **vie** life 4

vieux, vieil, vieille old; *le bon vieux temps* the good old days 4

vif, vive vivid 2

un **village** village 4

une **ville** city; *en ville* downtown

la **vinaigrette** vinaigrette salad dressing 7

vingt twenty

la **violence** violence 9

violet, violette purple

un **violon** violin 6

un **violoncelle** cello 6

une **visite** visit; *une visite guidée* guided tour 10; *faire une visite guidée* to go on a guided tour 10; *rendre visite à (+ person)* to visit (person) 1

visiter to visit

vite fast, quickly

vivre to live 8; *une douceur de vivre* relaxed style of life 10

voici here, here is 5

une **voie** path; train platform; *les animaux en voie de disparition* endangered species

voilà here are/is

la **voile: faire de la voile** to go sailing 10

un **voilier** sailboat 2

voir to see

se **voir** to see each other/one another

une **voiture** car; *voiture de sport* sports car 5; *voiture électrique* electric car;

voiture hybride hybrid car; *en voiture* by car 2

un **vol** flight 5

un **volant** steering wheel 5

volontiers gladly 10

votre, vos your

voudrais (see **vouloir**)

vouloir to want; *vouloir dire* to mean 3; *ça veut dire* it/that means 3

vous to you; you; *Vous voulez...?* Would you like...?

un **voyage** trip; *faire un voyage* to go on a trip 5

voyager to travel

un **voyageur, une voyageuse** traveller

un(e) **voyant(e)** fortune teller 1

vrai(e) true

vraiment really

une **vue** view; *Quelle belle vue!* What a beautiful view!; *un point de vue* viewpoint 1

W

un **wagon-restaurant** dining car

les **W.C. (m.)** toilet

le **web: un concepteur de web** web designer 9

le **weekend** weekend

la **world** world music

Y

y there *[pronoun]* 1; it *[pronoun]* 8

un **yaourt** yogurt

les **yeux (m.)** eyes

le **yoga** yoga

Z

zéro zero

Vocabulary

Vocabulary terms from Level 1 of *T'es branché?* are included but do not have a unit number. Vocabulary terms from Level 2 include the unit number in which the term is introduced.

English–French

A   **a, an** un; une; *(a) little* (un) peu; *a little of* un peu de; *a lot* beaucoup; *a lot of* beaucoup de; *You sure know a lot about it.* Tu en sais des choses. 4

to be   **able to** arriver (à) 8; pouvoir

about sur 9; *about (the)* du; *about it/them* en 7; *it's about* il s'agit de 6

above au-dessus de

abstract abstrait(e) 2

accelerator un accélérateur 5

accent un accent 7

to   **accentuate** mettre en valeur 8

to   **accept** accepter 3

accessory un accessoire 6

accident un accident 5

to   **accompany** accompagner

according to selon 1

ache: to have a/an... ache avoir mal (à)...

across from en face de

to   **act** agir 9

action l'action (f.)

activity une activité

actor un acteur, une actrice

addition: in addition to en plus 1

additional cost un supplément 5

address une adresse 9

to   **adjust** régler 9; *to adjust the zoom* régler la largeur du champ 9

adjustment un réglage 9

to   **adore** adorer 6

adventure une aventure; *adventure tourism* le tourisme d'aventure 10

to   **advise** conseiller

aerobics l'aérobic (m.); *step aerobics* le step

affectionately affectueusement 6

afraid: to be afraid (of) avoir peur (de) 1; *to be afraid of heights* avoir peur du vide 1

Africa l'Afrique (f.)

after après

afternoon l'après-midi (m.)

again: to see again revoir 6; *to start something again* se remettre (à) 3

against contre

age l'âge (m.)

agent un(e) agent(e) 5

ago: (time) ago il y a (+ time) 4

to   **agree** être d'accord

agriculture l'agriculture (f.)

AIDS le SIDA

air l'air (m.); *air conditioning* la climatisation 5

airplane un avion

airport un aéroport

album un album 3

alcoholism l'alcoolisme (m.) 9

Algerian algérien(ne)

all tout(e), tous, toutes; *All that!* Tout ça!; *all the time* tout le temps 5; *Is that all?* Rien que ça? 6; *to stay up all night* faire une nuit blanche 1

almond une amande 8

almost presque 3

along: to get along s'entendre 3

alongside le long de 10

already déjà

Alsace region l'Alsace (f.) 7; *from, of Alsace region* alsacien(ne) 7

also aussi

aluminum l'aluminium (m.); *made of aluminum* en aluminium

always toujours

ambiance une ambiance 2

America: North America l'Amérique du Nord (f.) 10; *South America* l'Amérique du Sud (f.) 10

American américain(e)

Amerindian amérindien(ne) 10

to   **amuse** amuser 1

amusement park un parc d'attractions 1

anchor: news anchor un présentateur, une présentatrice 1

and et

animal un animal

to   **annex** annexer 4

anniversary: wedding anniversary un anniversaire de mariage 5

to   **announce** annoncer 7

to   **annoy** agacer 3; *You're getting on my nerves!* Tu m'agaces! 3

anole un anoli 8

another photo re-photo

antiretroviral drugs les antirétroviraux (m.)

anti-Semitism l'antisémitisme (m.) 6

any d', de; des, du, en 7; *in any case* en tout cas 3

Apartheid l'apartheid (m.) 6

apartment un appartement; *apartment building* un immeuble

app (application) une appli (application) 9

appearance une mine

appetizer une entrée 7

apple une pomme; *apple juice* un jus de pomme 7; *apple pie* une tarte aux pommes

April avril

Arab arabe 6

area un espace; un quartier 2

to **argue** se disputer 3

arm le bras

armchair un fauteuil

around vers 1; *to get around* se déplacer 2

to **arrange** ranger 3

arrival une arrivée; *arrival and departure timetable* un tableau des arrivées et départs

to **arrive** arriver

art l'art (m.) 2; *art object* un objet d'art 2

article: magazine article un article 6; *newspaper article* un article 6

artist un(e) artiste 2

as aussi, que; *as... as* aussi (+ adverb) que 10; *as soon as* dès que 10

Asia l'Asie (f.) 10

to **ask (for)** demander; *to ask for a favor* demander un service 9; *to ask for directions* demander le chemin

assignment un devoir

assistance l'aide (f.) 8

at à; en 2; *at (the)* au, aux; *At last!* Depuis le temps! 7; *at least* au moins 8; *at my house* chez moi; *at/to the club* en boîte 2; *at the end of* au bout de; au fond de; *at the house (home) of* chez; *at the same time* à la fois 8; *at the seaside* au bord de la mer 2; *at the top* en haut 1

athlete un(e) athlète

athletic sportif, sportive 1

atmosphere une ambiance 1

to **attach** joindre 9

August août

aunt une tante

Australia l'Australie (f.) 10

automotive designer un(e) designer automobile 9

auto-portrait un autoportrait 2

auto shop un garage 5

autumn l'automne (m.)

avenue une avenue

aviation industry le secteur aéronautique 9

to **avoid** éviter 5

away: right away tout de suite 5

awesome formidable 2; super; top; *That's awesome!* C'est le top!

awful horrible 1

B

back le dos; *back country* l'arrière-pays (m.) 10; *back to school/work after vacation* la rentrée 1; *let's get back to it* on s'y remet 3; *to be back* être de retour 10; *to give back* rendre 10; *to put back* remettre 5

backpack un sac à dos

bacon le bacon 5

bad mal; mauvais; nul, nulle 1; *the weather is bad* il fait mauvais

badly mal; *Things are going badly.* Ça va mal.

bag un sac; *sleeping bag* un sac de couchage 10

baker un boulanger, une boulangère 4

bakery une boulangerie, une pâtisserie

banal banal(e)

banana une banane

bank une banque; *river bank* une rive 2

to **barbecue** faire griller 1

barn une grange 4

basketball le basket (basketball)

bat une chauve-souris 8

bath un bain 6

to **bathe** baigner 2

bathing suit un maillot de bain

bathrobe un peignoir de bain 6

bathroom une salle de bains

bathtub une baignoire

to **be** être; *to be able (to)* pouvoir; arriver (à) 8; *to be a tourist* faire le touriste 8; *to be afraid (of)* avoir peur

(de) 1; *to be afraid of heights* avoir peur du vide 1; *to be back* être de retour 10; *to be busy* être occupé(e); *to be (busy) doing something* être en train de (+ infinitive); *to be cold* avoir froid; *to be committed to* s'engager; *to be eager* avoir hâte de 5; *to be environmentally friendly* être vert; *to be familiar with (person, place, thing)* connaître 6; *to be free* être libre; *to be hot* avoir chaud; *to be how old* avoir quel âge; *to be hungry* avoir faim; *to be hurt* avoir mal (à...); *to be in charge (of)* être chargé(e) (de) 8; *to be informed* être au courant; *to be in (good, bad) shape* être en (bonne, mauvaise) forme; *to be interested (in)* s'intéresser (à) 9; *to be left* rester 5; *to be located* être situé(e), se trouver; *to be lucky* avoir de la chance 5; *to be necessary* falloir; *to be right* avoir raison 2; *to be there* être sur place 5; *to be thirsty* avoir soif; *to be... year(s) old* avoir... an(s); *it would be* ça serait 2

beach une plage 5; *beach towel* une serviette de plage 10

bear un ours; *polar bear* un ours polaire

beautiful beau, bel, belle; *It's beautiful out.* Il fait beau.

beauty la beauté 2

because parce que

to **become** devenir

bed un lit; *bunk beds* des lits superposés 7; *in bed* couché(e) 1; *to go to bed* se coucher 3; *twin-sized bed* un lit jumeau 5

bedroom une chambre

beef le bœuf; *beef burgundy* bœuf bourguignon 7

before avant 3

to **begin** commencer

beginning un début 5

behind derrière

beige beige

Belgian belge

Belgium la Belgique

to **believe** croire 4

to **belong (to)** faire partie (de) 9

belongings des affaires (f.) 10

belt une ceinture 6

bench un banc

to **benefit from** profiter de; *you would benefit from* tu profiterais de

Benin le Bénin

Beninese béninois(e)

Berber berbère

beside à côté de

best: the best les meilleurs (m.); le mieux 10

best seller un best-seller 10

better mieux; *better than* mieux que 10; *to do/feel better* se porter mieux 9

between entre

bicycle une bicyclette 4; *on a bicycle* à bicyclette 4

big grand(e); gros, grosse

to **bike** faire du vélo; *by bike* à vélo

bike un vélo

bill l'addition (f.); *bill [money]* un billet

binoculars des jumelles (f.) 8

biology la biologie

bird un oiseau

birthday un anniversaire

black noir(e)

blacksmith un forgeron 6

blinker un clignotant 5

blog un blogue

blond blond(e)

blue bleu(e); *the blue one* la bleue

to **blush** rougir

to **board** monter à bord 5

boarding l'embarquement (m.) 5; *boarding gate* une porte d'embarquement 5; *boarding pass* une carte d'embarquement 5

boat un bateau; *by boat* en bateau 2

body le corps; *body of water* une masse d'eau 10

bonfire un feu de joie 1

book un livre

bookstore une librairie 2

boots des bottes (f.)

to **borrow** emprunter 6

botanical canna un balisier 8

bottle (of) une bouteille (de)

bottom le bas

bowl un bol

boy un garçon

bracelet un bracelet 6

brake un frein 5

bread le pain; *long thin loaf of bread* une baguette; *bread with butter, jam* une tartine 5

to **break down** tomber en panne 5

breakfast le petit déjeuner

to **breathe** respirer 10

bride une mariée 8

bridge un pont

to **bring** apporter; *to bring (person)* emmener 1

Brittany region la Bretagne 5; *from, of Brittany region* breton(ne) 7

broken down en panne 5

brother un frère; *half-brother* un demi-frère; *stepbrother* un beau-frère

brown marron; *brown (hair)* brun(e)

to **browse** naviguer

to **brush: to brush one's hair** se brosser les cheveux 3; *to brush one's teeth* se brosser les dents 3

buckwheat crêpe une galette 7

buffet un buffet 8

building: apartment building un immeuble

bumper car une auto tamponneuse 1

bunk beds des lits (m.) superposés 7

Burkina Faso le Burkina Faso; *from, of Burkina Faso* burkinabè

bus un autobus; *by bus* en autobus 2

business commerçant(e)

businessman un homme d'affaires

businesswoman une femme d'affaires

to be **busy** être occupé(e); *to be (busy) doing something* être en train de (+ infinitive)

busy occupé(e)

but mais

butcher un boucher, une bouchère 4; *butcher shop* une boucherie

butter le beurre

butterfly un papillon 8

button: send button l'envoi (m.) 9

to **buy** acheter

by à; de 6; en; *by bike* à vélo; *by boat* en bateau 2; *by bus* en autobus 2; *by canoe* en canoë 10; *by car* en voiture 2; *by city bus* en bus 2; *by electric car* en voiture électrique; *by hybrid car* en voiture hybride; *by pirogue* en pirogue 10; *by plane* en avion 2; *by R.E.R.* en R.E.R. 2; *by scooter* en scooter 2; *by subway* en métro 2; *by taxi* en taxi 2; *by the way* au fait 1; *by train* en train 2

C

cabaret artist/singer un chansonnier, une chansonnière 4

café un café

café-restaurant une brasserie 2

cafeteria: school cafeteria une cantine; *university cafeteria* un resto-U (restaurant universitaire) 4

cake un gâteau

to **call** appeler 2

to **calm: Calm down!** Calme-toi! 3

camembert cheese le camembert

camera un appareil, une caméra 9

Cameroon le Cameroun

Cameroonian camerounais(e)

camper une caravane 10

campground un terrain de camping 10

camping le camping 10; *to go camping* faire du camping 10

can (of) une boîte (de); *garbage can* une poubelle 3

Canada le Canada

Canadian canadien(ne)

canoe un canoë 10; *by canoe* en canoë 10; *to go canoeing* faire du canoë 10

cap une casquette

capital une capitale

car une auto (automobile) 1; une voiture; *bumper car* une auto tamponneuse 1; *by car* en voiture 2; *dining car* un wagon-restaurant; *electric car* une voiture électrique 9; *hybrid car* une voiture hybride; *sports car* une voiture de sport 5

caramel le caramel 7; *caramel custard* une crème caramel 7

carbon dioxyde le dioxyde de carbone

card une carte; *credit card* une carte de crédit 5; *SIM card* une carte SIM 9

care: to take care (of) s'occuper (de) 4

careful: Be careful! Attention!

carefully prudemment 5

carnival un carnaval 8; une fête foraine 1; *to go on a carnival ride* faire un tour de manège 1

carrot une carotte

carry-all un fourre-tout 10

cartoon un dessin animé 1

case un cas 3; *in any case* en tout cas 3

castle un château

cat un chat

cathedral une cathédrale

to **cause** causer

cause une cause

cave une caverne 6

CD un CD; un cédérom

to **celebrate** fêter 1

celebrity une personnalité 1

cello un violoncelle 6

cell phone un portable; une téléphone portable 9

center un complexe 1;

reception center un centre d'accueil 9

cereal des céréales (f.) 5

chair une chaise

chaise lounge une chaise-longue 10

chalkboard un tableau

to **change** changer 3

channel une chaîne 1

chapel une chapelle 2

charge: to be in charge (of) être chargé(e) (de) 8

charm le charme 10

charming charmant(e)

cheap bon marché(e)

to **check** vérifier 5; *to check one's luggage* faire enregistrer les bagages 5

checkpoint: security checkpoint un contrôle de sécurité 5

cheese le fromage; *camembert cheese* le camembert; *cheese sandwich* un sandwich au fromage

chef un cuisinier, une cuisinière

chemical chimique

chemistry la chimie

cherry une cerise

chest la poitrine

chic chic

chicken le poulet; *chicken cooked in wine* le coq au vin 7

child un enfant

chills des frissons (m.)

chocolate le chocolat; *chocolate mousse* une mousse au chocolat 7; *hot chocolate* un chocolat chaud 5; *spread made of hazelnut and chocolate* le Nutella 5; *with chocolate* au chocolat 7

choice un choix 7

to **choose** choisir

chore une corvée 3

Christmas Noël 1

church une église 2

circular: circular piece of food or object une rondelle

city une ville; *city bus* un bus 2; *by city bus* en bus 2; *city hall* un hôtel de ville

clarinet une clarinette 6

class une classe; un cours; *class subject* la matière; *gym class* l'éducation physique et sportive (EPS) (f.)

classical classique 6; *classical music* la musique classique 6

classmate un(e) camarade de classe

classroom la salle de classe

to **clean** nettoyer 4

to **clear: to clear the table** débarrasser la table 7

clear clair(e) 1

to **click** cliquer

cliff une falaise 7; *cliff road* une corniche 10

clip: video clip un clip 6

clock une pendule

to **close** fermer

closet un placard

clothes des vêtements (m.); *clothes dryer* un sèche-linge 3; *to dry clothes* faire sécher le linge 3; *to wash clothes* faire la lessive 3

club: at/to the club en boîte 2

coast une côte 7

coat un manteau

cod une morue 8; *cod fritters* des accras (m.) de morue

coffee un café; *coffee with milk* un café au lait 5

cola un coca

cold un rhume

cold froid; *it's cold* il fait froid; *to be cold* avoir froid

collection une collection 10

college une fac (faculté) 4; *to go to college* entrer à l'université 4

colonization la colonisation 3

color une couleur; *De quelle(s) couleur(s)?* In what colors?

to **comb one's hair** se peigner 3

comb un peigne 3

to **come** venir; *to come back* rentrer; revenir; *to come home* rentrer; *to come in* entrer; *to come out* sortir; *come on* enfin 1

comedy une comédie; *romantic comedy* une comédie romantique

comic strip une bande dessinée (BD) 6

commercial un spot publicitaire 1

to **commit to** s'engager

company une société 6

compartment: baggage compartment un compartiment à bagages 5

to **complain** se plaindre 5

completely tout à fait 1

complex un complexe 1

complicated compliqué(e) 6

composer un compositeur

composition une composition 2; une rédaction 6

computer un ordinateur; *laptop computer* un ordinateur portable; *computer lab* la salle d'informatique; *computer science* l'informatique (f.)

concert un concert

conqueror un conquérant 10

to **consider** réfléchir (à)

consultant un(e) consultant(e) 9

consultation une consultation 1

to **consume** consommer

contemporary contemporain(e) 9

continent un continent 10

to **continue** continuer

conversation une conversation 6

convertible une décapotable 5

to **cook** faire la cuisine

cooking la cuisine

cool frais, fraîche; *it's cool* il fait frais

cooler une glacière 10

corner le coin; *on the corner* du coin

to **cost** coûter

cost: additional cost un supplément 5

costume un costume 8

cotton le coton 6; *made of cotton* en coton 6

to **count on** compter 1

counter (ticket) un comptoir 5

country un pays; *country(side)* la campagne; *back country* l'arrière-pays (m.) 10

couple un couple 2

course un cours

course: of course bien sûr 1

couscous le couscous

cousin un(e) cousin(e)

coverage: sports coverage reportage sportif 1

cow une vache 4

crab un crabe 8

crazy person un fou, une folle 3

cream puff pastry une religieuse

to **create** créer 2

credit card une carte de crédit 5

Creole créole 8; *[language]* le créole 8

crêpe une crêpe; *buckwheat crêpe* une galette 7; *crêpe restaurant* une crêperie 7; *crêpe stand* un stand de crêpes 2

croissant un croissant

to **cross** traverser

crowd une foule 8

to **cry** pleurer

cry un cri 8

cucumber un concombre

cultural culturel, culturelle

cup une tasse

custard: caramel custard une crème caramel 7

to **cut** couper

D

daily quotidien(ne) 3; *daily special* une spécialité du jour

dairy store une crémerie

dancer un danseur, une danseuse 4

dark sombre 2; *dark (hair)* brun(e)

darn mince 1

date une date 5

daughter une fille

to **dawdle** traîner 3

day un jour; une journée; *New Year's Day* le Jour de l'an 1; *next day* le lendemain 10; *one day, some day* un jour; *the good old days* le bon vieux temps 4; *Valentine's day* la Saint-Valentin 1

dead mort(e)

dear cher, chère 6

December décembre

to **decide** choisir 8; décider 10

to **declare a major in Humanities** s'inscrire en letters 4

deep-fried frit(e) 8

degree un degré

delicatessen une charcuterie

delicious délicieux, délicieuse

delighted enchanté(e)

deli owner un charcutier, une charcutière 4

demonstration: street demonstration une manif (manifestation) 4

Denmark: from, of Denmark danois(e) 7

dentist un(e) dentiste; *dentist's office* un cabinet dentaire 2

department un département

departure un départ

descent une descente 10

to **describe** décrire 2

designer: automotive designer un(e) designer automobile 9; *web designer* un concepteur de web 9

desk un bureau; *reception desk* la réception 7

dessert un dessert

destination une destination

destiny le destin 4

destroyed détruit(e) 8

detail un détail 1

to **detest** avoir horreur de 1

development un développement 9; *sustainable development* le développement durable 9; *sustainable development industry* le secteur de développement durable 9

device un appareil 9

diamond un diamant 6; *diamond ring* une bague de diamants 6

dictionary un dictionnaire

different différent(e) 6

difficult difficile; dur(e) 4

diligent diligent(e)

dining: dining car un wagon-restaurant; *dining room* la salle à manger

to have **dinner** dîner

dinner le dîner

diplomacy la diplomatie 9; *to use diplomacy* user de diplomatie 9

direction une direction

director un metteur en scène

to **disappear** disparaître 4

discography une discographie 6

to **discover** découvrir 6

discovery une découverte 10

to **discuss** discuter (de) 1

discussion une discussion

to **disguise oneself** se déguiser 8

dish un plat 7; *main dish* un plat principal 7; *to wash the dishes* faire la vaisselle 3

dishwasher un lave-vaisselle 3

disorder le désordre 3

distance une distance 9

district un quartier 2

to **dive** plonger

divorced divorcé(e)(s)

to **do** faire; *to do gymnastics* faire de la gym (gymnastique); *to do housework* faire le ménage 3; *to do (someone) a favor* rendre un service (à quelqu'un) 5; *to do my homework* faire mes devoirs; *you shouldn't do that* ça ne se fait pas 7

doctor un médecin; *doctor's office* un cabinet de médecin 2

documentary un documentaire

dog un chien

don't worry rassure-toi 7

door une porte

dormitory un dortoir 7; *university dormitory* une cité universitaire 4

down: broken down en panne 5; *to break down* tomber en panne 5

to **download** télécharger

downtown en ville

drama un drame

to **draw** dessiner 2

drawing un dessin 2

to **dream** rêver 10

dream un rêve 10; *dream house* une maison de rêve 10

dress une robe; *wedding dress* une robe de mariée 8

dressed: to get dressed s'habiller 3

dressing room une cabine d'essayage

dress-maker une couturière

to **dress up** se déguiser 8

to **drink** boire 5

drink une boisson

to **drive** circuler; conduire 5

driver un conducteur, une conductrice 5

drugs la drogue 9

drugstore une pharmacie 2

drum un tambour 6; *drum set* une batterie 6

to **dry clothes** faire sécher le linge 3

dryer: clothes dryer un sèche-linge 3

duck un canard 4

during pendant

DVD un DVD; *DVD player* un lecteur de DVD

dynamic dynamique 2

E

each chaque 4

eager: to be eager avoir hâte de 5

ear l'oreille (f.)

early en avance; tôt 1

earring une boucle d'oreille 6

earthquake un tremblement de terre 8

east l'est (m.)

easy facile

to **eat** manger

eclair un éclair

economic économique 9

edge le bord 2

education une éducation 9

effect un effet; *greenhouse effect* l'effet de serre

efficiently efficacement 9

egg un œuf; *scrambled eggs* des œufs brouillés 5; *eggs sunny side up* des œufs sur le plat 5

eggplant une aubergine

eight huit

eighteen dix-huit

eighth huitième

eighty quatre-vingts

electric électrique

Electro pop music l'électro pop (m.) 6

elementary school teacher un instituteur, une institutrice 4

eleven onze

to **eliminate** éliminer

end le bout; *at the end (of)* au bout (de); au fond (de)

endangered species les animaux (m.) en voie de disparition

energetic énergique

energy l'énergie (f.); *nuclear energy* l'énergie nucléaire; *solar energy* l'énergie solaire

engagement un engagement 6

engineer un ingénieur

England l'Angleterre (f.)

English anglais(e); *[language]*

l'anglais (m.); *English Channel* la Manche 10

engraved gravé(e) 6

enjoy: Enjoy your meal! Bon Appétit!

enough (of) assez (de)

to **enter** entrer

entertainment le divertissement 9; *entertainment industry* l'industrie (f.) du divertissement 9

enthusiastic enthousiaste 5

envelope une enveloppe 6

environment l'environnement (m.)

era une époque 4

e-reader un e-reader 10

especially surtout

essay un essai 6

euro un euro

Europe l'Europe (f.)

European Union l'Union européenne (f.) 9

even même 5

evening le soir; une soirée 5

every tout(e)(s) 5; *every night* tous les soirs 4

everybody tout le monde 5

everyone le monde

everywhere partout

exactly exactement

to **exaggerate** exagérer 6

excellent superbe 5

except sauf 7

exciting/fun night chaude ambiance 7

exhibit une exposition 2

to **exist** exister 9

exit une sortie 2

to **expect (baby)** attendre 4

expensive cher, chère

experience une expérience 4

to **explain** expliquer 6

explained expliqué(e) 6

expression une mine

express train from Paris to suburbs le R.E.R. 2

extended prolongé(e) 7

extraordinary extraordinaire 6

eye l'œil (m.); *eyes* les yeux (m.)

F

fabric un tissu

fabulous fabuleux, fabuleuse 4

face la figure

factory une usine

failed raté(e) 1

fair juste 3

familiar: to be familiar with (person, place, thing) connaître 6

family une famille; *with family* en famille 7

famous célèbre 2

fantastic génial(e)

fantasy la fantaisie 10

far (from) loin (de)

farm une ferme 4

farmer un fermier, une fermière 4

fascinating passionnant(e) 1

fast rapide 2; vite

fat gros, grosse

father un père; *stepfather* un beau-père

fauna la faune 8

favor: to ask for a favor demander un service 9; *to do (someone) a favor* rendre un service (à quelqu'un) 8

favorite préféré(e)

to **fear** craindre 10

February février

to **feed** nourrir 4

to **feel/do better** se porter mieux 9; *to feel like* avoir envie de; *to feel nauseous* avoir mal au cœur

feeling une sensation 10

female politician une femme politique 9

Ferris wheel la grande roue 1; *to go on a Ferris wheel ride* faire un tour de grande roue 1

fertilizer l'engrais (m.)

fever la fièvre

field un champ 4; un domaine 9; *field of vision* un champ 9

fifteen quinze

fifth cinquième

fifty cinquante

to **fight** combattre; lutter 9

to **figure** la ligne; *your figure* ta ligne

to **figure out** savoir 6

to **fill: to fill up** remplir 3; *to fill up the gas tank* faire le plein 5

film un film; *film showing* une séance

finally enfin

to **find** trouver

fine fin(e)

to **finish** finir

finger le doigt

firework un feu d'artifice 1

first premier, première; *first name* un prénom; *first of all* d'abord; *in the first year* en première année 4

first-aid les premiers secours (m.) 10; *first-aid kit* une trousse de premiers secours 10

to **fish** pêcher 8

fish un poisson 8; *goldfish* un poisson rouge

fishing la pêche 10; *fishing pole* une canne à pêche 10

five cinq

fixed menu un menu fixe

flag un drapeau

flashlight une lampe de poche 10

flight un vol 5; *female flight attendant* une hôtesse de l'air 5; *male flight attendant* un steward 5

float un char 8

floor un étage; *the ground floor* le rez-de-chaussée; *the second floor* le premier étage

flora la flore 8

florist un(e) fleuriste 2

flour: rolled in flour and sautéed meunière 8

flu la grippe

flute une flûte 6

folk music la musique folklorique 6

to **follow** suivre 2

fond of food gourmand(e)

food la nourriture 9; *food industry* le secteur agroalimentaire 9

foot le pied; *on foot* à pied

for comme; depuis 8; pendant; pour; *for starters* pour commencer 7

forecast les prévisions (f.) 5; *weather forecast* la météo; un bulletin météo(rologique) 1

foreground le premier plan 2; *in the foreground* au premier plan 2

forest une forêt

to **forget** oublier

fork une fourchette

formerly autrefois 4

fortunately heureusement 3

fortune teller un(e) voyant(e) 1

forty quarante

fountain un bassin, une grande eau 2

four quatre

fourteen quatorze

fourth quatrième

France la France

free disponible; gratuit(e) 1; libre 6

French français(e); *[language]* le français; *French fries* des frites (f.); *French Guyana* la Guyane (française) 10; *French Riviera* la côte d'Azur 10; *French-speaking* francophone; *French toast* le pain perdu 5; *from, of French-speaking Canada* francanadien(ne)

to **frequent** fréquenter 4

fresh frais, fraîche

Friday vendredi

friend un(e) ami(e); *(boy/girl) friend* un copain, une copine

fritters: cod fritters des accras de morue (m.)

from d', de; *from (the)* des, du; en *[pronoun]*; *from it/them* en 7; *live from* en direct de 6

front: in front of devant

fruit un fruit; *fruit tart* une tarte aux fruits

frying pan une poêle 10

full plein 5

fun: fun house une galerie des miroirs déformants 1; *to have fun* s'amuser 3; *to make fun (of)* se moquer (de) 2

to **function** marcher 1

funk music le funk 6

funny amusant(e) 2; drôle

furniture: piece of furniture un meuble

future l'avenir (m.) 9

G

Gabon le Gabon

Gabonese gabonais(e)

to **gain weight** grossir

gallery une galerie 9

game un match; *game of skill* un jeu d'adresse 1; *(TV) game show* un jeu télévisé 1

garbage can une poubelle 3

garden un jardin

gas: gas station une station-service 5; *to fill up the gas tank* faire le plein 5

Gascony region la Gascogne 7; *from, of Gascony region* gascon(ne) 7

gasoline l'essence (f.) 5

gate: boarding gate une porte d'embarquement 5

generous généreux, généreuse

genocide le génocide 6

gentleness une douceur 10

German allemand(e); *[language]* l'allemand (m.)

Germany l'Allemagne (f.)

to **get** recevoir 6; *to get along* s'entendre 3; *to get around* circuler; se déplacer 2; *to get dressed* s'habiller 3; *to get in/on* monter; *to get married* se marier 4; *to get off* descendre; *to get (oneself) ready* se préparer 3; *to get settled* s'installer 5; *to get undressed* se déshabiller 3; *to get up* se lever 3; *let's get back to it*

on s'y remet 3

giant géant(e)

gift un cadeau; *gift card* une carte cadeau

girl une fille

to **give** donner; faire un don (de) 9; offrir; *to give back* rendre 10; *give me* donnez-moi

gladly volontiers 10

glass un verre

glasses des lunettes (f.) 4

glued collé(e) 8; *glued to* scotché(e) à 3

to **go** aller; se rendre (à) 3; *to go camping* faire du camping 10; *to go canoeing* faire du canoë 10; *to go down* descendre; *to go for a walk* faire une promenade; se promener 10; *to go grocery shopping* faire les courses; *to go horseback riding* faire du cheval 4; *to go into photo mode* se mettre en mode photo 9; *to go kayaking* faire du kayak 8; *to go on a carnival ride* faire un tour de manège 1; *to go on a Ferris wheel ride* faire un tour de grande roue 1; *to go on a to go on a guided tour* faire une visite guidée 10; *ride* faire un tour 1; *to go on a roller coaster ride* faire un tour de montagnes russes 1; *to go on a tour* faire un tour 10; *to go on a trip* faire un voyage 5; *to go out* sortir; *to go parasailing* faire du parachutisme ascensionnel 10; *to go running* faire du footing; *to go sailing* faire de la voile 10; *to go scuba diving* faire de la plongée sous-marine 8; *to go shopping* faire du shopping; *to go through* passer 5; *to go to bed* se coucher 3; *to go to college* entrer à l'université 4; *to go up* monter; *to go water-skiing* faire du ski nautique 10; *Go for it!* Vas-y!; *Here we go!* C'est parti! 10

goal un but

goat une chèvre 4

goatfish un rouget 8

gold l'or (m.) 6; *made of gold* en or 6

good bon(ne); *good-bye* au revoir, salut; *Good idea!* Bonne idée!; *good luck* bon courage 10; *the good old days* le bon vieux temps 4; *Have a good trip!* Bonne route! 5; Bon voyage!

gorgeous splendide 1

gorilla un gorille; *mountain gorilla* un gorille des montagnes

government un gouvernement 9

grade une note

gram (of) un gramme (de)

grandfather un grand-père

grandma Mamy 4

grandmother une grand-mère

grandpa Papy 7

grandparents les grand-parents (m.)

grape un raisin

grapefruit un pamplemousse; *grapefruit juice* un jus de pamplemousse 5

graphic designer un(e) graphiste

great chouette; génial(e)

green vert(e); *green beans* des haricots verts (m.)

grey gris

to **grill** griller 1

grilled grillé(e) 5

grocery store une épicerie; *grocery store owner* un épicier, une épicière 4

groom un marié 8

ground floor le rez-de-chaussée

group un groupe 1

grove un bosquet 2

to **grow** grandi

Guadeloupe la Guadeloupe 8

guaranteed garanti(e) 1

to **guess** deviner 6

guest un(e) invité(e)

guide un guide 1

guidebook un guide; *Michelin guidebook* le guide Michelin 10

guided guide(e) 10; *guided tour* une visite guidée 10; *to go on a guided tour* faire une visite guidée 10

guitar une guitare 6

gym un fitness; *gym class* l'éducation physique et sportive (l'EPS) (f.)

gymnastics la gym (gymnastique)

H

hair les cheveux (m.); *hair salon* un salon de coiffure 2; *hair stylist* un coiffeur, une coiffeuse 9; *to brush one's hair* se brosser les cheveux 3; *hairbrush* une brosse à cheveux 3; *hairstyle* une coiffure 2

hairdryer un sèche-cheveux 3

Haitian haïtien(ne) 8

half demi(e); *half-brother* un demi-frère; *half past* et demi(e); *half-sister* une demi-sœur

hallway un couloir

ham le jambon; *ham sandwich* un sandwich au jambon

hamburger un hamburger

hamlet un hameau 2

hammock un hamac 10

hand la main; *hand in hand* la main dans la main

handkerchief un mouchoir 6; *linen handkerchief* un mouchoir de lin 6

handsome beau, bel, belle

to **hang out** fréquenter 4

happy content(e), heureux, heureuse 2

hat un bonnet 6; un chapeau; *wool hat* un bonnet en laine 6

to **hate** avoir horreur de 1

haunted house une maison hantée 1

to **have** avoir; *(food or drink)* prendre; *to have a/an... ache* avoir mal (à...); *to have dinner* dîner; *to have fun* s'amuser 3; *to have just* venir de (+ infinitive) 1; *to have to* devoir; falloir; *Have a good trip!* Bonne route! 5;

Bon voyage!; *one/we/you have to* il faut

hazelnut: spread made of hazelnut and chocolate le Nutella 5

he il

head la tête

health la santé 9; sanitaire 8; *health club* un fitness; *health sector* le domaine de la santé 9

to **hear** entendre 6

heart le cœur

to **heat up** réchauffer

heights: to be afraid of heights avoir peur du vide 1

hello bonjour; *[on the telephone]* allô

to **help** aider

help au secours 3

hen une poule 4

her elle 7; sa, ses, son

here ici; tiens 6; voici 5; *here are/is* voilà; *here is* voici 5; *Here we go!* C'est parti! 10

hero, heroine un héros, une héroïne 6

to **hesitate** hésiter 5

hey tiens

hi salut

hibiscus un hibiscus 8

to **hide** dissimuler 8

high haut(e) 8

high school un lycée

highway une route

to **hike** faire une randonnée à pied 8

hike une randonnée 8

hill une colline

hip-hop le hip-hop

his sa, ses, son

history l'histoire (f.)

holiday une fête 1; *national holiday* une fête nationale 1; *national Quebec holiday* la Saint-Jean 1

home une maison; *home health worker* un accompagnateur, une accompagnatrice

homeless person un sans-abri 9

homework les devoirs (m.)

honey chéri(e)3

hood *[car]* un capot 5

to **hope** espérer 6

horizon l'horizon (m.) 2; *on the horizon* à l'horizon 2

horn un klaxon 5

horrible horrible 1

horror l'horreur (f.)

horse un cheval

horseback: to go horseback riding faire du cheval 4

hospitality l'hospitalité (f.) 6

to **host** recevoir 6

host: TV host un animateur, une animatrice 1

hot: hot chocolate un chocolat chaud 5; *to be hot* avoir chaud; *it's hot* il fait chaud

hotel un hôtel; *hotel clerk* un(e) réceptionniste 5; *hotel room* une chambre 5

hour une heure

house une maison; *house cleaning items* des affaires (f.) de ménage 3; *dream house* une maison de rêve 10; *fun house* une galerie des miroirs déformants 1; *haunted house* une maison hantée 1

household le ménage 3

housework le ménage 3; *to do housework* faire le ménage 3

how comment; *how about* si 4; *How are things going?* Ça va?; *How are you?* Comment allez-vous?; *how long* depuis combien de temps 8; *how much* combien; *How much is it?* Ça fait combien?; *How much per kilo?* C'est combien le kilo?; *How old are you?* Tu as quel âge?; *How's the weather?* Quel temps fait-il?

humanitarian humanitaire

Humanities les lettres (f.) 4; *to declare a major in Humanities* s'inscrire en lettres 4

hummingbird un colibri 8

hundred: (one) hundred cent

hunger la faim 9

hungry: to be hungry avoir faim

to **hurry** se dépêcher (de) 3

hurt: to be hurt avoir mal (à...)

husband un mari

hybrid hybride

hydrant: water hydrant une borne-fontaine 8

hydrotherapeutic thermal(e)

I j'/je

ice cream une glace; *chocolate ice cream* une glace au chocolat; *vanilla ice cream* une glace à la vanille

ice-skating (figure skating) le patinage (artistique)

icon une icône 9

idea une idée

if si; *if only* si 4; *if you'd like* si cela vous convient 5

illness une maladie

image une image 1

to **imagine** imaginer 1

important: what's important l'important 9

impossible impossible

impressionist impressioniste 2

in à; dans, en; *in a way* en un sens 4; *in addition to* en plus 1; *in any case* en tout cas 3; *in circles* en rondelles; *in front of* devant; *in-line skating* le roller; *in my opinion* à mon avis; *in order* en ordre 5; *in the* au, aux; *in the first year* en première année 4; *in the foreground* au premier plan 2; *in the past* autrefois 4; *in the spring* au printemps; *In what color(s)?* *in winter* en hiver

included compris 5

incredible incroyable 6

to **indicate** indiquer 2

industry une industrie 9; un secteur 9; *aviation industry* le secteur aéronautique 9; *entertainment industry* l'industrie du divertissement 9; *food industry* le

secteur agroalimentaire 9; *information technology industry* le secteur de l'informatique 9; *sustainable development industry* le secteur de développement durable 9

inflatable water mattress un matelas pneumatique 10

to **inform** informer 2

information technology l'informatique (f.) 9; *information technology industry* le secteur de l'informatique 9

inhabitant un(e) habitant(e)

insect un insecte 1; *insect repellent* un anti-moustique 10

inside l'intérieur (m.) 2

to **insist (on)** insister (sur) 2

to **install** installer

instrument: musical instrument un instrument 6

intelligent intelligent(e)

to **interest** intéresser 2

interested: to be interested (in) s'intéresser (à) 9

interesting intéressant(e)

interface une interface 9

international international(e)

Internet l'Internet (m.)

intervention: to organize an intervention faire une intervention 9

to **introduce** (to someone) présenter; *to introduce to someone* faire connaître (à), faire découvrir (à) 6

to **invite** inviter

to **iron** repasser 3

iron (clothes) un fer à repasser 3

is: isn't that so n'est-ce pas

it ça, ce; elle, il; l', la, le *[object pronoun]*; y *[pronoun]* 8; *it doesn't surprise me* ça ne me surprend pas; *It has a totally vintage look!* Total vintage!; *it is* c'est; *it is necessary* il faut; *it/that means* ça veut dire 3; *it will be revealed (known)* ça va se savoir 1; *it would be* ça serait 2; *it would be known* ça se saurait 9; *it's all the same to me* ça m'est égal 8; *It's beautiful out.* Il fait beau.; *it's been a long time since* ça fait longtemps que 10; *it's cold* il fait froid; *it's cool* il fait frais; *it's hot* il fait chaud; *it's raining* il pleut; *It's settled.* C'est décidé. 10; *it's snowing* il neige; *it's sunny* il fait du soleil; *It's the (+ date).* Nous sommes le (+ date).; *it's the same* c'est pareil 3; *it's windy* il fait du vent; *it's worth* ça vaut 6; *it would be* ça serait 2; *You sure know a lot about it.* Tu en sais des choses. 4

its sa, ses, son

Italian italien(ne)

Italy l'Italie (f.)

items: house cleaning items des affaires (f.) de ménage 3

itinerary un itinéraire 7

Ivory Coast la Côte-d'Ivoire; *from, of the Ivory Coast* ivorien(ne)

J

jacket un blouson; une veste

jam la confiture

January janvier

Japonese japonais(e) 7

jar (of) un pot (de)

jasmine le jasmin

jazz music le jazz 6

jeans un jean

jersey un maillot

to **jet ski** faire du scooter des mers 8

jet ski un jet ski 10

jewelry: piece of jewelry un bijou 6

job un emploi 9; un métier

juice un jus; *apple juice* un jus de pomme 7; *grapefruit juice* un jus de pamplemousse 5; *orange juice* jus d'orange

July juillet

June juin

K

kayaking: to go kayaking faire du kayak 8

ketchup le ketchup

key (ignition) une clé 5; *[on keyboard]* une touche

keyboard un clavier

kilogram (of) un kilo (de)

kilometer un kilomètre

kind une sorte 2

king un roi 2

kiosk: self-service kiosk une borne libre-service 5

to **kiss** embrasser

kit: first-aid kit une trousse de premiers secours 10

kitchen la cuisine

knee le genou

knife un couteau; *Swiss army knife* un couteau suisse 10

to **know** connaître 4; être au courant; savoir 5; *to know how* savoir 6; *to know each other* se connaître 4; *You sure know a lot about it.* Tu en sais des choses. 4

known: it would be known ça se saurait 9

L

lab: computer lab une salle d'informatique; *science lab* un labo (laboratoire)

to **lack** manquer 4

lady une dame 5

laid out disposé(e) 2

lake un lac

lamb un agneau 1

lambis un lambi 8

lamp une lampe

to **land** atterrir 5

land la terre 8

landscape un paysage 7

language une langue

large grand(e); gros, grosse

last dernier, dernière; *At last!* Depuis le temps! 7

late en retard; tard 1

to **laugh** rigoler; rire

lawn une pelouse 3; *lawn mower* une tondeuse 3

lawyer un(e) avocat(e)

lazy paresseux, paresseuse

to **learn** apprendre

least: at least au moins 8; *the least* le moins 10

leather le cuir 6; *made of leather* en cuir 6

to **leave** laisser; partir; quitter

left: on the left à gauche; *on/ to the left of* à gauche de; *to be left* rester 5

leg la jambe

legend une légende 4

lemon un citron 5; *lemon-lime soda with mint syrup* un diabolo menthe 7; *tea with lemon* un thé au citron 5

to **lend** prêter 9

less moins; *less... than* moins (+ adverb) + que 10

to **let** laisser; *Let me finish!* Laisse-moi finir!

letter une lettre 6

lettuce une salade

level un niveau 2

life une vie 4; *relaxed style of life* une douceur de vivre 10

light une lumière 2

to **like** aimer; kiffer *[inform.]* 1; *if you'd like* si cela vous convient 5; *like this* comme ça 9

likeable attachant(e) 1

linen le lin 6; *linen handkerchief* un mouchoir de lin 6; *made of linen* de lin 6

link un lien

lip une lèvre 3

lipstick un rouge à lèvres 3

list une liste 10; *to make a list* faire une liste 10

to **listen (to)** écouter; *to listen to music* écouter de la musique; *to listen to my MP3 player* écouter mon lecteur MP3

listening trial en écoute libre 6

liter (of) un litre (de)

little petit(e); *(a) little* (un) peu; *a little of* un peu de to **live** habiter; vivre 8

live from en direct de 6

living room un salon, un séjour

loaf: salmon loaf une terrine de saumon 7

lobster: spiny lobster une langouste 8

located situé(e); *to be located* être situé(e)

lock screen un lockscreen 9

logo: team logo un blason

long long, longue; *how long* depuis combien de temps 8; *it's been a long time since* ça fait longtemps que 10

to **look** avoir l'air 2; *to look at oneself* se regarder 3; *to look for* chercher; *to look healthy* avoir bonne mine; *to look like (something from) my country* avoir un petit air du pays; *to look sick* avoir mauvaise mine; *Does this... look good on me?* Tu trouves que... me va bien?; *Look up!* Lève la tête! 2

look remarque 3; un regard 10

to **lose** perdre; *to lose weight* maigrir

lost perdu(e)

lot: a lot beaucoup; *a lot of* beaucoup de

to **love** aimer

love l' amour (m.) 4

lover (of) un amoureux, une amoureuse (de) 10

luck: good luck bon courage 10

lucky: to be lucky avoir de la chance 5

luggage: piece of luggage un bagage 5; *luggage compartment* un compartiment à bagages 5; *to check one's luggage* faire enregistrer les bagages 5

lunch le déjeuner

Luxembourg le Luxembourg; *from, of Luxembourg* luxembourgeois(e)

Lyon region le Lyonnais 7; *from, of Lyon* lyonnais(e) 7

lyrics des paroles (f.)

M

Ma'am madame (Mme)

machine: washing machine une machine à laver 3

made: made of de, en 6; *made of aluminum* en aluminium; *made of cotton* en coton 6; *made of diamonds* de diamants 6; *made of gold* en or 6; *made of leather* en cuir 6; *made of linen* de lin 6; *made of pearls* de/ en perles 6; *made of plastic* en plastique; *made of silk* en soie 6; *made of silver* en argent 6; *made of velvet* en velours 6; *made of wool* en laine 6

magazine un magazine 6; *magazine article* un article 6

Maghreb: from, of the Maghreb maghrébin(e) 6

magical magique 2

mail un courrier 6

main principal(e) 7; *main dish* un plat principal 7

to **major (in)** se spécialiser (en) 4

to **make** faire; préparer 7; *to make a call* téléphoner; *to make a list* faire une liste 10; *to make a promise* faire une promesse 10; *to make a reservation* réserver 5; *to make fun (of)* se moquer (de) 2; *to make (something) work* faire marcher

make-up le maquillage 3; *to put on make-up* se maquiller 3

male politician un homme politique 9

Mali le Mali

Malian malien(ne)

mall un centre commercial

mandatory obligatoire

mangrove une mangrove 8

map une carte; *city map* un plan

maple: maple tree un érable 5; *maple syrup* le sirop d'érable 5

market [financial] le marché 9; *flea market* un marché aux puces; *outdoor market* un marché

married: to get married se marier 4

Martinique la Martinique; *from, of Martinique* martiniquais(e) 6

marvelous merveilleux, merveilleuse 6

mascara le mascara 3

mask un mas [Mart.], un masque 8

masterpiece un chef-d'œuvre 2

math les maths (f.)

mattress: inflatable water mattress un matelas pneumatique 10

May mai

may: May I help you? Je peux vous aider?

maybe peut-être

mayo la mayonnaise

mayor le maire, madame le maire 4

me m', moi; me; *to me* me 5

meal un repas

to **mean** vouloir dire 3; *it/that means* ça veut dire 3

mean méchant(e)

means un moyen 2; *means of transportation* un moyen de transport 2

mechanic un(e) mécanicien(ne) 5

media center une médiathèque

medium moyen(ne)

to **meet** connaître 6; faire la connaissance (de); se retrouver; se réunir 1; *to meet (someone)* se rencontrer 3; *we'll meet on* se retrouve

meeting un rendez-vous

melon un melon

memory un souvenir

menu une carte

merchant un(e) marchand(e)

message un message 6

messaging une messagerie 9

microwave un micro-onde

midnight minuit

to **milk** traire 4

milk le lait

million un million

mineral water une eau minéral

minivan un monospace 5

mint la menthe 7; *lemon-lime soda with mint syrup* un diabolo menthe 7

minute une minute

mirror une glace 2; un miroir 1; *rear-view mirror* un rétroviseur 5

Miss mademoiselle (Mlle)

mission une mission 8

mode: to go into photo mode se mettre en mode photo 9

model un mannequin

modern moderne 2

to **modernize** moderniser 9

moment un instant; un moment 1; *for the moment* pour l'instant

Monday lundi

money l'argent (m.)

mongoose une mangouste 8

monitor un écran; un moniteur

month un mois

monument un monument

more davantage 8; encore 7; plus; plus de (+ noun) 3; *more... than* plus (+ adverb) + que 10

morning la matinée 5; le matin

most: the most le plus 10; *the most (+ adjective)* le/la/les plus (+ adjectif)

mostly surtout 1

mother une mère; *stepmother* une belle-mère

motto une devise

mountain une montagne; *mountain pineapple* un ananas montagne 8; *mountain range* un massif 10

mouse une souris

mousse: chocolate mousse une mousse au chocolat 7

mouth la bouche

to **move** bouger; *to move over (something)* passer 9; *to move (toward)* s'avancer (vers) 5

move (house) un déménagement 10

movement un mouvement 2

movies le cinéma; *action movie* un film d'action; *adventure movie* un film d'aventure; *detective movie* un film policier; *horror movie* un film d'horreur; *movie theatre* un ciné (cinéma); *science fiction movie* un film de science-fiction

to **mow** tondre 3

MP3 player un lecteur de MP3

Mr. monsieur (M.)

Mrs. madame (Mme)

Ms. madame (Mme), mademoiselle (Mlle)

much: so much tellement 8; *very much* beaucoup; *How much is it?* Ça fait combien?

multimedia file un fichier multimédia 9

museum un musée

mushroom un champignon; *with mushrooms* forestier, forestière 7

music la musique; *music-hall* un music-hall 4; *music show* une émission de musique 1; *alternative music* la musique alternative; *classical music* la musique classique 6; *Electro pop music* l'électro pop (m.) 6; *folk music* la musique folklorique 6; *funk music* le funk 6; *jazz music* le jazz 6; *pop music* la musique pop 6; *Rai music* le raï 6; *rap music* le rap 6; *reggae music* le reggae 6; *techno music* la techno 6

musical un film musical; *musical instrument* un instrument 6

must: one/we/you must il faut

mustard la moutarde

my ma, mes, mon

N

name un nom 2; *first name* un prénom; *my name is* je m'appelle; *your name is* tu t'appelles

napkin une serviette

national national(e) 1; *national holiday* une fête nationale 1; *national Quebec holiday* la Saint-Jean 1

native un(e) autochtone 1; *native people* les indigènes (m.) 10

nature la nature 8

nauseous: to feel nauseous avoir mal au cœur

near près de

nearly presque

necessary nécessaire 9

neck le cou

necklace un collier 6; *pearl necklace* un collier de/en perles 6

to **need** avoir besoin de; *I need* il me faut 10

neither non plus 7

never ne (n')... jamais

new de neuf, neuf, neuve 4; nouveau, nouvel; nouvelle; *New Brunswick* le Nouveau-Brunswick; *New Year's Day* le Jour de l'an 1; *What's new?* Quoi de neuf? 7

news les informations (infos) (f.) 1; *news anchor* un présentateur, une présentatrice 1; *news report* un reportage; *news store that sells tobacco, stamps, lottery tickets* un bureau de tabac 2

newspaper un journal 6; *newspaper article* un article 6

newsstand un kiosque à journaux

next ensuite; prochain(e); *next day* le lendemain 10; *next to* à côté (de)

ney [instrument] un nay 6

NGO (non-governmental organization) une ONG (organisation non gouvernementale) 8

nice gentil, gentille 8; sympa

nicely said joliment dit 6

night la nuit; *nightclub* une boîte 2; *every night* tous les soirs 4; *exciting/fun night* chaude ambiance 7; *to stay* *up all night* faire une nuit blanche 1

nine neuf

nineteen dix-neuf

ninety quatre-vingt-dix

ninth neuvième

no non; *no longer* ne (n')... plus; *no one* ne (n')... personne

nobody ne (n')... personne

noon midi

Normandy region la Normandie 7; *from, of Normandy region* normand(e) 7

north le nord; *North America* l'Amérique du Nord (f.) 10

nose le nez

not ne (n')... pas, pas; *not anymore* ne (n')... plus; *not anyone* ne (n')... personne 10; *not at all* pas du tout; *not bad* pas mal; *not well* pas très bien; *not yet* ne (n')... pas encore 8

notebook un cahier

nothing ne (n')... rien

to **notice** remarquer 2

novel un roman 6

November novembre

now maintenant

nuclear nucléaire

number un nombre, un numéro; *phone number* un numéro de téléphone

nurse un infirmier, une infirmière 9

O

o'clock l'heure (f.)

object un objet 2; *art object* un objet d'art 2

to **observe** observer 8

obviously évidemment 2

occasion une fois 2

to **occupy** occuper 4

ocean un océan; *Atlantic Ocean* l'océan Atlantique 10; *Indian Ocean* l'océan Indien 10; *Pacific Ocean* l'océan Pacifique 10

October octobre

of de/d'; en; sur; *of (the)* des; du; *of average height* de taille moyenne; *of course* bien sûr 1; pardi *[regional]*; *of it/them* en 7

to **offer** offrir

office un bureau; *dentist's office* un cabinet dentaire 2; *doctor's office* un cabinet du médecin 2; *principal's office* le bureau du proviseur; *tourist information office* un syndicat d'initiative 2

official officiel, officielle 6

often souvent

oh ah, oh; *oh dear* oh là là; *oh no* oh là là

oil *[car]* l'huile (f.) 5; *oil slick* une marée noire

OK d'accord

old vieux, vieil, vieille; *the good old days* le bon vieux temps 4

on à, en; dessus 8; sur; *on a bicycle* à bicyclette 4; *on board* à bord; *on foot* à pied; *on sale* en solde; *on the* au, du; *on the corner* du coin; *on the horizon* à l'horizon 2; *on the left* à gauche; *on the right* à droite; *on the way* en route 8; *on time* à l'heure; *on TV* à la télé 1; *on wheels* à roulettes 5; *come on* enfin 1

one on; un; une; *one's* sa, ses, son

oneself: to say to oneself se dire 5

onion un oignon

online en ligne

only juste 5

to **open** ouvrir 6

opinion un avis; *in my opinion* à mon avis

or ou

orange une orange; *orange juice* un jus d'orange

orange orange

orangery une orangerie 2

orchid une orchidée 8; *tropical orchid* une orchidée suspendue 8

to **order** commander 5

order un ordre 5; *in order* en

ordre 5

organic biologique

to **organize an intervention** faire une intervention 9

other autre

otherwise autrement

ouch ouille

oud *[instrument]* un oud 6

our nos, notre

outdoors en plein air 10

outfit un ensemble

oven un four

over (it) dessus 8; *over there* là-bas

to **overcome** s'en sortir 9

owner: grocery store owner un épicier, une épicière 4

P

package un paquet 6

packet (of) un paquet (de)

painter un(e) peintre 2

painting une peinture 2; un tableau

pan: frying pan une poêle 10

panda un panda; *giant panda* un panda géant

panel un panneau

pants un pantalon

paper le papier; *sheet of paper* une feuille de papier

parade un déboulé *[Mart.]*, un défilé 8

parasailing: to go parasailing faire du parachutisme ascensionnel 10

pardon me pardon

parents les parents (m.)

Paris: from, of Paris parisien(ne) 6

park un jardin; un parc; *amusement park* un parc d'attractions 1

parliamentary parlementaire 1

party une fête, une teuf

to **pass** passer 9; *to pass (a test)* réussir (à)

pass: boarding pass une carte d'embarquement 5

passenger un passager, une passagère 5

passion une passion

passionate (about) passionné(e) (de)

pasta des pâtes (f.)

pastime un passe-temps

pastry: pastry shop une pâtisserie; *cream puff pastry* une religieuse; *layered custard pastry* un millefeuille

pâté le pâté

path un chemin; un sentier 8; une trace *[Mart.]* 8; une voie

to **pay** payer; régler 5; *someone who pays* un payeur, une payeuse

peach une pêche

pear une poire

pearl une perle 6; *pearl necklace* un collier de/en perles 6

peas des petits-pois (m.)

pen un stylo

pencil un crayon; *pencil case* une trousse; *pencil sharpener* un taille-crayon

people des gens (m.); *native people* les indigènes (m.) 10

pepper le poivre; *bell pepper* un poivron

perfectly parfaitement 7

perfume un parfum 10

period une époque 4

person une personne; *crazy person* un fou, une folle 3; *homeless person* un sans-abri 9

perspective une perspective 2

persuaded persuadé(e)

petroleum le pétrole

to **phone (someone)** téléphoner

phone: cell phone un téléphone portable 9

photo une photo; *another photo* re-photo; *to go into photo mode* se mettre en mode photo 9

physics la physique

pianist un(e) pianiste 6

piano un piano 6

to **pick up** ranger 3

to **picnic** piqueniquer 8

picture une image 1; *to take a picture (of something)* prendre (quelque chose) en photo 8

pie une tarte; *apple pie* une tarte aux pommes

piece (of) un morceau (de); *piece of furniture* un meuble; *piece of jewelry* un bijou 6; *piece of luggage* un bagage 5

pig un cochon 4

pillow un coussin

pilot un(e) pilote 9

pineapple un ananas; *mountain pineapple* un ananas montagne 8

pink rose

pipe(line) la canalisation 8

piranha un piranha 10

pirate un pirate 6

pirogue une pirogue 10; *by pirogue* en pirogue 10

pizza une pizza

place un endroit; *place yourself in front of the TV* mets-toi devant l'écran; *to take place* avoir lieu 1

plain une plaine 1

to **plan** projeter 10; *to plan to do something* compter 1

plan un programme 1

plane un avion; *by plane* en avion 2

planet une planète

plant une plante 3

plastic la plastique; *made of plastic* en plastique

plate une assiette

platform un quai

platter un plateau 7

to **play** jouer; *to play (instrument)* jouer de (+ instrument) 6; *to play a role* jouer un rôle; *to play basketball* jouer au basket (basketball); *to play ice hockey* jouer au hockey sur glace; *to play soccer* jouer au foot (football); *to play sports* faire du sport; *to play video games* jouer aux jeux vidéo

play une pièce 6

to **please** convenir (à) 5

please s'il vous plaît

pleasure un plaisir

pocket une poche 10

poem un poème 6

to **point out/to** indiquer 2

pole: fishing pole une canne à pêche 10

police officer un agent de police

political politique 9

politician: female politician une femme politique 9; *male politician* un homme politique 9

to **pollute** polluer

polluted pollué(e) 8

polluter un pollueur, une pollueuse

polluting polluant

pollution la pollution

pond un bassin 2; un étang

pool un bassin 2

poor pauvre 2

pop music la musique pop 6

pork le porc

port un port 7; *USB port* un port micro-USB 9

portable stove un réchaud 10

portrait un portrait 2

possibility une possibilité 2

possible possible

postcard une carte postale 6

poster une affiche

post office une poste

potato une pomme de terre

pound une livre

poverty la pauvreté 9

power un pouvoir 6

powerful puissant(e) 10

precisely précisément 8

to **prefer** préférer

to **prepare** préparer

preposition une préposition

presentation un exposé 3

pretty joli(e)

principal un proviseur

to **print** imprimer

printer une imprimante

problem un problème

profession une profession

professional un professionnel, une professionnelle 9

profile un profil

program: television program une émission

progress le progrès 9

project un projet

to **promise** promettre 5

promise: to make a promise faire une promesse 10

to **protect** protéger, sauvegarder

Provence la Provence 7; *from, of Provence* provençal(e)

province une province

punishment une sanction 7

purchase un achat

purple violet, violette

purse un sac à main 6

to **push** appuyer 9

to **put (on)** mettre; *to put back* remettre 5; *to put on make-up* se maquiller 3

pyjamas un pyjama 6

Q

quarter un quart; *quarter past* et quart; *quarter to* moins le quart

Quebec le Québec; *from, of Quebec* québécois(e)

queen une reine 2

question une question

quiche une quiche

quickly vite

R

rabbit un lapin 4

raccoon un raton laveur 8

racism le racisme 6

radiation la radiation

radio une radio 6

Rai music le raï 6

to **rain** pleuvoir; *it's raining* il pleut

range: mountain range un massif 10

rap music le rap 6

ratatouille la ratatouille

rather plutôt 2

raw vegetables des crudités (f.) 7

razor un rasoir 3

R&B: R&B concert un concert R'n'B

to **read** lire

reading la lecture 6

ready prêt(e); *to get (oneself) ready* se préparer 3

realistic réaliste 2

reality TV la téléréalité 1; *reality TV show* une émission de télé-réalité 1

to **realize** réaliser

really bien; super 6; vraiment

rear-view mirror un rétroviseur 5

to **reassure (oneself)** se rassurer 7

to **receive** recevoir 6

reception: reception center un centre d'accueil 9; *reception desk* la réception 7

recipe une recette

to **recognize** reconnaître 2

to **recycle** recycler

red rouge; *red (hair)* roux, rousse

refrigerator un frigo

regards: with warm regards affectueusement 6

reggae music le reggae 6

region une région 7

to **register** s'inscrire 4

to **reimburse** rembourser

to **relax** se détendre 3

relaxed décontracté(e); *relaxed style of life* une douceur de vivre 10

to **remain** rester

remarkable remarquable 2

remedy un remède 9

to **remember** se rappeler, se souvenir (de) 3

to **rent** louer

to **repair** réparer 5

repellent: insect repellent un anti-moustique 10

to **replace** remplacer

report: news report un reportage

representative un(e) représentant(e) 8

Republic of Haiti la République d'Haïti (Haïti) 8

R.E.R.: by R.E.R. en R.E.R. 2

researcher un chercheur, une chercheuse 9

to **resemble** ressembler (à)

reservation une reservation 5; *to make a reservation* réserver 5

resident un(e) habitant(e)

resolution une résolution

respiratory respiratoire

responsible responsable 5

to **rest** se reposer 3

restaurant un restaurant

to **return** rendre 10; rentrer, retourner, revenir

return un retour 5

revealed: it will be revealed (known) ça va se savoir 1

revolution une révolution 4

riad une riad

rich riche 2

ride une balade 5; *to go on a carnival ride* faire un tour de manège 1; *to go on a Ferris wheel ride* faire un tour de grande roue 1; *to go on a ride* faire un tour 1

right: right away tout de suite 5; *That's right.* C'est ça.; *to be right* avoir raison 2; *to the right* à droite; *to (on) the right of* à droite de; *yeah right* tu parles 7

ring une bague 6; *diamond ring* une bague de diamants 6

ripe mûr(e)

river un fleuve; une rivière; *river bank* une rive 2

riviera: French Riviera la côte d'Azur 10

road une route; *cliff road* une corniche 10

rock (music) le rock

role un rôle

rolled in flour and sautéed meunière 8

roller coaster: to go on a roller coaster ride faire un tour de montagnes russes 1

roof un toit

room une pièce; une salle; *bathroom* une salle de bains; *classroom* une salle de classe; *dining room* une salle à manger; *hotel room* une chambre 5; *living room* un salon

rooster un coq 4

route une route

rug un tapis

to **run** *[inform.]* filer 1

running le footing

Rwanda le Rwanda

S

sad triste 2

sailboat un voilier 2

sailing: to go sailing faire de la voile 10

saint: All Saints Day la Toussaint 1

salad une salade; *tuna salad* une salade niçoise

salami le saucisson

sale une promo 5; *on sale* en solde

salesperson un vendeur, une vendeuse

salmon le saumon 7; *salmon loaf* une terrine de saumon 7

salon: hair salon un salon de coiffure 2

salt le sel

salty salé(e) 7

same même; *at the same time* à la fois 8; *it's all the same to me* ça m'est égal 8; *it's the same* c'est pareil 3; *the same* pareil, pareille 3

sandals des sandales (f.) 6

sandwich un sandwich; *cheese sandwich* un sandwich au fromage; *ham sandwich* un sandwich au jambon; *grilled ham and cheese sandwich* un croque-monsieur

sanitary sanitaire 8

Saturday samedi

saucepan une casserole 10

sauerkraut la choucroute 7; *sauerkraut with potatoes, sausages, smoked pork* la choucroute garnie 7

sausage une saucisse 5

sautéed: rolled in flour and sautéed meunière 8

to **save** sauvegarder; *to save (up)* économiser 9; *to save time* gagner du temps 5

savory salé(e) 7

saxophone un saxophone 6

to **say** dire 4; *to say to oneself* se dire 5; *nicely said* joliment dit 6

scallop une coquille St-Jacques 8

scarf une écharpe; un foulard

scene une scène 2

scent un parfum 10

school une école; *school cafeteria* une cantine

science les sciences (f.); *science and technology sector* le domaine des sciences et techniques 9; *science fiction* la science-fiction; *science lab* un labo (laboratoire)

scooter un scooter 2; *by scooter* en scooter 2

to **score** marquer

scrambled eggs des œufs (m.) brouillés 5

to **scream** pousser un cri 8

screen un écran

scuba diving: to go scuba diving faire de la plongée sous-marine 8

sculpture une sculpture 2

sea une mer 2; *sea turtle* une tortue marine 8; *Caribbean Sea* la mer des Caraïbes 10; *Mediterranean Sea* la mer Méditerranée 10; *North Sea* la mer du Nord 10

seafood les fruits de mer (m.) 8

seaside le bord de mer 8; *by the seaside* au bord de la mer 2

season une saison 5

seat un siège

seatbelt une ceinture de sécurité 5

second deuxième

secret un secret 6

sector un domaine 9; *health sector* le domaine de la santé 9; *science and technology sector* le domaine des sciences et techniques 9

security checkpoint un contrôle de sécurité 5

to **see** voir; *to see again* revoir 6; *to see each other/one another* se voir; *See you soon.* À bientôt.; *See you tomorrow.* À demain.

to **seem** sembler 8

selfish égoïste

self-service kiosk une borne libre-service 5

to **sell** vendre

to **send** envoyer; *to send text messages* envoyer des textos

send button l'envoi (m.) 9

Senegal le Sénégal

Senegalese sénégalais(e)

sensation une sensation 10

sense un sens 4

September septembre

series une série; *whole series (of)* toute une série (de) 9

serious grave; sérieux, sérieuse 2

seriousness le sérieux 6

to **serve** servir 5

server un serveur, une serveuse

to **set** mettre; *to set the table* mettre le couvert; *to set oneself down* se mettre

setting un cadre 10

settled: It's settled. C'est décidé 10; *to get settled* s'installer 5

seven sept

seventeen dix-sept

seventh septième

seventy soixante-dix

several plusieurs 2

shakes des frissons (m.) 1

shampoo un shampooing 3

to **shave** se raser 3

she elle

sheep un mouton 4

sheet un drap 3; *sheet of paper* une feuille de papier

shelter un centre d'accueil 9

shh chut 10

shirt une chemise

shoe une chaussur

shoot mince 1

shop une boutique; *butcher shop* une boucherie

shopkeeper un(e) petit(e) commerçant(e) 2

shopping commerçant(e); le shopping; *shopping center* un centre commercial

short petit(e)

shorts un short

shoulder l'épaule (f.)

to **show** montrer; *to show up* se rendre (à) 3

show une spectacle 3; *(TV) game show* un jeu télévisé 1; *music show* une émission de musique 1; *reality TV show* une émission de télé-réalité 1; *TV show* une émission 1

shower une douche

shrimp une crevette 8

shy timide

sick malade; *sick person* un(e) malade

side le bord 2; un côté 9

to **signal** signaler 5

silk la soie 6; *made of silk* en soie 6

silver l'argent (m.) 6; *made of silver* en argent 6

SIM card une carte SIM 9

simple simple

simply simplement 6; tout simplement 5

since comme 10; depuis 7; *since when* depuis quand 8

to **sing** chanter

singer un chanteur, une chanteuse

sink un évier

sir chef 5; monsieur (M.)

sister une sœur; *half-sister* une demi-sœur; *stepsister* une belle-sœur

sitcom un sitcom 1

to **sit down** s'asseoir 3

site un site 2

sitting assis(e) 2

situation une situation 8

six six

sixteen seize

sixth sixième

sixty soixante

size une taille

to **skate: to (figure) skate** faire du patinage (artistique); *to in-line skate* faire du roller

skating: (figure) skating le patinage artistique

skewer une brochette 8

to **ski: to (downhill) ski** faire du ski (alpin)

skiing (downhill) le ski (alpin)

skill: game of skill un jeu d'adresse 1

skirt une jupe

to **skype** skyper 1

skype call un skype 1

to **sleep** dormir

slice (of) une tranche (de)

small petit(e)

smartphone un smartphone 9

to **smell** sentir; *What does it smell like?* Ça sent quoi?

smuggler un contrebandier, une contrebandière 8

snack le goûter

snail un escargot 7

snake un serpent 1

sneakers des tennis (f.)

snow: it's snowing il neige

so alors; bon 6; donc; *so much* tellement 8; *so-so* comme ci, comme ça

soap un savon 3

soap opera: TV soap opera un feuilleton 1

soccer le foot; *soccer ball* un ballon de foot; *soccer player* un footballeur, une footballeuse

sock une chaussette

soda: lemon-lime soda une limonade *lemon-lime soda with mint syrup* diabolo menthe 7

sofa un canapé

software un logiciel

solar solaire; *solar energy* l'énergie (f.) solaire; *solar panel* un panneau solaire

solidarity la solidarité 7

solution un remède 9; une solution 9

some d', de, des, du; en 7

somebody quelqu'un

someday un jour

someone quelqu'un; *to introduce to someone* faire connaître (à), faire découvrir (à) 6

something quelque chose

sometimes parfois 1

son un fils

song une chanson

songwriter un compositeur

soon bientôt; *as soon as* dès que 10

sorry désolé(e)

sort une sorte 2

soup la soupe; un potage 7

south le sud; *South America* l'Amérique du Sud (f.) 10

Spain l'Espagne (f.)

Spanish espagnol(e); *[language]* l'espagnol (m.)

spa treatment une cure

to **speak** parler

specialty une spécialité 8

species: endangered species les animaux (m.) en voie de disparition

spell un envoûtement 10

to **spend (time)** passer

spicy épicé(e) 8

spiny lobster une langouste 8

spoon une cuiller

sport un sport; *sports car* une voiture de sport 5; *sports coverage* un reportage sportif 1

spot une tache 2

spread made of hazelnut and chocolate le Nutella 5

spring le printemps; une source d'eau 8; *in the spring* au printemps

square un carré; une place; *in squares* en carrés

stadium un stade

stand un kiosque 2; *crêpe stand* un stand de crêpes 2

standing debout 2

to **start** démarrer; *to start*

something again se remettre (à) 3

starters: for starters pour commencer 7

station une station 2; *gas station* une station-service 5

statue une statue

to **stay** rester; *to stay up all night* faire une nuit blanche 1

stay un séjour 6

steak with fries un steak-frites

steering wheel un volant 5

step: step aerobics le step; *stepbrother* un beau-frère; *stepfather* un beau-père; *stepmother* une belle-mère; *stepsister* une belle-sœur

stereo une stéréo

still encore 3; toujours; *still life* une nature morte 2

stomach l'estomac (m.), le ventre

to **stop** arrêter; s'arrêter

store un magasin; *dairy store* une crémerie; *grocery store* une épicerie

story un étage

stove une cuisinière; *portable stove* un réchaud 10

straight ahead tout droit

strawberry une fraise

street une rue; *street demonstration* une manif (manifestation) 4

strength une force 10

strict strict(e)

strong fort(e)

stuck collé(e) 8

student un(e) élève; un(e) étudiant(e) 4

studies des études (f.) 4

to **study** étudier

stuffed farci(e) 8

stylist: hair stylist un coiffeur, une coiffeuse 9

subject un sujet 2

suburb une banlieue 9

subway le metro; *subway entrance* une bouche du métro; *by subway* en métro 2

to **succeed** réussir (à)

sugar le sucre; *with sugar* au sucre 7

to **suggest** proposer 7

to **suit** convenir (à) 7

suitcase une valise; *suitcase with wheels* une valise à roulettes 5

summer l'été (m.)

Sunday dimanche

sunglasses des lunettes (f.) de soleil 10

sunny: eggs sunny side up des œufs (m.) sur le plat 5; *it's sunny* il fait du soleil

sunscreen la crème solaire 10

supermarket un supermarché

supplies des provisions (f.) 9

to **support** soutenir; *I support* je soutiens

sure sûr(e); *that's for sure* c'est sûr 1

to **surf the Web** surfer sur Internet

to **surprise** étonner 6

surprise une surprise 7

surprised surpris(e) 6

survey une enquête

to **survive** survivre

sustainable: sustainable development le développement durable 9; *sustainable development industry* le secteur de développement durable 9

sweater un pull

sweet sucré(e) 7

to **swim** nager

swimming pool une piscine

Swiss suisse; *Swiss army knife* un couteau suisse 10

Switzerland la Suisse

to **synchronize** synchroniser

synthesizer un synthé(tiseur) 6

syrup le sirop 5; *maple syrup* le sirop d'érable 5

T

table une table; *table setting* le couvert; *to clear the table* débarrasser la table 7

tablecloth une nappe

Tahitian tahitien(ne)

tailor un tailleur 4

to **take** prendre; *to take (a class)* suivre 2; *to take advantage of* profiter; *to take a picture (of something)* prendre (quelque chose) en photo 8; *to take a trip* faire une excursion 2; *to take a vacation* prendre des vacances 4; *to take care (of)* s'occuper (de) 4; *to take off [airplane]* décoller 5; *to take out* sortir 3; *to take place* avoir lieu 1

tale un conte 6

to **talk** parler; *to talk to each other/one another* se parler

talkative bavard(e)

tall grand(e)

to **tan** bronzer 10

tart: fruit tart une tarte aux fruits

to **taste** goûter 7

taxi un taxi 2; *by taxi* en taxi 2

tea un thé 5; *tea with lemon* un thé au citron 5

to **teach** apprendre 9; enseigner 9

teacher un(e) prof; *elementary school teacher* un instituteur, une institutrice 4

team une équipe; *team logo* un blason

technician: solar plant technician un(e) technicien(ne) de centrale solaire 9

technology la technique 9; *science and technology sector* le domaine des sciences et techniques 9

techno music la techno 6

teenager un(e) ado 10

teeth: to brush one's teeth se brosser les dents 3

televised télévisé(e) 1

television une télé (télévision); *television program* une émission

to **tell** dire 3; raconter 4

temperature la température

to **tempt** tenter 1

ten dix

tent une tente 10

tenth dixième

terrace une terrasse

terrific génial(e)

terrorism le terrorisme 9

test un contrôle

text message un SMS 6; un texto

than que

Thanksgiving l'Action de grâce (f.) 1

thank you merci; *thank you (for) [form.]* je vous remercie (de) 6

that ça; ce, cet, cette, ces; cela 3; que; qui; *that is* c'est; *that's for sure* c'est sûr 1; *That's right.* C'est ça.; *Is that all?* Rien que ça? 6; *you shouldn't do that* ça ne se fait pas 7

the le, la, l'; les; *the most (+ adjectif)* le/la/les plus (+ adjective)

theatre un théâtre 2

their leur, leurs

them elles 7; eux 2; les 5; *to them* leur 5

then alors, puis

there là; y *[pronoun]* 1; *Are we going (there)?* On y va?; *over there* là-bas; *to be there* être sur place 5

therefore donc

these ce, cet, cette, ces

they: they (f.) elles; *they (m.)* ils; on

thing une chose 4; un truc 9; *things* des affaires (f.) 10

to **think** croire 4; penser; *to think over* réfléchir (à)

third troisième

thirsty: to be thirsty avoir soif

thirteen treize

thirty trente

this ce, cet, cette, ces; cela 3; *this is* c'est; *that/this is why* c'est pour ça que 9; *this (very) word* ce mot-là 4; *like this* comme ça 9

those ce, cet, cette, ces

thought une réflexion 6

thousand mille

three trois

thriller un thriller

throat la gorge

through par 2

thrush une grive 8

Thursday jeudi

thus comme ça 9

ticket un billet; un ticket; *ticket booth* un guichet; *ticket collector* un contrôleur, une contrôleuse; *ticket-stamping machine* un composteur

tide une marée

tiger un tigre; *Sumatran tiger* un tigre de Sumatra

time l'heure (f.); le temps 5; une fois 2; *all the time* tout le temps 5; *at the same time* à la fois 8; *it's been a long time since* ça fait longtemps que 10; *on time* à l'heure; *to save time* gagner du temps 5; *What time is it?* Quelle heure est-il?

tire un pneu 5

tired fatigué(e)

to **to** à; *to my house* chez moi; *to the* au; aux; *to him* lui; *to her* lui; *to me* moi; *to you* te; vous

toast le pain grillé 5; *French toast* le pain perdu 5

tobacco: news store that sells tobacco, stamps, lottery tickets un bureau de tabac 2

today aujourd'hui

toe le doigt de pied

together ensemble

Togo le Togo

Togolese togolais(e)

toilet les toilettes (f.), les W.C. (m.)

toiletries des affaires (f.) de toilette 3

tolerance la tolérance 9

tomato une tomate

tomorrow demain; *See you tomorrow.* À demain.

too aussi; trop; *too bad* tant pis; *too much of* trop de

tooth une dent

toothbrush une brosse à dents 3

toothpaste le dentifrice 3

top le haut; *at the top* en haut 1

topic un thème

to **touch** toucher 7

tour un tour; *guided tour* une visite guidée 10; *to go on a guided tour* faire une visite guidée 10; *to go on a tour* faire un tour 10

Touraine region la Touraine 7; *from, of Touraine region* tourangeau, tourangelle 7

tourism: adventure tourism le tourisme d'aventure 10

tourist un(e) touriste 8; *tourist guide* un guide touristique; *tourist information office* un syndicat d'initiative 2; *to be a tourist* faire le touriste 8

towards vers

towel une serviette 3; *beach towel* une serviette de plage 10

tower une tour 7

traditional traditionnel, traditionnelle 6

train un train; *train station* une gare; *train platform* une voie; *by train* en train 2; *express train from Paris to suburbs* le R.E.R. 2

transportation un transport 2; *means of transportation* un moyen de transport 2

to **travel** voyager

traveller un voyageur, une voyageuse

tray un plateau 7

treasure un trésor 6

tree: maple tree un érable 5

trial: listening trial en écoute libre 6

trip une excursion 2; un voyage; *Have a good trip!* Bonne route! 5; *to go on a trip* faire un voyage 5; *to take a trip* faire une excursion 2

trombone un trombone 6

truck un camion 5

true vrai(e)

trumpet une trompette 6

to **trust** avoir confiance 9

to **try (on)** essayer

T-shirt un tee-shirt

Tuesday mardi

tuna le thon; *tuna salad* une salade niçoise

Tunisia la Tunisie 6

Tunisian tunisien(ne) 6

turkey un dindon 4

to **turn** tourner; *to turn in* rendre 3

turtle une tortue 8; *sea turtle* une tortue marine 8

tuxedo un smoking 8

TV une télé (télévision); *TV host* un animateur, une animatrice 1; *TV remote control* une télécommande 1; *TV show* une émission 1; *TV soap opera* un feuilleton 1; *cable TV* une télé câblée 5; *on TV* à la télé 1; *reality TV* la téléréalité 1; *reality TV show* une émission de télé-réalité 1

twelve douze

twenty vingt

twin jumeau, jumelle 5; *twin-sized bed* lit jumeau 5

two deux

to **type** taper 3

type un genre

U

ugly laid(e) 2; moche

um euh

umbrella (beach) un parasol 10

uncle un oncle

under sous

to **understand** comprendre

undressed: to get undressed se déshabiller 3

unemployment le chômage 9

unicorn une licorne 6

unintelligent bête

United States les États-Unis (m.)

universe l'univers (m.) 6

university une université 4; *university cafeteria* un resto-U (restaurant universitaire) 4; *university dormitory* une cité universitaire 4

unpleasant désagréable

until jusqu'à

up: Look up! Lève la tête! 2; *to get up* se lever 3; *to wake up* se réveiller 3

us nous; *to us* nous 5

USB: USB key une clé USB; *USB port* un port micro-USB 9

to **use** utiliser, se servir (de) 3; *to use diplomacy* user de diplomatie 9

useless: what is useless l'inutile (m.) 10

usually d'habitude 4

V

vacation les vacances (f.); *back to school/work after vacation* la rentrée 1; *to take a vacation* prendre des vacances 4

vacationer un vacancier, une vacancière 10

to **vacuum** passer l'aspirateur 3

vacuum cleaner un aspirateur 3

Valentine's day la Saint-Valentin 1

to **validate (a ticket)** composter

valley une vallée

vegetable un légume; *raw vegetables* des crudités (f.) 7

velvet le velours 6; *made of velvet* en velours 6

version une version 1

versus contre

very super 6; très; *Very well, and you?* Très bien, et toi/vous?

veterinarian un(e) vétérinaire 9

via par 2

video: video clip un clip 6; *video games* les jeux vidéo (m.); *video game tester* un

testeur de jeux vidéo

view une vue; *What a beautiful view!* Quelle belle vue!

viewpoint un point de vue 1

village un village 4

vinaigrette salad dressing la vinaigrette 7

violence la violence 9

violin un violon 6

to **visit** visiter; *to visit (person)* rendre visite à (+ person) 1

visual arts les arts plastiques (m.)

vivid vif, vive 2

W

to **wait (for)** attendre

to **wake up** se réveiller 3

to **walk** marcher

walk une balade 5; une promenade; *to go for a walk* se promener 10

wallet un portefeuille 6

to **want** avoir envie de; désirer; vouloir

war une guerre 9

wardrobe une armoire

to **wash: to wash (oneself)** se laver 3; *to wash clothes* faire la lessive 3; *to wash the dishes* faire la vaisselle 3

washcloth un gant de toilette 3

washing machine une machine à laver 3

to **watch** regarder; *Watch out!* Attention!

watch une montre 6

to **water** arroser 3

water l'eau (f.); *water hydrant* une borne-fontaine 8; *body of water* une masse d'eau 10

waterfall une cascade; une chute d'eau 8

water-skiing: to go water-skiing faire du ski nautique 10

way un chemin; un sens 4; *by the way* au fait 1; *in a way* en un sens 4; *on the way* en route 8

we on; nous; *We'll call each other.* On s'appelle.

wealthy riche 2

to **wear** porter

weather la météo 5; le temps; *weather forecast* la météo 1; un bulletin météo(rologique) 1; *the weather's bad* il fait mauvais

web designer un concepteur de web 9

website un site web

wedding un mariage 8; *wedding anniversary* un anniversaire de mariage 5; *wedding dress* une robe de mariée 8

Wednesday mercredi

week une semaine

weekend le weekend

welcome un accueil 10

welcome bienvenue

well un puits 8

well ben; bien, eh bien; dis donc 5; enfin 6; remarque 3; *Are things going well?* Tu vas bien?

west l'ouest; *West Indies* les Antilles (f.) 8

what ce que; ce qui 3; comment; quel, quelle; qu'est-ce que; qu'est-ce qui 7; quoi; *What a beautiful view!* Quelle belle vue!; *What are you doing?* Qu'est-ce que tu fais?; *What do you like to do?* Qu'est-ce que tu aimes faire?; *What does it smell like?* Ça sent quoi?; *what if* si 4; *what is useless* l'inutile (m.) 10; *What is your profession?* Quelle est votre profession?; *What size are you?* Quelle taille faites-vous?; *What's the weather like?* Quel temps fait-il?; *what's important* l'important 9; *What's new?* Quoi de neuf? 7; *What's wrong with her?* Qu'est-ce qu'elle a?; *What's your name?* Tu t'appelles comment?; *you*

know what I mean quoi 4

wheel une roulette 5; *Ferris wheel* la grande roue 1; *on wheels* à roulettes 5; *steering wheel* un volant 5; *suitcase with wheels* une valise à roulettes 5; *to go on a Ferris wheel ride* faire un tour de grande roue 1

when où; quand; *since when* depuis quand 8

where où

which que 7; quel, quelle; qui 7

while you're at it pendant que tu y es 5

white blanc, blanche

who qui

whole: whole series (of) toute une série (de) 9; *the whole deal* la totale 2

whose dont 4

why pourquoi

width une largeur 9

wife une femme

wild sauvage

wildlife la faune 8

to **win** gagner

wind turbine une éolienne

window une fenêtre

windshield un pare-brise 5; *windshield wiper* un essuie-glace 5

windy: it's windy il fait du vent

wine: chicken cooked in wine le coq au vin 7

winter l' hiver (m.)

with au 7; avec; par; *with chocolate* au chocolat 7; *with family* en famille 7; *with mushrooms* forestier, forestière 7; *with sugar* au sucre 7; *with warm regards* affectueusement 6; *sauerkraut with potatoes, sausages, smoked pork* la choucroute garnie 7

woodpigeon un ramier 8

wool la laine 6; *wool hat* un bonnet en laine 6; *made of wool* en laine 6

word un mot 10; *this (very) word* ce mot-là 4

to **work** marcher 1; travailler

work une œuvre 2; un taf

world le monde; *world music* la world

worried inquiet, inquiète 8

worry une inquiétude 9; *don't worry* ne t'inquiète pas 2; rassure-toi 7

worse pire, plus mal 10

worst: the worst le pire, le plus mal 10

worth: it's worth ça vaut 6

wow oh là là

to **write** écrire

writer un écrivain

Y

yeah right tu parles 7

year un an, une année; *New Year's Day* le Jour de l'an 1; *in the first year* en première année 4

yellow jaune

yes oui; *yes [on the contrary]* si

yesterday hier

yoga le yoga

yogurt le yaourt

you te/t', toi, tu, vous

young jeune 2

young man/woman un(e) jeune 4

your ton, ta; tes, votre, vos; *your name is* tu t'appelles

youth hostel une auberge de jeunesse 7

Z

zero zéro

zoom: to adjust the zoom régler la largeur du champ 9

zucchini une courgette

Grammar Index

Credits

Photo Credits

Cover: Istockphoto/Montreal Biosphere on Notre-Dame Island, at Sunrise. © Tony Tremblay

001abacus/Istockphoto: 159 (#2, l)

4x6/Istockphoto: 23 (*un animateur*)

Adisa/Istockphoto: 556 (jeans)

Africa/Fotolia.com: 138 (t)

AGE/Photononstop: 560 (b)

Agefotostock/Robert Harding Library: 306

Airportrait/Istockphoto: 315 (Marrakech)

Alberto Pomares Photography/Istockphoto: 163 (*se rendre (à)*), 429 (*faire du kayak*)

AlcelVision/Fotolia.com: 374 (#6. r)

Alex/Fotolia.com: 428 (*grive*)

Alex Nikada Photography/Istockphoto: 089 (t)

Alexandra/Fotolia.com: 372 (*crème caramel*)

Alexeywp/Fotolia.com: 429 (*prendre les chutes d'eau*)

Alle12/Istockphoto: 159 (*Modèle*, l)

Alliance Digital Arts Studio/Istockphoto: 324 (une clarinette)

Amorphis/Istockphoto: 484 (*le port USB, la caméra*)

Anadel/Fotolia.com: 519

Anderson, Leslie: 013 (#2, #7), 259, 266, 323, 484 (*Comment envoyer une photo*), 574

Andesign101/Istockphoto: 068 (*C'est un portrait abstrait. Le sujet a l'air sérieux.*), 070 (bc), 498 (*le chômage*)

Andrew Howe Photography/Istockphoto: 428 (*ramier*)

AngiePhotos/Istockphoto: 549

Annthphoto/Istockphoto: 564, 567

AntiMartina/Istockphoto: 558 (4. B)

Anutik/Istockphoto: 153 (b)

AquaColor/Istockphoto: 054 (#1)

Aradan/Fotolia.com: 334 (9. *Modèle*)

Arcurs, Yuri/Fotolia.com: 205 (3.B: man), 236

Akrp/Istockphoto: 193 (b)

Arquiplay77/Fotolia.com: 245 (cl)

Ars Infinitum, Borut Trudina s.p/Istockphoto: 279 (#4: tea)

Arsenik Photography/Istockphoto: 467, 512 (*le secteur de l'informatique*)

Art, Sjöman/Istockphoto: p. ix (t)

Art-4-art/Istockphoto: 23 (*une animatrice*)

Artuko/Istockphoto: 324 (*un saxophone, une guitare*)

Ataman, Stefan/Shutterstock: 107, Fotolia.com: 404 (*galette jambon-fromage*)

Atkins, Peter/Fotolia.com: 524

Auremar/Fotolia.com: 503

Avid Creative, Inc./Istockphoto: 246 (#1)

Axie2001/Istockphoto: 431 (#4)

Azoury, Ricardo/Istockphoto: 512 (*le secteur aéronautique*)

Ayzek/Istockphoto: 131 (b), 137, 141 (b)

B., Christophe/Fotolia.com: 194

B. Claire/Fotolia.com: 279 (*Modèle*: bread)

Baggett, Tony/Istockphoto: 076 (Vincent Van Gogh)

Bamlou/Istockphoto: 005 (br)

Barach, Poppy/Istockphoto: 279 (#3: scrambled eggs)

Baranov, Vyacheslav/Fotolia.com: 205 (3. C)

Baudot, Christophe/Fotolia.com: 429 (*observer les oiseaux*)

Baziz, Chibane/SIPA Press: 337 (14. *Modèle*)

Beboy/Istockphoto: 69 (l)

BellaOra Studios/Istockphoto: 212 (#3)

Bella Bronko/Istockphoto: 081 (b)

Beltsazar/Shutterstock.com: 385 (*mardi* t)

Benaroch/SIPA Press: 527

Benedek, Arpad/Istockphoto: v (t), 105

Berquez, Jerome/Fotolia.com: 205 (3. E)

Bernard 63/Fotolia.com: 504

Bertson, Phil/Istockphoto: 429 (*pêcher*)

BertyS30/Fotolia.com: 571

BigEye Photography/Istockphoto (#5)

BIM/Istockphoto: 489

Blach, Mariusz/Fotolia.com: 049 (#2)

Blackwaterimages/Istockphoto: 159 (#1, r)

Blanco, Rodrigo/Istockphoto: 334 (#6)

Blend_Images/Istockphoto: 162 (*se retrouver*), 337 (14. #1), 343 (2. #3)

Blue Lab Media/Istockphoto: 040 (*Marie-Paule*)

Bluesman, C./Fotolia.com: 372 (*coq au vin*), 383 (#4, #5), (*jeudi* b)

Bo1982/Istockphoto: 165

Bobbieo/Istockphoto: 452

Bobin, Baptiste/Fotolia.com: 404 (*crêpe au sucre*)

Bokach, Natallia/Istockphoto: 556 (shorts)

Bonardelle, Danielle/Fotolia.com: 223

Borghi, Pierre/Fotolia.com: 170

Bosc, Bernard/Parc national de la Guadeloupe: 428 (*orchidée*), 431 (*Modèle*)

Bounine, Jean-Paul/Fotolia.com: 040 (*Marc et Amina*)

Bouvier, L./Fotolia.com:457 (*Brochettes de lambis grillé*), 460 (#1)

Bovey, Cédric/Fotolia.com: 004 (tl)

Bowdenimages/Istockphoto: 533 (r)

Brandenburg, Dan/Istockphoto: 513 (l)

Brammer, Nancy/Istockphoto: 324 (*un trombone*)

Brennan Wesley Photo/Istockphoto: 040 (C)

Brkovic, Ugurhan Betin/Istockphoto: 533 (l)

Btrenkel/Istockphoto: 512 (*l'industrie du divertissement*)

Brown, Katrina/Fotolia.com: 141 9t)

Brown, Ken/Istockphoto: 73 (b)

Burges, Sean/Icon SMI/Corbis: 005 (bl)

Buzbuzzer/Istockphoto: 011

Cabrera, Robert/Istockphoto: 334 (9. #5)

Callall00Fred/Fotolia.com: 290 (H)

Calzada/Fotolia.com: 426

Capman, Vincent/SIPA Press: 357 (t)

Carillet, J/Istockphoto: 138 (b)

Cassini, Isabella: 132, 277

Carterdayne Inc/Istockphoto: 404 (t)

Cattel, Lya/Istockphoto: 555 (bl)

CEFutcher/Istockphoto: 465

Cégalerba, Nicolas/Parc national de la Guadeloupe: 431 (#7)

Cervo, Diego/Istockphoto: 012, 068 (*un(e) artiste*), 294 (t)

Cessay, Jy/Fotolia.com: 193

Chabraszewski, Jacek/Shutterstock.com: 385 (*mardi* b)

Chic Type/Istockphoto: 150 (*#1*)

Chlorophylle/Fotolia.com: 019 (t), 512 (*le secteur du développement durable*)

Choja/Istockphoto: 205 (3. A)

Choucashoot/Fotolia.com: 499 (*combattre*)

Chris32m/Fotolia.com: 390 (Gascogne)

Chris Bernard Photography/Istockphoto: 589

Chris Hepburn Photography/Istockphoto: 309 (*une carte postale*)

Cipolli, Martina/Fotolia.com: 173 (b)

Circumnavigation/Istockphoto: 512 (*le secteur financier*)

Claudiad/Istockphoto: 471 (r)

Clochard, Celeste/Fotolia.com: 379 (b)

Colombo, Claudio/Istockphoto: 188 (village)

Cooddy/Shutterstock.com: 385 (*mercredi* t)

Coquilleau Claude/Fotolia.com: 390 (Provence)

Corepics/Fotolia.com: 189 (cl), 190 (#4)

Coste, Simon/Istockphoto: 189 (*un message*)

Cote, Sébastien/Istockphoto: 324 (*un tambour*)

Cr-Management GmbH & Co. KG/Istockphoto: 406 (2. #4)

Craig Dingle Photography/Istockphoto: 428 (*chauve souris*)

CreativePhoto/Istockphoto: iv (t)

Criben/Shutterstock.com: x (Senegal)

Crisma/Istockphoto: 353 (13. wallet)

Crucillo, Niki/Shutterstock.com: 385 (*samedi* t)

Csondor, Agnes/Istockphoto: 302

cw/Fotolia.com: 205 (3. D)

Cynoclub/Istockphoto: 190 (#3)

Daboost/Istockphoto: 093 (#2)

Damian/Istockphoto: 353 (13. rings)

Dalmas/Sipa/SIPA Press: 122, 222 (t), 581

Damon70/Fotolia.com: 398 (br)

Dancette, Jérome/Fotolia.com: 258 (*une décapotable*), 321

Darco, Tim/Fotolia.com: 309 (*un SMS*)
Date, Phil/Shutterstock.com: 287
Davaine, Laurent/Fotolia.com: 212 (#4)
David6259/Fotolia. com: xi (*Martinique*)
David G. Freund Photography/Istockphoto: 049 (*Modèle*)
David, Mickael/Author's Image/Photononstop: 009 (t)
Davidson, Gail/BrittanyFerry.com: 282 (t)
Dcdp/Istockphoto: 293 (#3)
DeadDuck/Istockphotophot0: 334 (9. #2)
Dean Mitchell Photography/Istockphoto: 025
Dégremont, Cécile/Photononstop: 102 (*en autobus, en bus*)
Del Amo, Tomas/Fotolia.com: 068 (*un autoportrait réaliste*)
Delahaye, Jerome/Fotolia.com.com: 048, 409 (c)
Delisle, Jean-philippe/Fotolia.com.com: 050
Delphimages/Fotolia.com: 043 (A), 049 (#3)
Deloche, Pascal/Godong/Photononstop: 499 (*ouvrir un centre*)
De Noyelle, Fred/Godong/Photononstop: 028 (b), 154
Designs of Integrity/Istockphoto: 163 (*se disputer, s'entendre*)
Devanne, Philippe/Fotolia.com: 151 (H.), 457 (*Accras de morue*), 460 (*Modèle*),
Diane555/Istockphoto: 279 (#5: bacon)
Digital Hallway/Istockphoto: 268
Digital Planet Design/Istockphoto: p. viii (r), ix (b), 245 (tr), 255 (b), 509,579
Digital Savant LLC/Istockphoto: 069 (r)
Digital Skillet/Istockphoto: 578
Discpicture/Istockphoto photo: 173 (t)
Divenah, Le, François/Fotolia.com: 389 (*Brittany*)
Doucet, Martine/Istockphoto: 097
DRB Images/Istockphoto: 218
Dred2010/Fotolia.com: 068 (*un tableau*)
DSGpro/Istockphoto: 054 (*Modèle*, #4)
Durand, Florence/SIPA Press: 337 (14. #5)
Dusco/Fotolia.com: 290 (A)
Dutheil, Pierre-Alain/Fotolia.com: 005 (tr)
Dutka, Pawel/Fotolia: 378
Dutourdumonde/Fotolia.com: 327 (4. #A)
DX/Fotolia.com: 004 (bc), 075 (t), 396
EasyBuy4u/Istockphoto: 148 (*un aspirateur*), 279 (#2: maple syrup)
EdStock/Istockphoto: 356, 544 (b)
Eléonore H/Fotolia.com: 446
Elenakor/Istockphoto: 372 (*terrine*), 374 (#3. l)
Elenathewise/Fotolia.com: 070 (t), 372 (*crudités*)
Eliandric/Istockphoto: 457 (*Rougets frits*), 460 (#5)
Elkor/Istockphoto: 335
EMC: 049 (#4), 0022 (*un jeu télévisé*), 308 (*un article, un roman, un poème, une pièce, un conte, un magazine, un journal, une bande dessinée*), 309 (*une rédaction, une lettre, un blogue*), 310, 317, 318
Emholk/Istockphoto: 189(tl)
Empire 331/Istockphoto: 307 (b), 324 (*un nay*), 327 (4. #F)
Erel Photography/Istockphoto: 163 (*se détendre*)
Eric Hood Photography/Istockphoto: 104
Erickson Photography/Istockphoto: 372 (*vinaigrette*)
Ericsphotography/Istockphoto: 060
Eskimo71/Fotolia.com: 395 (t)
Euro Color Creative /Shutterstock.com: 093 (*Modèle*)
Eutoch/Istockphoto: 556 (socks)
Ewg3D/Istockphoto: 484 (*la carte SIM*)
Eye Design Photo Team/Istockphoto: 198
Fabien R.C./Fotolia.com: 448
Fed, Albert/Fotolia.com: 290 (G)
Felinda/Istockphoto: 353 (13. scarf)
Felker, Inna/Fotolia.com: 200
Fertnig Photography/Istockphoto: 556 (fishing pole)
Figure8Photo/Istockphoto: 159 (#2, r)
Filipk/Istockphoto: 390 (*Paris*)
Flash Pop Photo/Istockphoto: 188 (farm)
Flint, James/Shutterstock.com: 082
Floortje/Istockphoto: 326 (3. #7), 374 (*Modèle* b, #4. r)
Flory/Istockphoto: iv (br)
Folkerts, Kellie L./Shutterstock.com: 043 (E)
Food-micro/Fotolia.com: 383 (#2)
Foto pfluegl/Istockphoto: 62
Fotografiche.eu/Fotolia.com: 042
Fotostorm/Istockphoto: 319
Foubert, Bernard/Photononstop: 169 (t)

Foxytoul/Fotolia.com: 207 (t)
Franklin, David/Istockphoto: iii (*Europe*)
Frankwalker.de/Fotolia.com: 123 (r)
Frechet, John/Inotec/Photononstop: 483 (b), 488 (b)
Freelance designer/Istockphoto: 079
FreshPics/Fotolia.com: 102 (*en taxi*)
Fried, Robert/robertfriedphotography.com: 018, 067 (b), 070 (bl), 074, 294 (b), 518 (b), 520
Frischhut, Thomas/Tellus Vision Production AB, Lund, Sweden: 007, 026, 044, 072, 088, 106, 136, 152, 167, 192, 206, 219, 248, 263, 281, 312, 328, 345 (t, c), 377, 394, 408 (b), 434, 461, 487, 502, 517, 520, 543, 559, 572
Frontier, Henri/Fotolia.com: 0022 (*une émission de musique*)
ft2010/Fotolia.com.com: 043 (G)
Fudge, Lloyd/Istockphoto: 23 (*une télécommande*)
Furman, Anna/Istockphoto: 212 (#2)
Fuzephoto/Istockphoto: 344 (b), 513 (r)
Gaelj/Fotolia.com: 575
Gagne, Lise/Istockphoto: 161 (r), 163 (*se dépêcher*)
Gaillot, Bernard: 216, 244 (tr, cl, cr, bl, br (woman)), 276 (b)
Galmiche/TF1/SIPA Press: 168 (b)
Gary/Fotolia.com: 545 (t)
Gasnier, R.: 410
Gehrig, Christine/Istockphoto: 040 (*les autos tamponneuses*)
Genekrebs/Istockphoto: 103(*un roi, une reine*)
George Peters Design And Illustration/Istockphoto: 324 (*un synthé*)
GeorgiosArt/Istockphoto: 076 (*Modèle*, William Shakespeare)
Getty Images/Istockphoto: 353 (13. watch)
Gill, Jean/Istockphoto: x (*Marseille*), 008
Gillow, Mark/Istockphoto: 279 (#1: pancakes)
Ginies/SIPA Press: 462 (b)
Gioadventure/Istockphoto: xi (*Marrakech*)
Gipi/Istockphoto: 455 (b)
Girarte, José Luis/Istockphoto: 501
GKCRN/Istockphoto: 205 (3. H)
Gladiolus/Istockphoto: 096 (b)
Gnatush, Alexandra/Fotolia.com: 518 (t)
Goldmund Photography/Istockphoto: 433
Goodluz/Istockphoto: 230
Gordon D/Istockphoto: 315 (*Casablanca*)
Gradyreese Photography/Istockphoto: 499 (*moderniser les écoles*)
Graffizone/Istockphoto: 091
Grafissimo/Istockphoto: 054 (#2)
Grandriver/Istockphoto: 143
Grantham, Jen: Istockphoto: 290 (B)
Griessel, Scott/Fotolia.com: 043 (D)
Guihal, Marie-Thérèse/Fotolia.com: 558 (4. D)
Gutchka/Istockphoto: 245 (cr)
Gyssels, Hervé/Photononstop.com: 397 (b)
Harand, Olivier/Fotolia.com: 428 (flora)
Haylden/Fotolia.com: 123 (l)
HeliRy/Istockphoto: 129 (tl)
Hermes Furian, Peter/Fotolia.com: 329 (b)
Herpens-Office-Media/Istockphoto: 334 (#7)
Hester, Darren/Fotolia.com: 293 (#5)
High Impact Photography/Istockphoto: 150 (#2), 334 (9. #1)
Hillerby, David/Istockphoto: 556 (shirt)
HL Photo/Fotolia.com: 372 (*bœuf*), 383 (#6), (*vendredi* b), 404 (*jus de pomme*)
Hoerold Photography/Istockphoto: 102 (*à vélo*)
Hofmeester, Patricia/Shutterstock.com: 385 (*lundi* b)
Holbox /Shutterstock.com: 081 (t)
HooRoo Graphics/Istockphoto: 482
Huls, Mark/Fotolia.com: 093 (#1)
Huron Photo/Istockphoto:498 (*la faim*)
Ibo/SIPA Press: 176
Illustrez-vous/Fotolia.com: 457 (*Crabes farcis*), 460 (#3), 404 (b)
Imageegaml/Istockphoto: 040 (*une consultation*), 049 (#5)
Imagepassion/Fotolia.com: 251
Image Source/Photononstop: 190 (#2), 242 (group of teens)
IMAGINE/Fotolia.com: 435 (b)
Inkret, Grega/Istockphoto: 22 (*une émission de télé-réalité*)
Innovative Photography/Istockphoto: 245 (tl)
Ionescu, Bogdan/Fotolia.com: 327 (4. #B)
iPandaStudio/Istockphoto: 035
Isaak/Shutterstock.com: 102(*L'autobus est un moyen de transport.*)
Isselée, Eric/Fotolia.com: 188 (sheep, duck)